CW00970016

Escultura Líquida

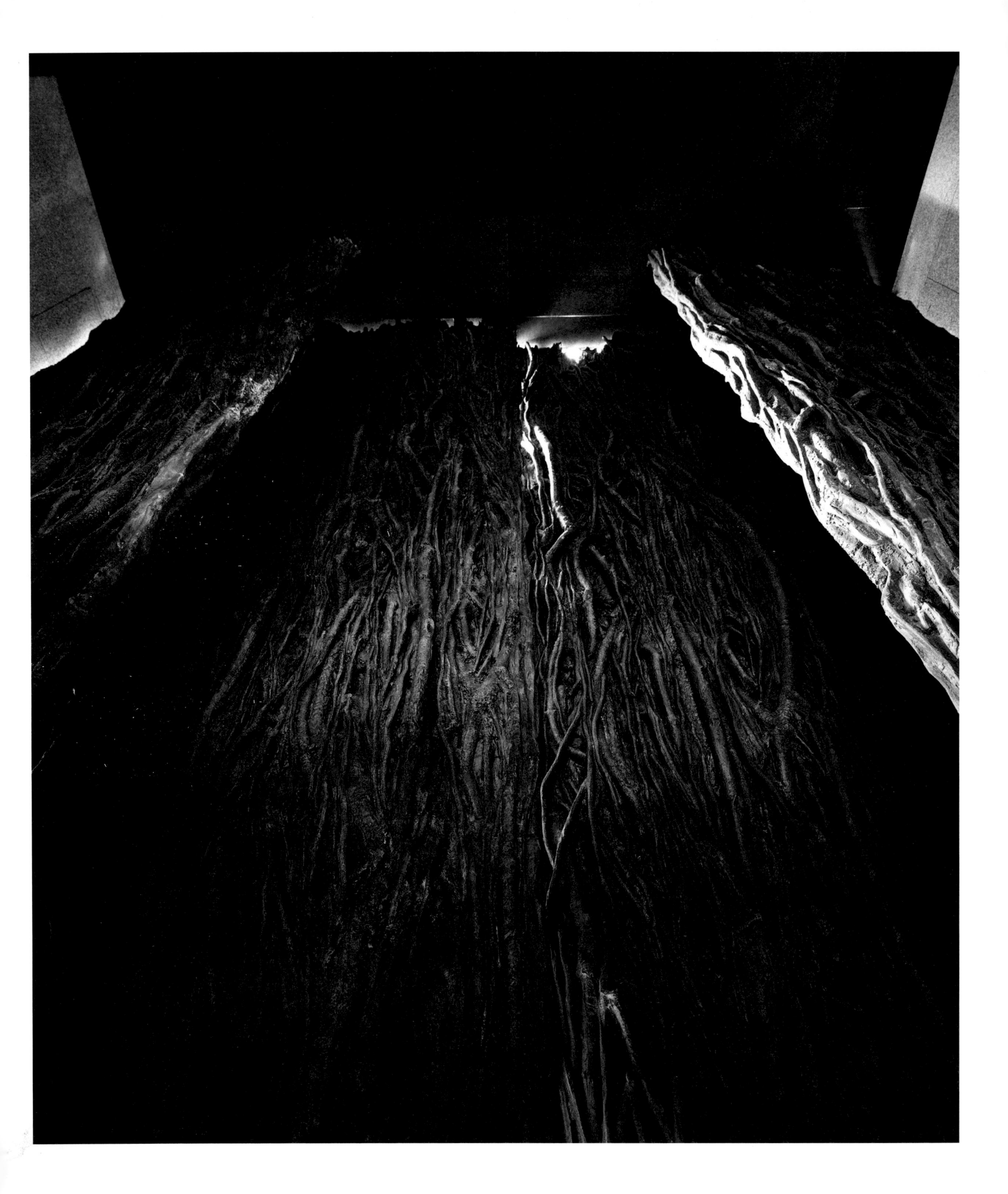

ESCULTURA LÍQUIDA

EL ARTE PÚBLICO DE CRISTINA IGLESIAS

HATJE CANTZ

ARTE/ CIUDAD

PÁGINA 2 Portón - Pasaje
2006–07
Museo Nacional del Prado, Madrid
Desde el interior del museo

PÁGINA 6, *Forgotten Streams*, 2017
(detalle)

ARTE/ CULTURA

ARTE/ NATURALEZA

Escultura Líquida:
El arte público de Cristina Iglesias

Este libro explora la escultura al aire libre de Cristina Iglesias, y abre un debate más amplio sobre el arte y los entornos urbanos y no urbanos.

El libro está estructurado en torno a tres esculturas de gran importancia: *Forgotten Streams* (Londres, 2017), *Tres Aguas* (Toledo, 2014) y *Estancias Sumergidas* (Golfo de California, 2010), cada una de ellas abordada por escritores, comisarios, científicos y académicos de renombre. La primera es un encargo para la sede de Bloomberg en Londres, y dio lugar a un simposio sobre el arte y la ciudad en la Galería Whitechapel. *Tres Aguas* es una escultura pública en tres partes situada en la ciudad española de Toledo, donde un segundo simposio exploró la relación entre el arte, el patrimonio cultural y la ecología del agua. *Estancias Sumergidas* consiste en tres cámaras diáfanas sumergidas bajo las aguas del Golfo de California. Esta obra inspiró un simposio en el Scripps Research Institution de La Jolla (California) sobre ecología marina, conceptos sobre lo salvaje y las posibilidades del arte para las especies no humanas.

Los simposios consistieron en conferencias sobre el trabajo en cuestión, seguidas de un debate. Nuestro plantel de participantes es interdisciplinario: arquitectos, historiadores del arte, agencias comisarias, comisarios, filósofos y científicos reflexionan sobre la escultura de Iglesias y su resonancia en términos sociales, culturales y medioambientales. Sus conferencias se han recogido aquí en forma de ensayos, seguidos de extractos de los debates que suscitaron.

En ellos se esclarece una trama compleja de ideas generadas por la obra de Iglesias, que van desde el papel del arte en espacios urbanos sumamente instrumentales y cambiantes hasta el punto de cómo el arte puede beber de diversos legados culturales y rituales, pasando por el significado del arte en hábitats remotos y no humanos. Los tres capítulos, titulados *Arte/Ciudad*, *Arte/Cultura* y *Arte/Naturaleza*, concluyen con otros trabajos públicos que Iglesias ha creado siguiendo estas temáticas.

El libro hace un recorrido por la influencia rizomática de una gran artista viva en la vida cultural e intelectual contemporánea. La obra de Iglesias ha tenido influencia sobre una serie de personas en un abanico sorprendente de disciplinas, desde la historia del arte y el comisariado hasta campos como la filosofía, la ecología crítica o la biología marina.

Si bien los ensayos presentan al lector un análisis formal o una interpretación basada en una obra específica, los debates trascienden las fronteras culturales y académicas de forma interesante y a veces profunda. Nuestra intención es ofrecer al lector una forma nueva e interdisciplinaria de abordar la obra de una artista contemporánea que ha cambiado nuestro paisaje.

Ampliamente ilustrado, el libro presenta bocetos, dibujos técnicos y vistas de 360 grados de las tres principales esculturas, así como un repaso de otras obras de arte público de Iglesias en Europa y Estados Unidos. Este libro explora el papel del arte en nuestras cada vez más extensas ciudades, desde el punto de vista de los legados culturales de las diversas comunidades, y ante las catástrofes medioambientales del Antropoceno.

La publicación es el resultado de un proyecto de investigación colaborativa entre el Goldsmiths de la Universidad de Londres, el Instituto Scripps de Oceanografía de San Diego y la Galería Whitechapel de Londres.

Iwona Blazwick y Richard Noble

ARRIBA *Jardín de Behuliphruen*, 2001
Bronce en polvo, madera y resina
Instalación en Bazar Ali Baba, East London, Whitechapel Gallery, 2003

ABAJO *Librería Paradox, S.T. (Impression D´Afrique III)*, 2002
Cerámica, Librería Paradox, Madrid

Cristina Iglesias en conversación con Iwona Blazwick

Iwona Blazwick *Liquid Sculpture* revisa tus obras clave en el ámbito público. En cierto modo, tus primeras esculturas hacen lo contrario que estas esculturas públicas: crean arquitectura en interiores. El cubo blanco se convierte en una especie de soporte: se suspende un techo, las pantallas de esparto o de hierro dulce se apoyan contra la pared y las habitaciones descansan en el suelo. En el exterior tienes que tener en cuenta una serie de factores diferentes, como el clima, los requisitos de planificación, el acceso público; es mucho más parecido a la arquitectura.

¿En qué medida amplió esto tu práctica técnicamente?

Cristina Iglesias En mis primeras piezas, la arquitectura dada por el espacio se convirtió en parte de la construcción. Una esquina o una pared formaban parte de la escultura. Un techo colgante e inclinado daba lugar a una habitación sin paredes. El problema aquí era la experiencia de estar debajo del techo o de no poder entrar por un pasillo estrecho. Pero, a su vez, esto también crea su propio lugar. Empecé entonces a construir espacios que podían ser exteriores o interiores, habitaciones vegetales ficticias o pasajes. También creé pabellones en patios y jardines, o en el bosque.

A la hora de pensar en el ámbito público hay que tener en cuenta muchos límites y restricciones. He aprendido mucho de esos límites, y he hecho de ellos una oportunidad. Me obligaron a crear una impresión de profundidad con muy poco espacio, y también a incorporar expresiones mediante las cuales las piezas te obligan a participar en lo que te proponen.

Como cuando miras hacia abajo en un pozo o una torre y tienes que poner las manos en el borde para sujetar tu cuerpo... Hacer obras en otra escala implicaba una mecánica y unas estructuras que me obligaron a colaborar con ingenieros —y esto le ha dado una dimensión más al trabajo. Puede que vaya por terrenos más cercanos a la arquitectura y a la construcción estructural, y que se aleje de la idea clásica de la escultura.

Mi interés por construir lugares ha cambiado, de trabajar entre el mundo real y en un mundo que he creado a construir un espacio que es un pabellón en sí mismo, pasando por un lugar de reunión en el que encontrarse con los demás. Eso ha afectado a mi forma de crear, sin duda. Tengo el estudio para pensar y un estudio donde creo, aunque la fundición es cada vez más una extensión de mi estudio.

Por la manera con la que trabajo con ceras y metales moldeados, etc., la manera en la que combino estos elementos, y por tener que estar tan cerca del proceso, la fundición se ha convertido en un lugar donde también hago otras cosas. He creado un equipo allí, y ese cambio ha venido provocado por hacer obras de exterior, aunque también ha afectado a las obras de interior.

IB ¿De qué forma?

CI En algunos de los murales nuevos que he estado haciendo —como la exposición que hice con la Galería Marian Goodman en Nueva York en 2018—, que están vinculados con las últimas obras que hice acerca de las zonas freáticas del planeta, zonas de agua en el subsuelo, como la obra para la sede de Bloomberg en Londres.

O la obra *Habitación Vegetal*, que comparte esta idea de crecimiento en la naturaleza, como si se tratase de una masa abstracta que empieza a crecer en la arquitectura ya dada.

IB Dentro del cubo blanco, creas un espacio totalmente de la imaginación. Es físico, emplea materiales arquitectónicos como el hormigón y el alabastro, pero al estar alejado de la realidad marca un espacio imaginativo. Pero cuando estás fuera, la realidad está por todas partes. Así que, ¿cómo mantienes esa sensación de alteridad, de ese lugar fuera del tiempo y el espacio reales?

CI Sí, en un museo, una galería o un estudio tienes el control total de como queda una construcción imaginada en la arquitectura real. Esta autonomía de lo ficticio se tiene que preservar siempre en el espacio público. La obra tiene entidad propia, diferenciada de su entorno.

Cómo mantener los valores que quieres que permanezcan en la obra es lo fundamental.

Hay mecanismos que uno desarrolla dentro de su propio lenguaje para alcanzar ese nivel de percepción en cualquier contexto. La obra tiene que crear su propio mundo.

IB Supongo que amplía tu paleta de materiales, porque no se trata solo de la estructura, el acero o el hormigón, sino que también estás trabajando con los cambios de luz del día a la noche, con la temperatura, el viento, el sonido; y en el caso de la ciudad, con el tráfico y la gente. Así que es una empresa mucho más compleja cuando uno sale del cubo blanco. ¿Piensas en estos elementos a la hora de plantearte una obra al aire libre?

CI Por supuesto. De hecho, algunos elementos siguen siendo una incógnita. Por ejemplo, la iluminación de una obra. Depende, por supuesto, del contexto, pero si se trata de la ciudad o incluso si está en la naturaleza, pienso en la luz como si fuera natural, y a veces no hay ninguna luz. Sigue siendo una incógnita porque puedes pensar «Eso no es justo», si vas en medio de la noche no ves nada porque no hay luna. Me gusta así. Por ejemplo, en un pabellón sin techo, si llueve, también llueve dentro. La luz también cambia en el interior, según la hora del día. Esto transmite una sensación de tiempo que afecta también a la percepción de la obra. Pero también me gusta trabajar en ciertas obras con luz artificial, para controlar las sombras. En el exterior prefiero trabajar con tiempo.

IB Así que le da un carácter kinésico. ¿La anima de forma inesperada?

CI Sí, y es este cambio con el paso del tiempo lo que me interesa. El agua también es un elemento que genera dimensiones de espacio y tiempo.

IB ¿Podrías decirnos algo sobre los artistas que te han inspirado o influido en tu enfoque de situaciones al aire libre?

CI Hubo un momento en el que me fijé mucho en Robert Smithson... no solo en la *Spiral Jetty*, también en la *Partially Buried Woodshed;* en los espejos en el paisaje, en los «desplazamientos», obras que juegan con la manera en la que se ven las cosas. También el *Earth Room* de Walter de Maria. La idea de tener un espacio en una ciudad, como algo aleatorio por el que puedes pasar y después darte cuenta de que es otro mundo. Me encanta esa idea de deambular por la ciudad y encontrar algo que no te esperas. He pensado mucho sobre esto, sobre cómo encontrar un lugar privado en un espacio público.

IB De hecho, hay dos obras que has ubicado en el interior de tiendas: una en una tienda cerrada del East End de Londres y la otra en una librería abandonada de Madrid, tal y como ocurre con la ubicación del *Kilómetro Roto* de Walter de Maria en la Dia Art Foundation de Manhattan, en la que entras por una puerta que parece banal y descubres ese enorme loft repleto de varillas de cobre.

CI O en la *Earth Room,* donde subes una escalera en Wooster Street para descubrir un espacio lleno de tierra.

ARRIBA Robert Smithson, Leñera parcialmente enterrada, 1970
Kent State University, Kent (Ohio)
Leñera y veinte camiones de tierra, 5,5 × 3 × 13,7 m
© Holt/Smithson Foundation, con licencia de VAGA en ARS, Nueva York/VG Bild-Kunst, Bonn 2021

ABAJO Walter de María, *Kilómetro Roto,* 1979
© Patrimonio de Walter De Maria
Fotografía: Jon Abbott, cortesía de la Dia Art Foundation, Nueva York

IB Es como una alteración del tejido de lo cotidiano. Puedes vislumbrar una realidad diferente. Nuestro libro está dividido en tres secciones, y cada una de ellas se centra en una obra protagonista. El primer capítulo presenta Forgotten Streams, creada en 2018 para la nueva sede de Bloomberg en Londres. Este es un ejemplo de una serie de encargos que has llevado a cabo para situaciones urbanas. ¿Cómo abordas la superficie históricamente estratificada y densamente poblada de la ciudad? ¿Cuáles son los retos prácticos de hacer realidad semejante trabajo?

CI Las primeras deliberaciones fueron para sustituir un muro de seguridad por una pieza que pudiera contener cualquier acto de agresión al edificio. Empecé a pensar en el foso que solía rodear los castillos. También hablamos de la *Deep Fountain (Diepe Fontein)* de 2006 en Amberes, una obra que es un espejo de su entorno. La idea era crear una obra que interrumpiera el espacio, y que creara una distancia, pero que al mismo tiempo lo hiciera más abierto, para crear un lugar de encuentro, para hacer público un lugar privado. Por supuesto, había muchos impedimentos y limitaciones. Me hubiera gustado que la misma siguiera el curso del suelo, como en Toledo y otras plazas. Tuve que negociar con las autoridades de Londres, además de con los equipos de seguridad de Bloomberg. Sus restricciones brindaron nuevas posibilidades de construcción —y la oportunidad de incluir lugares para que la gente se sentara. El contexto en el distrito financiero de Londres está bastante restringido.

Walter De Maria, *The New York* hydraulics that make the water rise and fall?
Earth Room, 1977
© Patrimonio de Walter De Maria
Fotografía: John Cliett, cortesía de la Dia Art Foundation, Nueva York

IB ¿No duraron diez años las negociaciones para obtener el permiso de construcción de la *Deep Fountain* en Amberes?

CI Pasaron casi diez años entre el encargo y su ejecución. Trabajé con los arquitectos Paul Robbrecht y Hilde Daem. Habían creado una nueva plaza y trabajado en la redirección del tráfico. Así que era un plan urbanístico, cosa que siempre me ha interesado. Yo entré en escena porque ellos buscaban una obra de arte que además reflejara el Museo Real de Bellas Artes que domina la plaza. La fuente se encuentra en la base de sus escaleras. Me planteé en qué medida la secuencia de agua y movimiento sería equivalente al tiempo que se tarda en entrar en un museo, cuánto tardamos en ver una exposición o la colección del museo, y en volver a salir, lo cual es bastante rápido en realidad. La obra sería diferente al pasar por allí. Se trata de trabajar con el tiempo y el movimiento. Y de cómo te afecta el mirar despacio y más de cerca.

IB En Amberes y en Londres también te refieres al tiempo profundo de la naturaleza. Es como si hubieras levantado el suelo y mostrado lo subterráneo, el tiempo lento del mundo orgánico y geológico.

CI Estoy muy interesada en ese proceso de revelación, de despegar el suelo para evidenciar que hay naturaleza bajo nuestros pies, y que el agua fluye. Es necesario hacer este reconocimiento: tenemos que recordar.

Además, se trata de crear conexiones. *Forgotten Streams* crea la ilusión de continuidad entre las alas este y oeste del edificio. Pensé también en que debajo de la ciudad, tan ruda, había ríos, que desembocan en el Támesis, sumergidos bajo capas de cultura; esa capa subterránea de naturaleza aún está ahí. Supongo que por eso me interesa tanto hacer obras que traten sobre lo subterráneo, la geología, los diferentes estratos, lo que hay debajo de lo que vemos.

IB La obra también nos hace bajar el ritmo. Añade otra dimensión del tiempo para tu audiencia, porque ver el flujo de agua vaciarse y después, muy, muy lentamente, verlo emerger de nuevo nos conecta, creo, con nuestros propios cuerpos, con la respiración, con un ritmo más lento, que es físico. El edificio Bloomberg está situado en la City, el centro financiero de Londres; la propia empresa suministra datos digitales a toda velocidad. Michael Newman, uno de los participantes en este libro, señala que bajo la ciudad no solo hay corrientes de agua enterradas por el cemento, sino también cables conductores de electricidad, energía y datos.

CI Sí, comunicación y conexión.

IB La vida de la gente en el distrito financiero es una auténtica locura; tú haces que bajemos el ritmo. ¿En qué medida tienes en cuenta el cuerpo del espectador?

CI Estoy muy interesada en crear conexiones. Conexiones entre obras, lugares, pero también entre personas. He trabajado muchas veces de una manera incompleta, que necesita esa conexión para alcanzar la plenitud. Una conexión que se produce en nuestra mente, en nuestro conocimiento. He pensado mucho acerca de cuánto tiempo puede dedicar alguien a mirar algo con atención. Aunque me interesa mucho la visión global de mis esculturas, al verlas de lejos, también hago hincapié en los detalles porque estos te transportan a otra forma de mirar, ralentizan el acto de la percepción. El agua hace que esto sea todavía más visceral, ya que algunas partes son más lentas que otras, y yo juego con eso. Hay momentos en los que puedes pensar que no pasa nada. El lado este del edificio Bloomberg es más grande, y la fuente es más profunda; cuando se llena está muy activa, pero entonces, al haber mayor volumen de agua, tarda más en desaparecer. Al principio es menos visible, pero al final fluye muy rápido. Soy consciente de que la gente no siempre está preparada para emplear tiempo en la observación, quizá solo pasen de largo y echen un vistazo a la obra, pero igualmente otro día pueden detenerse y observar con más atención.

IB Sí, porque va cambiando todo el tiempo, cada vez que pasen verán algo diferente.

CI Ven algo diferente y, lógicamente, reaccionan de maneras diferentes. Quizá se pregunten: «¿Pasará otra vez?» o «¿Volveré a ver este momento?». La verdad es que es muy difícil verlo todo, ya que se tarda una hora en ver la obra completa. Al mismo tiempo, la obra construye un lugar. Cuando nos damos tiempo para observar, sobre todo cuando estamos a solas y sin hablar con nadie, somos conscientes de lo que tenemos delante.

El arte también provoca un momento en el que ya no ves lo que estás mirando, y te permite entrar en tu interior.

IB Esta obra también replantea las fuentes convencionales, que suelen expulsar el agua en sentido vertical: su único cometido es interrumpir la ciudad, brotar hacia arriba. ¿Por qué elegiste la horizontalidad?

CI Tengo que decir que fue muy natural para mí. Inmediatamente pensé en crear una grieta y una especie de abismo. Y se me ocurrió hacer que el agua apareciera y desapareciera porque lo veía espectacular. Al principio había una empresa de agua que me iba a ayudar... Me dijeron que podían encontrar ingenieros para crear chorros verticales, porque eso sería espectacular, y yo tuve que defender mi posición. Para mí, es más espectacular que el agua se escurra por la grieta, y tras quedar totalmente vacía, comience a fluir lentamente desde el abismo hacia arriba, hacia fuera, hasta llenar de nuevo toda la superficie.

IB Debajo de la ciudad de Londres, tienes el metro de Londres, cañerías, cables de electricidad y telecomunicaciones y arterías de infraestructuras. ¿Cómo excavaste en el emplazamiento y cuánto espacio necesitaste para la hidráulica *The New York*, de Walter de Maria, que hace que el agua suba y baje?

CI Trabajo con condiciones diferentes, como en Toledo, donde no pude excavar a fondo debido a la arqueología. En el caso de Londres, se estaba construyendo todo el recinto, así que ya había un agujero enorme. Podía construir lo que quisiese; eso sí, con limitaciones. Las limitaciones respecto a la profundidad del agua tenían que ver con la seguridad. Tenía que hacerla con una profundidad tal que un niño no pudiera caerse, o que un adulto no se ahogara al pasar de noche —¡los borrachos, por ejemplo! Además, tienes que compaginarlo con el suelo, para que, por ejemplo, si pasa una persona con discapacidad visual sea capaz de percibir a través de un bastón que está llegando al borde del agua.

Tuve que trabajar con todas estas cuestiones. Por ejemplo, suelo usar un trozo de piedra para hacer un borde con la calle, y así crear límites pero también geometría. La idea era crear una continuidad, un puente sobre la ilusión de un río —pero por debajo del suelo. En términos de producción, teníamos las mejores condiciones porque estaban haciendo un edificio nuevo, así que junto con los ingenieros hidráulicos estudiamos dónde, dadas las necesidades que requería mi obra, ubicar los depósitos de agua. Son dos obras, aunque la idea es que las percibas como si fueran una sola; ese es el ilusionismo que tienen estas obras. La obra tiene que tener su propia autonomía, incluso si se trata de colaborar con un diseño mucho mayor que el de la misma.

IB En otra parte del libro hemos incluido otra escultura que tiene una relación ligeramente diferente con la ciudad. *Towards the Sound of Wilderness*, en Folkestone, te aleja de la ciudad y te lleva a las afueras. La obra se basa en una torre Martello, lo que la convierte en una experiencia elegíaca y de cuento de hadas.

CI El lugar ya estaba allí, aunque no se podía acceder a él porque estaba cubierto, y de manera bastante intensa, por una hiedra. No había manera de ver el foso ni la torre, así que decidí crear una especie de refugio para una persona —o dos a lo sumo— que llegara hasta el borde del foso. Y, por supuesto, la naturaleza me ayudaría —ya era imposible acercarme debido a lo crecido y enredado que estaba todo. Quería apoyarme en la fantasía de la torre Martello, en lo que significa, esa torre de vigilancia construida para proteger a la ciudad de las invasiones, pero la cual era inaccesible. Pero era también un paraje de vida salvaje, acompañado del sonido de los pájaros y los insectos que lo habitan. Por eso lo llamé *Towards the Sound of Wilderness* (Hacia el sonido de lo salvaje), porque ves algo que la naturaleza ha devorado, pero que todavía conserva su forma; puedes ver la historia de ello, así que era el estado perfecto para crear la obra. No estaba destinada a ser una obra permanente.

IB ¿En serio?

CI No, porque fue un encargo para lo que duraría la exposición de la Trienal de Folkestone, pero su propia peculiaridad le permitió mantenerse de forma que su permanencia fuera posible.

IB También es cierto que haces que la gente mire por encima, porque la torre no se podía ver. Al encuadrarla, llamaste la atención sobre ella.

CI Tienes la naturaleza y tienes el reflejo de la naturaleza; es como si se tratara de una zona salvaje, en sentido artificial.

IB La ubicación del trabajo en las afueras de la ciudad también lo conecta con la obra que estás haciendo para San Sebastián. Está situada en un antiguo faro, en una isla de la hermosa bahía de San Sebastián; todo lo que vemos es un faro. Esta obra está técnicamente en la ciudad, pero apartada e invisible desde la misma.

Has incorporado todo un ámbito de la imaginación en lo que antes era un espacio funcional, que has vaciado. ¿Cómo crees que actúa ante alguien que lo ve desde la playa? Está presente, pero distante.

CI Bueno, depende de si has cogido un barco y has estado allí. Pero es como en *Estancias Sumergidas*: quizá solo lo veas como una imagen o una película. De hecho, estamos haciendo una película al respecto, porque parte de la obra será imposible de ver. Hay capas de bronce que llegan a lo más profundo, a cinco metros de profundidad dentro de la casa. Si has estado allí y tienes un recuerdo de la experiencia, mirarás a la casa y lo recordarás. Para otras personas será invisible.

IB ¿Esta idea sobre los espacios fantásticos tiene que ver con tu interés por ciertos escritores que crean espacios imposibles en la imaginación? ¿Nos puedes decir algo sobre tus influencias en cuanto a escritores?

CI Bueno, son muchas las influencias, pero si hablamos de aquellas cuyos propios textos he utilizado en algunas obras son: Contra natura, de Joris-Karl Huysman, un relato de un personaje que construye un mundo artificial que refleja el mundo natural, jugando con la naturaleza como ficción; Viaje al centro de la tierra, de Julio Verne, e Impresiones de África, de Raymond Roussel, un viaje a un África que nunca vio, sino que inventó.

En la obra de San Sebastián, el viaje hasta la pieza forma parte de ella, desde el momento en que vas al puerto y coges el barco hasta la isla —incluso puedes navegar alrededor de ella. La idea de deambular es importante, y por último entrar, abrir la puerta y entonces abordar esta experiencia. Y entonces, cuando vuelvas, recordarás siempre lo que has visto cuando mires a la casa desde la playa, incluso si está cerrada.

IB Has hecho enorme el interior de este faro relativamente pequeño. Tiene cinco metros de profundidad y cinco de altura; es casi imposible entender cómo lo haces, pero es una transformación increíble. Es como la máquina del tiempo de la serie de televisión británica Dr. Who, la «TARDIS»: su interior es mucho más grande que su exterior.

CI Aquí, por ejemplo, puedes bajar cinco metros y llegar a un lugar desde donde puedes mirar abajo, hacia el agua, desde una roca que está mucho más alta. Pero es una ilusión que tu imaginación crea y conecta.

IB ¿Tienes la sensación de que obras como esta son un paralelismo con un viaje psicoanalítico? ¿Que estás llegando al inconsciente?

CI Creo que sí. Cada experiencia es diferente, por eso, porque está relacionada con tu estado de ánimo en aquella época de tu vida o en aquel preciso instante al que estás mirando, y con la manera en la que te afecta lo que estás mirando. El tiempo aquí puede afectar a su lejanía, a su no accesibilidad, pero también influirá en lo que sientas cuando te encuentres con la pieza, y esto ocurre con todas las obras. La introspección es también una posición en la que tú misma te pones. Se trata de enfrentarte, si acaso, a lo que no conoces; pero también es una posición en la que te pones, una situación vulnerable en cuanto a lo psicológico.

IB Es interesante que, por culpa de Freud, pensemos en hurgar en la memoria, en hacer analogías con un proceso arqueológico de búsqueda en las profundidades para desenterrar orígenes, traumas e impulsos, mientras que la idea de levantar *la mirada tiene que* ver con el futuro. Parece que consiste en proyectar escenarios posibles, mientras que mirar hacia el interior parece que consiste en analizar lo que ya ha pasado. Y me llama la atención como en *Forgotten Streams* ese desgarro del suelo, y la revelación de lo que hay debajo, es también una analogía, literal y metafórica, del «retorno de lo reprimido», donde el agua es análoga a la conciencia.

CI Totalmente. Ello también revela la necesidad de cuidar la naturaleza. En la obra de San Sebastián tendríamos que pensar también en la protección de la naturaleza. Queremos proteger el entorno salvaje de la isla y no debemos tocarlo. El hecho de que esté haciendo algo con contención, que de hecho no toca nada, pone de manifiesto la cuestión. Y esto genera un debate. Quizá establezcamos normas para restringir el número de personas que pueden acceder a la vez, con el fin de asegurarnos de que cuidamos el medio ambiente, de hacer las cosas de forma que seamos conscientes de lo valiosa que es la naturaleza.

IB San Sebastián es una ciudad muy viva y próspera. Folkestone era todo lo contrario: solía ser un balneario muy próspero, y en la época *de la Regencia era uno de los* destinos más de moda para pasar las vacaciones. Con la llegada, en los años sesenta, de los viajes en avión baratos, empezó a sufrir una grave decadencia. Me pregunto si una obra como *Towards the Sound of Wilderness* contribuye a regenerar un lugar porque nos hace ver lo que estaba perdido. Quizá despierta un sentimiento local de orgullo o compromiso con el medio ambiente.

CI Sí, y con tu recuerdo del lugar se genera cierta melancolía, Quiero decir que una trata de hacer una proyección desde ahí hacia el futuro.

IB Me gustaría pasar a la relación de tu escultura con la cultura. No hemos hablado de otra de tus primeras obras importantes, la que realizaste para el Centro de Convenciones Internacional de Barcelona. Está formada por una serie de pantallas de hierro dulce trenzado y tiene el tamaño de un estadio de fútbol.

CI Tiene 150 metros y diecisiete pantallas de hierro dulce trenzado, con un extracto de *El Mundo Sumergido* de J.G. Ballard. Se solapan proyectando sombras en el suelo, construyendo un lugar. En el texto de Ballard, en realidad es Londres la que se encuentra bajo el agua.

IB Además, también haces referencia al lenguaje de otra cultura, como es la del Souk norteafricano. ¿Podrías contarnos algo al respecto?

CI Las pantallas de esparto son elementos que existen en la arquitectura árabe y en la española para crear sombras, para crear lugares frescos y protegerlos de la luz directa del sol —además de servir como una pantalla para esconderse. Las cubiertas por encima de ti se ocupan de la luz, y de la creación de otro espacio. He creado también pasajes que se encuentran en medio del espacio y llevan hacia una esquina. La idea es crear un camino que vaya a algún lugar de tu imaginación.

IB La gente hoy en día evita el término «moro» y emplea «hispanoárabe», como reconocimiento de que la cultura árabe estuvo aquí durante cientos de años y de que España no es solamente cristiana. ¿Fue importante para ti celebrar el legado de esa cultura?

CI Por supuesto. Creo que puede haber sangre judía o árabe, o cristiana, en mi misma, y creo que tenemos que estar muy orgullosos de esa mezcla. Tanto en la lengua como en la gastronomía y en nuestra cultura, tenemos palabras y elementos árabes y judíos Somos una mezcla y lo celebro.

IB Lo que nos lleva a Toledo y a nuestro segundo capítulo, que se centra en un gran proyecto llamado *Tres Aguas*. Es uno de tus proyectos más ambiciosos, porque abarca toda una ciudad. La obra la encargó Artangel, la agencia de arte público con sede en Londres. Toledo es una ciudad medieval, que aúna la arquitectura cristiana, islámica y judía. ¿Estabas pensando en estos legados religiosos?

CI Por eso hay tres emplazamientos que forman una sola obra. Aunque hubiera más, esas tres religiones fueron las que dominaron. Creo que es fantástico, la idea de que una cultura dé forma al espacio. Coexistieron, pero también reciclaron mutuamente sus culturas. Algunas mezquitas que se convirtieron en iglesias católicas, muestran una repetición de motivos decorativos que ilustran su herencia de otra cultura —mecanismos que también he incorporado a mi obra. Estos son también signos de agresión, de imposición de un sistema de creencias sobre otro. *Tres Aguas* habla de eso y del agua como símbolo de comunicación, porque todo está conectado. El agua se compartía entre diferentes culturas, tanto para los rituales como para la higiene. Se utilizaba en las termas romanas y en las culturas sucesivas durante los siglos posteriores; los periodos de baño se dividían entre la mañana y la tarde, para uso de hombres y mujeres. Esa obra se relaciona con todos estos usos, pero también con esta conexión física, entre la base de la ciudad, el río y la parte alta de la ciudad, donde están los huertos y que necesita agua del río. La necesidad de transportar el agua siempre ha estado presente. El viaje por los tres trabajos completa una lectura que, de nuevo, es muy psicológica. Lo que se ve en un lugar, se ve en otro lugar de otra forma. Por tanto, siempre hay un recuerdo de lo que has visto. Aparte de todas las capas de cultura que se ven entre una y otra, tienes constancia del río que hay debajo de la ciudad, de un agujero que ha aparecido en la tierra. El agua es un material que brilla, que has visto en otro lugar, y puedes sentir cómo el agua se mueve de abajo hacia arriba.

IB Los tres emplazamientos también conectan historias diferentes de sus edificios anfitriones. Uno se ubica en un antiguo arsenal, donde se fabricaban armas.

CI Sí. Empezaron con las espadas. Y luego, en el siglo XIX, empezaron a fabricar otras armas.

IB Así que tienes el espacio para la fabricación de armas, y luego tienes el claustro, un espacio para la oración meditativa que estaba destinado a las mujeres.

CI Sí, se trataba del claustro de monjas de la Orden de Santa Clara.

IB Y después, en la plaza de la ciudad tienes otra fuente, que refleja directamente la catedral.

CI Antes era una mezquita. Y también tienes la presencia de lo urbano con el reflejo del ayuntamiento.

IB Así que tienes lo mundano y lo divino. Es interesante que tu trabajo se nutra de estos lenguajes arquitectónicos, que a su vez están cargados de historias con fines diferentes.

CI Una vez más, el tiempo es un factor. El tiempo para desplazarse, pero también el tiempo para observar cuando se está en la plaza —es una obra francamente lenta. Tiene una escala grande, y hemos restaurado todo el suelo, que estaba prácticamente destruido y cambiado. Recuperamos su dirección de forma que se inclinara hacia el río. Ahora es como si el río apareciera y desapareciera por el suelo. Esta lentitud no solo conlleva una reflexión óptica, sino también conceptual. Si te sientas allí puedes reflexionar sobre aquellos temas de nuestra historia, pero también tiene una cualidad hipnótica que te transporta a otro mundo.

IB Algunos de nuestros debates en este libro tratan sobre el agua y su papel en las distintas religiones. Todas usan el agua como ritual; el bautismo es una forma de limpieza, renovación e iniciación. ¿Qué es lo que te hace volver al agua como material?

CI Con el agua, el tiempo se hace más visible, más presente. El uso del tiempo y de cómo se puede trabajar con él, incluso en términos musicales, las secuencias que se pueden crear, los sonidos —Me interesa plasmar la percepción de todo ello en la obra. También se trata de la conexión: las fuentes crean reflejos, reflejan lo que hay a su alrededor, y conectan la cultura con la naturaleza. También he hecho trabajos en los que el agua corre verticalmente, pero muy, muy lentamente. Eso afecta a tus sentidos y te transporta hacia otra forma de observar y de ser.

IB El uso del agua también entraña una cualidad de generosidad, ya que una de las funciones de las fuentes públicas es ofrecer agua potable y la posibilidad de limpiar y refrescar el cuerpo. Todas estas obras tienen también un elemento botánico por el uso que haces de la vegetación. Algunos las han calificado de barrocas.

CI En realidad, se trata de usarla de forma abstracta para construir espacios. Pero siempre me ha fascinado la botánica en sus diferentes formas, y cómo la naturaleza transforma una cosa en otra. Esa transformación siempre ha formado parte del trabajo. Además, la naturaleza en un sentido más amplio evoca a la idea de la invención por medio de las convenciones sobre los jardines, y me gusta esa idea de crear un jardín ficticio, una realidad ficticia. Así que he creado una sala en medio de la vegetación real que es un laberinto, en Inhotim, Brasil, un lugar donde te puedes esconder. La vegetación puede crear una especie de pantalla.

IB ¿Nos podrías contar algo sobre lo que te atrae en esencia de las formas y estructuras de la vegetación, las hojas, los zarcillos, los hongos y las algas marinas que has fundido?

CI Me sirvo de cosas que existen en la naturaleza, pero también invento formas botánicas. Hago cosas con goma o resina que se acercan mucho a la realidad pero son una invención. Quizá por eso siempre me ha gustado la ciencia ficción. La invención que se convierte en realidad, esa zona entre mundos, siempre me ha interesado trabajar y desarrollar ese espacio. En los últimos trabajos me estoy acercando a la geología, a hacer capas que son más minerales, quizá más cercanas a un volcán, una forma que crece de manera que tiene su propio ritmo y dirección, pero también la memoria del planeta.

IB Además, esta textura rica le da una calidad solemne. Tiene densidad, pero también puedes mirar a través de ella. ¿Te interesan las connotaciones simbólicas del crecimiento y la metamorfosis?

CI Sí, hace poco coloqué, en el interior de una sala, piezas con brotes entrelazados que parecen moverse libremente por el espacio. He vuelto a un crecimiento que tiene su propio ritmo y es imparable, que puede estar en una esquina de la habitación y subir por el suelo, ya que tres pisos más abajo puede haber agua bajo el edificio. Pero sí, esta idea del crecimiento y de la proliferación es algo a lo que he recurrido mucho. Además, siempre he hecho dibujos que tratan de eso. Alude al crecimiento de los organismos de forma muy abstracta. Es una vida que no podemos controlar.

IB Esto nos lleva a la idea de cambio, de que el trabajo no es estático. Obras monumentales al aire libre, como *Lightning Rods* de Walter de Maria o *Túneles de Sol* de Nancy Holt, emplean formas geométricas euclidianas que existen fuera del tiempo y el espacio. Sus varillas y cilindros son construcciones humanas al margen de la naturaleza. Por el contrario, tus superficies parecen poder seguir creciendo: no están fijas, parece que podrían pudrirse o proliferar.

CI Pero mi trabajo depende de límites que son geométricos. Yo junto las dos cosas, pero el agua puede desbordarse y, de pronto, trascienden una forma y crecen, como decías, por sí solos.

IB Con respecto a este tema, pasaremos a la última sección del libro, que gira en torno a las *Estancias Sumergidas*. He aquí la extraordinaria propuesta de una obra invisible para el público humano; tres estructuras sumergidas a diecisiete metros bajo el nivel del mar, en el fondo del océano, son para otras especies, para la vida marina. Se trata de un gesto muy radical. ¿Cuál fue tu inspiración?

CI Surgió a raíz de la invitación para hacer un monumento, una especie de acto medioambiental que recuperara la Isla Espíritu Santo en México, para devolverla al público de manos privadas. Pero pensé: no puedo construir nada en un lugar donde la idea es impedir la construcción. Había un programa para crear refugios marinos. Y pensé que podría ser emblemático colaborar con los biólogos marinos en la creación de lo que se ha convertido en un pequeño arrecife de coral, de diecisiete metros de profundidad y treinta de longitud. Las estructuras son como estanzas dobles, con rocas de por medio por las que hay que transitar. Te puedes perder entre una y otra con la niebla del plancton.

IB Y has combinado lengua y vegetación. Las pantallas están hechas de palabras y letras que la vegetación y las criaturas acuáticas han adoptado, como se documenta en dos películas preciosas. Primero, vemos cómo un banco de mantas se ha instalado allí; y en la siguiente película el coral ha crecido y hay estrellas de mar descansando entre las palabras. Dijiste que había una anguila que había adoptado la letra A. Es un logro increíble, crear una obra de arte regenerativa, que desprende vida.

Entwined III, 2017
Aluminio fundido y resina
230,5× 384,8 × 7 cm
Galería Marian Goodman, Nueva York, 2018

CI Sí, ha sido una gran oportunidad. A veces las obras públicas son oportunidades para trabajar de verdad con los problemas; también es fantástico si el arte puede generar actividades y acciones que hagan reflexionar a la gente sobre sus vidas, y sobre la preservación de los mares y la naturaleza en general.

IB ¿Sientes que tu trabajo tiene una dimensión política?

CI Creo que toda obra de arte la tiene, si hablamos de dedicar tiempo a observar y abrir la mente. No soy una activista, pero sí que respeto muchísimo a quienes hacen el trabajo de verdad. Sí que pienso que el arte puede tener también una posición y puede ser una luz, como el faro aquí en San Sebastián.

IB Esta obra también requiere un acto de fe por parte del espectador. Requiere hacer una peregrinación, y eso nos remonta a artistas como Robert Smithson, que creó obras como el *Spiral Jetty*, que todo el mundo conoce, pero que muy pocos han visto. Creo que es un reclamo interesante del espectador que también tengamos que trabajar para involucrarnos en el arte.

CI Para hacer el esfuerzo de ir. Para tener fe en que existe.

IB La obra que hiciste en Inhotim, en Brasil, también tiene esa cualidad. Existe en nuestra imaginación, se puede ver a través de imágenes, por lo que está disponible de una manera, pero para vivirla de verdad hay que hacer una peregrinación.

CI Sí, y existe un destino. Y además es muy interesante para un artista crear ese destino. Sabes que mucha gente no irá, pero alguna sí.

IB Me da la impresión de que has reproducido, de una manera laica, la realidad de muchos viajes espirituales, desde el Camino de Santiago hasta la peregrinación a la Meca. Existe la idea en todos los sistemas de creencias de que es necesario un viaje para alcanzar una especie de despertar o cierto sentido de trascendencia. Lo que destaca de estas obras es que dan una versión laica de ese impulso humano de encontrar la redención.

CI Fui consciente de que se necesita un viaje para prepararse para el contacto con el arte, para ir y que todo lo que te encuentres en el camino forme parte de la experiencia y que, al volver, todo eso confirme tu recuerdo de la obra.

Donostia / San Sebastián, octubre 2019

Nancy Holt, *Túneles de Sol*, 1973–76
Desierto de la Gran Cuenca, Utah
Hormigón, acero y tierra
Dimensiones totales: 2,8 × 26,2 × 16,2 m
Longitud diagonal: 26,2 m
Fotógrafa: Nancy Holt
Colección Dia Art Foundation con el ayodo de la Holt/Smithson Foundation
© Holt/Smithson Foundation y Dia Art Foundation, con licencia de VAGA en ARS, Nueva York/VG Bild-Kunst, Bonn 2021

TO LET
PEARL & COUTTS
OFFICES
TO LET
GRABTHAI
ZONE
CORE

ARTE/CIUDAD

En la ciudad: como un fluir de personas, capital, datos, energía y ríos; como un lugar cívico, secreto o imaginario; de su decadencia y regeneración; y de sus interacciones entre lo público y lo privado, entre la cultura y la naturaleza.

Forgotten Streams, 2017
Londres

Forgotten Streams, 2017
Londres

Forgotten Streams fue un encargo de Bloomberg, empresa de servicios de información financiera, que contó con la colaboración del arquitecto Norman Foster, diseñador de su sede en Londres. La obra se encuentra ubicada en un terreno fuera del edificio; aunque es propiedad privada de la empresa, funciona como una plaza pública. Es un espacio privado que se ha convertido en público porque la ciudad fluye a través de él.

El edificio está situado en la Ciudad de Londres, que entre semana está muy ocupada y llena de actividad. Foster & Partners creó una arquería que atraviesa la planta baja del edificio, y conecta las zonas este y oeste de una plaza virtual, para convertirse en una válvula que regula el flujo de la población de la zona. La City, núcleo financiero y de servicios de Gran Bretaña, está dominada por torres de oficinas. El propósito de este desarrollo era humanizar y activar la vida después de las horas de oficina, al albergar restaurantes y cafés dentro de la arquería. *Forgotten Streams* está concebida para favorecer este enfoque más amplio sobre el urbanismo.

La obra está formada por tres emplazamientos situados en las caras oeste y este del edificio, con el fin de evocar una plaza que el edificio divide. Dos elementos se encuentran en el lado oeste de la plaza y el otro en el lado este. El agua se mueve siguiendo una secuencia entre los tres puntos, con ritmos y ciclos temporales que la complementan, creando la ilusión de que solo existe un único flujo de agua que recorre los tres puntos en un continuo.

El bajorrelieve de cada elemento está compuesto por una ilusión de raíces y formas de bronce extraídas de la naturaleza, que parece que hayan brotado de debajo del edificio. Estos elementos crean la ilusión de que la escultura es una pieza única y conectada, y así refuerzan la relación entre el oeste y el este.

La noción relativa a los ríos subterráneos que corren bajo las calles de Londres se convierte en parte del imaginario de la obra. De esta forma, *Forgotten Streams* evoca también lo subterráneo, al crear una conexión mental con el recuerdo del yacimiento romano conocido como Walbrook o templo de Mitra, que se halla en lo profundo del edificio. El este, el oeste (y lo subterráneo) están conectados a través de una ilusión. *Forgotten Streams* nació de una discusión con Norman Foster sobre cómo sustituir un tabique construido para que se levantara alrededor de la plaza, como medida de seguridad contra las agresiones. Por un lado, la obra actúa como protección; por otro, sirve como lugar de encuentro. La pieza genera un diálogo entre lo público y lo privado. La gente puede pasar por la plaza rápido y verla solo de refilón; pero a veces se sentirán atraídos por ella y se quedarán durante más tiempo, reuniéndose a su alrededor.

Cristina Iglesias

PÁGINA 18, *Forgotten Streams*, 2017 (Lado suroeste)

PÁGINA 20, *Forgotten Streams*, 2017 (Lado suroeste)

Edificio Bloomberg

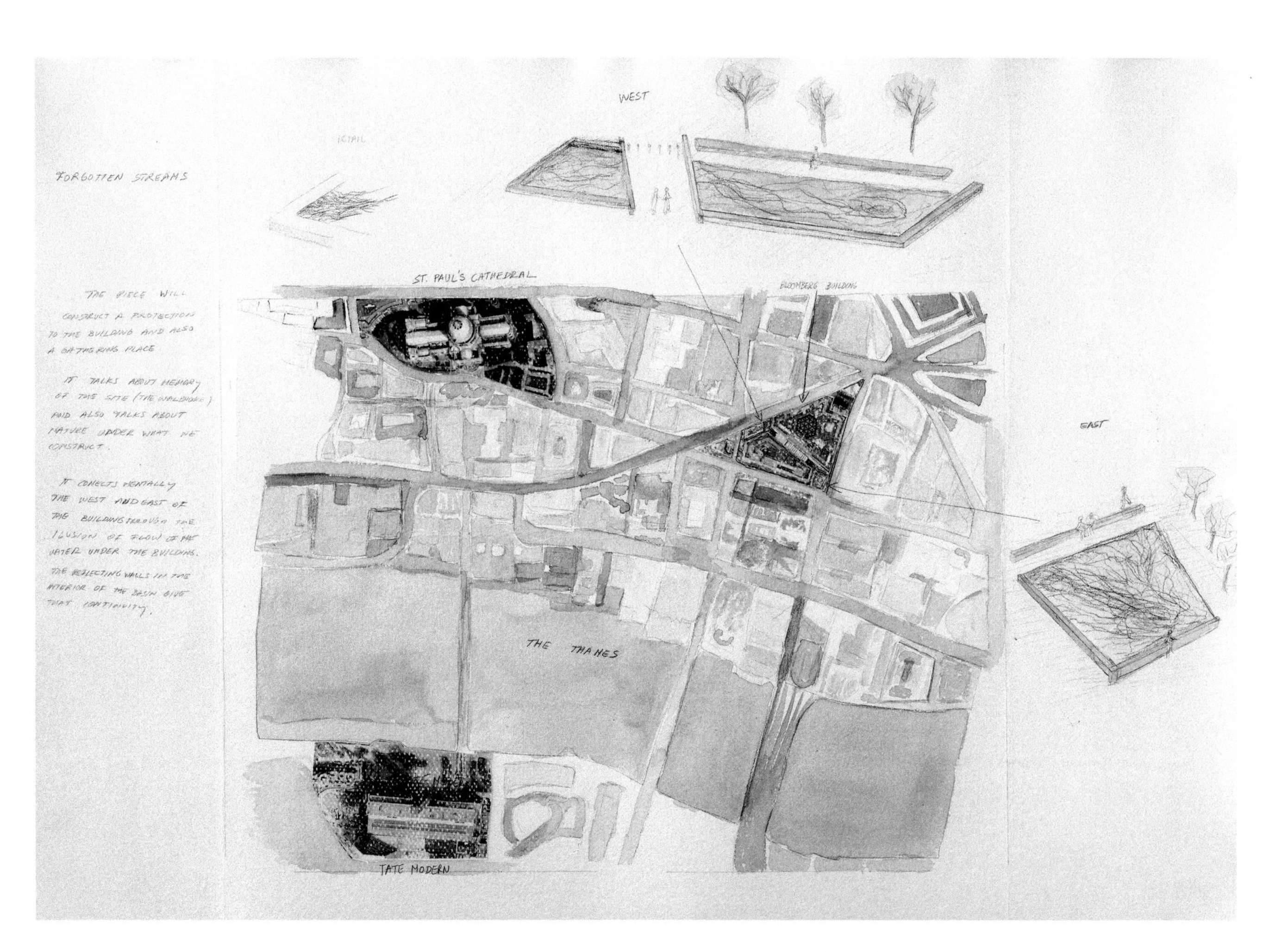

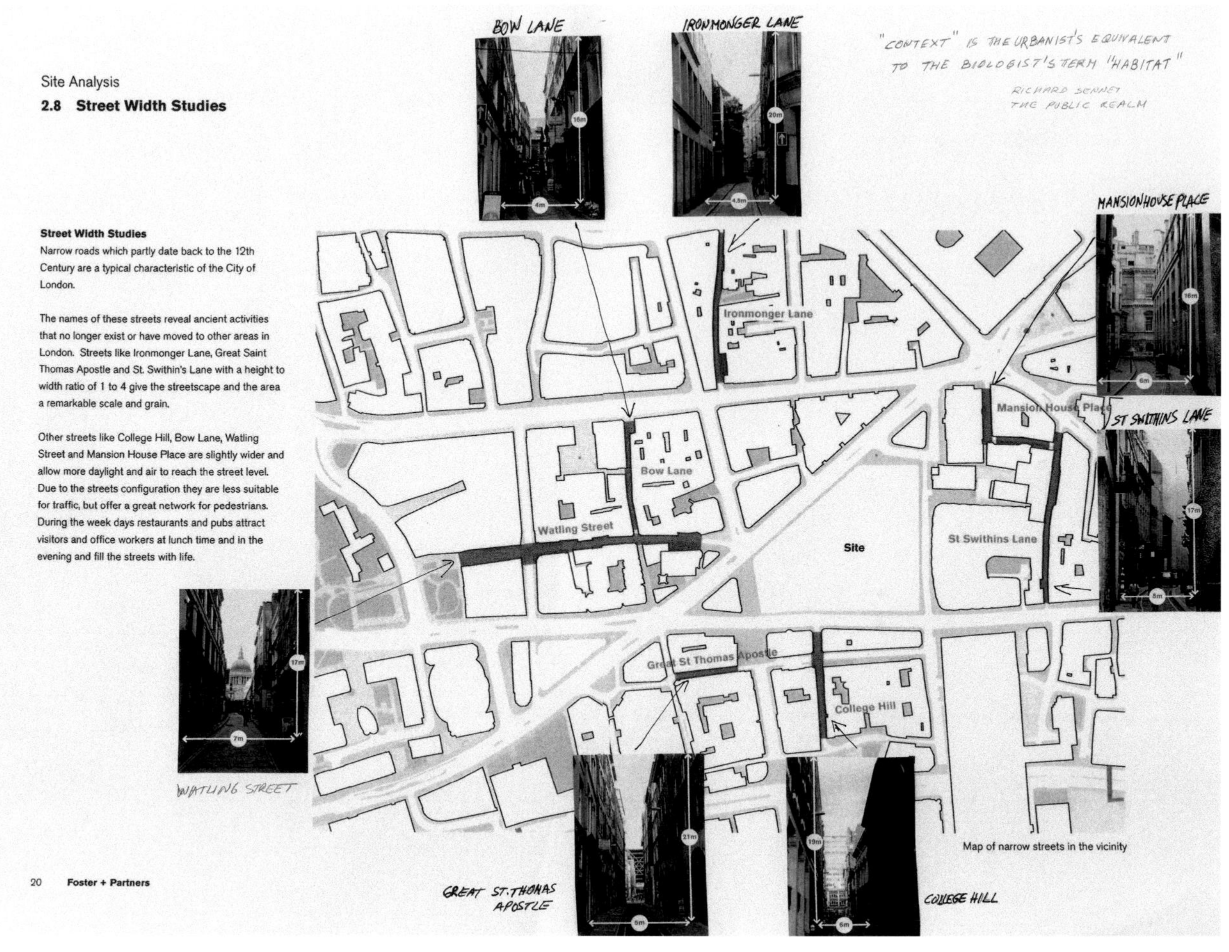

Site Analysis

2.8 Street Width Studies

Street Width Studies

Narrow roads which partly date back to the 12th Century are a typical characteristic of the City of London.

The names of these streets reveal ancient activities that no longer exist or have moved to other areas in London. Streets like Ironmonger Lane, Great Saint Thomas Apostle and St. Swithin's Lane with a height to width ratio of 1 to 4 give the streetscape and the area a remarkable scale and grain.

Other streets like College Hill, Bow Lane, Watling Street and Mansion House Place are slightly wider and allow more daylight and air to reach the street level. Due to the streets configuration they are less suitable for traffic, but offer a great network for pedestrians. During the week days restaurants and pubs attract visitors and office workers at lunch time and in the evening and fill the streets with life.

Map of narrow streets in the vicinity

20 **Foster + Partners**

PÁGINA CONTRARIA, ARRIBA. Mapas de estudio de *Forgotten Streams*, 2016
Acuarela, lápiz y fotografía sobre papel, 49 × 64 cm

PÁGINA CONTRARIA, ABAJO. Mapa de la Ciudad de Londres, siglo XII, 2015
Collage sobre papel, 30 × 42 cm

Estudio de *Forgotten Streams* (Monotipo), 2015
Técnica mixta sobre seda, 80 × 110 cm

Esta página, a la izquierda Dibujo preparatorio, 2016
Tinta, témpera, acuarela y lápiz sobre papel, 21 × 29.5 cm

Esta página, a la derecha Dibujo preparatorio, 2016
Tinta, acuarela y lápiz sobre papel, 21 × 29.5 cm

PÁGINAS 24–25 Cuadernos con estudios de *Forgotten Streams*, 2015
Imágenes impresas, lápiz y tinta sobre papel, 29,5 × 39 cm

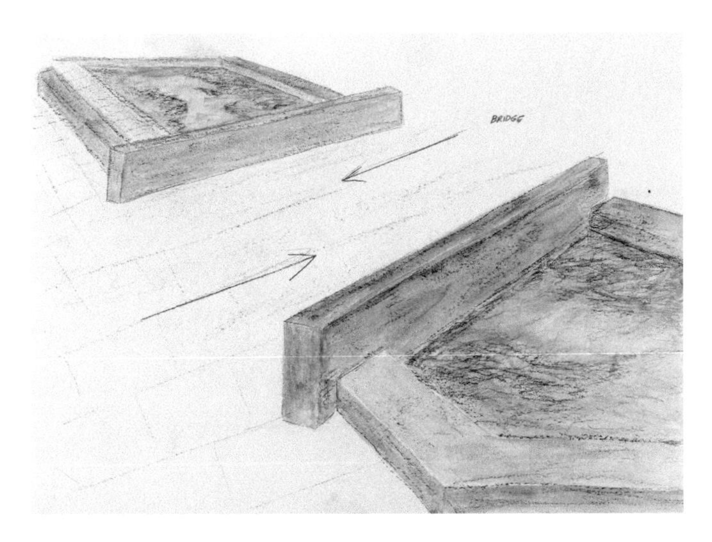

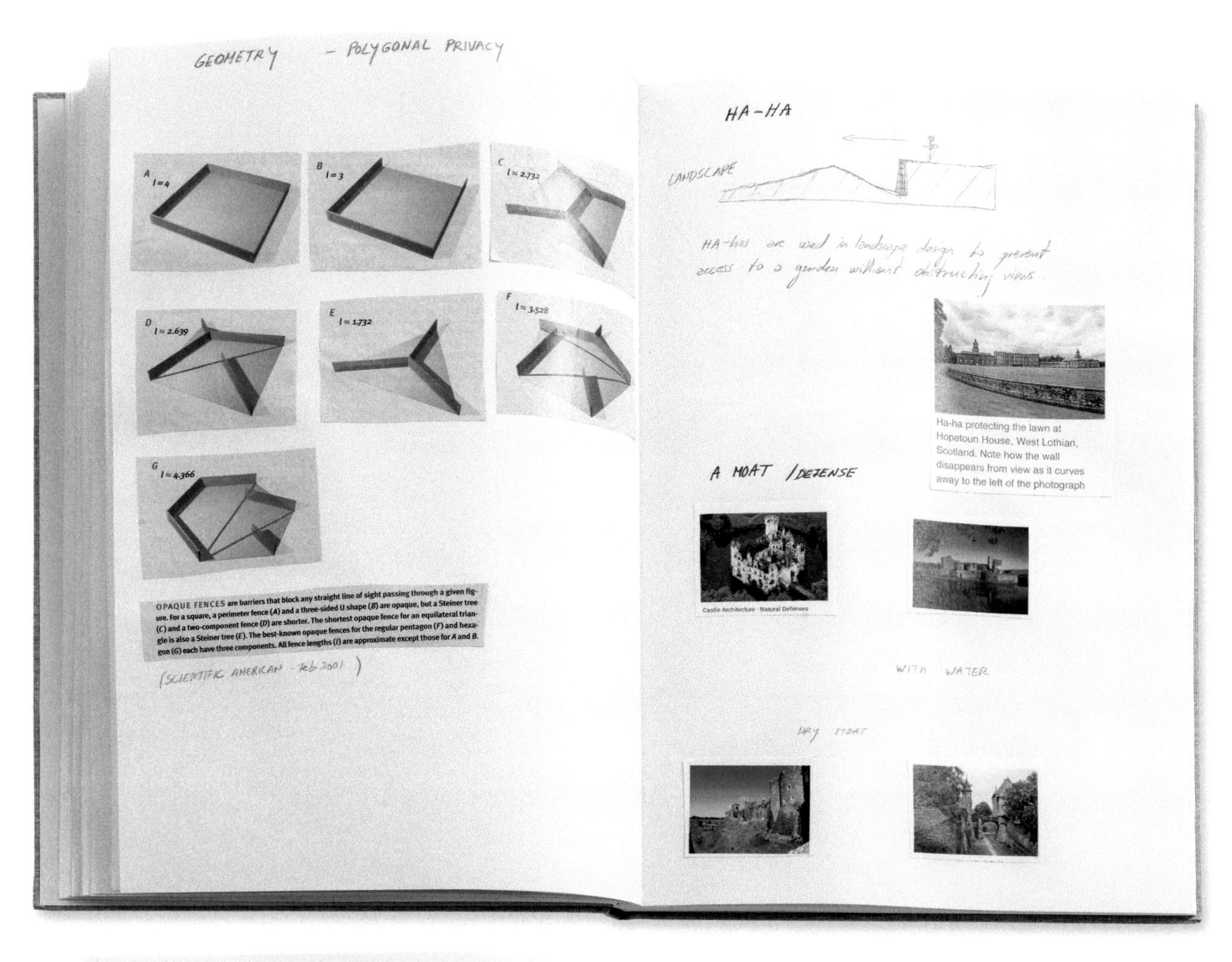
GEOMETRY - POLYGONAL PRIVACY
A l=4
B l=3
C l≈2.732
D l≈2.639
E l≈1.732
F l≈3.528
G l≈4.366
OPAQUE FENCES are barriers that block any straight line of sight passing through a given figure. For a square, a perimeter fence (A) and a three-sided U shape (B) are opaque, but a Steiner tree (C) and a two-component fence (D) are shorter. The shortest opaque fence for an equilateral triangle is also a Steiner tree (E). The best-known opaque fences for the regular pentagon (F) and hexagon (G) each have three components. All fence lengths (l) are approximate except those for A and B.
(SCIENTIFIC AMERICAN - Feb 2001)
HA-HA
LANDSCAPE
HA-has are used in landscape design to prevent access to a garden without obstructing views.
Ha-ha protecting the lawn at Hopetoun House, West Lothian, Scotland. Note how the wall disappears from view as it curves away to the left of the photograph
A MOAT / DEFENSE
Castle Architecture · Natural Defenses
WITH WATER
DRY MOAT

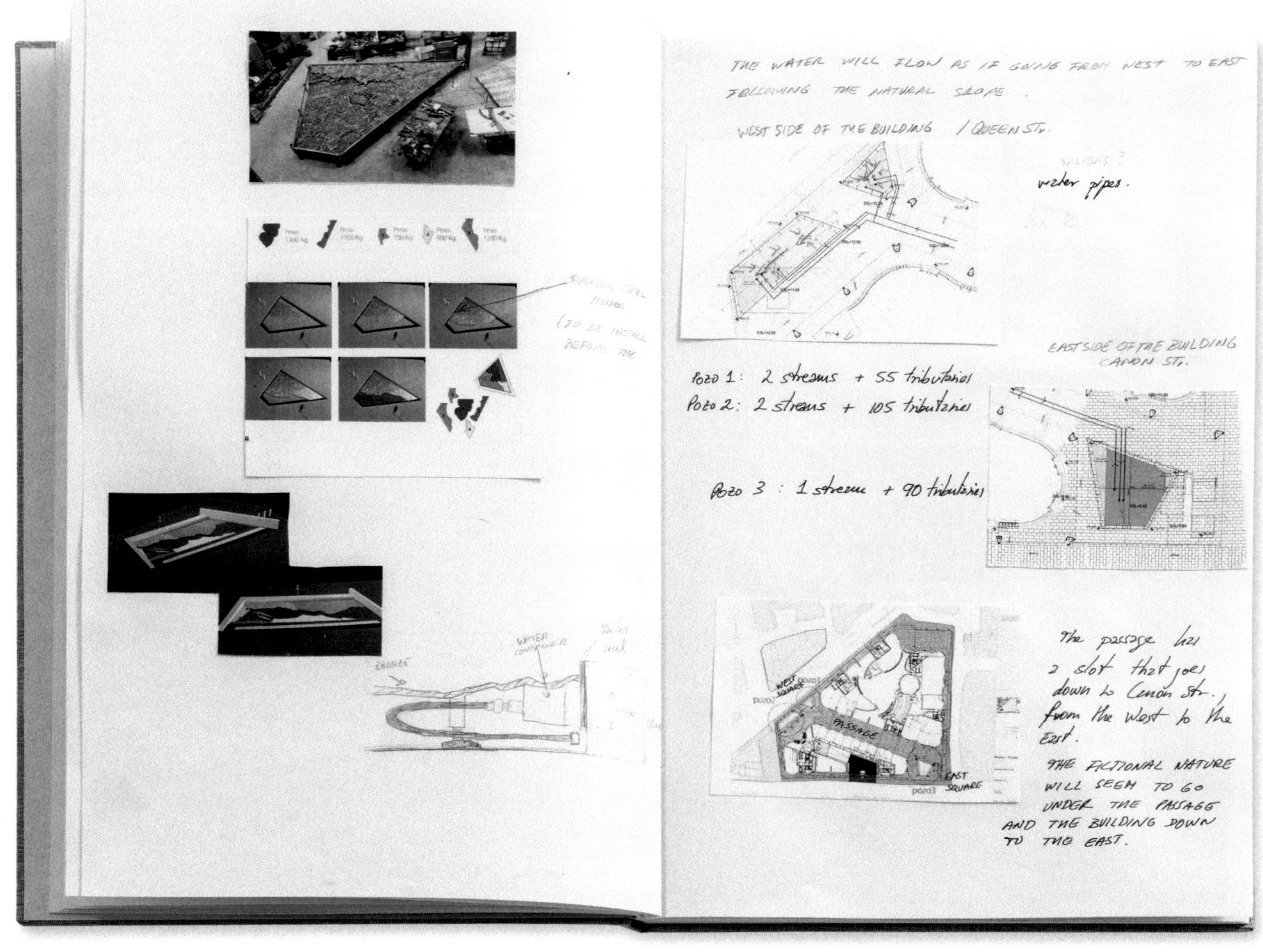
THE WATER WILL FLOW AS IF GOING FROM WEST TO EAST FOLLOWING THE NATURAL SLOPE.
WEST SIDE OF THE BUILDING / QUEEN STr.
water pipes.
Pozo 1: 2 streams + 55 tributaries
Pozo 2: 2 streams + 105 tributaries
Pozo 3 : 1 stream + 90 tributaries
EAST SIDE OF THE BUILDING CANON STr.
WATER CONTAINER
PASSAGE
EAST SQUARE
The passage has a slot that goes down to Canon Str. from the West to the East.
THE FICTIONAL NATURE WILL SEEM TO GO UNDER THE PASSAGE AND THE BUILDING DOWN TO THE EAST.

THE GEOMETRY / THE GEOLOGY
THE STRATIFICATION
THE HYDRAULIC
ENGINEERING

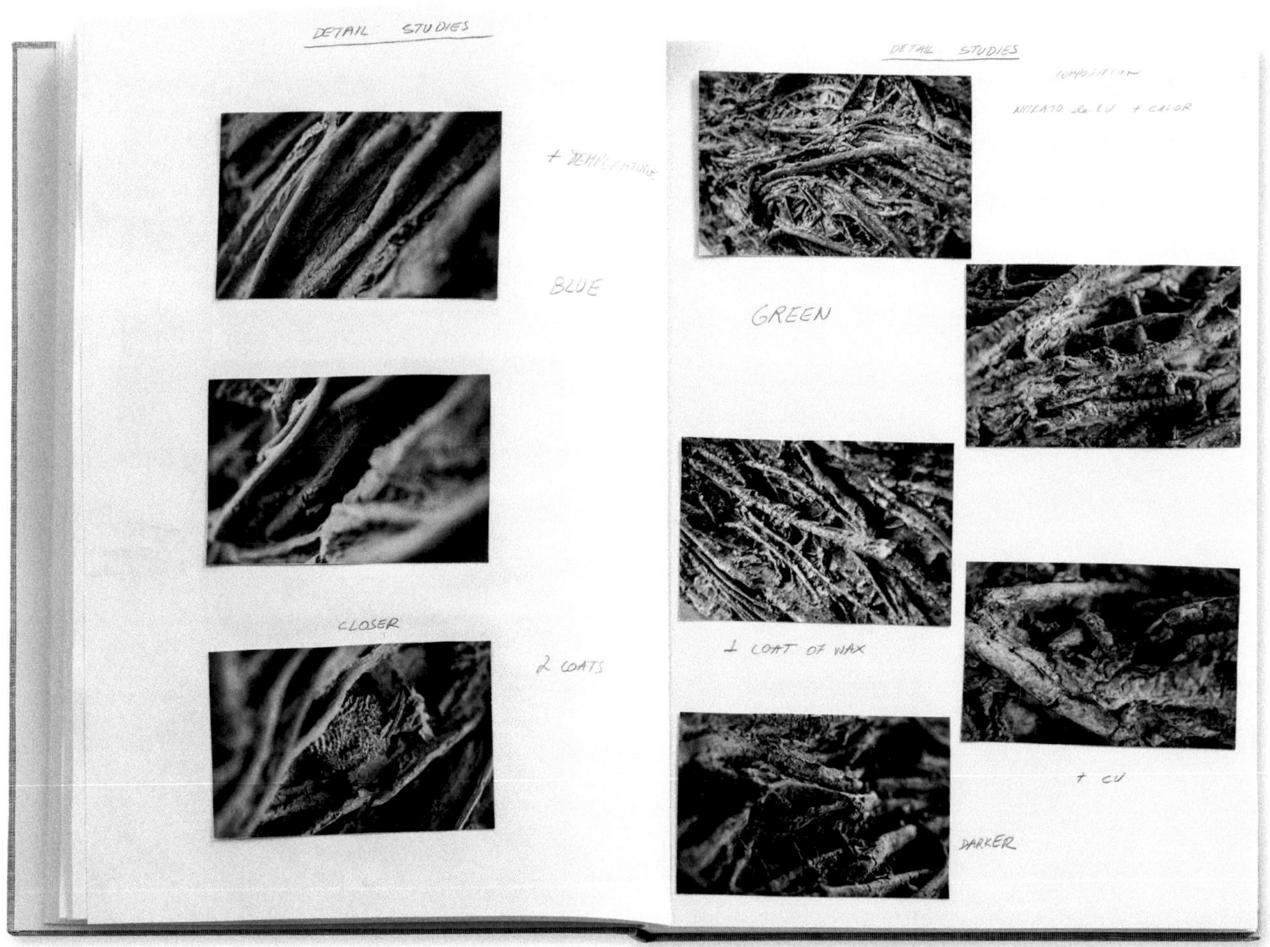
DETAIL STUDIES
DETAIL STUDIES
BLUE
GREEN
CLOSER
2 COATS
1 COAT OF WAX
+ CU
DARKER

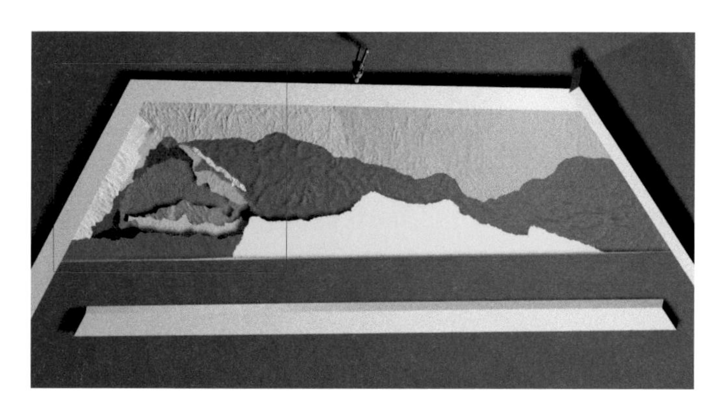

EN EL SENTIDO DE LAS AGUJAS DEL RELOJ, DESDE LA PARTE SUPERIOR IZQUIERDA, representación del lado suroeste (Alfa Arte, Eibar, España); representación de los lados norte y suroeste (Foster + Partners, Londres, Reino Unido); representación de la plaza este (Foster + Partners, Londres, Reino Unido); representación del lado noroeste (Alfa Arte, Eibar, España)

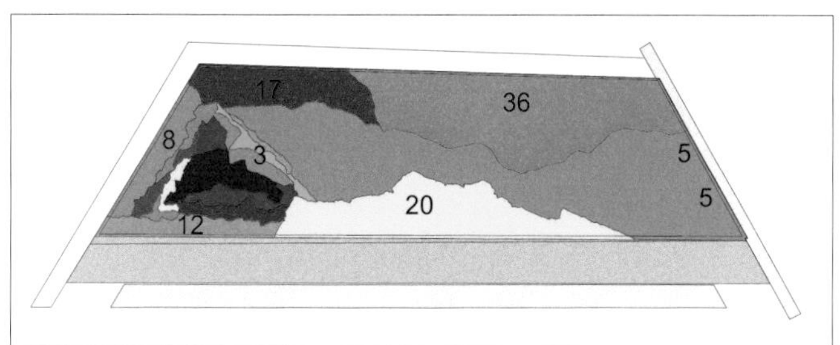

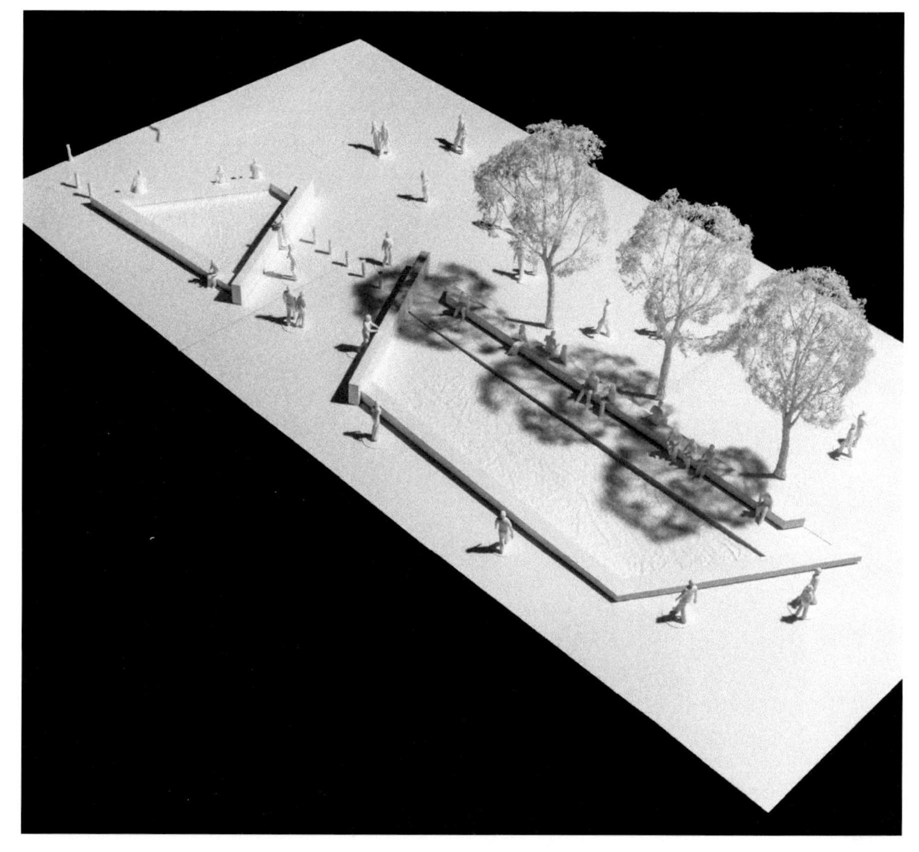

Fabricación del fundido
Alfa Arte, Éibar (España)

Forgotten Streams (lado este), 2017
Bronce, agua, piedra, acero inoxidable
y mecanismo hidráulico
15.92 × 8.5 × 12 × 16 m

Forgotten Streams (lado este), 2017

CARAVAN

Forgotten Streams, 2017 (en detalle, lado este)

PÁGINAS 34–35 Secuencias de capturas de pantalla de imágenes de Zarina Rossheart, mayo 2019

Forgotten Streams (lado suroeste), 2017
10,1 × 25,6 × 10 × 15,75 m

Forgotten Streams (lados norte y suroeste), 2017
Bronce, agua, piedra, acero inoxidable y mecanismo hidráulico
Polo norte: 2,45 × 9,35 × 11,26 × 9,30 m
Polo sur: 10,1 × 25,6 × 10 × 15,75 m

PÁGINA CONTRARIA, *Forgotten Streams*, (lados norte y sureste), 2017; esta página, lado suroeste, 2017

PÁGINAS 42–43 *Forgotten Streams*, (lado suroeste), 2017

Jane Rendell

Naturaleza muerta: sobre volver a la temática del déjà vu en la obra de Cristina Iglesias

En 2003, en la presentación de su exposición en la Galería Whitechapel de Londres, Cristina Iglesias señaló que «algunas de las cosas que ves te recordarán a otras».[1] Esta frase describía muy bien mi propio encuentro con las obras presentes en la galería, donde el recuerdo de una volvía al ver otra.[2] Asocié estas experiencias a las características de un sentimiento psíquico al que Sigmund Freud llamó déjà vu, y en la penúltima disposición de mi libro, Site-Writing, ubiqué las percepciones, las ilusiones, los sueños y los recuerdos que las siete obras de la exposición me produjeron, de una manera que permitieran la resonancia de las observaciones hechas en las partes anteriores del libro.3 Aquí, retomo aquel ensayo sobre la obra de Iglesias, para mostrar como la temática psíquica del déjà vu —y ciertos gestos estéticos que ha plasmado en sus obras anteriores— regresan en Forgotten Streams (inaugurada en 2017).

Déjà Vu

Para Freud, el *déjà vu* o «la memoria de un sueño inconsciente» es «una clase dentro de lo inquietante».[4] La primera vez que usa el término es en 1907, en un apéndice del libro Psicopatología de la vida cotidiana, un ensayo publicado inicialmente en 1901. Aquí, Freud analiza la experiencia de una paciente de 37 años. Esta recuerda como en una visita que hizo con 12 años y medio —a unos amigos de la infancia en el campo, cuyo único hermano estaba muy enfermo—, sintió que ya había estado allí antes. Freud llega a la conclusión de que esta visita recordó a su protagonista la reciente y grave enfermedad de su propio y único hermano, pero que este recuerdo estaba asociado a un deseo reprimido: el de que su hermano muriera, lo cual le permitiría ser hija única. Para Freud, su sentimiento de recuerdo, con el fin de impedir el retorno de ese deseo inconsciente y reprimido, se «transfirió» a su «entorno».[5]

Volviendo: Guided Tour (1999-2002)

Guided Tour (1999-2000) es un cortometraje, un bucle de 10 minutos que Iglesias produjo en colaboración con la directora de documentales Caterina Borelli. El documental se mueve entre las ciudades de Nueva York y Madrid: calles y pasillos, jardines formales y atisbos de campo salvaje, laberintos forrados de vegetación, celosías embebidas de texto... Filmado con una cámara de mano, apenas por encima del suelo, los detalles arquitectónicos y el follaje natural se precipitan y se abalanzan unos sobre otros. La obra enmarca la ciudad y la ciudad enmarca la obra, y ambas se guían mutuamente. Habitualmente una secuencia coreografiada escrupulosamente, una visita guiada es una figura espacio-temporal que pide al visitante que se detenga en varios puntos de un itinerario predeterminado, con el fin de mostrarle detalles específicos del contexto: características visuales del tejido urbano, lugares de futuras intervenciones o momentos e historias importantes en el nacimiento de un lugar. Conforme el viaje va transcurriendo a través del espacio con el paso del tiempo, puede surgir una narrativa alternativa para el espectador, un tránsito entre lo interno y lo externo, que propicie las cadenas de pensamiento que el psicoanálisis describe como asociación libre, en las que los objetos externos suscitan reflexiones internas, y los recuerdos internos se proyectan hacia los espacios externos.

Forgotten Streams I

En la esquina de una calle, junto a la parada *Bank Station* del metro, *Forgotten Streams* es un estanque de agua aparentemente calmado en medio del ajetreo de la vida urbana. Se pueden descubrir otros dos, separados por un puente, a pocos pasos a través del Bloomberg Arcade, que rodea la nueva sede de Bloomberg y recorre el trazo restaurado de la antigua calle romana Watling Street. En medio del particular ritmo frenético de las actividades en el corazón de la City de Londres, estos estanques son lugares en los que hacer una pausa y recopilar las propias reflexiones, así como las relativas a los edificios y actividades del alrededor.

Déjà Vu - en sueños

En 1909, Freud dirige su atención a los *déjà vu* en los sueños, describiéndolos en un apéndice de La interpretación de los sueños (1900) así: En algunos sueños de paisajes u otras localidades el énfasis se pone en el propio sueño con una convicción de haber estado ya antes allí.[6] Él afirma que: Estos lugares son incuestionablemente los genitales de la madre del soñador; no existe, de hecho, ningún otro lugar sobre el que el sujeto pueda afirmar con tanta convicción que ya ha estado allí antes.[7] Y en 1914 vuelve a retomar La interpretación de los sueños para añadir otra frase que identifica la sensación de «haber estado allí antes» en los sueños como un tipo específico de *déjà vu*: Las apariciones de *déjà vu* en los sueños tienen un significado especial.[8]

Repitiendo: Sin título (Habitación Vegetal VIII) (2002) y Sin título (Habitación Vegetal X) (2002)

Sale de la oscura sala de cine y sube las escaleras; una vez arriba, se encuentra inmediatamente inmersa en un estrecho pasillo, rodeado a ambos lados por patrones proliferantes de flora y fauna —lirios y pulpos— que le recuerdan a una superficie inclinada con la que se encontró en el pasado. El ambiente claustrofóbico invita a la experiencia en un laberinto o estructura laberíntica. Es fácil imaginar que la densidad de la materia orgánica se prolonga hasta el fondo del espacio, lo que evoca imágenes de los mundos fantásticos de los que estas criaturas y el follaje provienen. Al principio, da la impresión de que las celosías están hechas de una gama infinita de materia fabulosa, pero al observarlas más de cerca se ve que el patrón de impresiones está formado por elementos repetidos. La ilusión de una interminable y natural propagación de la diferencia se rompe y queda desplazada por una ensoñación de pesadilla: la extensión potencialmente infinita del espacio artificial y antinatural de la repetición.

Forgotten Streams II

Los ecos de las caras, los autobuses, los edificios, quedan inmóviles en el agua y se ofrecen a la reflexión, brillando cuando la brisa acaricia la superficie, y resplandeciendo al anochecer, cuando las luces de los despachos brillan como joyas. Incluso más lujoso que el resto de las oficinas brillantes con paredes de cristal de la zona, el toque barroco de Norman Foster en el proyecto para Bloomberg le da una opulencia inusualmente curvilínea, un ápice de florecimiento natural para su tradicionalmente austero repertorio, que tiñe su típica paleta monocromática con bronce bruñido, pinceladas de oro y matices de rosa.

'Fausse Reconnaissance (Déjà Raconte) ...'

En 1914, en su artículo «Fausse Reconnaissance (Déjà Raconté) durante el psicoanálisis», Freud describe el *fausse reconnaissance* y el *déjà vu* como términos análogos, y compara ambos con el *déjà raconté*, una característica del tratamiento psicoanalítico por la cual la persona analizada cree erróneamente que ya le ha dicho algo al analista. Reconociendo, aquí por primera vez, la contribución hecha a este campo por Joseph Grasset y otros, Freud esboza la «activación de una impresión inconsciente» en el *déjà vu*.[9] Al retomar su consideración anterior en la experiencia de *déjà vu* de su paciente de 37 años, Freud ahora hace hincapié en el papel activador del *déjà vu* de su paciente, el cual, según considera, estaba «muy calculado para revivir el recuerdo de una experiencia anterior».

Recalca como, ante la imposibilidad de hacer consciente la analogía entre el deseo reprimido de que muriera su hermano enfermo y el del hermano moribundo en la casa que visitaba, la percepción de esta analogía se «sustituyó por el fenómeno de 'haber pasado por todo ello antes'», alterando la identidad del factor común en la ubicación geográfica: la propia casa.[10]

Sin título (Sala de Vegetación VIII), 2002
Bronce en polvo, resina
250× 185 × 220 cm
Vista de la instalación en la Whitechapel Gallery (Londres), 2003

Sin título, 1993
Fibrocemento, hierro, aluminio y tapiz
245× 365 × 125 cm
Vista de la Instalación en el Centro Botín Santander

Reflejando: Sin título (1993-97)

Desde la distancia, las losas rectangulares de hormigón apoyadas en la pared de la galería parecen algo estáticas. Conforme ella se acerca, se convierten en algo más. Por un lado, la losa está pegada a la pared; por el otro, está curvada, desvelando su parte inferior e invitándola a entrar en un lugar en el que una superficie despegada revela un interior secreto. En el reflejo distorsionado de un panel de aluminio, vislumbra los suaves colores de una borrosa escena arcádica.

Anhelando ver más, se asoma al hueco y descubre una escena pastoril de caza representada en un descolorido tapiz del siglo XVIII, que le recuerda a un paisaje con el que ya se ha encontrado anteriormente. Pero la parte expuesta no se puede ver directamente, y la pared de la galería bloquea cualquier intento de que sus ojos se deleiten con el resto de la imagen, que yace cubierta por el hormigón. En este ademán entremezclado de seducción y prohibición, se ve obligada a enfrentarse a su propia decepción.

Forgotten Streams III

Pero este estanque no está siempre lleno. Casi imperceptiblemente, el agua se escurre, y en cuanto queda al desnudo, me entristezco. Se revela el suelo del bosque. Fundidas en un bronce colosal, el material de los monumentos, las ramas aparecen esparcidas por el suelo. La caída de las hojas del otoño, sostenida para la eternidad. Al ver esta imagen de una tierra hermosa pero moribunda en el contexto de la rápida desaparición del propio planeta, del ecocidio, es difícil no conmoverse. Y debido a la ubicación de la obra, busco a mi alrededor un significado, todos ellos focos del capitalismo financiero. Todos estamos implicados, de una manera u otra, en el despojo total de la Madre Naturaleza, en el expolio de sus bondades para obtener bienes materiales, en la conversión de sus riquezas en materias primas, arquitectónicas y de otro tipo.

Despersonalización

Mucho más tarde en su vida, Freud dirige su atención a los fenómenos relacionados de la «desrealización» y la «despersonalización».[11] En su artículo de 1937, «Un trastorno de la memoria en la Acrópolis», relata un viaje a la Acrópolis que hizo con su hermano. Aquí, se centra en la extraña sensación de depresión que ambos experimentaron en Trieste, unos días antes de su viaje —cuando les sugirieron por primera vez que fueran allí—, a lo que sigue un análisis de su propia respuesta una vez en la Acrópolis: su sorpresa por el hecho de que realmente existiera.

A través de una serie de cuidadosas reflexiones, Freud poco a poco desvela lo que cree que está en juego aquí: que lo que sintió de niño no tenía tanto que ver con el escepticismo de que la Acrópolis existiera como con el escepticismo de que alguna vez pudiera llegar a visitarla. Esta toma de conciencia es lo que le permite comprender que la depresión que tanto él como su hermano sintieron en Trieste era, en realidad, culpa: una culpa por haber hecho lo prohibido, superar a su padre y visitar la Acrópolis, cosa que él nunca hizo.

Freud continúa interpretando el fenómeno de la despersonalización como una especie de defensa, una necesidad de mantener algo alejado del ego.[12] Relaciona estas despersonalizaciones, en las que «estamos ansiosos por mantener algo fuera de nosotros», con lo que denomina sus «contrapartes positivas» —fausse reconnaissance, déjà vu, déjà raconté—, que describe como «ilusiones en las que buscamos aceptar algo como perteneciente a nuestro ego».[13]

Proyectando: Sin título (Celosía I) (1996) y Sin título (Celosía VII) (2002)

Enmarcado dentro del punto de entrada a la sala siguiente hay una celosía tallada con mucho detalle. Al acercarse, ella ve que en realidad son dos estructuras separadas, ambas formadas por celosías enrevesadas, de una altura apenas por encima de la cabeza. En una de ellas, las celosías están colocadas de tal manera que impidan la entrada; en la otra, la disposición de las mismas es tal que la invita a entrar. Su percepción de las dos estructuras —la que le permite entrar y la que no— se transforma a medida que empieza a interactuar con ellas. Al impedir la entrada física, la escultura interna invita a la proyección imaginativa. Oscilando entre un refugio de protección y un punto de aprisionamiento, continúa siendo un lugar de misterio y especulación. A medida que se adentra en el cerco con forma de U creado por la pieza complementaria, su punto de vista cambia. Desde su ahora oculta posición, se le ofrece una visión secreta a través de la galería y de las obras en su interior que acaba de ver, que le resultan familiares, pero en cierto modo diferentes.

Forgotten Streams IV

Pasado un tiempo, el agua comienza a fluir de nuevo en el estanque. Tomo conciencia del ritmo del flujo y reflujo, y de la forma en que transcurre a un tempo mucho más lento que el ritmo de los pies a mi alrededor. Esto dirige mi atención hacia el exterior para considerar el ritmo de la ciudad, las caóticas carreras hacia y desde los nudos de transporte al final de la jornada laboral, y la forma en la que estos frenéticos latidos oscilan con la tranquilidad de las noches. Considero las pausas del fin de semana, que se dilatan lo suficiente hasta las languidecientes horas del domingo, solo para olvidarlo todo y volver a empezar otra vez el lunes por la mañana.

Mientras el agua cubre y descubre lentamente el suelo del bosque debajo de ella, las pantallas electrónicas prosiguen su interminable parpadeo, sin descanso.

Recuerdo encubridor

En una historia cultural apasionante, Peter Krapp aborda el *déjà vu* desde el punto de vista de las «estructuras recurrentes del encubrimiento y el secreto».[14] Destaca como en su primer informe publicado sobre el acto fallido (el lapsus freudiano) de 1898, Freud analiza este «mecanismo psíquico» en paralelo a lo que él denomina «encubrimiento inconsciente».[15] Krapp sigue analizando este énfasis espacial de la estructura del encubrimiento y la revelación a través de su comprensión del «recuerdo encubridor» como «no solo una mera falsificación, sino como el pliegue temporal de dos 'recuerdos'».[16]

Freud planteó tres modelos temporales diferentes para sus ideas en torno al recuerdo encubridor: uno donde un recuerdo anterior encubre a otro posterior, analizado en su artículo «Recuerdos encubridores»[17]; un segundo, donde un recuerdo posterior encubre a otro anterior, y un tercero, donde el recuerdo encubierto y el recuerdo descubierto provienen del mismo período de la vida de una persona.[18]

Pasando (a través de): Sin título: Passage I (2002)

Al entrar en la última sala de la exposición, ella camina bajo una cubierta de malla que cuelga del techo, formada por una serie de esteras de cáñamo rectangulares superpuestas. Del mismo modo que las celosías tras las que se ha escondido anteriormente, estos parasoles de esparto o fibra aparecen impregnados de palabras, cuyas sombras esparcen las letras sobre sus hombros y por el suelo. Mientras inclina la cabeza hacia atrás para mirar arriba y descifrar el texto, los signos se desploman sobre su cara, y el torrente de sangre que asciende a su cabeza la marea. *Passages* la ha dejado entre dos planos textuales —uno arriba y otro abajo— que se activan con la luz, la sombra y el movimiento. La tipología arquitectónica del *passage* —o pórtico en español— es un espacio a la vez interior y exterior, una interpenetración de lo privado y lo público, un lugar de camino y transición de un lugar a otro.[19]

Forgotten Streams V

En 2002, Jules Wright me propuso hacer de guía de un grupo de personas en una visita a Wapping. Por aquel entonces estaba trabajando en lo que yo llamaba «topografías angélicas», lugares de intercambio y transformación. Mediante el índice de la guía London AZ había localizado todas las calles que contenían la palabra «ángel» y encontré muchas relacionadas con primaveras remotas. Enlazándolas, el recorrido que preparé nos llevó a lo largo de algunos trazos de los ríos enterrados de Londres, el Walbrook bajo el banco, y el paso del Fleet bajo Angel Street, detrás de la Catedral de St. Paul. El seguir y atravesar tramos de caudales de agua enterrados me recordó a otro paseo que había hecho hace años, a cargo de la Platform de artistas medioambientales. Desde el manantial empapado y herboso de Hampstead Heath seguimos el curso del Fleet enterrado a través de la ciudad, hasta el punto en el que entraba en el Támesis dejando atrás un conjunto de rejillas metálicas. Platform nos animó a imaginarnos lo que habría sido Londres con esos majestuosos ríos descendiendo por sus valles: La imaginación es la raíz de cualquier cambio, afirmaron.

Agachada a la orilla del estanque de Iglesias, escudriño los bordes, donde el suelo del bosque converge con su confín de piedra, y veo como las ramas y las hojas parecen extenderse eternamente.

Lo inquietante

Hay giros extraños —vacíos, descuidos, repeticiones y retrocesos— en el trabajo de Freud sobre el *déjà vu*. El más obvio es el hecho de que, a pesar de incluir el déjà vu en «la categoría de lo milagroso y lo 'inquietante'» en el apéndice de 1907 de Psicopatología de la vida cotidiana, Freud omite el término en su ensayo de 1919, Lo siniestro —Lo inquietante—,[20] cuyo argumento principal es que lo inquietante marca el retorno de lo reprimido: lo familiar (heimisch)[21] que regresa como lo no familiar (unheimlich) ubicado en el recuerdo del cuerpo de la madre.[22] A través de un análisis exhaustivo de la etimología del término alemán heimlich[23], y de la discusión de ejemplos de lo inquietante en la literatura, sobre todo la relación entre lo animado y lo inanimado, lo vivo y lo muerto, en el cuento El hombre de la arena (1817) de E.T.A. Hoffmann, Freud muestra como lo inquietante es «lo contrario de lo familiar» y es «aterrador precisamente porque no es conocido ni familiar»[24]. Pero se muestra cauto al subrayar que no todo lo desconocido y no familiar es inquietante, sino que más bien —y aquí Freud sigue a F.W.J. Schelling— lo unheimlich es todo «lo que debería haber permanecido en secreto y oculto pero al final ha salido a la luz»[25].

ARRIBA *Sin título, Celosía I*, 1996
Madera, resina, bronce en polvo
260× 220 × 250 cm
Vista de la instalación en el Palacio de Velázquez
Colección privada

DEBAJO *Sin título, (Impressions D' Afrique III)*, 2002
Madera, resina y bronce en polvo
260× 520 × 466 cm
Vista de la instalación en la Fundación de Serralves (Oporto)

Volviendo: Sin título (Habitación Vegetal VIII) (2002) y Sin título (Habitación Vegetal X) (2002)

Es precisamente el punto donde confluyen lo vivo y lo muerto, lo animado y lo inanimado, donde se localiza lo inquietante. Michael Newman lo remarca en referencia a la obra de Iglesias cuando habla de la relación entre el molde y su conexión antropológica con la máscara mortuoria, y la huella como una proliferación que conecta con la autoperpetuación de la vida.[26]

Forgotten Streams VI

Los techos de las oficinas de los edificios de Bloomberg parecen pétalos, delicados y rosados, con un patrón repetitivo, adornado y simétrico, que parece infinito. Me recuerdan a la cara inferior de Sin título (Techo Suspendido Inclinado) (1997) de Iglesias, la primera obra que se encontraba al entrar en la exposición de la Whitechapel hace ya tantos años. El patrón de lo que en su día me parecieron una especie de erizos de mar y conchas regresa, al igual que la pregunta que me hice entonces de si se trataba de una sección fosilizada del fondo del océano. Y este recuerdo me lleva a otro, a los comentarios de George Monbiot sobre la forma en la que las actitudes ante el cambio climático se han ido forjando, a través de capas de represión, aún por liberar: primero vino la negación de que el cambio climático existe; luego que existe pero que no lo causan los humanos; luego que existe, que lo causan los humanos, pero que no importa; y ahora, que existe, que lo causan los humanos, que sí importa, pero que es demasiado tarde.

¿O no es así? Nature morte. Naturaleza muerta. ¿Qué es lo que Forgotten Streams sugiere sobre la vida y la muerte en el constante retorno del movimiento a la quietud, de la quietud al movimiento? Que la vida es inmóvil, que la vida se ha aquietado, que la vida está muerta. O que aún hay vida en la muerte, aún hay tiempo para que la vida vuelva.

Notas al pie en la página 76

ARRIBA *Sala de Vegetación VIII sin título— Sala de Vegetación X sin título*
Vista de la instalación en la Whitechapel Gallery (Londres), 2003
Sala de Vegetación X sin título:
250× 185 × 220 cm
Sala de Vegetación VIII sin título:
250× 185 × 200 cm

ABAJO *Sala de Vegetación X sin título*, 2002
(detalle), bronce en polvo, resina

Sin título (Techo suspendido inclinado),
1997
Hierro, resina y polvo de piedra
380× 915 × 600 cm
Vista de la instalación en la Whitechapel
Gallery (Londres), 2003

Debate

Richard Noble Gracias, Jane. Me gustaría empezar preguntándote si crees que el eje horizontal de *Forgotten Streams*, el hecho de que no se levante para salir a nuestro encuentro, y que no podamos verlo desde lejos, ¿es análogo, quizá, a la idea de descubrir algo? Es casi como una excavación arqueológica. ¿Es esto análogo al psicoanálisis?

JR Buena pregunta para empezar. Creo que el hecho de que la obra transcurra en ese plano horizontal aporta algo físico a la experiencia, sobre todo cuando intentas seguir la vegetación y averiguar exactamente cuál es el patrón que sigue, al igual que cuando observas los reflejos en el agua. Creo que hay una relación muy interesante con el psicoanálisis porque el término «represión», tal y como se traduce, evoca esta idea de lo que hay debajo. Y Freud estaba bastante obsesionado con la arqueología. Escribió mucho sobre la relación entre el psicoanálisis y la arqueología, y sobre el desenterramiento de estos elementos latentes que podrían estar reprimidos en el inconsciente. También en nuestra traducción existe un sentido de tipo de transposición, o movimiento hacia un lado. Hay algo muy interesante en lo que ocurre al ir levantando las capas de la obra, pero también en hacia dónde se desplaza. Eso podría ser algo en lo que pensar, y supongo que es lo que, con más tiempo, me gustaría explorar: el desplazamiento.

Llego a ello justo al final: el desplazamiento de algunos de los motivos y formas tal y como se pueden encontrar en el contexto circundante, que luego atrae esa mirada tan particular que tenemos para el arte —la mirada estética crítica— hacia la arquitectura circundante.

RN Otra pregunta que me gustaría hacerte es sobre los vivos y los muertos. Aludes al hecho de que es un molde, y también haces la referencia a la máscara mortuoria, y cuando el agua retrocede, hay una sensación de desmoronamiento en la obra. Tiene esta especie de cualidad barroca —alguien incluso ha usado el término «gótico»— debido a sus raíces.

No tiene hojas, son zarcillos. Quizá sea lo que queda si se drena un manglar o similar, que luego recobra la vida a través del agua. Me preguntaba si podrías decir algo al respecto.

JR Para mí, la obra evoca la evolución de la tragedia del cambio climático, así como el sentir de estar en el último momento, cuando es necesario actuar de inmediato —si es que se va a actuar. Creo que esa es la razón por la que, conforme llegaba al final del artículo, me vino a la cabeza el término de «naturaleza muerta» para relacionar la obra. ¿Está «muerta» de verdad o es algo latente? Para mí, se debe a la superposición del bronce con el agua, y al hecho de que el agua se halla en movimiento. Creo que la temporalidad de la obra es muy importante, y la manera en la que se escurre el agua, para luego, cuando esta vuelve, tener una sensación de optimismo, de que está surgiendo una nueva vida, de que hay posibilidades.

RN Me ha llamado la atención tu referencia a las celosías, y la idea del agua como pantalla. Es muy interesante, y estaba pensando que si bien las pantallas oscurecen las cosas, también intensifican la curiosidad y el deseo. Así que ahí está esa interrelación. Me pregunto si podrías desarrollar esto un poco más, y si podrías hablar de la relación entre la pátina sobre el suelo de la obra y el agua, y de cómo interactúan ambos.

JR Me llamaron mucho la atención las celosías que se instalaron en la Whitechapel hace años, y la asociación entre «celosía» como estructura y «celosía» como emoción. En francés y en español, la conexión queda bastante clara, cosa que no ocurre con el inglés. Me llevó bastante tiempo averiguar cómo se conectaban dichas relaciones de visión en *Forgotten Streams*. El agua muestra el reflejo de los edificios a su alrededor; permite ver las cosas de forma diferente. La apariencia de estos edificios es muy diferente cuando se reflejan en el agua, sobre todo porque el agua no es un espejo directo — cambia todo el tiempo. Y así se logra lo que dijo la filósofa Karen Barad: «refracción difractiva», una especie de crítica feminista del reflejo. No ves exactamente lo mismo que se refleja, ves otra cosa que es ligeramente diferente. Esto me permitió pensar de otra forma, y considerar de verdad esos edificios como «re-presentados» ante mí en cierto sentido, lo cual es un gesto muy ingenioso y encantador que provoca la obra.

Ben Luke Me ha interesado el apunte que has hecho sobre que Cristina haya hablado de la piel de las cosas. Cuando estábamos frente a la obra, hablábamos de la respiración y del movimiento del agua relacionándolo tanto con una respiración muy lenta como con una marea muy rápida. Así que hay a la vez una asociación corporal y una asociación paisajística. No sé lo suficiente sobre Freud como para conocer las conexiones entre el cuerpo y el paisaje en sus escritos, pero a mí me ha parecido un elemento increíblemente poderoso de la obra, además de vascular y visceral: una vuelta a la sangre y al flujo sanguíneo.

JR Creo que es interesante que la obra aúne el tiempo artificial y el natural. Como dices, está el tiempo de tu propia respiración y el tiempo natural al que se refiere la obra, el de las mareas. Si observáramos una poza de marea natural, veríamos que las mareas suben y bajan a este ritmo tan particular. Pero, por supuesto, en Forgotten Streams, este tiempo se manipula. Cuando te das cuenta de que la obra usa un tiempo artificial, te adentras en esa interesantísima contemplación del tiempo de todo lo que ocurre en la ciudad, y de esos múltiples ritmos diferentes que son a la vez reales y artificiales. Lo que de verdad resulta interesante al examinar y explorar *Forgotten Streams*, en comparación con las obras que estaban en Whitechapel, es que ahora el tiempo es un medio fundamental en la obra.

No es solo el tiempo del espectador moviéndose por el espacio, recordando por sí mismo o misma lo que se ha visto, lo que se ha dicho —ya sea producto de su propia imaginación o recuerdos—, o lo que la obra está provocando materialmente, es lo que está sucediendo en el flujo temporal: la experiencia del tiempo que la escultura pone de manifiesto.

James Lingwood Jane, ¿puedo explorar un poco más esta idea de los estados de ánimo temporales? Nos hemos concentrado en el tiempo humano, el tiempo de la ciudad, ¿pero no hay algo en esta obra, como en otras esculturas de Cristina —desde la cubierta fosilizada hasta *Forgotten Streams*—, que versa sobre un tiempo que precede al humano, y también lo supera? Tal vez no deberíamos ser demasiado optimistas con respecto a que estas obras se refieran a nuestra capacidad para renovarnos. Hay algo más oscuro que también está pasando.

JR Sí. Creo que tienes toda la razón, y de hecho esa fue mi primera respuesta. Fue solo al considerarlo a fondo cuando se me hizo más clara la esperanza. Encaja con un montón de escritos muy importantes actuales sobre la ecología y el ecocidio. Observando las cortinas de vegetación, al cabo de un rato te das cuenta de su repetición. Michael Newman ha escrito, de forma muy interesante, acerca de lo que hace la repetición en términos de provocar una sensación de mortandad, mientras que en estas piezas de bronce esto es mucho más difícil de ver. No puedes ver las intersecciones en realidad, y creo que eso es intencional. Pero no creo que haga ese trabajo de lo inquietante de la misma forma que lo hacen las cortinas de vegetación. Lo inquietante tiene más que ver con lo que realmente se está reprimiendo. Lo que dices de imaginar que el suelo forestal se desmorona para revelar lo que hay debajo, como una herida o un traumatismo, podría ser lo que ocurre aquí, y esto es diferente de la perturbación creada por el patrón artificial.

Andrew Benjamin A mí me intrigaba la posibilidad de ver estas obras como ruinas. Uno de los patrones recurrentes en la historia del arte son las ruinas, que a menudo presagian un nuevo comienzo. En el *San Juan en Patmos* de Poussin, San Juan está escribiendo frente a la ruina del mundo antiguo, una visión que indica que algo está a punto de comenzar. Ahora bien, si las ruinas siempre han marcado un desarrollo, una destrucción que dará lugar a la creación de algo nuevo y mejor, quizá eso se haya convertido en nuestra nostalgia. Tal vez ahora sepamos que el arte no puede interferir, y que lo único que hace es simplemente ser testigo de la ruina.

Iwona Blazwick *Forgotten Streams* también es un espacio para la reflexión: está diseñado para que la gente se siente a su alrededor, aunque no se trate de un estanque simétrico o racionalizado. Parece como si Cristina hubiera arrancado literalmente un trozo de la superficie de la Tierra para revelar lo que hay debajo, pero a continuación se nos invita a detenernos y a sentarnos, muy a contracorriente del ritmo de la ciudad, y a reflexionar sobre ella. El reflejo del agua también propicia el proceso de reflexión en el espectador. Así que tal vez la esperanza resida en el sentido de enfrentarse a esto y, por tanto, de hacernos reflexionar sobre el futuro de nuestra ecología.

AB Es eso o lo contrario, en el sentido de que el suelo forestal es el lugar donde la vida está a punto de estallar —es donde las cosas en descomposición dan lugar a la vida. Los animales viven de la descomposición, y de ella crecen cosas nuevas. Pero aquí, lo único que puede pasar es que podemos ver el reflejo en el agua del capital monopolista que destruye el mundo. Eso puede que sea más cierto sobre lo que está pasando que cualquier otra cosa. No es que tenga que haber un final feliz.

JL Jane, creo que la lectura que haces de ello es francamente hermosa y clara. Cuando he reflexionado sobre otras obras —no tanto en las de Cristina—, que tratan sobre las ruinas y que actúan en esta especie de modo alegórico, me he preguntado si es posible imaginar la acción a través de la contemplación. Para mí, una pregunta interesante es que si la obra solo ofrece una posibilidad de reflexión sobre la ruina, ¿cuál es la responsabilidad ética del espectador? El espectador quizá decida: «Bueno, no se puede hacer nada». Me preocupa que mientras algunas personas dentro de estas deliberaciones sobre el ecocidio se sienten muy concienciadas por estas visiones agónicas, y de hecho sienten una urgencia producto de ello, otras lo encuentran tan aterrador que les produce pasividad. Estoy de acuerdo en que la obra ofrece un espacio para la reflexión del espectador sobre estos temas, pero no creo que sea una pieza alegre y optimista a ningún nivel.

Forgotten Streams, 2017 (detalle)

Brian Dillon

Afluencias y afinidades

La obra de Cristina Iglesias es a la vez cautivadora y erudita, rica en materiales como concisa en los conceptos, formalmente innovadora pero comprometida con lo referencial. El suyo es un arte de deslizamientos y caudales, tectónica, cercos y excavaciones. Extrae las historias más profundas del paisaje y de la arquitectura, a la vez que inventa nuevas formas, texturas, estrategias y experiencias encarnadas en la galería, o en el mundo.

Las obras públicas de Iglesias son monumentos cambiantes, respuestas al sitio o al lugar que invocan de forma rigurosa otro lugar. O, mejor dicho, otros lugares: el subterráneo real e imaginario, las profundidades oceánicas o las ribereñas, el pasado más profundo y los futuros prósperos o desolados, tanto si se generen de forma natural como artificial. Todas estas corrientes de creación y de pensamiento fluyen juntas en *Forgotten Streams*, que canaliza la historia de los ríos perdidos u ocultos de Londres por el corazón de la ciudad contemporánea.

Lo que sigue es un esfuerzo, en ocho fragmentos o reflexiones, de rastrear algunas de las fuentes y citas en *Forgotten Streams*, así como en la obra de Iglesias de forma más general. En algunos casos, las obras literarias y los linajes intelectuales que creo haber descubierto se revelarán como si hubieran estado allí todo el tiempo, en la mente de Iglesias, o como si se hubieran citado en la propia obra. En otros casos, trato de hallar alguna nota o afinidad en un corpus de obras que, con sus pantallas, sus encuadres y sus cauces, parece invitar a tales excursiones fuera de sí mismo. Empezamos por la ruta más obvia: regresar a lo largo de los antiguos ríos de Londres, para recorrer su persistencia en el imaginario colectivo. De ahí a la imaginación en sí misma, que los artistas y escritores románticos concebían precisamente en imágenes de ríos y manantiales. Hoy día, en la época de las inundaciones y de la subida del nivel del mar, no podemos sino formular tales visiones vitalistas en términos de catástrofe, como ya se imaginaron en la ficción de J.G. Ballard. A partir de esta obra, retrocediendo rápidamente en el tiempo, se abre todo un abanico de imágenes de ficción: el fantástico mundo subterráneo, antiguo y cristalino, retratado en las novelas de Julio Verne y George Sand; el barroco submarino imaginado por la burguesía victoriana y el dandi por antonomasia Des Esseintes; la fuerza poética revitalizada del paisaje y la geología en la era del cambio climático y la información irrelevante. Todos ellos son afluentes, manifiestos u ocultos, de la generosa y misteriosa presencia en la ciudad de *Forgotten Streams*. Y todos vinculan a muchas otras obras de la ópera en enjambre de Iglesias, de su historia vital meticulosamente comprometida con los lugares y los estratos complejos que los envuelven.

Inmersión

En 1598, el historiador y anticuario John Stow publicó la primera edición de su Survey of London (*Estudio de Londres*), una descripción barrio por barrio de la ciudad, su topografía, historia, edificios y costumbres. Es un trabajo no solo con un asombroso conocimiento y detalle, sino también con una vivaz habilidad escritora: al llegar a una determinada calle o a la fachada de un edificio, Stow no se limita a contar lo que ocurre allí, sino que lleva al lector a través de la puerta, o incluso de la ventana, para contemplar a los estudiantes de derecho durante sus estudios en Chancery Lane, o a los viajeros que descansan en una posada de Bishopsgate. Remembranzas muy íntimas de la ciudad que una vez conoció de niño acentúan sus viajes, como en esta reminiscencia del barrio de Portsoken, en el este, y del Priorato de la Santísima Trinidad: En los aledaños de esta abadía, en su lado sur, hubo alguna vez una granja que perteneció a dicho convento; en la cual yo mismo, en mi juventud, me procuré tantos medios peniques de leche, y nunca tuve menos de tres pintas por medio penique en el verano, ni menos de un cuarto de galón por medio penique en el invierno, siempre caliente por las reses, según se iban ordeñando y colando.

Stow es mucho más que un guía o un cartógrafo; es un habitante móvil de la ciudad con una perspectiva a vista de pájaro de sus esplendores y sus secretos. Es más, lleva a sus lectores por debajo de las calles urbanas, para ilustrar las reliquias del paisaje que la ciudad tuvo en su día. En la época de la conquista normanda, escribe, y durante por lo menos dos siglos después, la ciudad se abastecía de muchos «ríos, riachuelos, cauces, estanques, pozos y conductos de agua dulce» que quedaron enterrados desde entonces. Stow nombra «el río de Wells» —más tarde llamado Fleet— y su afluente, el Oldborne, así como varios estanques, fuentes y manantiales que suministraban «aguas dulces», todos ellos hoy deteriorados o desaparecidos. Y menciona un río en forma de arco que nacía en lo que hoy es Finsbury y desembocaba en el Támesis por Dowgate: Este es el curso del Walbrooke, que en la antigüedad estaba puenteado en varios lugares, para el paso de caballos y hombres, según la necesidad; pero desde que, mediante la invasión de sus orillas, estrecharon enormemente el canal —y le hicieron otras vejaciones—, con el tiempo, el mismo, de común acuerdo, fue arqueado con ladrillos y pavimentado con piedra, al mismo nivel del terreno por el que pasaba; ahora está edificado en la mayoría de sus puntos, así que nadie puede discernirlo a simple vista, y por lo tanto su rastro apenas se conoce por la gente de la ciudad.

Momentáneo

Los ríos y canales subterráneos son metáforas potentes del concepto romántico de la imaginación y la creación artística. La primera vez que vi *Forgotten Streams*, no pensé en John Stow y en la historia real de la tierra y el agua bajo la ciudad, sino en una ciudad imaginaria y un río de ensueño. He aquí Samuel Taylor Coleridge, con los versos que abren su poema Kubla Khan, de 1816: «En Xanadú Kubla Khan/Una majestuosa cúpula de placer ordenó erguir: / Donde Alph, el río sagrado, corre / A través de cavernas inconmensurables para el hombre / Hasta un mar que el sol no puede seguir». (Alph deriva de Alfeo, un dios griego del río, pero también recuerda a Aleph, la primera letra del alfabeto semítico). El poema de Coleridge se subtitula «O la visión de un sueño. Poema incompleto». Como es sabido, afirmó haber concebido y compuesto la totalidad de la obra en un sueño y, al despertarse, haberse puesto a escribirla. Pero fue interrumpido por una «persona de Porlock», cuya visita hizo que la obra se esfumara de su mente, por lo que solo nos queda el fragmento, un «experimento psicológico». Kubla Khan es un poema visionario, pero también una parábola sobre el fracaso de las visiones. Por un lado, la fuerza creadora del nacimiento del río en erupción; por otro, la desolación, el «mar sin sol», al que desciende.

Uno de los antecedentes de la visión orientalista de Coleridge en *Kubla Khan* es la novela gótica *Vathek*, de William Beckford, de 1786. En 2002, Iglesias incorporó a su obra Sin título (Pasaje I) un fragmento de las páginas iniciales de *Vathek*, una aparición de riqueza y esplendor arquitectónico: El palacio llamado Delicias de la Mirada o Sustento de la Memoria era un ininterrumpido deleite. Toda suerte de rarezas, procedentes de todos los rincones de la tierra, se reunían allí, dispuestas en ordenada profusión. Se contemplaba una galería de pinturas del célebre Mani y estatuas que parecían animadas. Allá una perspectiva bien conseguida encantaba la vista; acá la magia de la óptica la confundía agradablemente; más lejos se acumulaban todos los tesoros de la Naturaleza. En una palabra, Vathek, el más curioso de los hombres, no había omitido en aquel palacio nada que pudiese satisfacer la curiosidad del visitante, aunque no pudo satisfacer la suya propia. Tales invenciones, en el imaginario romántico de finales del siglo XVIII, nacen para convertirse en ruinas, para desvanecerse violentamente, o para descomponerse lentamente.

Aflorar

¿Acaso *Forgotten Streams* no es también un tipo de ruina, una manifestación imaginaria de cierto desastre lento, un desgarro de la Tierra y un florecimiento astuto de las aguas subterráneas, de la vegetación, de la materia oscura? Le hace

Passage I, 2002
Esparto
245× 900 × 400 cm
Vista de la instalación en la Fundación de Serralves (Oporto)

a uno pensar en la novela de 1962 de Ballard, *El mundo sumergido*. Una catástrofe medioambiental sin precedentes se ha apoderado del planeta y todo se está convirtiendo en agua o desierto. En realidad, el nivel del agua en todo el mundo solo hubiera subido unos pocos pies, pero los vastos torrentes arrastraron millones de toneladas de sedimentos. Los deltas se alzaron en las desembocaduras como diques, extendiendo las costas de los continentes. Los mares que habían cubierto dos tercios de la superficie total del globo, ocupaban ahora solo la mitad. Los nuevos mares empujaron hacia las costas el cieno sumergido y modificaron la forma y los contornos de los continentes. El Mediterráneo se transformó en un sistema lacustre, y las Islas Británicas se unieron otra vez a Francia. Las llanuras centrales de los Estados Unidos, cubiertas por las aguas que traía el Mississipi de las Montañas Rocosas, se convirtieron en un golfo enorme que se abría en la bahía de Hudson, y en el Caribe asomaron unas salinas barrosas. En Europa el agua se acumuló en lagos, y el barro arrastrado hacia el sur inundó las ciudades de las llanuras. Con *Forgotten Streams* es como si la ciudad se escabullera, revelando que no es más que una frágil corteza de cultura —de ingeniería y arquitectura, sin importar nuestra propia presencia tenue y efímera— encima de estratos más fundamentales, o suelo y arena, agua y roca.

Burbuja

En la obra de Iglesias, estas sustancias —o sus equivalentes moldeados— invaden la galería; en sus esculturas públicas al aire libre reina la confusión entre el interior y el exterior, entre lo superficial y lo profundo. En el siglo XIX, casi al mismo tiempo que los descubrimientos de la geología moderna habían empezado a modificar la concepción de la historia natural, surgió en la ficción y en la vida una fascinación por lo subacuático y lo subterráneo. Consideremos el furor por los acuarios en la década de 1860. En 1854, el naturalista inglés Philip Henry Gosse había publicado *The Aquarium: An Unveiling of the Wonders of the Deep Sea* (El acuario: un descubrimiento de las maravillas de las profundidades marinas), en el que describía sus observaciones de la flora y la fauna costeras de Gran Bretaña, e instruía a los lectores sobre cómo construir y mantener un acuario de agua salada: un microcosmos doméstico de las profundidades. Mediante sus ilustraciones de gran colorido, la gran mayoría de las publicaciones de Gosse asombraban e informaban al público sobre las maravillas de las algas y las criaturas marinas. Pero en la práctica, muchos acuarios domésticos se volvieron obsoletos y se estancaron, sus frágiles habitantes murieron y ahí se acabó el experimento doméstico. Pero alimentaron la sensación de que el interior del hogar podía contener el mundo, pues el acuario funcionaba como un marco o pantalla a través del cual uno se transportaba.

Otro texto de aquella época que Iglesias ha citado es la novela de Joris-Karl Huysmans de 1884, *Contra Natura*. El esteta Des Esseintes es alérgico a viajar por mar, pero le fascina su iconografía, las vistas, los sonidos y los aromas del océano. En su casa a las afueras de París, como parte de su programa estético de experiencia artificial, se construye a sí mismo un cuarto sellado que le permite viajar en su imaginación: Hacía estas comidas, cuyos detalles y menú establecía de una vez al comienzo de cada estación del año, en una mesa ubicada en el centro de una pequeña estancia que comunicaba con su estudio por medio de un corredor que estaba acolchado y herméticamente cerrado para impedir que ruidos u olores pasaran de la primera a la segunda de las dos habitaciones que comunicaban entre sí.

Este comedor asemejaba una cabina de barco, con su techo de vigas arqueadas, sus mamparos y tablones de pinotea en el piso, y el ventanuco abierto en la entabladura como una tronera.

Como esas cajas japonesas que caben unas dentro de otras, este saloncillo había sido insertado en uno más amplio, que era el verdadero comedor proyectado por el arquitecto.

Este último salón contaba con dos ventanas. Una de ellas resultaba invisible ahora, pues quedaba oculta tras el mamparo; mas esta partición podía bajarse soltando un resorte, de modo que cuando se dejaba pasar aire fresco, circulaba no sólo alrededor de la cabina de pinotea sino que entraba en esta. La otra era bastante visible, pues estaba directamente al frente de la tronera abierta en la entabladura, pero se la había inutilizado mediante un gran acuario que ocupaba todo el espacio entre la tronera y esta auténtica ventana en la pared de la casa. Así, la luz del sol que alcanzaba a entrar en la cabina tenía que pasar primeramente a través de la ventana exterior, cuya vidriera había sido reemplazada por una plancha de vidrio cilindrado, luego a través del agua y por último a través del ojo de buey fijo en la tronera.

Madriguera

En 1864, Julio Verne publicó *Viaje al centro de la Tierra*, probablemente la exploración más exhaustiva de su siglo, bajo la forma de una ficción alucinante, de la mitología contemporánea del mundo subterráneo. Aquí tenemos a Verne describiendo la vista que recibe a sus protagonistas mientras exploran las profundidades de un volcán islandés: ... lo que formaba peldaños bajo nuestros pies se convertía en estalactitas sobre nuestras cabezas. La lava, porosa en múltiples lugares, había formado una superficie cubierta por pequeñas vesículas redondeadas; los cristales de cuarzo opaco, engastados con límpidas lágrimas de cristal, y que colgaban como candelabros agolpados en el techo abovedado, parecían encenderse y formar una súbita iluminación a nuestro paso. Parecía como si los genios de las profundidades estuvieran iluminando su palacio para recibir a sus invitados terrestres. Lo que los invitados descubren, antes de emerger de nuevo en el sur de Italia, es un fantasioso mundo de fósiles vivientes: antiguos mamíferos e incluso dinosaurios. Pero la esencia del propio planeta, de forma más plausible, contiene su propio registro cristalino —la Tierra, al parecer, está hecha de tiempo compactado. Esta es la base fundamental de las visiones posrománticas sobre lo que hay bajo nuestros pies: la idea de que lo subterráneo es una especie de universo en sí mismo, un sustituto o analogía de los viajes extraterrestres. Cuanto más se avanza hacia el núcleo, cuanto más cercado está el viaje, más parecen abrirse las cosas, y una especie de cielo interior se extiende ante el viajero, iluminado por estrellas de cristal.

Cristalino

En la obra de Iglesias hay un continuo relevo entre lo terrestre y lo cristalino. Formas naturales cohabitan o compiten con superficies reflectantes impolutas; pensemos, por ejemplo, en su obra Sin título (*Stainless Steel Room*) (1997), con sus emparedados verticales de lo liso y lo estriado, superficies orgánicas en apariencia y delicadamente artificiales. O *Towards the Sound of Wilderness* (2011), en la que —como parte de la Trienal de Folkestone— se avanzaba a través de un pasillo de reflejos y plantas para encontrarse frente a una torre Martello totalmente cubierta de vegetación. ¿Y qué es Forgotten Streams sino también un inmenso espejo —o par de espejos— vuelto hacia el cielo sobre la ciudad?

Dos ejemplos de la creatividad cristalina: primero, el mismo año que Verne, George Sand publicó su novela *Laura: Viaje a través del cristal*. La historia la cuenta un tal Alexis Hartz, un joven que se enamora de su prima durante su trabajo en un pequeño museo geológico. Surge entonces una extraña confusión en su mente, entre su deseo por Laura y su fascinación por las piezas cristalinas del museo, así que con mucha frecuencia empieza a soñar despierto y a imaginarse como ella le conduce por el interior de una geoda. Descubre un mundo asombrosamente hermoso, en el que el sol, un «diamante resplandeciente», brilla sobre océanos de ópalo e islas de turquesa, mientras las cascadas y los lagos parece que se hayan convertido en cristal. En una visión todavía más ornamentada, en la que se le conduce al mismísimo interior de la Tierra, Alexis recupera el sentido común y, con un reciente realismo descubierto, se casa con su prima.

Y en segundo lugar, John Ruskin, dos años después, en Ética del barro, esboza su ética cristalina: ...que su bondad consistía prinpalmente en la pureza de su sustancia y en la perfección de su forma: pero estos son más bien los efectos de la bondad, que su bondad misma. Las virtudes inherentes a los cristales que resultan en estas condiciones externas, quizá se describan mejor por las palabras que usaríamos si nos refiriésemos a los seres vivientes, como «fortaleza de ánimo» y «fuerza de voluntad».

Parece que exista en algunos cristales desde su principio una pureza invencible de vitalidad y una fuerza de espíritu de cristal. Cualquier sustancia muerta, incompatible con esta energía, que se presente en su camino, bien la repele, o la obliga a tomar una forma bella, subordinada: la pureza del cristal queda inmaculada, y cada uno de sus átomos brilla con energía incoherente.

Pero luego, en el mismo texto, Ruskin narra una historia ambigua sobre los cristales. Imagina, dice, un charco de lodo, polvo de carbón y agua sucia a las afueras de una ciudad industrial del norte de Inglaterra. Incluso en este pedazo de tierra más despreciable, algo puro y cristalino se está removiendo, y con el tiempo —mucho tiempo— producirá diamantes: parece haber un esfuerzo continuo por elevarse a un estado superior; y una ganancia comedida, a través de la feroz revulsión y la lenta renovación del armazón de la tierra, en belleza, y orden y permanencia. Todo tiende a la pureza y a la belleza, como pretende decir Ruskin; pero al mismo tiempo la pureza y la belleza dependen de su origen en el lodo orgánico y mineral.

Ahondar

Las formas vegetales representadas en las esculturas de Iglesias pueden parecer a la vez intensamente vivas y vetustas, decadentes. Su arte parece escenificar la ruina de la naturaleza tan intensamente como su presencia rastrera o retorcida. Cualquiera de ellas puede parecer monstruosa, hipertrofiada. Por un lado tenemos el avance ballardiano de un mundo verde petrificado con una especie de vida frágil. Por otro, una arqueología de la naturaleza —que nunca es solo naturaleza—, como la que se aborda

ARRIBA *Sin título (Sala de acero inoxidable)*, 1996
Hierro, resina y acero inoxidable
240× 315 × 315 cm
Vista de la instalación en el Palacio de Velázquez (Madrid)
Colección Museo Nacional Centro de Arte Reina Sofía

ARRIBA *Sin título (Sala de acero inoxidable)*, 1996
Hierro, resina y acero inoxidable
240× 346 × 346 cm
Vista de la Instalación en el Centro Botín (Santander)

Forgotten Streams, 2017 (detalle)

en la poesía de Séamus Heaney. A veces, las estructuras de apariencia orgánica que afloran en la obra de Iglesias no se parecen en nada a las plantas, los animales y los cuerpos humanos conservados en las ciénagas de la antigüedad — hundidos en sus negros hogares húmedos durante siglos, llegan a parecer objetos fraguados en bronce. Así es como Heaney termina su poema de 1969, Bogland, reflexionando sobre la ausencia —tanto política como natural— de una frontera en Irlanda, que no sea el propio y recóndito pasado: Nuestros ancestros siguen golpeando Hacia abajo y hacia adentro, Cada capa que despojan Parece antes ya acampada. Los agujeros de la turbera podrían ser filtraciones del Atlántico. El húmedo centro no tiene fondo.

Escuchar

En 1916, Guillaume Apollinaire publicó un relato excepcional titulado El rey Luna. Su protagonista se refugia en una cueva tirolesa, donde descubre a Luis II de Baviera tocando las teclas de un fantasioso instrumento musical, una especie de órgano, que atrae a su espeluznante guarida los sonidos del mundo superior.

«Los impecables micrófonos del aparato del rey estaban configurados para traer a este subterráneo los sonidos más lejanos de la vida terrestre»: el susurro tenue de los árboles en Japón, el silbido de los géiseres en Nueva Zelanda, el bullicio de un mercado en Tahití. Al final, Ludwig levita sobre una turbulenta corriente sonora y escapa de su prisión subterránea, pero no sin antes haber reconvertido su reducto cavernoso en un nexo o repetidor de sonidos dispares y remotos —reconvirtiendo también el mundo en un río de sonido que fluye hasta su oscuro estudio. ¿No hay algo, al final, de esta visión futurista de los flujos subterráneos en *Forgotten Streams*? La obra se abre, desarrollando su presencia acuática y vegetal, sobre una ciudad que ahora es —incluso más de lo que lo era para Apollinaire en las primeras décadas del siglo XX— un lugar de movimiento inmaterial: el conocimiento, la información y el entretenimiento se desplazan a toda velocidad por el mismísimo aire de la ciudad. Excepto, por supuesto, que todo ello también es posible, todavía, gracias a un estrato subterráneo y oculto de cables y conductos, tanto históricos como modernos. *Forgotten Streams*, entre otras muchas cosas, es un recordatorio de que vivimos, trabajamos y nos movemos sobre una superficie delgada y frágil.

Debajo de nosotros todo es movimiento. Iglesias nos invita a hacer una pausa en nuestra propia circulación por la ciudad, y a contemplar todo ese ajetreo y bullicio que se produce por debajo.

James Lingwood Brian, muchísimas gracias. Has aportado una gama magnífica de conexiones literarias con estos lugares oscuros. ¿Podrías extenderte un poco acerca de la relación con otras formas de cultura visual? Me vienen a la cabeza el interés por las grutas y el tipo de espacios que surgen durante el siglo XIX...

BD Sí; bueno, la gruta es anterior, un embrujo del siglo XVIII. La gruta puede ser algo así como una especie de ruinas, parte de la escena pintoresca, que además puede estar poblada por el ermitaño o el poeta —del mismo modo que lo pueden estar las ruinas—, pero la gruta es además una especie de origen, porque propone una profundidad que las ruinas necesariamente no tienen. Las ruinas por lo general son un marco a través del cual podemos ver. Son esqueléticas en ese sentido. La gruta tiene profundidad. Puede contener una oscuridad de la que emerge la luz, y de la cual podrían surgir voces. A mí me interesan las simas en la obra de Cristina, hasta qué punto la oscuridad de ese origen puede ser también oral, puede hablar. ¿Habla en la obra? A veces parece que sí, porque lleva implícitas, por ejemplo, referencias poéticas o literarias, y a veces no. Me pregunto si, en el largo plazo, uno decide dotar de lenguaje a una imagen como esa.

JL Cristina, podría ser un buen momento para que intervengas y te preguntemos sobre estos tipos de profundidades y movimientos distintos del agua en varias obras.

Cristina Iglesias Sí, creo que lo que dices, Brian —sobre estos estratos— es muy importante, y está relacionado con lo que se dijo antes sobre la idea de fondo: lo que hay allí y si eso se abre a un espacio infinito o conectado a otros lugares. Yo estaba pensando en lugares imaginarios. Aunque las citas se relacionen con textos sobre otros lugares. Intenté pensar en el hecho de ser consciente de toda la vida que hay bajo nuestros pies, que está detrás de tantas puertas, y de lo que hay detrás de tantas cosas a las que no miramos.

Pero también tiene que ver con los recuerdos. Soy muy consciente —y voy más lejos, estoy muy interesada— de cómo la escultura labra los recuerdos. Por eso no solo trabajo con el tiempo que conocemos, con el que ya ha pasado o con el que tardamos en pasear por la obra. He trabajado con infinidad de elementos aquí, y también con condicionantes como la pendiente, la necesidad de barreras, etc. El objetivo es utilizarlos dentro de la obra. Es una composición que emplea elementos que se repiten, pero que también compongo de una manera diferente, porque necesitaba que el movimiento del agua fuera posible, fuera imaginable.

JL Brian, ¿qué importancia crees que tiene que estas obras con varios emplazamientos se perciban como fragmentos de un todo mayor, con elementos relevantes que solo se pueden imaginar?

BD Una importancia evidente, porque dándonos fragmentos es una de las formas a través de las cuales una obra como *Forgotten Streams* cumple el papel de sugerirnos sutilmente —pero a la vez también a lo grande— un mundo subterráneo tanto real como figurado, tanto psíquico como conceptual. Si fuera una obra completa y unificada, creo que sería diferente, porque el agua ya no parecería desplazarse de un lugar a otro. Volviendo a la observación de Iwona sobre el despojamiento de la superficie de la Tierra, existe cierta sensación de que quizá se esté llevando a cabo una exploración, muy parecida a la que realizaría un arqueólogo si dijera: Vamos a cavar dos zanjas, una aquí y otra allí. Y no solo: «Cava aquí porque sabemos donde está el tesoro o la verdad», más bien se trata de pruebas, experimentos con la superficie y la profundidad que se producen de forma provisional. Puede que no se revele nada, pero sí que sugiere momentos distintos en los que cada una de estas cosas ha ocurrido, además de sugerir un espacio subterráneo interconectado y una trayectoria a través de ellos.

Michael Newman Tengo una pregunta para Brian. Sigues retomando dos cosas que me intrigan: por un lado, el aflorar, el agitar, que asocias con la vegetación, las raíces en *Forgotten Streams*, pero por otro lado, el cristal y el espejo. Me preguntaba, cuál, para ti, ¿cuál es la relación entre ambos en la obra de Cristina?

BD No me parece que se tengan que oponer, o sopesarse entre sí, en el sentido en el que yo lo hacía antes, pero si se quisiera hacer, habría que encontrar otra forma de describir la relación entre ellos. Pienso en ellos desde el punto de vista histórico, basándome en un texto concreto, la *Ética del barro* de Ruskin, en la que pide al lector que imagine un camino sucio, polvoriento, mugriento, lleno de estiércol y de polvo de carbón en las afueras de una ciudad industrial de Inglaterra, que imagine la esencia de todo eso y lo que ocurre bajo la superficie. Poco a poco, dice, esta porquería, este producto del capitalismo, la industrialización y la ciudad se transformará en algo puro. Es una pregunta interesante saber si Ruskin ve o no la industrialización de forma negativa. Por supuesto, lo hace, pero también la entiende como parte de este proceso orgánico, agitado y en ebullición.

Ve la ciudad, las erecciones cristalinas en acero, piedra y ladrillo, no como formas orgánicas, sino como parte integrante de un ecosistema. No estoy respondiendo a tu pregunta en términos de la obra, pero estoy tratando de pensar en cómo llevarías a cabo lo que dices en términos de los tipos de imágenes y de metáforas que creo que la obra está proponiendo. En algún punto tendrías que dejar de hacer la distinción entre la superficie y ese hervidero que hay debajo. En algunos aspectos, el descascarillado es una ilusión. Todo forma parte de un mismo desorden.

MN También hay una dimensión inevitablemente ilusoria en las obras de arte; ya sabes, son obras de arte y, por tanto, en cierto sentido, imaginarias, más que arqueología real.

BD Sí.

Ben Luke Hablar de referencias cinematográficas, de espejos y de agua, me ha traído a la cabeza dos secuencias maravillosas de las películas de Jean Cocteau: cuando el protagonista escala el espejo en *La sangre de un poeta,* y se ve absorbido por él, adentrándose en un mundo diferente; y la segunda, *Orfeo*, cuando Orfeo pasa la mano por el espejo y es una superficie acuosa. En ambos casos, se trata de un portal hacia la muerte, pero para Cocteau, la muerte es también un portal hacia la imaginación.

Andrea Schlieker Si te pones delante de estas superficies que reflejan, te ves a ti mismo. Así que la idea de un doble, en cierto modo, ha sido siempre una metáfora de la muerte.

BL Y en consecuencia, es muy emocionante. Es fantástico que una obra de escultura pública pida a la gente que aborde la muerte. Muchos monumentos están supuestamente destinados a inmortalizar o a salir de la tierra, para representar a las grandes figuras que se inmortalizan. Esta obra, incluso aunque te pares a pensar en ella solo un rato, te hace reflexionar sobre lo inevitable de lo que viene después. Pero, al mismo tiempo, es un mundo de fantasía y de emoción. Me encanta este doble aspecto.

Andrea Schlieker

Emplazamiento y reclusión: Towards the Sound of Wilderness de Cristina Iglesias

«Un día [mientras] paseaba por un sendero con la playa a mi izquierda, me encontré con una masa circular de vegetación rodeada por una densa maleza».[27]

Y así empezó el descubrimiento, por parte de Cristina Iglesias, del evocador emplazamiento que acabaría convirtiéndose en el catalizador de su escultura *Towards the Sound of Wilderness*. Voy a argumentar como esta obra destaca, dentro de su propia ópera, por su capacidad de respuesta ante el lugar y por ofrecer una experiencia más allá de sí misma. Para entender su peculiar enclave, *Towards the Sound of Wilderness* debe considerarse dentro del contexto de sus *Salas de Vegetación* y, más concretamente, de la Trienal de Folkestone de 2011 para la que fue creada, ya que esta obra —quizá más que ninguna otra de la serie de *Habitación Vegetal*— está intrincadamente ligada a su emplazamiento, así como a la temática general de la exposición.

Folkestone y la regeneración

La localidad costera de Kent, en Folkestone, vivió su apogeo a principios del siglo XX, cuando la realeza y la aristocracia pasaban allí sus vacaciones. Dos grandes hoteles y elegantes casas arquitectónicas para artistas y escritores de renombre contribuyeron a su reputación de glamur y moda.

Hasta principios de los 70, Folkestone siguió siendo un destino vacacional popular: «Te enamorarás de Folkestone... a todos les pasa»[28] decía la portada de un folleto turístico local de 1971, que describía Folkestone como una zona de recreo familiar y elegante junto al mar, con un «aire espacioso y próspero».

Sin embargo, a finales de la década, ese «aire» se acabó evaporando —los vuelos baratos ya permitían las vacaciones en el extranjero, dejando a Folkestone sumida en el abandono. Cuando, con la llegada del Eurotúnel o túnel del Canal de la Mancha, el servicio de ferry del pueblo a Boulogne se terminó, y sus industrias locales —la pesquera y la del carbón— se hundieron, la economía de Folkestone siguió cayendo en picado. Lo que una vez fue una localidad rica y orgullosa se convirtió en una localidad famosa por sus altas tasas de paro, los embarazos de adolescentes, la pobreza y el envejecimiento de la población, además de por las deficiencias en materia de vivienda, sanidad y educación.

Para invertir esta tendencia a la baja cada vez más acelerada, un mecenas visionario, Roger de Haan, fundó la Creative Foundation en 2002, en un intento de revitalizar el patrimonio de la ciudad. Desarrollando un programa de regeneración innovador —basado con mucha creatividad en la educación y las artes como catalizadores del cambio—, la Fundación dio sus primeros pasos encargando a Norman Foster la construcción de un nuevo instituto, a Alison Brookes el diseño del primer teatro de la ciudad y transformando los viejos almacenes en una universidad de nueva creación —afiliada a la Universidad de Canterbury—, especializada en cursos de arte y negocios. El objetivo de Haan de convertir Folkestone en un centro cultural con viviendas asequibles, tiendas y talleres para los profesionales de las industrias creativas es tan revolucionario —sobre todo en comparación con el estilo de regeneración corporativa común y corriente— como ambicioso.

La Trienal de Folkestone[29] es parte de este enfoque regenerativo transformador, y se considera una herramienta fundamental. Pero lo más importante es que aquí la misión del arte coexiste con una inversión considerable en la infraestructura social y cultural de Folkestone, con el fin conjunto de atraer a la gente a la localidad y reactivar su economía adormecida.

La Trienal de 2011: A millones de kilómetros de casa

Como introducción del arte contemporáneo en el tejido de la localidad, y como una iniciativa para que sus habitantes se comprometieran, era fundamental que la primera Trienal de 2008, *Tales of Time and Space*[30], se concentrara en la propia Folkestone, su rica historia y su composición sociopolítica.

La segunda iteración en 2011, *A Million Miles from Home (A millones de kilómetros de casa)*[31], se centró en la realidad geográfica de Folkestone como portal y umbral, y en ser un punto de llegada para muchos migrantes. La exposición retomó la temática del «portal», literal y metafóricamente. Los artistas respondieron creando obras que hacían referencia a la migración y el exilio, a los efectos y las amenazas de la globalización, a los conceptos de hogar, pertenencia y refugio, pero también a visiones utópicas de mundos alternativos, que articulaban la sensación de desconcierto y de pertenencia a otros mundos provocada por la expatriación.

Un cuadro de 1915 de Fredo Franzoni —expuesto en el antiguo Grand Hotel de Folkestone— representa la escena de 64.000 refugiados belgas que huyen de la invasión alemana y llegan a las costas de Folkestone en agosto de 1914. 15.000 de ellos se quedaron. En la actualidad, muchos de los migrantes se alojan en la zona del puerto, atendidos por el Migrant Support Group de Folkestone. Un tema de importancia para la localidad desde hace muchas décadas, y que también lo fue para los artistas en 2011.

Como en 2008, los encargos específicos para el lugar se extienden por toda la localidad, en estrecho diálogo con sus edificios históricos, el puerto y la playa, para activar estos espacios conjuntamente con las obras permanentes que se conservan de la primera iteración.

Andando y pensando

La experiencia de encontrarse con obras de arte en un entorno exterior es totalmente diferente a la de verlas de forma tradicional, dentro de las paredes de un museo. Lo que distingue a una exposición como la Trienal es el compromiso con el tiempo y el caminar.

Friedrich Nietzsche, un incansable caminante, escribió en *La gaya ciencia*: «No pertenezco al grupo de los que solo tienen ideas delante de los libros, en contacto con ellos; de hecho, acostumbro a pensar al aire libre, paseando, trepando, saltando, bailando, en especial, en montes aislados o muy cerca del mar, allí donde incluso los caminos están perdidos».[32] Andar, de hecho, es un componente esecial de una exposición como la Trienal. Equipados con un mapa, los visitantes tienen que recorrer toda la localidad en busca de obras de arte, como si fuera la búsqueda de un tesoro. Perderse puede ser parte de la experiencia.

Aquí hace falta una implicación diferente con el tiempo: un día entero apartado, para soñar despierto, reflexionar, conversar, mientras se camina de una obra a otra. Al liberarnos de nuestras limitaciones habituales, nos encontramos, como dice Rebecca Solnit, «perdidos en el caminar... libres de las ataduras del tiempo»[33].

Muchos de nosotros llevamos una vida urbana, así que salir y sentir el clima nos cambia rápidamente, a nosotros y a nuestra disposición, liberando nuestra mente y nuestra imaginación, y esto nos hace más conscientes y estar más alerta. «Caminar magnifica la percepción», señala Frédéric Gros en Andar, una filosofía.[34] Una sensación de descubrimiento, revelación o sorpresa, sin duda, forma parte de cada encuentro con estas obras durante nuestro deambular. Liberada del entorno de paredes blancas habitual, y en sinergia con su ubicación particular, y a menudo muy evocadora, la obra y su emplazamiento coexisten en una relación simbiótica que se refuerza mutuamente, un enriquecimiento cruzado único con las intervenciones específicas del lugar.

El proceso

Fue andando como los artistas descubrieron la ciudad y acabaron eligiendo sus emplazamientos. A veces los elegían en un día; en otras ocasiones, como en el caso de Iglesias, fue un proceso más largo, que requirió de muchas visitas para encontrar un lugar que le inspirara. Iglesias supo desde el principio que quería crear una obra en respuesta al aislamiento de Folkestone —una «Habitación Vegetal» en un umbral topográfico entre la tierra y el mar, en el mismo linde de la localidad. Su primera visita, en octubre de 2009, se centró en el puerto —para entonces ya abandonado y en ruinas desde hacía muchos años—, pero sobre

ARRIBA *Towards the Sound of Wilderness*, 2011
Polvo de bronce patinado con resina de poliéster y acero inoxidable
3,85× 6 × 4,2 m
Folkestone, Inglaterra

ABAJO *Towards the Sound of Wilderness*, 2011(detalle)

todo en la parte de Harbour Arm, donde encontró una ubicación que le llamó la atención. Se trataba de una puerta antigua, más allá de la cual pretendía levantar su escultura, con la idea de evocar un concepto de frontera, de acceso denegado. Sin embargo, la logística inherente del emplazamiento no tardó en hacerlo imposible.

Una segunda visita, en febrero de 2010, la llevó a explorar un túnel de hormigón —actualmente bloqueado—, una estructura que se remonta a las defensas marítimas de la Segunda Guerra Mundial. La artista hizo la propuesta de construir una Habitación Vegetal en el interior de la entrada, de forma que a la vez denegara el paso por completo. Pero una vez más, se le denegó la licencia urbanística para crear una obra en este lugar. Una tercera visita en abril de ese año desembocó finalmente en el lugar que resultaría ideal para la concepción de Iglesias: una torre Martello sitiada por la vegetación en la punta occidental de The Leas, el paseo marítimo de Folkestone. La antigua estructura arquitectónica, totalmente oculta bajo la exuberante naturaleza, acompañada del sonido de la vibrante vida salvaje y de su posición cercana al mar, desprendía un aire mágico, de cuento de hadas, que atrajo al instante a la artista. Hay nueve torres Martello[35] a lo largo de la costa de Folkestone, algunas abandonadas, otras convertidas en residencias privadas. La Torre Martello nº. 4, la de Iglesias, está situada entre la famosa Spade House —construida por Charles Voysey para H.G. Wells— y la Milden House —construida para Robert Baden Powell, fundador de los Boy Scouts. Una estructura de ladrillos ruinosos, cuya argamasa solo se mantiene unida por una masa de hiedra, rodeada por un foso seco y cubierto de maleza; esta torre parece estar completamente consumida por su densa cubierta de naturaleza salvaje, y se oculta todavía más tras las densas zarzas de los muros del baluarte. Así, al quedar invisible durante décadas, la torre Martello había caído en el olvido para la localidad, lo que aumentó aún más su atractivo para la artista y contribuyó a que este emplazamiento se convirtiera en el catalizador de su obra. Iglesias desarrolló una propuesta para una estructura accesible a pie, acogedora y con espejos (3 × 1,80 metros), abierta a la intemperie, y ubicada sobre los —hasta el momento inaccesibles— baluartes. Por dentro, estaría cubierta de paneles de follaje en bajorrelieve de resina, y conduciría a una ventana desde la que los visitantes podrían ver la Torre —revelando así, por primera vez en 50 años, este monumento histórico al público.[36]

El lenguaje estilístico utilizado en *Towards the Sound of Wilderness* lo comparten el resto de *las Habitación Vegetal*[37], estructuras arquitectónicas de las que la artista ha creado muchas versiones diferentes a lo largo de los últimos 20 años. Situadas en lugares al aire libre en Brasil, Suecia o España, todas ellas comparten una coraza de reflejos en acero inoxidable y un espacio de paso con paneles de resina, cada una con un motivo vegetal diferente que se repite.

En lo que respecta a sus predecesores en la historia del arte, estos paneles podrían recordar a los relieves de bronce de Pisano y Ghiberti en las puertas del Baptisterio de Florencia, o en *La Puerta del Infierno* de Rodin. Sin embargo, mientras que estos antecedentes son principalmente figurativos con un marcado carácter narrativo, perspectiva y un espacio profundo, los relieves de Iglesias abandonan esto en favor de un patrón orgánico más ornamental. Sala de Vegetación de Inhotim (p. 254) en Brasil es probablemente la más grande y ambiciosa de todas estas estructuras. Aquí, ella creó un laberinto dentro de un cubo de nueve por nueve metros, con cuatro entradas de las cuales solo una lleva al centro. El concepto de laberinto o maraña es una idea importante y recurrente en su ópera. Otras *Habitación Vegetal* —como *Double Passage*, en Barcelona— también tienen muchas entradas. La sensación de encierro y restricción se acentúa especialmente en estas estructuras más grandes. La experiencia del visitante se centra en la introspección de la obra. Las estructuras parecen ser independientes de su entorno, autónomas y autosuficientes.

Como señala Lynne Cooke, estos «pabellones casi sin función... no proporcionan un sitio desde el que poder contemplar el mundo más allá: no son miradores».[38]

En cambio, *Towards the Sound of Wilderness* no está modelizada como un laberinto, sino como un pasillo, como una estructura más abierta con una única entrada y ventana. Es un pasaje con una clara función de atraer la mirada de los visitantes a un lugar más allá, que conduce a la luz, que revela lo extraordinario, oculto durante tanto tiempo.

En su estudio de Torrelodones, la artista pasó entonces a elaborar los moldes para el pasillo, y los paneles se fundieron en resina y bronce en polvo bajo su supervisión. La obra se instaló a principios de mayo de 2011, lista para la inauguración de la Trienal en junio. Una vez instalada, la escultura —que estaba envuelta por árboles, arbustos y zarzas— apenas era visible. El único indicio de que se descubriría algo más eran los escalones de tierra —que después serían de piedra— a los pies de la colina.

Al abrirnos paso hacia el estrecho camino, primero nos encontramos con nosotros mismos. Las paredes de acero inoxidable extremamente reflectantes de la escultura son un espejo del entorno y de los visitantes, por lo que, con esa duplicación, la propia obra casi desaparece. En su interior, los bajorrelieves de formas vegetales recuerdan a la materia vegetal primitiva; y también se hacen eco de la espesura enzarzada que rodea los baluartes. Durante una visita reciente, resultó increíble ver que las arañas habían asimilado el simulacro como si fuera una naturaleza auténtica, y habían tejido sus telas alrededor de su superficie en forma de cresta. Cuando atravesamos el pasadizo nos encontramos de frente a una asombrosa vista de naturaleza exuberante, intacta e indómita, mientras nos rodea una polifonía de sonidos de las aves nidificantes. Aquí, uno se siente incómodamente aislado de todo lo humano. La panorámica de una riqueza antediluviana y caóticamente pujante es absolutamente inesperada —sobre todo al acercarnos a los pulidos senderos y a las grandes casas del paseo marítimo—, y parece establecer una contraposición deliberada de los discursos dominantes sobre el Antropoceno.

En su análisis del cuadro *San Jerónimo en el desierto* de Patinir, Rebecca Solnit señala que «el desierto es una forma de exilio de la civilización»[39]. La escultura de Iglesias evoca precisamente esa experiencia, al ofrecer un espacio más allá del clamor urbano donde se nos arrastra a una zona de desarraigo, de lejanía y de «remotidad», coincidendo así también con la temática de *A Million Miles from Home*.

Solo de uno en uno podemos entrar por el estrecho pasadizo, lo que hace que esta experiencia sea íntimamente privada. Towards the Sound of Wilderness recuerda sutilmente el carácter mágicamente transformador del umbral de la madriguera o el armario[40], el cual hay que atravesar para vivir la experiencia de otro mundo arcádico. De forma importante, la escultura encarna la idea del acceso denegado, de lo prohibido e inalcanzable, ya que solo podemos mirar, pero no podemos entrar en la torre cubierta de vegetación. La propia naturaleza permanece intacta, preservada y protegida de la intrusión humana.

Este matrimonio de la obra con la naturaleza salvaje trae a la cabeza todo un cúmulo de asociaciones, que van desde la idealización de Rousseau de la naturaleza salvaje —como un oasis libre de los males de la civilización— hasta la famosa conferencia de Thoreau, Caminar, en la que declara: «En la naturaleza está la preservación del mundo».[41]

La intervención de Iglesias también se puede asociar al *hortus conclusus*, el «huerto cerrado» de los cuadros medievales y renacentistas, una temática popular y un símil de la virginidad de María. Los muros circundantes impenetrables eran una característica habitual de la representación del huerto, y sinónimo de Inmaculada Concepción y la pureza femenina. Esta equivalencia de la naturaleza cerrada con la pureza, el refugio y el santuario se le puede atribuir también a la obra de Iglesias en Folkestone. *Towards the Sound of Wilderness*, al igual que su serie *Forgotten Streams*, atestigua el gran interés de Iglesias por lo desaparecido, por la memoria, por revelar lo que se ha perdido o descuidado, por volver a hacer presente lo ausente. Los moldes de la vegetación ficticia parece que estén petrificados, congelados en el tiempo, prototipos de formas vegetales primitivas, organismos prehumanos. En su obra de Folkestone, se representan en un diálogo deliberado con la percepción de la vegetación real, pasada y presente; realidad y ficción combinadas en una celebración de la fuerza perpetua de la naturaleza.

Towards the Sound of Wilderness es a la vez un mirador y un refugio; un entorno que actúa como facilitador de una experiencia más allá de la obra, que solo es posible en este lugar concreto. Es un portal a un mundo inexplorado, de cuento de hadas y de ensoñación, que nos invita a escuchar y a reflexionar en soledad en ese espacio liminar entre la tierra y el mar; un cobijo *rus in urbe*, que nos da liberación y éxtasis.

Por último, y lo que es más importante, Towards the Sound of Wilderness es una muestra de la astuta comprensión de Iglesias sobre el potencial del lugar.

Notas al pie en página 76.

Joachim Patinir,
San Jerónimo, c.1520, Museo del Louvre (París)

Ben Luke Una cosa que me llama la atención al observar la obra de Folkestone y la pieza de aquí es que se trata tanto de la propia obra como de lo que la rodea, de todo el contexto de la misma. Me sorprendió que en esa intersección en particular, el contenido de la obra transforma momentáneamente todos los edificios en paredes de acantilados.

Te sientes como si estuvieras en medio de un cañón.

Y tiene su lado mágico, porque desde luego pensamos en la Bella Durmiente, encerrada en la torre. Estábamos hablando del sonido de los pájaros que hay allí y del viento, de como al ser un refugio momentáneo, te evades del entorno al mismo tiempo que eres muy consciente de él. Creo que ese es un aspecto sumamente imprescindible en todas las obras de Cristina: que te hacen hiperconsciente del espacio en el que te encuentras.

AS Bueno, en este caso, se ha excavado en los alrededores. Es casi como si la artista hubiera trabajado como una arqueóloga, una facilitadora que nos permite ver algo que ha estado perdido durante mucho tiempo. La última vez que se usó fue en la Segunda Guerra Mundial, y desde entonces nadie había estado allí, nadie lo había visto.

Richard Noble Andrea, ¿qué opinas del carácter regenerativo de esto?

AS Precisamente por eso he hablado de toda la historia y antecedentes del emplazamiento, porque claro que es clave: este trabajo no habría existido sin el impulso regenerativo original que se inició en 2002. La regeneración es siempre un asunto sumamente complejo, y hemos visto muchos ejemplos de ello en Londres y en otras ciudades, ejemplos terribles de destrucción de lo antiguo para sustituirlo por edificios de oficinas de acero y cristales relucientes. Así no es como se ha hecho aquí. No dudo de que alguien pueda ser crítico con el tipo de regeneración que representa la Trienal de Folkstone, pero desde mi experiencia trabajando allí durante seis o siete años, no cabe duda de que trataron de seguir un planteamiento diferente, uno que respetara lo que había y que mantuviera el parque de edificios que merecía la pena conservar, en lugar de sustituirlo por centros comerciales y edificios de oficinas. También resultó muy innovador por lo que han hecho los artistas y su nivel de compromiso con la localidad de Folkstone. Es una regeneración propiciada por el artista en el mejor sentido.

Brian Dillon A mí me parece que uno de los efectos de la obra de Cristina en Folkestone se refiere de entrada al propio sentido de estar en la costa, que es lo que puedes ver al despejar el horizonte. La vista que nos lleva por el pasillo hasta este énfasis cercano en una vegetación de extraordinaria riqueza y repleta de vida tiene que ver con un proceso en la obra de Cristina de evitar constantemente los horizontes. Es un poco parecido a la toma de Tarkovski directamente sobre el arroyo para enmarcarlo de esa manera, y él hace lo mismo todo el tiempo con la vegetación. Con la supresión del horizonte se elimina un nivel de lo pintoresco, lo cual hace que se vean las cosas a diferentes distancias. Me pregunto si se puede hablar de este trabajo en términos de un primer plano.

Cristina Iglesias Tienes toda la razón. Es como un zoom, como lo estabas describiendo en términos reales y físicos, así es como hay que abordarlo. Tienes que subir desde el pueblo hacia ella, y cuando entras en el camino, la obra se enmarca como si estuvieras mirando por una ventana. Así que en realidad es un primer plano de un lugar en el que, de otro modo, no te dejarían entrar. Con mi trabajo lo que me interesa es una forma de mirar a la distancia, en la que lo que ves es como un atisbo de algo lejano.

RN Me preguntaba si uno de los elementos importantes del éxito de una obra de arte pública como *Forgotten Streams* es que no puedes ver para qué sirve; que a diferencia de la mayoría de lo que hay a su alrededor, no tiene una función inmediatamente evidente. Esto puede llevarte a pensar en ella de una manera diferente a todo lo que la rodea. Sabes la función de la farola, sabes la función de la acera.

Sabes la función de los edificios y de las carreteras, pero esto no tiene una finalidad instrumental evidente. En consecuencia, tienes que involucrarte con ella de una forma diferente. Puede que haya que pasar por delante de ella cuatro o cinco veces y verla en sus diferentes iteraciones: a veces llena, a veces vacía, a veces burbujeante, a veces no. Sin embargo, me parece que el nivel de complejidad implícito en el hecho de ser decididamente no instrumental es uno de los factores que pueden hacer que las obras de arte tengan éxito en el ámbito público.

James Lingwood Yo diría que parte del éxito de *Forgotten Streams* y otras esculturas en el espacio de la ciudad es que permiten la indiferencia. No reclaman atención. Así que si quieres dedicarle tus pensamientos y emociones a la obra, puedes hacerlo, pero esta no insiste en que lo hagas. Sobre todo en un lugar como la City de Londres, donde existen patrones de comportamiento muy periódicos, la gente pasará por delante varias veces. Tal vez pasen por delante infinidad de veces y de alguna manera no la tengan en su campo de visión, pero habrá otros que sí la tengan.

Así empieza a formar parte de su mundo.

Michael Newman Creo que estás planteando un problema interesante de la escultura pública en general, y es el hecho de querer hacer algo un poco contradictorio: quieres hacer algo notable pero también algo que no sea intrusivo o invasivo. Lo que realmente me gusta de estas dos piezas es que resuenan intensamente en el contexto histórico en el que se desarrollan, pero también es interesante que lo logren actuando en dos registros muy diferentes dentro del mismo paraguas conceptual. En Londres hay una «re-evocación» de algo que estuvo ahí y ya no está, mientras que en Folkestone hay una aceptación de algo que no debería estar ahí, pero que sí que está. Es interesante ver como ambos pueden servir para lograr el objetivo de hacer algo que no sea invasivo ni intrusivo, pero que al mismo tiempo sea algo que la gente quiera mirar.

Jane Rendell Quiero responder a esa cuestión, pero también plantear otra. Creo que es muy diferente hacer obras para el ámbito público de la ciudad que para el ámbito público de la galería. Coincido mucho con James en que las mejores obras de arte público permiten que la gente las ignore, y que también pueden beneficiarse de que se vuelva a ellas para desarrollar una comprensión de la obra a lo largo del tiempo. La ciudad es un espacio para el encuentro con el arte muy diferente del de una galería, que ofrece un tipo específico de marco interpretativo. Recuerdo cuando me encontré con la campana preciosa de A.K. Dolven en Folkestone y me quedé absolutamente intrigada con ella, por el tipo de objeto que era, sin tener que darle necesariamente un marco interpretativo. Creo que ahí es donde el arte público tiene la oportunidad de hacer algo diferente de lo que hace el arte en una galería o un museo.

También quería mencionar el género y la sexualidad en relación con la obra, en concreto la manera en la que se han relacionado las cuestiones de género con la ciudad y la naturaleza. Hay una idea persistente del cuerpo femenino como una especie de cuerpo puro; por ejemplo, el cuerpo virginal o el cuerpo maternal. En un trabajo que hice sobre la década de 1820 en Londres, analicé con mucho detenimiento los tipos diferentes de representaciones urbanas de género a través de libros enmarañados. Cuando pensamos en una maraña pensamos en algo que sucede en la naturaleza, pero en la década de 1820 era algo que tenía lugar en la ciudad, a menudo en busca de placeres sexuales. La ciudad solía representarse asemejándola a un cuerpo femenino, como un espacio laberíntico o uterino, porque era un espacio de seducción, de placer y de deleite que seduciría a los viandantes masculinos hacia las delicias de la ciudad. De igual modo, las prostitutas eran descritas a menudo como «trampas», y como grietas metafóricas en las que los hombres podían caer; a menudo se confundían con la descripción del espacio urbano. Así que me preguntaba cuál es tu opinión sobre estas cuestiones.

AS Creo que el tema de la sexualidad está presente en la obra de Cristina, pero de una forma muy oculta y discreta. Por eso he hablado del *hortus conclusus*, que representa la inmaculada concepción, la Virgen María. Eso es porque cuando estás allí, tienes esta sensación abrumadora de una especie de naturaleza pura, lo cual es ridículo porque estás dentro de una ciudad. El agua brinda una conexión aún más fuerte con la sexualidad. Cuando pensamos en fuentes, normalmente pensamos en el chorro de agua —como el Jet d'Eau de Ginebra—, el gran chorro vertical que, por supuesto, se podría ver como una forma fálica. Pero en *Forgotten Streams* tenemos una forma muy horizontal. Y no solo eso, sino que si piensas en la fuente de Amberes, te viene a la cabeza el término «abismo» que mencionó Jane.

Es una forma muy femenina, con el agua desapareciendo hacia ella. Es casi como la sangre menstrual. No sé si estoy yendo demasiado lejos, pero es ese tipo de circularidad que en términos formales es mucho más referencial a la forma femenina que a la masculina, al menos en mi lectura de la misma.

Michael Newman

La creación de mundos en una era de catástrofes: Agua y follaje fundido en la escultura pública de Cristina Iglesias

Tendemos a dar por sentado lo que es el agua en realidad: H_2O, un recurso que hay que utilizar y conservar. Pero también deberíamos reconocer que el agua tiene una historia y que se entiende de forma diferente en cada cultura.

Tres esculturas públicas de Cristina Iglesias tratan tres aspectos diferentes del agua, como son: la relación del reflejo en la superficie con la profundidad —en Amberes, a través de *Deep Fountain* (1997-2006); la idea de que hay múltiples aguas en lugar de una sola estándar —en Toledo, con *Tres Aguas* (2014); y la idea de caudal en relación con la memoria —en Londres, mediante *Forgotten Streams* (2017). Las esculturas de Iglesias evocan momentos diversos de la historia del agua, momentos que adquieren una resonancia y urgencia renovadas en medio de la crisis climática, como los siguientes: la mitología de los manantiales y la historia de las fuentes, que se remonta a la antigua Roma; la relación del agua con la idea del paraíso en los jardines islámicos y moriscos; el papel histórico de los ríos en relación con las ciudades; el vínculo del agua con la memoria y el olvido; las aguas corrientes como recurso para la industrialización; el papel del agua en las reuniones de las comunidades; y, en el caso de otra escultura, *Estancias Sumergidas* —que se encuentran bajo el agua en el Mar de Cortés, en Baja California (México)—, una relación distinta con el océano en una época de deshielo de los glaciares, aumento del nivel del mar, extinción masiva y el presagio del fin de la humanidad.

El agua contemporánea comienza con la ciencia de la hidrología, que depende de la posibilidad de poder medir el caudal. Esto surgió en el siglo XVII, en paralelo a las matemáticas de las curvas y del cambio en el cálculo infinitesimal de Newton y Leibniz. El agua pasó a entenderse como algo continuo, idéntico en todos los lugares y, por tanto, en cierto sentido, sin lugar, que se desplazaba en un ciclo hidrológico formado por ríos, océanos, evaporación y precipitaciones. Luego se convertirá en un recurso global, que habrá que medir y explotar o conservar.

Y con esto se pierde su significado y la relación con el agua. Un aspecto importante de la historia de la colonización fue la apropiación y conversión de varias aguas locales en el agua universal contemporánea. Los ríos, así como sus dioses y significados, se transforman en fuentes de energía y de producción agrícola industrial mediante presas y canales. Lo que el colonizador expropia al indígena es la capacidad del agua para construir mundos.

Como argumenta el geógrafo Jamie Linton: «cambiar nuestra relación con el agua es cambiar nuestra relación con el mundo»[42].

Iglesias no hace tanto «uso» del agua en su escultura, ya que recupera su capacidad para crear mundos. Más que tener puntos de vista o perspectivas concretas sobre una misma agua —la que se ha denominado «agua contemporánea»—, deberíamos considerar más bien varias aguas, diferentes cada vez en función de las relaciones que conforman los mundos como modos de ser distintos. Los romanos mantenían separados los acueductos de manantiales diferentes, de modo que la fuente o el depósito donde terminaba el acueducto estuviera vinculado a la fuente, lo que preservaba tanto la virtud de esa agua en particular como su conexión con el dios asociado al manantial.[43]

Cuando el agua se entiende en términos de ciencia y queda supeditada a la utilidad, otros significados, asociaciones y mitos migran hacia el interior y se vuelven «subjetivos». Ivan Illich escribe en su libro *H2O y las aguas del olvido*: «El H2O y el agua se han convertido en opuestos: El H2O es una creación social de los tiempos modernos, un recurso escaso que requiere un manejo técnico. Es un fluido manipulado que ha perdido la capacidad de reflejar el agua de los sueños»[44]. Illich se refiere al libro de Gaston Bachelard, *El agua y los sueños*[45], publicado originalmente en francés en 1942, que es una fenomenología de la imaginación de la materia.[46] Illich se ocupa de la forma en la que el agua pierde su dimensión onírica y se convierte en H2O, un recurso que circula por las tuberías. El autor hace una comparación entre esto y el cambio que se produce en la realidad urbana al pasar de una vivienda —que genera un aura única, incluido un olor— a un garaje, que es aséptico y está relacionado con la circulación. El agua se convierte en un agente de esta circulación, al borrar durante el proceso el olor que formaba parte del aura de la vivienda, en aras de un espacio homogeneizado y limpio. Podríamos pensar en las esculturas de Iglesias como «máquinas» para convertir el H2O en el «agua de los sueños», pero en cierto modo, más que ser algo subjetivo o interiorizado, se trata de una cuestión de espacio público, y de una temporalidad que relaciona la historia con la prehistoria.

Deep Fountain en Amberes está ubicada en Leopold de Waelplaats, delante de los escalones y la columnata del Museo Real de Bellas Artes. A través del lento ritmo de llenado y vaciado del agua en el estanque revestido con moldes de eucaliptos y setas, emergen otro tiempo y otro espacio en la plaza pública. Recuerda a la novela de Virginia Woolf, *Entre actos*, ambientada antes de la Segunda Guerra Mundial, en la que un personaje dice que antes no había mar «entre nosotros y el continente... Había rododendros en The Strand y mamuts en Piccadilly»[47]. El eucalipto utilizado junto con las setas para los moldes de *Deep Fountain* no es originario de Europa, sino de Australia, por lo que tiene connotaciones tanto de indigenismo como de colonización. También tiene propiedades medicinales, sobre todo como alivio para las enfermedades respiratorias, lo que sugiere un contrarresto de los efectos contaminantes del tráfico —por delante del museo pasa una carretera que une dos rotondas.

El espacio público de la típica plaza de la ciudad —a la cual Leopold de Waelplaats no se parece mucho, ya que se encuentra en un barrio mixto del sur de Amberes basado en una urbanización del siglo XIX—, ha quedado dominado por las fachadas de las iglesias, los edificios administrativos y, a partir del siglo XIX, el museo como institución cívica o estatal. Como es habitual, las columnas clásicas del Museo Real están sobre una escalera que el visitante tiene que subir para entrar, en una combinación de sumisión a la autoridad y la sensación de sentirse elevado simbólicamente por la cultura. La escultura hídrica de Iglesias invierte deliberadamente esta elevación y, al mismo tiempo, obstruye el acceso directo a las escaleras de la entrada del museo: para cruzar la plaza tienes que rodear el estanque. Por otra parte, el agua en cambio se drena a través de una canaleta que se extiende hacia la columnata. Donde en una fuente tradicional, el agua formaría un chorro vertical, aquí, en cambio, se aspira hacia abajo, con una forma que Catherine de Zegher ha comparado con los «dos labios que se tocan» de los que hablaba la filósofa Luce Irigaray, formando un símbolo femenino que no se basaría en una visión de un falo.[48]

La asociación entre la verticalidad de la fuente y la masculinidad fálica también se encuentra en la novela de ciencia ficción de Arthur C. Clark sobre un ascensor al espacio, *Las fuentes del paraíso* (1979). Un pasaje del capítulo V del libro, «Un lugar de tormentas silenciosas» —que trata sobre el efecto del sol en el clima y la ionosfera que protege de los rayos X y la radiación ultravioleta—, forma parte de otra escultura de Iglesias, *Pabellón Suspendido IV* (2014). Volveré sobre el modo en el que, como en la ciencia ficción, las esculturas públicas de Iglesias abren otro mundo, de una manera que se convierte en una reflexión acerca del mundo en el que están situadas.

Un interrogante para Iglesias era cómo reocupar un lugar que tradicionalmente había estado reservado para la estatua de un personaje histórico o para una fuente. Al convertir la fuente

Deep Fountain, 1997–2006 (detalle)
Hormigón policromado, resina, acero inoxidable y agua
Leopold de Waelplaats, Amberes

en un estanque que se llena y se vacía desde abajo, la artista asocia la profundidad no tanto con algo oculto detrás de la superficie sino con un submundo.[49] El reflejar la columnata del museo en el estanque recuerda al Patio de los Arrayanes de la Alhambra, en Granada, que también refleja en su estanque la columnata y la puerta del palacio. El movimiento del agua distorsiona los reflejos, al romper la imagen lineal y geométrica de la autoridad mediante turbulencias y vórtices. Iglesias transforma el modelo de la fuente que tuvo su apogeo en el Barroco —acompañado de las innovaciones del siglo XVII en la tecnología hidrológica— a través del contramodelo consistente en el uso del agua en relación con la arquitectura en el jardín árabe. Se inspira sobre todo en el tipo de jardín árabe o islámico que podemos encontrar en la Alhambra y el Generalife en España. En el jardín islámico de la tradición *chahar bagh*, los canales dividen el jardín en cuadrantes, que reflejan los cuatro jardines eternos del paraíso en el Corán.[50] El Corán «describe los jardines eternos (Jannat al-khuld) como regados por cuatro ríos (de agua, vino, leche y miel) y embellecidos con una fuente»[51].

Arquitectura árabe morisca y estanque del Patio de los Arrayanes de los Palacios Nazaríes en la Alhambra de Granada, Andalucía (España)

Las fuentes quedan limitadas para no perturbar la tranquilidad del jardín, y los estanques suelen estar conectados por canales de agua que discurren junto a los senderos. Así que se podría decir que hay cierta coreografía del agua. Además, sobre todo en España y Portugal, se utilizan azulejos vidriados y policromados —«azulejos» viene del árabe *al-zulayj*, «piedra pulida»— para reproducir los reflejos del agua. Más que la tendencia a la desmaterialización o espiritualización plasmada en el «jardín del paraíso», Iglesias crea un contraste entre la reflexión en la superficie y la materialidad en la profundidad de los «azulejos» de la vegetación —sobre todo en Amberes—, que, si bien proliferan en repetición, no siguen el tipo de patrón abstracto que sugiere un mundo ideal.

Como ocurre con la historia del agua, Iglesias recurre al recuerdo del jardín, pero no para idealizarlo, sino para cuestionar el presente. *Tres Aguas*, en Toledo, explora las relaciones múltiples del agua con la historia de la ciudad. Podríamos empezar por la *Torre del Agua*, situada fuera de las murallas de la ciudad, junto al Río Tajo, en lo que fue —durante el siglo XIX— una fábrica de armas donde el río proporcionaba una fuente de energía. Desde allí, empezando con un paseo a lo largo del río, podemos subir a la ciudad, encontrándonos finalmente la escultura Plaza del Ayuntamiento, en la plaza principal, un paralelogramo formado por un estanque lleno de vegetación con una canaleta en el centro. El fondo del estanque, que parece estar formado en gran parte por raíces, es el mismo que el de la Torre del Agua, una combinación que sugiere un terreno subyacente que conecta el interior y el exterior de la ciudad.

La tercera ubicación, con un forro de vegetación similar, es un rectángulo en un espacio interior en lo alto de la colina, parte del antiguo Convento de Santa Clara. Hemos viajado de la fábrica a la plaza pública, y de ahí al espacio íntimo y sagrado del convento. Pero de la misma forma podríamos pensar en términos de descenso desde la espiritualidad, a través de la plaza pública, hasta la utilidad, o comenzar en el medio, con el espacio urbano donde las personas se reúnen, entran en relación, y se detienen un momento junto al estanque de agua para disfrutar de un cambio de ritmo.

Las tres aguas de Toledo conllevan diferentes temporalidades, desde el caudaloso flujo de la fuerza del agua asociada a la industria del siglo XIX, pasando por el estanque que recoge y contrapuntea el tráfico y las relaciones de la ciudad, hasta la quietud contemplativa del estanque interior del convento.

Detrás de las tres yace la historia del agua en Toledo, sobre todo la famosa obra hidráulica diseñada por Juanelo Turriano, un artefacto mecánico construido para subir el agua del río hasta el palacio.[52] Que Turriano fuera además relojero es oportuno, por la forma en la que esta obra sirve de modelo para el universo como mecanismo, más parecido al de un reloj con sus palancas que a algo basado en el cálculo del caudal y la presión del agua, lo cual tuvo que esperar a la ciencia de la hidrología del siglo XVII. Por tanto, la relación con el tiempo es la de dividir el flujo en segmentos a los que se puede asociar un movimiento. Este mecanismo de relojería es diferente del flujo barroco del auge de esas fuentes tan a menudo adornadas con cuentos de *La Metamorfosis* de Ovidio.

Los tres niveles o dimensiones de Toledo quedan unidos por el agua, y por la vegetación sobre la que fluye y se escurre, dando a entender un proceso que nos conecta, como cuerpos formados mayoritariamente por agua, con el tiempo geológico y biológico. En cada caso, tanto el agua como la vegetación afirman la historicidad del lugar y ofrecen un potencial transformador a través de su relación con una dimensión que precede y subyace a la historia, a la que podríamos llamar primordial, si no fuera porque se encuentra tanto en el futuro como en el pasado remoto. ¿Qué relación con el presente recoge?

Forgotten Streams, como proyecto público para el edificio Bloomberg de la City londinense, su centro financiero, puede referirse tanto a la ciudad como a un conglomerado de tipos de corrientes diferentes (personas, transporte, alimentos, residuos, información, electricidad), como a la «liquidez» como categoría económica y principio social.

El sociólogo Zygmunt Bauman usa la palabra «líquida» para acuñar un término relativo a un momento de la historia de la sociedad.[53] Mientras que, desde la Ilustración, se hicieron temblar los cimientos de la tradición para asentarlos sobre bases más sólidas de la razón, en nuestra modernidad, la liquidez o fluidez se ha convertido por sí misma en una base o principio. Esto no quiere decir que el agua en Forgotten Streams sea una metáfora de la «modernidad líquida»: más bien, al estar emplazada en la ciudad, la escultura aúna experiencias y conceptos de corriente diferentes. El recuerdo del flujo olvidado de los ríos enterrados del pasado, relacionado con la historia romana de Londres y el templo mitraico debajo del edificio Bloomberg, así como sus vías fluviales medievales, quizá interrumpa el carácter económico y socialmente «líquido» de la sociedad actual. Si Iglesias se inspira en el pasado para cuestionar el presente, lo mismo ocurre con su escultura, que plantea una relación con el futuro en la que las cosas podrían ser de otra manera.

Esto da a la obra un curioso carácter ontológico, como una especie de ficción real. Una escultura puede ser una representación, pero lo que sí que es siempre es una realidad en el espacio y en el tiempo. *Forgotten Streams* juega con la «ficción» de que el histórico y enterrado río Walbrook corre entre sus partes, y está resurgiendo desde las profunidades como un recuerdo.

En una escultura pública, esta dimensión representadora puede dar paso a un mundo alternativo dentro del mundo cotidiano. Es en este sentido en el que podemos entender las referencias de Iglesias a la ficción, sobre todo a la ciencia ficción y a la ficción weird —ficción extraña—, en sus esculturas.

La novela de ciencia ficción *Las fuentes del paraíso*, de Arthur C. Clark, se publicó en 1979; describe un proyecto para erigir una «torre orbital» desde el suelo hasta un satélite que es básicamente un ascensor o puente hacia el espacio, basado en un cable microfino. La idea de este stairway to heaven —un puente hacia las estrellas— se introduce como consecuencia de las fuentes instaladas por el rey Kalidasa en Sri Kanda (ubicada en Sri Lanka): «Nada había cambiado, excepto que las cisternas de lo alto de la roca ahora estaban llenas de bombas eléctricas, no de relevos de esclavos sudorosos». El capítulo 3 describe la instalación inicial de las fuentes como «brotando desde la tierra como por arte de magia, las esbeltas columnas de agua ascendían hacia el cielo sin nubes». Es evidente que la descripción se basa en los jardines eternos árabes o islámicos.

Si bien la novela de Clark puede haber sido una fuente de inspiración para las esculturas públicas de Iglesias que emplean agua, es la verticalidad de este proyecto imaginario, la «torre» que emprende la aspiración de las fuentes —basada en una especulación y posibilidad científica real—, lo que ella rechaza. Esta verticalidad implica una soberbia fálica, tecnológica y económica —como si el cambio climático pudiera resolverse mediante su causa. No obstante, la conexión con *Las fuentes del paraíso* nos permite ver la relación entre la práctica escultórica de Iglesias y la ficción. Al apoyarse en la ciencia ficción y la fantasía en la escultura pública, la artista crea un espacio dentro del espacio urbano existente en el que el mundo podría concebirse de otra manera. Para Iglesias, los jardines eternos actúan más bien como lo que se ha llamado *survivances*[54] —supervivencias. En este sentido, las esculturas públicas contienen imágenes de la memoria —los jardines eternos, el reflejo del estanque— que aseguran su propia supervivencia a través de la discontinuidad temporal. Es una supervivencia que posee una implicación política —fragmentos del «otro» pasado, como insinuando un futuro utópico— en tiempos difíciles.

Al moldear el follaje de los estanques, Iglesias está creando, de hecho, cuasifósiles, que remiten a la prehistoria, a una época anterior al ser humano. Esto introduce en la obra la temporalidad del tiempo geológico, y la sitúa en consonancia con el ritmo de llenado y vaciado del estanque. Hay un paralelismo con las obras de Max Ernst, en las que se crea un bosque de follaje mediante los procesos de *frottage* —en el que se frota el medio sobre un papel colocado sobre madera, cuero o cuerda— y *grattage*, donde se raspa una capa seca. Estos, también, producen semejanzas a través de la cadencia y la proliferación. Los *frottages* en concreto, como señales indexadas, tienen un contacto y una relación causal con aquello que produce las semejanzas, y por ello funcionan como moldes. Estos bosques representan una época primigenia —una época anterior a la humana— dentro de un espacio que es a la vez pictórico e imaginario, y una superficie real y material. El follaje fundido de Iglesias introduce la temporalidad primigenia en la época del presente, creando un desgarro en el tiempo y una relación con una era sin relación humana.[55]

Esta visión puede albergar una dimensión onírica —incluso de pesadilla—, como ocurre en los bosques de Ernst, que tienen un origen en el mundo onírico psicoanalítico. Los bosques de Ernst inspiraban directamente la ambivalencia del deseo y el horror en un tiempo que retrocede al de *El mundo sumergido* de Ballard. Estos *frottages* y *grattages* del bosque a menudo encierran el disco de un sol, el cual en el caso de Ballard provoca el calor que hace subir el nivel del mar y el regreso de la flora y la fauna del Jurásico. ¿Se trata del pasado profundo regresando al presente o del tiempo retrocediendo hasta el momento en el que se acabará?

Iglesias ha empleado las palabras de Ballard en otras esculturas: *El mundo de cristal* se cita en *Tres Corredores Suspendidos* de 2006. El título traducido en español como *El bosque de cristal*, establece una conexión implícita con la vegetación petrificada de los *frottages* de Ernst. Los sueños del *Solaris* de Stanislaw Lem —donde el océano, concebido como una vasta inteligencia animada de cierta clase inmensurable, envía «visitantes» a los humanos basándose en la lectura de su mente inconsciente— se citan en Pabellón Suspendido III (Los sueños), 2011-16. El cuento *Un descenso al Maelström*, de Edgar Allen Poe, es la inspiración de Iglesias para la obra *in situ* en Moskenes, en las Islas Lofoten (Noruega) (1993-94)[56], una de las primeras obras en las que la artista usa follaje fundido, un bajorrelieve de hojas de laurel y un punto de vista como el de una cueva o un templo desde el que contemplar el agua.

El agua que corre transforma la escultura en un arte temporal, haciendo hincapié en los lazos con el cine que también están presentes en otras obras de Iglesias[57]. En sus inicios le encantaban las películas de Andrej Tarkovsky, por lo que tiene un gran recuerdo de cuando vio Stalker[58].

«La zona» en Stalker es una combinación cercada de ruinas industriales y paisaje. Continuamente húmeda, con barro, un río y canales, parece ser la consecuencia de una inundación. Un pasaje del Apocalipsis en la banda sonora refuerza la sensación de paisaje postapocalíptico.

Stalker plantea varias posibilidades en cuanto al papel que puede desempeñar el agua en las obras de arte, en concreto con una escultura instalada en un paisaje urbano o en un espacio arquitectónico. Se hace una analogía entre la película y el agua. El agua, cuando está quieta, genera imágenes a través del reflejo.

Las imágenes aparecen y desaparecen en función de la luz y del estado del agua. El agua también fluye por un río o canal, al igual que la película fluye por la cámara y el proyector. Y el celuloide tiene una liquidez y una transparencia que lo alían con el agua. Por último, es un medio temporal de continuo cambio. Esto significa, por supuesto, y según la analogía, que una película, como el agua, es un agente de transfiguración.

Si el agua crea un flujo, ello también permite vincular la escultura con las distintas temporalidades. Hay una temporalidad del mundo en la que coexisten el espectador y el objeto, una temporalidad del mundo y de las cosas. El agua fluyendo supone otro tiempo. El agua no solo fluye continuamente: los estanques se llenan y se vacían a ritmos determinados. Este llenado y vaciado tiene el efecto de conectar la escultura con los procesos del cuerpo del espectador: el llenado y el vaciado de los pulmones al respirar, o el latido del corazón; la circulación se convierte en ritmo. Esta conexión entre el tiempo interior y el exterior es precisamente el tema de *El mundo sumergido* de Ballard, donde el protagonista busca integrarse en el tiempo regresivo del mundo inundado mediante conexiones en el inconsciente y el cuerpo[59]. Las esculturas de Iglesias provocan una fusión similar entre el tiempo interior y el exterior. El efecto puede que sea tranquilizador, pero también tiene su dimensión de «raro» e incluso terrorífico.

El agua atraviesa la distinción entre el interior y el exterior. El agua en un espacio hace que el exterior entre.[60] Cuando nos damos cuenta de que el cuerpo es en gran medida agua, nos sentimos parte de las aguas fuera de la piel. En la habitación de los deseos de Stalker, el suelo es un charco de agua en el que flotan frascos de cristal. En la película, el stalker dice «estamos en el umbral», justo antes de hablar de la habitación como el lugar donde se cumplen los deseos secretos de los que entran.

Si los umbrales son cruciales en la escultura de Iglesias, el agua es lo que cruza el umbral.[61] *Stalker* tiene que ver con los pasajes: el paso a «la zona», el paso a través de un túnel anegado a la habitación de los deseos, así como la muerte y la trascendencia como pasajes. Introducir una escultura que trata del paso y del agua en el espacio público es, a la vez, crear una ruptura y una continuidad que atraviesa las fronteras y los límites habituales de los objetos. La escultura abre otro tipo de espacio en el espacio urbano de lo cotidiano. En la escultura de Iglesias, este otro espacio combina el horror o lo extraño con lo paradisíaco.

El agua conecta espacios y también conecta el paraíso con la distopía. La idea de que el agua sea un elemento y una anticipación del paraíso proviene del jardín islámico. El agua en el jardín es benéfica. Pero si el agua es necesaria para la vida y la creación, también lo es para el diluvio —un agua que ahoga y destruye.

Y entre ambas está el agua del pantano, que comprende tanto la decadencia como la generación, que se sugiere en el follaje fundido de las esculturas de Iglesias. Su forma, su efecto y su papel recuerdan a los jardines eternos; por tanto, sirven también como una anticipación. Aún así, aspectos como el follaje, que evoca la ciénaga y la decadencia, en lugar de los patrones abstraídos e idealizados de la decoración islámica, insinúan un agua más apocalíptica. Estas son las mismas valencias del agua que las que encontramos en Tarkovsky. El agua se asocia con la espiritualidad, la purificación y el recuerdo de la infancia, pero también con el posapocalipsis, con la zona de los que se han quedado atrás. A la vez que el llenado y el vaciado del estanque llevan al cuerpo a un ritmo más lento que el de la ciudad, ese llenado también evoca el pánico a la inundación, y el vaciado a la ansiedad ante un vórtice que acabará succionándonos. Los placeres presentes de la escultura en el ahora acaban siendo algo entre el recuerdo y la profecía. ¿Podemos volver a encontrar el paraíso perdido? ¿O será el futuro como una ciénaga en la que todo se ha descompuesto?

¿Cómo podemos hacer una escultura pública que albergue una promesa, pero que no sea una mera afirmación del statu quo o de las relaciones de poder existentes? La escultura tiene que crear algo placentero en el presente, pero sin afirmar lo que Adorno habría llamado la «vida falsa» del presente.[62] Hay cierto placer en la obra, pero no es un placer «pleno» —hay un componente de ausencia o carencia en ella. El vestigio del pasado penetra en esta ausencia. A veces, lo hace como el recuerdo de los jardines eternos árabes, y siempre bajo la forma de la referencia primigenia del follaje fundido. La lección de Ballard es cómo hacer que este pasado primigenio venga del futuro. En El mundo sumergido el protagonista experimenta una «regresión medular» hacia el futuro mientras el mundo se va calentando.[63] Esto no tiene por qué ser distópico; a medida que se va adentrando en él, parece suponer una suerte de jouissance. Podríamos comparar esto con la «promesa de la felicidad» *—promesse du bonheur—* que Adorno saca de Stendhal y Baudelaire, una felicidad que la obra de arte, a través de su negación de vida falsa en el presente, promete en el futuro. La felicidad de los jardines eternos, que fueron en la cultura islámica una felicidad tanto sensual como espiritual, no pertenece al presente, sino que es un vestigio del pasado que procede del futuro, como una esperanza en medio de la catástrofe que se avecina.

Notas al pie en página 77.

Andrew Benjamin ¿Puedo insistir un poco más en la parte referente al olvido? Al escuchar tu charla me ha venido a la mente Heidegger y el olvido. Estoy de acuerdo en que en *Forgotten Streams* hay una evocación del olvido, pero siempre existe este doble problema, es decir, que hemos olvidado. En cierto sentido, una parte del proyecto de arte, o una parte del proyecto de lo que tú llamas la imaginación, es la de conseguir llevarnos hasta ese instante de epifanía en el que pensamos: «Madre mía, no me había dado cuenta de que esta construcción llamada "24/7" se ha naturalizado, de tal manera que no puedo ver ninguna alternativa a la misma». Toda la estrategia de lo olvidado requiere algo más que un simple estímulo para recordar. Eso sería demasiado fácil —como si lo único que tuviera que hacer el arte fuera revelarte algo. Tiene que, de alguna manera, situarte para que reconozcas que te has olvidado. El punto fuerte de la obra es que escenifica eso como un problema.

En mi opinión, una obra de arte nunca puede resolver un problema. Puede poner en escena el problema, y aquí lo hace hasta tal punto que de repente nos damos cuenta de que el tiempo que rodea a la obra se ha naturalizado, y es entonces cuando la obra de arte puede hacer que la desnaturalicemos. Por lo tanto, la propia relación de la obra de arte con la naturaleza es algo muy complejo.

MN Estoy totalmente de acuerdo con lo que dices. La obra, como un recordatorio del olvido, es una experiencia sumamente crucial. Eso nos lleva a preguntarnos, «¿Qué hemos olvidado?» Ahí, yo creo que quizá tendría un poco de cuidado. Ahí es donde me gustaría hacer la distinción entre la obra y una excavación arqueológica —a no ser que pensemos en la excavación arqueológica como una especie de poesía en sí misma, cosa que podríamos hacer. *Forgotten Streams* no consiste en excavar un yacimiento arqueológico, en el sentido de un origen positivo que se podría encontrar si se excavara a fondo y con cuidado. Quería relacionarlo —y aquí es donde estoy evitando ligeramente a Heidegger— con un recuerdo de lo inmemorial, no exactamente de «lo que vino antes», sino de cualquier cosa positiva que se pueda recordar.

Es ahí donde el recuerdo conecta con una cierta idea de «futuro», posiblemente «redentora», pero no lo sé. En cierto modo, sería peligroso empezar a hablar de la obra de arte en ese sentido —sobre todo en el contexto actual—, como lo era claramente para Heidegger con respecto al fascismo. Sin embargo, es más bien un recuerdo anticipatorio de algo inmemorial.

Brian Dillon Michael, creo que tu idea de la analogía es francamente intrigante, en parte porque parece proponer la noción de que la analogía y lo análogo se pueden entender en términos bíblicos, en el sentido de que un acontecimiento o una persona del Nuevo Testamento cumple de forma analógica algo del Antiguo Testamento. Lo cumple a la vez que, al ser el punto final de una especie de predicción, también lo inventa en primera instancia. El acontecimiento, momento o personalidad anterior solo tiene sentido porque el segundo momento o persona lo ha inventado, en parte convertido en ficción. Si se piensa en la creación de arte público de esta manera, uno se da cuenta de que, en realidad, muchas de las veces, cuando tratamos de explicar el arte a un público más amplio, recurrimos a términos muy básicos como «se refiere» o «trata», o a términos vagos como «evoca» o «indica». «Nos obliga a hacer frente a X», al Antropoceno, al capitalismo, etc. Hubo un tiempo —y un nombre para el mismo sería la Edad Media— en el que públicos vastos eran perfectamente capaces de aceptar y comprender las relaciones analógicas entre momentos históricos, imágenes y textos, entre personas e ideas, etc. Creo que la idea de la analogía como forma de describir el trabajo de Cristina tiene un enorme recorrido, pero más en general, hay vastas tradiciones a través de las cuales la población mayoritaria, cultural, amante del arte o resistente, puede entender algo tan complejo como una analogía.

Iwona Blazwick Me pregunto también si otra palabra, «empatía», es quizá apropiada para la manera en la que podríamos responder a la obra de Cristina. Cuando vi la obra por primera vez, me quedé impresionada por un momento, porque sí que parecía como si algo se hubiera desgarrado —ya sabes, se había desgarrado el tejido de la ciudad.

Por un momento pensé en un cuerpo disecado, en arrancar la piel, y en la conmoción que eso produce. Creo que lo oculto de la obra —te encuentras con ella, no se te presenta ante ti— es parte de su extraño poder, y de inmediato tienes una especie de respuesta visceral ante ella, que es empática. Es como levantar una piedra o un colgajo de piel, o tropezarse con algo. Para mí, esto es un aspecto muy poderoso de esta obra: la naturaleza visceral del agua y de las raíces, que se sienten un poco como tubos bronquiales o venas.

Para mí, es ese tipo de analogía.

BD ¿Y por qué esa empatía, que implica compartir un sentimiento? Precisamente no es empática. La empatía tiene que ver con el hecho de compartir. Así pues, volvemos a la cuestión de la analogía. La empatía, cuando comienza como un sentimiento —*Einfühlung* en alemán—, pasa a ser una noción de sentimiento único compartido. Así que precisamente habría que insistir en su relación no empática.

Jane Rendell No me acuerdo de quién lo ha mencionado hoy, pero es posible ver los distintos elementos de la obra haciendo cosas diferentes. No tienen por qué funcionar necesariamente como un todo completamente cohesionado. Así que es posible que el desgarro quizá tenga una especie de afecto visceral, ya sea empático o no —desde luego encarnado está—, pero si se trata de un afecto perturbador, puede que actúe de forma diferente cuando la obra se aborda sentado a su alrededor en los bancos. Puede que simplemente sus diferentes aspectos estén haciendo cosas diferentes. Me preguntaba, Michael, en tu ponencia, que me ha parecido absolutamente fascinante, ¿cuál era tu opinión sobre la imaginación? Has pasado por eso muy rápidamente al final, y me preguntaba si podrías decir algo más sobre cómo te parece que opera la imaginación en ello.

MN Estaba relacionando la imaginación con lo imaginario. Imaginar sería literalmente la creación de una imagen, pero es más que eso. Es la materialización de un modo de ser, que se puede habitar o con el que te puedes relacionar, que no es el modo de ser del flujo 24/7. Así que la imaginación es la posibilidad de crear algo que te permita ser, al menos durante un tiempo, una manera diferente, más que simplemente afirmar o articular que hay diferentes cadencias en el flujo de la vida. Lo podemos afirmar con bastante facilidad, ¿pero qué significa eso en términos de habitarlo? Por tanto, la escultura es la creación de un imaginario que podemos habitar en algún sentido, y quizá eso tenga que ver con que también sea un lugar de encuentro.

Tenía un pequeña parte —no la incluí porque pensé que quedaría demasiado largo— sobre la palabra islandesa *Althing*. Heidegger estaba interesado en esto. Es el origen de la palabra thing en inglés. El *Althing* fue la primera reunión parlamentaria de la historia, que se celebró en Islandia. Visité el parque nacional donde se produjo, y muy interesante, lo que más o menos lo atraviesa es una hendidura entre las placas continentales euroasiática y americana, que está creciendo a un ritmo de dos centímetros y medio al año. Hay una enorme fisura negra por la que corre el agua, y al parecer los vikingos encauzaron un río para que creara una cascada justo al lado del Althing —donde, por cierto, solían castigar a quienes infringían la ley. Es el lugar más poderoso que se pueda imaginar, y quizá se corresponda de forma analógica a *Forgotten Streams*. La escultura de Cristina es una cosa —thing—, pero también un lugar de encuentros potenciales. La obra es una fisura en la superficie de la ciudad por la que corre el agua, y el reflejo en los bordes de los estanques nos invita a imaginar que el agua aparece y desaparece en un abismo.

1. En 2003, me invitaron a dar una charla en la galería sobre la exposición *Cristina Iglesias* (7 de abril - 1 de junio de 2003), comisariada por Iwona Blazwick, en la Whitechapel Gallery de Londres. *Cristina Iglesias*, comisariada por Michael Tarantino, debutó en el Museu Serralves (Oporto, 2002) y, tras la Whitechapel, viajó al Irish Museum of Modern Art (Dublín, 2003).

Esta frase está sacada de las notas que tomé durante la presentación verbal de Iglesias en la inauguración de la Whitechapel.

2. Otros críticos se han pronunciado sobre cómo la obra de Iglesias emplea una serie de estrategias estéticas que acercan dos tiempos y/o espacios diferentes, como el descubrimiento de una cosa en el lugar de otra, o el retorno inesperado de un detalle o rasgo olvidado. Por ejemplo, el comisario Ulrich Wilmes indaga en cómo el «concepto de obra escultórica de Iglesias tiene una dialéctica inherente de forma cerrada e interpretación abierta, percibida a la vez como real y ficticia». Véase Ulrich Wilmes, «The Dramatization of Space: Cristina Iglesias: Three Suspended Corridors, 2005», en Cristina Iglesias: Drei Hängende Korridore (Three Suspended Corridors) (Colonia: Museum Lüdwig and Verlag der Buchhandlung Walther König, 2006) p. 19. Para Michael Tarantino: «The discrepancy that lies between exterior and interior is central to Cristina Iglesias' wall pieces». Véase Michael Tarantino, «Enclosed and Enchanted: Et in Arcadia Ego», en Enclosed and Enchanted (Oxford: Museum of Modern Art, 2000) p. 24. La comisaria Penelope Curtis sugiere que las obras de Iglesias «actúan como una especie de pasaje o ventana entre lo físico y lo mental» y que «Iglesias colisiona el interior y el exterior». Véase Penelope Curtis, «Introduction», en Penelope Curtis (ed.) Gravity's Angel: Asta Groting, Kirsten Ortwed, Cristina Iglesias, Lili Dujourie (Leeds: Henry Moore Institute, 1995), p. 5 y Curtis, «Cristina Iglesias», in ibid., p. 31. Marga Paz describe como las obras de Iglesias están «marcadas por la huella física de otros objetos anteriores», haciendo referencia al término freudiano de «recuerdo encubridor». Véase Marga Paz, «Al Otro Lado Del Espejo» (Through the Mirror), trans. Alison Canosa, en Cristina Iglesias (Miengo, Cantabria, Spain: Sala Robayera, 1998) p. 12.

3. Véase Jane Rendell, «That Which Keeps Coming Back», en Site-Writing: The Architecture of Art Criticism (London: I.B. Tauris, 2011), pp. 161–77.

4. Sigmund Freud, «The Psychopathology of Everyday Life» [1901], en The Standard Edition of the Complete Psychological Works of Sigmund Freud, Volume VI (1901): The Psychopathology of Everyday Life, traducido desde el alemán bajo la dirección editorial de James Strachey (London: The Hogarth Press, 1960), p. 265.

5. Ibid., pp. 266–67.

6. Sigmund Freud, «The Interpretation of Dreams» [1900], en The Standard Edition of the Complete Psychological Works of Sigmund Freud, Volume V (1900–1901): The Interpretation of Dreams (Second Part) y On Dreams, traducido desde el alemán bajo la dirección editorial de James Strachey (London: The Hogarth Press, 1953) pp. 339–628, p. 399.

7. Ibid., p. 399.

8. Strachey señala que este punto se interpoló en 1914. Freud, «The Interpretation of Dreams», p. 399, nota 1.

Una cosa es plantear que el deseo inconsciente reprimido, cuyo retorno el *déjà vu* pretende eludir mediante el desplazamiento, tiene su origen en un sueño, y otra muy distinta es sugerir, como hace Freud, que es posible experimentar el *déjà vu* mientras se sueña. Strachey señala que la interpretación del déjà vu que Freud avanzó en sus ampliaciones de *La interpretación de los sueños* (1900), realizadas en 1909 y 1914, es muy distinta de la que formuló por primera vez en 1907, y que volvió a reconocer en 1917. Véase Freud, «The Psychopathology of Everyday Life», p. 268, nota 1.

9. Sigmund Freud, «Fausse Reconnaissance ("déjà raconté") en Psycho-Analytic Treatment» [1914], en The Standard Edition of the Complete Psychological Works of Sigmund Freud, Volume XIII (1913–1914): Totem and Taboo and Other Works, traducido desde el alemán bajo la dirección editorial de James Strachey (London: The Hogarth Press, 1955) pp. 199–207, p. 203. El artículo al que se hace referencia es el de Joseph Grasset, 'La sensation du "déjà vu"', Journal de Psychologie Normale et Pathologique v. 1 (1904) pp. 17–27. Tres años después, en 1917, Freud añade un reconocimiento al trabajo de Grasset en «Psicopatología de la vida cotidiana». Véase Freud, «The Psychopathology of Everyday Life», p. 268, nota 1.

10. Freud, «Fausse Reconnaissance», p. 203.

11. Sigmund Freud, «A Disturbance of Memory on the Acropolis» [1936], en The Standard Edition of the Complete Psychological Works of Sigmund Freud, Volume XXII (1932–1936): New Introductory Lectures on Psycho-Analysis and Other Works, traducido desde el alemán bajo la dirección editorial de James Strachey (London: The Hogarth Press, 1964) pp. 237–248.

12. Ibid, p. 245.

13. Freud, «A Disturbance of Memory», p. 245.

14. Peter Krapp, Déjà Vu: Aberrations of Cultural Memory (London and Minneapolis: University of Minnesota Press, 2004) p. xxiv.

15. Ibid., pp. 2–3. Krapp se está refiriendo a Sigmund Freud en «The Psychical Mechanism of Forgetfulness» [1898], en The Standard Edition of the Complete Psychological Works of Sigmund Freud, Volume III (1893–1899): Early Psycho-Analytic Publications, traducido desde el alemán bajo la dirección editorial de James Strachey (London: The Hogarth Press, 1962) pp. 287–297 el cual, como señala Krapp, con ciertos cambios en el desarrollo de los argumentos, constituyó la base del capítulo inicial de Freud, «Psicopatología de la vida cotidiana».

16. Ibid, p. 5.

17. Sigmund Freud, «Screen Memories» [1899], en The Standard Edition of the Complete Psychological Works of Sigmund Freud, Volume III (1893–1899): Early Psycho-Analytic Publications, traducido desde el alemán bajo la dirección editorial de James Strachey (London: The Hogarth Press, 1962) pp. 299–322, p. 322.

18. Freud, «The Psychopathology of Everyday Life», pp. 43–44.

19. Véase, por ejemplo, Johann Friedrich Geist, Arcades: the History of a Building Type (Cambridge, Mass.: MIT Press, 1983). En la obra más importante e inacabada de Walter Benjamin, el *Libro de los pasajes* —título original *Das Passagen-Werk*—, las arquerías de París eran lugares de ensoñación colectiva. Véase Walter Benjamin, The Arcades Project (1927–1939), trans. Howard Eiland y Kevin McLaughlin (Cambridge, Mass.: Harvard University Press, 1999). Para una explicación de la arquería como imagen dialéctica, véase, por ejemplo, Jane Rendell, Art and Architecture: A Place Between (London: I. B. Tauris, 2006) pp. 76–78.

20. Freud, «The Psychopathology of Everyday Life», p. 265. La extrañeza de esta omisión la recoge Nicholas Royle. Véase Nicholas Royle, «Déjà Vu», en Martin McQuillan (ed.) Post-Theory: New Directions in Criticism (Edinburgh: Edinburgh University Press, 1999) pp. 3–20, p. 11.

21. Freud afirma que: «El término alemán «unheimlich» es evidentemente el antónimo de «heimlich» [familiar], «heimisch» [natural]». Véase Sigmund Freud, «The "Uncanny"» [1919], en The Standard Edition of the Complete Psychological Works of Sigmund Freud: Volume XVII (1917–1919): An Infantile Neurosis and Other Works traducido desde el alemán bajo la dirección editorial de James Strachey (London: The Hogarth Press, 1955) pp. 217–256, p. 220. También señala que: «Puede que sea verdad que lo inquietante [unheimlich] sea algo que es secretamente familiar [heimlich-heimisch]». Véase Freud, «The "Uncanny"», p. 245.

22. Ibid., p. 245.

23. Esta investigación lleva a Freud desde las definiciones del término «heimlich» como adjetivo que significa «perteneciente al hogar, no extraño, familiar, manso, íntimo, amistoso» hasta situaciones en las que se utiliza de forma inversa, tanto como adjetivo como adverbio, para referirse a cosas o acciones «ocultas», «fuera de la vista», «retenidas», «engañosas» y «secretas». Ibid., pp. 222–25.

24. Ibid., p. 220.
25. Ibid., p. 225.
26. Véase Michael Newman, «Imprint and Rhizome in the work of Cristina Iglesias», en Iwona Blazwick (ed.), Cristina Iglesias (Barcelona: Ediciones Polígrafa, 2002), p. 125.
27. Cristina Iglesias, citada por Lynne Cooke (ed.) Cristina Iglesias: Metonymy (Madrid: Museo Nacional Centro de Arte Reina Sofía/Del Monico Books/Prestel, 2013), p. 185.
28. Folkestone Official Holiday Guide, Folkestone Corporation Publicity Department, 1971 (sin paginar).
29. En otoño de 2005, los fideicomisarios de la Creative Foundation me invitaron a desarrollar un concepto para un proyecto artístico como parte de su impulso regenerador. Inspirado por la Münster Skulptur Projekte y por la Trienal Echigo Tsumari de Japón, desarrollé el concepto de una trienal internacional a gran escala con obras situadas en lugares específicos de la ciudad, elegidos por los artistas. Varias obras de cada trienal sucesiva tenían que permanecer in situ de forma permanente para formar «una galería sin paredes». Hoy en día, esa colección se llama Folkestone Artworks e incluye más de 40 piezas permanentes.
30. La primera trienal contó con nuevos encargos de 22 artistas nacionales e internacionales, entre ellos Christian Boltanski, Tacita Dean, Jeremy Deller, Mark Dion, Ayse Erkmen, Tracey Emin, Robert Kusmirowski, Susan Philipsz, Mark Wallinger y Pae White. Véase Andrea Schlieker, Tales of Time and Space (London: Cultureshock Media, 2008) para más detalles.
31. La segunda trienal incluía nuevos encargos por parte de Tonico Lemos Auad, Martin Creed, Ruth Ewan, AK Dolven, Spencer Finch, Hamish Fulton, Hew Locke, Cornelia Parker, Olivia Plender, Zineb Sedira y Paloma Varga Weisz. Véase Andrea Schlieker, A Million Miles From Home (London: Cultureshock Media, 2011) para más detalles.
32. Citado en Frederic Gros, A Philosophy of Walking (London/New York: Verso, 2015), p. 18.
33. Rebecca Solnit, A Field Guide to Getting Lost (Edinburgh: Canongate, 2017), p. 37.
34. Frédéric Gros, A Philosophy of Walking, p. 89.
35. Las torres Martello —que se hicieron literariamente famosas en los primeros momentos del Ulises de James Joyce— deben su nombre a una torre situada en Punta Mortella (Córcega), la cual resistió un fuerte bombardeo en 1794. Se trata de pequeños fuertes defensivos, de unos 12 metros de altura, construidos inicialmente entre 1805 y 1808 para defender la costa de un supuesto ataque de la flota de Napoleón. Hasta 74 torres defensivas de este tipo se construyeron a lo largo de la costa sureste del Reino Unido. La número 4 se equipó en 1820 con un semáforo de señalización, y mira hacia la costa.
36. Los meses siguientes a la selección del emplazamiento estuvieron marcados por las gestiones con English Heritage y la negociación del uso de los baluartes — considerados parte del monumento histórico protegido—, así como por el batallar para conseguir el permiso para abrir un camino a través de las zarzas hasta la cima de los baluartes. Además, tuvimos que calmar a los que vivían en la tranquila zona de chalets cercana a la torre y apaciguar sus preocupaciones sobre la transformación del lugar en una ruidosa atracción circense.

Por fin, en junio, recibimos el permiso para abrir el camino. Fue sumamente emocionante poder subir hasta los baluartes y vivir por primera vez la vista de la torre cubierta de vegetación y su extraordinaria vida silvestre.
37. No hay duda de que la fijación de la artista con las *Habitación Vegetal* surgió de sus primeras obras en alabastro, vidrio u hormigón —estructuras arquitectónicas que sugieren techos y pasillos. Su *Habitación de Eucalipto* de 1994-97 (Haus am Waldsee, Berlín) es quizá el punto de partida de su trabajo con paredes vegetales en bajorrelieve —aunque esta obra se hizo para una situación de interior.
38. Lynne Cooke, «Alone or Aligned?», Metonymy, p. 64.
39. Solnit, A Field Guide to Getting Lost, p. 33.
40. Véase Alice en el País de las Maravillas y El león, la bruja y el armario.
41. Henry David Thoreau, Walking (1991), citado en Simon Schama, Landscape and Memory (New York: Vintage, 1996), p. 572.
42. Jamie Linton, What is Water?: the History of a Modern Abstraction (Vancouver: UBC Press, 2010), p. 3.
43. Véase ibid, pp. 81–88.
44. Ivan Illich, H2O and the Waters of Forgetfulness: Reflections on the Historicity of "Stuff" (Dallas: Dallas Institute of Humanities and Culture, 1985), p. 76.
45. Gaston Bachelard, Water and Dreams: an Essay on the Imagination of Matter (Dallas: Pegasus Foundation, 1983).
46. Bachelard distingue entre intencionalidad formal y material y ontología. Pese a que su planteamiento es firmemente patriarcal y falocéntrico, abre la posibilidad de una asociación de los elementos con el género retomada por el nuevo materialismo feminista.
47. Virginia Woolf, Between the Acts (Oxford: Oxford's World Classics, 1998), p. 27.
48. Ver el análisis de Luce Irigaray, This Sex Which is Not One (Ithaca, NY: Cornell University Press, 1985) en Catherine de Zegher, 'This Fountain Which Is Not One', en Hilde Daem, Catherine De Zegher, Siska Beele, Deep Fountain: Cristina Iglesias (Antwerp: BAI and Kroninklijk Museum, 2008), pp. 29–39.
49. Véase Robert Macfarlane, Underland (London: Penguin UK, 2019).
50. Gordon Campbell, A Short History o f Gardens (Oxford/New York: Oxford University Press, 2016), p. 10.
51. Ibid.
52. Sobre la hidráulica, véase Marina Warner, «The springs beneath, the flow above, the light within», en Beatriz Colomina, James Lingwood, Marina Warner, Cristina Iglesias: Tres Aguas (London [Toledo y Madrid]: Artangel/Turner, 2015), pp. 61–63.
53. Zygmunt Bauman, Liquid Modernity (Cambridge: Polity Press, 2000).
54. Didi-Huberman y Maria Stavrinaki recurren al término francés como traducción de «supervivencias» en la antropología de E.B. Tylor y la historiografía de Aby Warburg. Véase Georges Didi-Huberman, La Ressemblance Par Contact (Paris: Les Editions de Minuit, 2008); Maria Stavrinaki, 'Modernité préhistorique: techniques d'"auto-imitation" et temporalités à rebours chez Max Ernst et Joan Miró', Perspective [online], 1 | 2011, consultado el 05/03/2019. URL : http://journals. openedition.org/ perspective/1053; Maria Stavrinaki, Saisis Par La Préhistoire (Dijon: Les presses du réel, 2019).
55. 8Véase el análisis del arqueofósil en Quentin Meillassoux, After Finitude: An Essay on the Necessity of Contingency (London/ New York: Continuum, 2008), pp. 22–59.; véase también Quentin Meillassoux, Science Fiction and Extro-Science Fiction, trans. Alyosha Edlebi (Minneapols: Univocal Publishing, 2015).
56. Véase Cristina Iglesias: Metonymy, pp. 232–37.
57. Véase mi análisis de las serigrafías de Iglesias para el vestíbulo del Ameriprise Financial Centre en Vicente Todolí (ed.), Cristina Iglesias: Interspaces (Santander: Centro Botín, 2019), pp. 27–28.
58. Sobre el primer encuentro de Iglesias con Tarkovsky, véase Lynne Cooke en Cristina Iglesias: Metonymy, p. 52.
59. Para un análisis de las implicaciones filosóficas de este aspecto de Ballard, véase Thomas Moynihan, Spinal Catastrophism (Falmouth: Urbanomic, 2019).
60. Sobre una obra de arte que hace esto, véase Antony Gormley, Host, hecho por primera vez en 1991.
61. Sobre el umbral en la escultura de Iglesias, véase «Passages In/On the Sculpture of Cristina Iglesias», en Cristina Iglesias: Interspaces, pp. 21–38.
62. Theodor Adorno, Aesthetic Theory, trans. R. Hullot-Kentor (London: Athlone Press, 1999), p. 311; para un análisis, véase James Gordon Finlayson, «The Work of Art and the Promise of Happiness in Adorno», World Picture 3 (2009).
63. Véase Moynihan, Spinal Catastrophism.

Cristina Iglesias
Escultura en la ciudad

Passatge de coure
(Pasaje de cobre), 2004
Barcelona

Cúpula inclinada suspendida (Cita con Rama), 2011
Bilbao

Portón – Pasaje, 2006– 07
Madrid

Desde lo subterráneo, 2017
Santander

Paisaje interior
(la Litosfera, las Raíces, el Agua), 2020
Houston

Passatge de coure (Pasaje de cobre), 2004

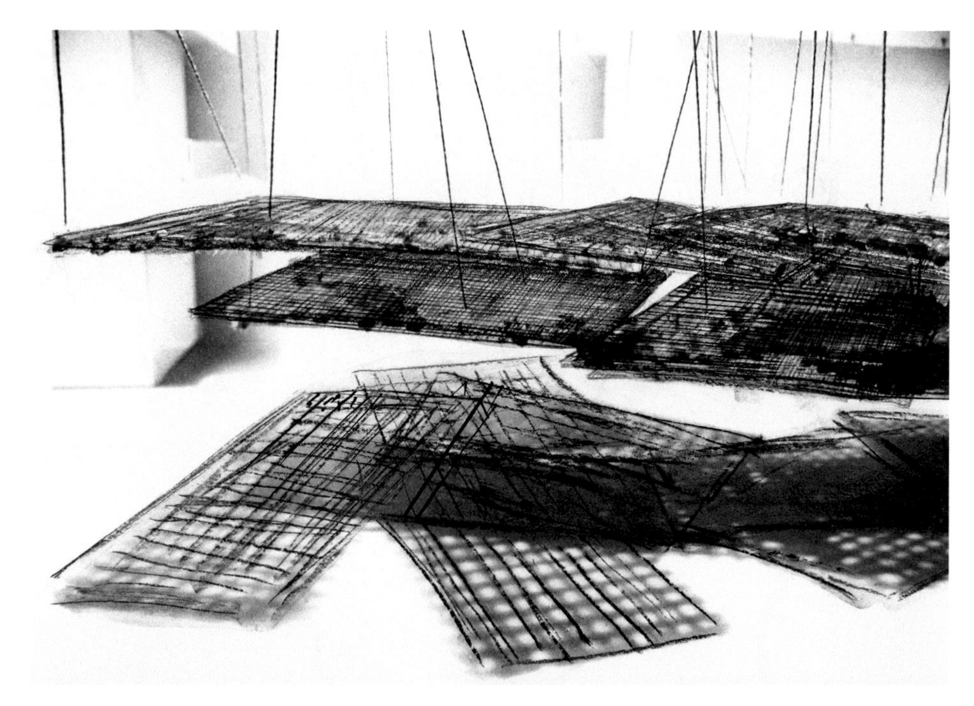

PÁGINA 79 *Portón - Pasaje*, 2006–07
Bronce, mecanismo hidráulico
6 × 8,8 × 3,5 m, instalación permanente
Museo Nacional del Prado, Madrid

Estudio, 2003
Tinta sobre impresión fotográfica
28,8 × 42 cm

ABAJO, Estudio, 2003
Carbón y tinta sobre impresión fotográfica
30 × 60 cm

Centro de Convenciones Internacional de Barcelona (CCIB),

Passatge de coure, 2004
Acero trenzado
150 × 30 m (17 pantallas:
cada una de 13 × 9 m)
Texto en la estructura: J.G. Ballard,
El mundo sumergido, 1962

Cúpula inclinada suspendida (Cita con Rama), 2011

Torre Iberdrola
Bilbao

Cúpula Inclinada Suspendida (Cita con Rama), 2011
Hierro dulce trenzado, cables
39 pantallas de 180 × 120 cm cada una
Texto en la estructura: Arthur C. Clarke
Colección Iberdrola

Portón - Pasaje, 2006- 07

Dibujo preparatorio, 2005
Fotografía, acuarela y lápiz sobre papel
66 × 51,3 cm

PÁGINA CONTRARIA *Portón - Pasaje,* 2006- 07
Bronce, mecanismo hidráulico
6× 8,8 × 3,5 m

Museo Nacional del Prado
Madrid

Dibujo preparatorio, 2016
Tinta, acuarela y lápiz sobre papel
22,5 × 30 cm

PÁGINA CONTRARIA *Desde lo subterráneo*, 2017
Acero inoxidable, pietra serena, agua y mecanismo hidráulico.
Pozo I: 6,5× 4,9 × 4,2 m
Pozo II: 5,9× 3,9 × 3,9 m
Pozo III: 4,9× 4,9 × 4,2 m
Pozo IV: 1× 1 × 1 m
Estanque: 0,60× 11,4 × 11,2 × 1,8 × 11,7 m

Centro Botín
Santander

Paisaje interior (la Litosfera, las Raíces, el Agua), 2020

Museo de Bellas Artes
Houston

PÁGINA CONTRARIA, ARRIBA Dibujo preparatorio, 2019
Tinta, acuarela y lápiz sobre papel
32,5 × 43,5 cm

PÁGINA CONTRARIA, ARRIBA Dibujo preparatorio, 2019
Tinta, acuarela y lápiz sobre papel
21,8 × 32 cm

En el sentido de las agujas del reloj, desde arriba a la izquierda, edificio Nancy y Rich Kinder en el Museo de Bellas Artes de Houston, maqueta
Plano de la ubicación de la obra

Collage de la maqueta a la entrada del edificio del Museo Nancy y Rich Kinder

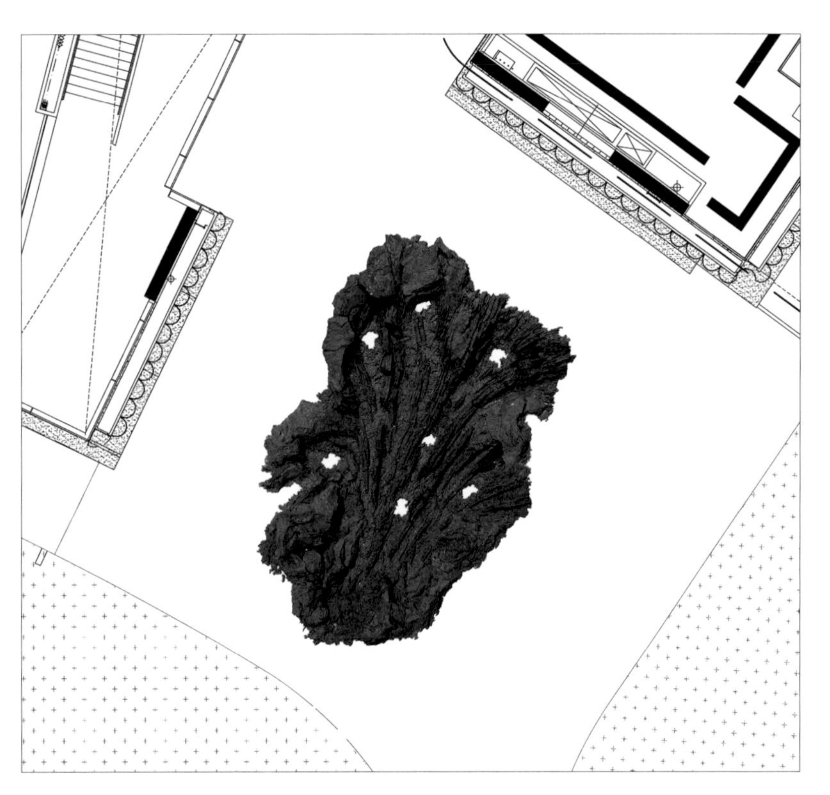

Paisaje interior (la Litosfera, las Raíces,
el Agua), 2020
Bronce
1,10× 15 × 10,60 m
Museo de Bellas Artes (Houston)

ARTE/CULTURA

Sobre la historia cultural —como archivo, entorno y contexto; como nexo entre sistemas de creencias; y del agua como símbolo, ritual y recurso.

Tres Aguas (Three Waters), 2014
Toledo

Tres Aguas, 2014
Toledo

A Toledo se le conoce como «la ciudad de las tres culturas». La capital de la provincia española de Toledo nació en el año 59 a. n. e., y alcanzó su apogeo bajo los sucesivos dominios de los romanos, los visigodos, los musulmanes, el Sacro Imperio Romano y el Reino de Castilla. En 1986 la Unesco incluyó a Toledo en sus lugares Patrimonio de la Humanidad.

Tres Aguas es una constelación de esculturas que conecta tres puntos de la ciudad. Se trata de un encargo hecho en 2014 por Artangel, agencia de arte público del Reino Unido, y la Fundación El Greco. Llevaba varios años buscando un lugar en España que combinara la naturaleza y la cultura en un escenario único. En el desarrollo de *Tres Aguas*, me basé tanto en la rica herencia arquitectónica de Toledo —la estratificación de las culturas romana, árabe, judía y cristiana— como en la posición de la ciudad sobre las rápidas aguas del río Tajo, el más largo de la Península Ibérica. El río es esencial tanto para la ciudad como para Tres Aguas. El agua del río se transporta mediante bombas hidráulicas potentes, a través de la abrupta escarpadura de Toledo —por medio de canales subterráneos—, hasta las cisternas, los baños y las fuentes de agua potable.

Tres Aguas comprende tres esculturas diferenciadas, cada una de ellas creada para un escenario arquitectónico distinto. La Torre del Agua está situada en lo que fue el complejo de una fábrica de armas a orillas del río Tajo. Durante siglos, la economía de Toledo estuvo basada en su industria metalúrgica; en concreto, en la fabricación de espadas y sables. El río suministraba la energía para la Fábrica de Armas del siglo XIX. Construida según el estilo mudéjar o morisco, la ahora abandonada fábrica de armas contaba con una torre de agua. Dentro de esta estructura restaurada de tres plantas de ladrillo hay una fuente profunda y pausada que se erige para llenar la torre de agua, y se vacía para revelar un compuesto de vegetación enmarañada fundida en metal.

La segunda pieza lleva al paseante desde las afueras hasta el corazón de la ciudad. La Plaza Del Ayuntamiento se encuentra entre el Ayuntamiento y la Catedral Primada —o de Santa María— de estilo gótico de Toledo. Se trata de un estanque rectangular que mide unos veinte por cuatro metros. Además, actúa también como una fuente horizontal, que se llena para reflejar perfectamente su entorno, y se vacía para dejar al descubierto un verdín enredo de raíces y follaje.

En contraste con este entorno de carácter eminentemente urbano, lugar de encuentros públicos que van desde bodas hasta reuniones políticas, el tramo final de *Tres Aguas* se encuentra recluido y oculto en el interior de la celda de un convento. El Convento de Santa Clara se fundó a mediados del siglo XIV, por una noble llamada María Meléndez, y es el hogar de las Clarisas, una orden cristiana de monjas. Esta pieza interior cuenta también con un estanque horizontal en el que las aguas suben y bajan sobre una cuenca vegetal. Está situada tras una pantalla que recuerda a las celosías árabes. Estas pantallas decoradas con madera se colocaban sobre las ventanas, principalmente para permitir a los residentes —en concreto, a las mujeres confinadas a vivir en el interior— mirar hacia fuera sin ser vistos. Aquí el movimiento del agua es el más parecido al de la respiración y la meditación.

PÁGINA 92, *Tres Aguas*, 2014
Acero inoxidable fundido con pátina, mecanismo hidráulico y agua
0,50× 25,21 × 7,50 m
Plaza del Ayuntamiento

PÁGINA CONTRARIA, *Tres Aguas*, 2014
(Vista nocturna)
Plaza del Ayuntamiento

En cada uno de estos tres lugares se han insertado formas esculturales en el propio tejido arquitectónico, lo que yuxtapone el peso y la estabilidad de la piedra y el metal con la fluidez del agua. Elaboradas a partir de bajorrelieves de acero con pátina, las superficies de las esculturas simulan raíces enmarañadas, tal vez salidas del antiguo lecho del río. La experiencia de *Tres Aguas* se despliega a medida que el paseante se desplaza entre estos lugares y pasa un rato con cada una de las esculturas. El viaje que se inicia a lo largo del río Tajo y continúa a través de la ciudad es fundamental para la concepción de la obra. Materializándose junto al río y a través de la ciudad, es como si fuera una escultura extendida, como el sistema de agua que recorre la parte subterránea de Toledo. A veces escurridiza, otras veces evocadora, *Tres Aguas* está creada tanto para habitar en el tejido de la ciudad como en la imaginación del paseante.

Cristina Iglesias

Estudio de Toledo XX, 2013
Mapa de Toledo, 1909
Fotografías, tinta
30 × 42 cm

PÁGINA CONTRARIA, ARRIBA
Cuaderno de recortes, 2011
Fotografías, tinta
33,5 × 24 cm

PÁGINA CONTRARIA, ABAJO
Cuaderno de recortes, dibujo preparatorio, 2011
Imágenes impresas, lápiz y tinta sobre papel
33,5 × 24 cm

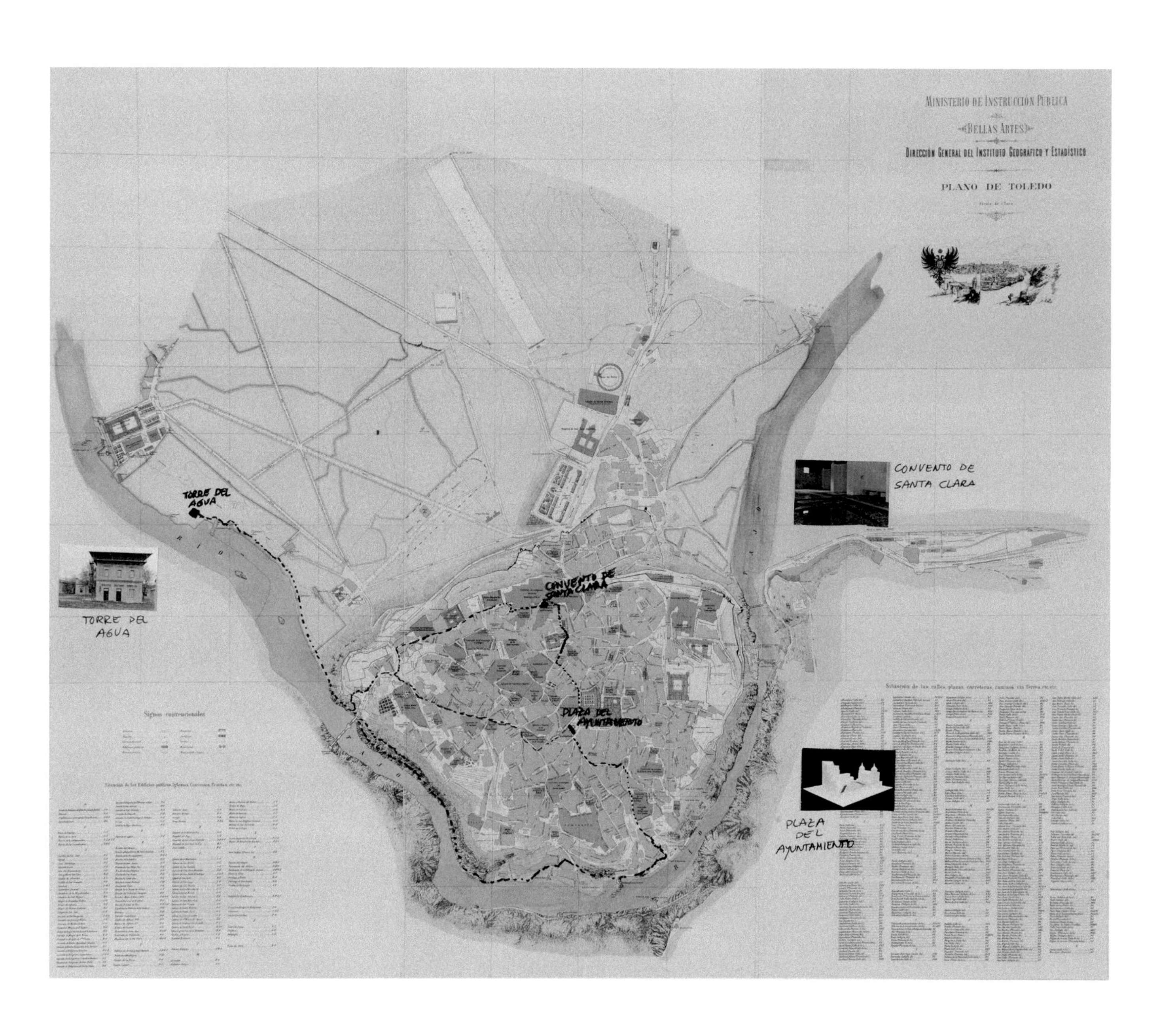

STA. MARIA LA BLANCA
The Tomb of Ferdinand III (Saint Ferdinand), Seville, 1252, with inscriptions in Arabic, Latin, Hebrew and Castilian.
…pite increasing persecutions, Jews were central to the explosion of scientific and …nical learning that launched the great age of discovery. The armillary sphere above …as constructed around 1200 by a Jewish astronomer for Alfonso X. (Beth Hatefutsoth)
TOLEDO SCHOOL OF TRANSLATORS
SAN ROMAN
The rich Arabo-Islamic heritage that the Latin Christian visitors discovered in Toledo was carried on—preserved as a living thing, not merely fossilized—not only by the Muslims who had stayed (as many had, and Alfonso left the city's mosque open for worship) but also by the Jews and Christians who immigrated there. The generous and often promiscuous Umayyad vision left a living legacy among those non-Muslims, and it is likely that Alfonso himself wrote only in Arabic. The various artistic styles that were used and developed by these communities in exile from their Islamic surroundings are now called Mudejar, and are loosely defined as an Islamic style as understood, reinterpreted, and celebrated by others, by Christians and Jews. This became
Christians, and Muslims lived side by side and, despite their intractable differences and enduring hostilities, nourished a complex culture of tolerance, and it is this difficult concept that my subtitle aims to convey. This only sometimes included guaran-
SINAGOGA DEL TRANSITO
VISTA DE TOLEDO
EL GRECO
EL ARTIFICIO DE JUANELO
TORRE DEL AGUA
TAJO
EL ARTIFICIO DE JUANELO SUBIA AGUA DESDE EL RIO TAJO HASTA EL ALCAZAR, SITUADO A UNA ALTURA DE 548 M, SIN MAS APORTE DE ENERGIA QUE LA QUE EL PROPIO ARTIFICIO OBTENIA DE LA CORRIENTE DEL RIO.

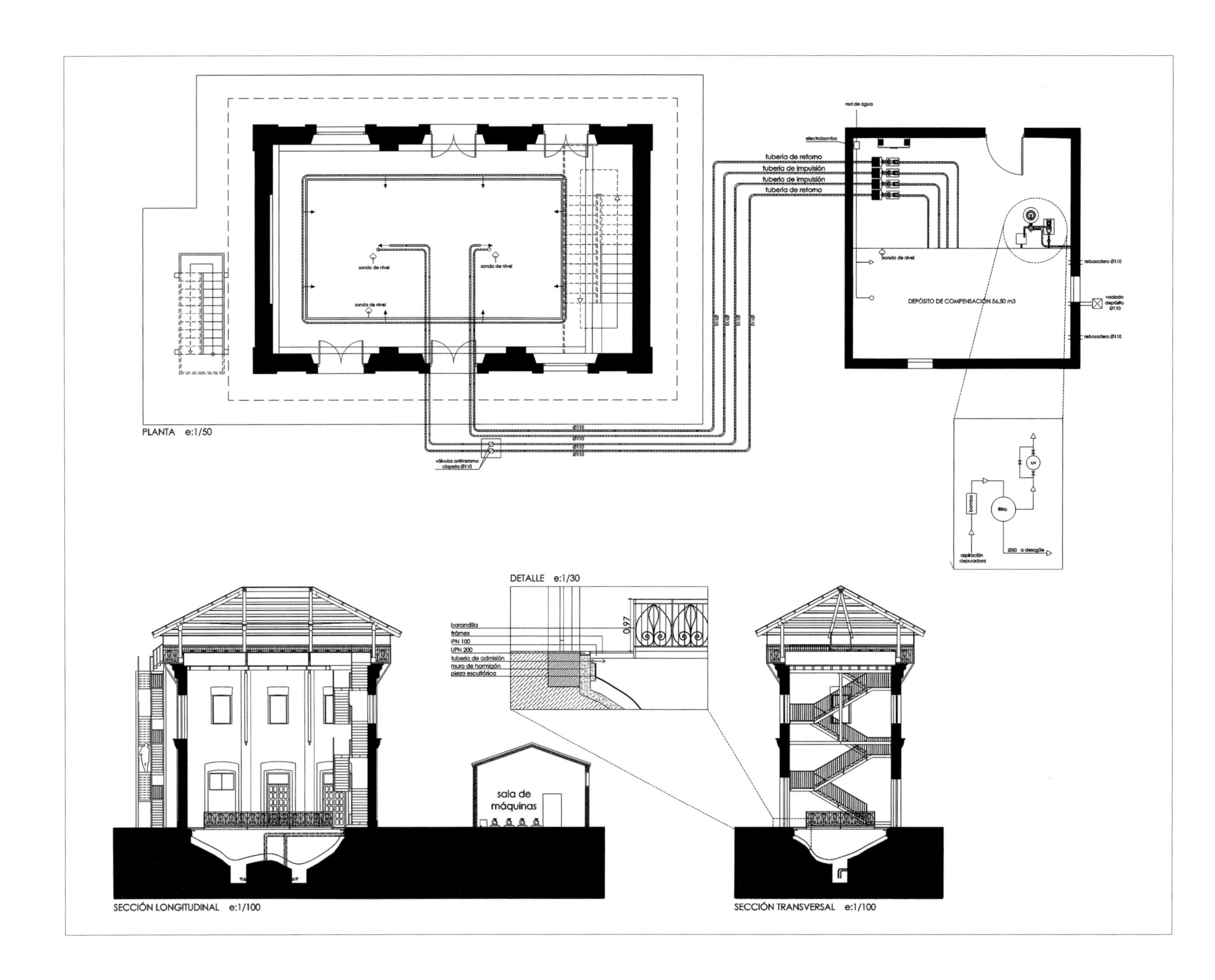

Plano de *Torre del Agua*, 2013
Corroto Arquitectura, Toledo

PÁGINA CONTRARIA: en el sentido de las agujas del reloj, desde arriba a la izquierda
Estudio para Torre del Agua III, 2013
Acuarela y lápiz sobre papel
29,5 × 21 cm

Estudio para Torre del Agua IV, 2013
Acuarela y lápiz sobre papel
29,5 × 21 cm

Estudio para Torre del Agua V, 2013
Acuarela y lápiz sobre papel
21 × 29,5 cm

VISTA
VISTA AL RIO

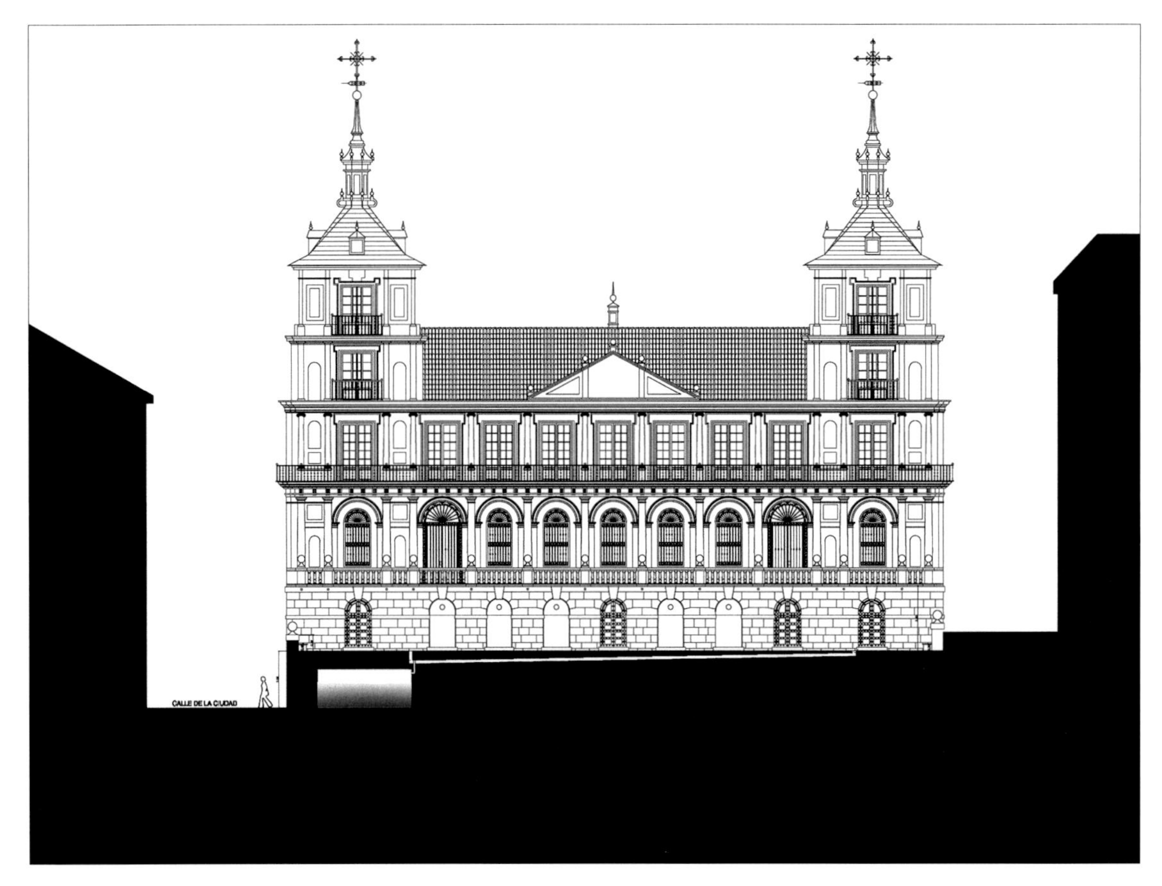
CALLE DE LA CIUDAD

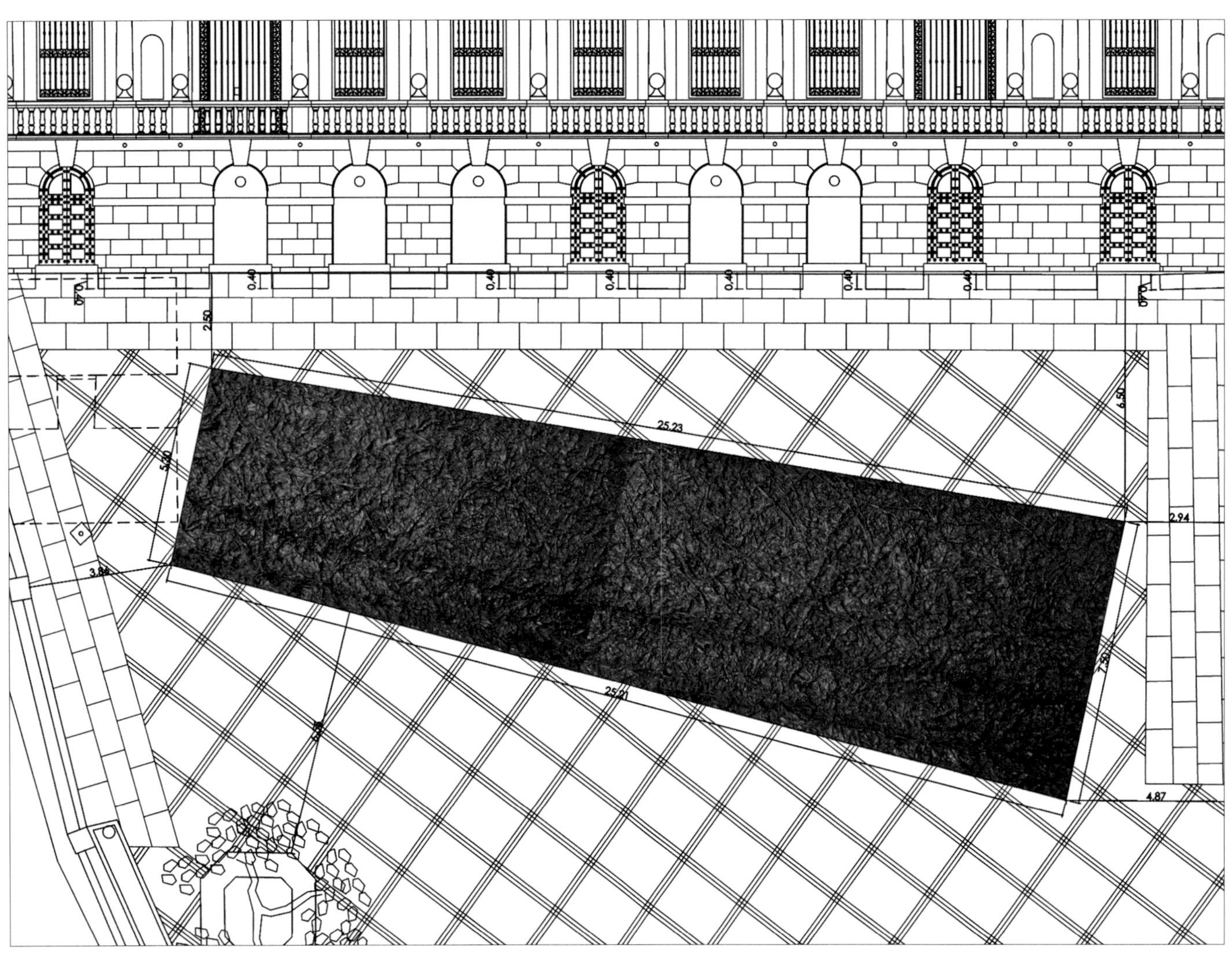
0.40
0.40
0.40
0.40
0.40
0.40
2.50
25.23
6.50
2.94
25.21
4.87

PÁGINA CONTRARIA, ARRIBA Tramo de la Plaza del Ayuntamiento, *Tres Aguas*, 2013
Corroto Arquitectura, Toledo

PÁGINA CONTRARIA, DEBAJO Plano de *Tres Aguas* en la Plaza del Ayuntamiento, 2013
Collage sobre papel
29,7 × 42 cm

Triptych XIII, 2017
Carboncillo y óleo en barra sobre impresión digital en seda
220 × 110.5 × 3.8 cm (cada una)
220 × 331.5 × 3.8 cm (en total)

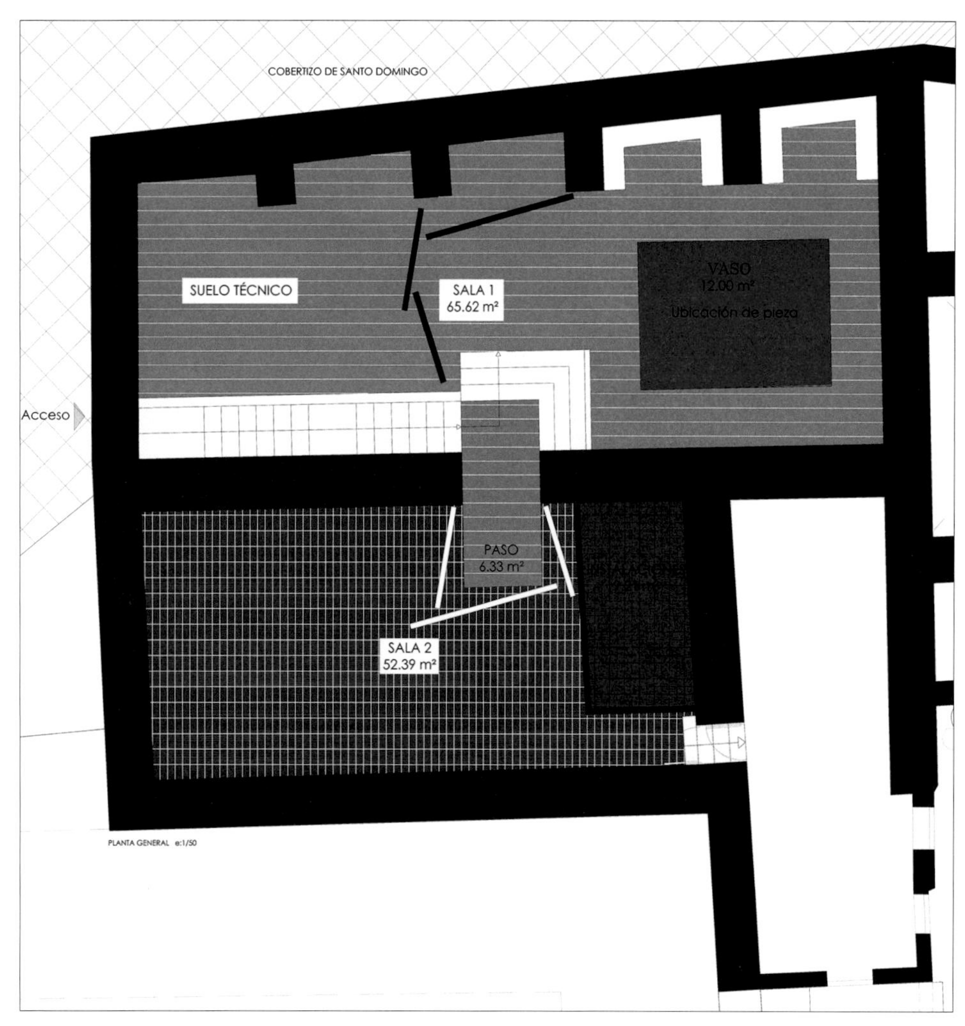
COBERTIZO DE SANTO DOMINGO
SUELO TÉCNICO
SALA 1
65.62 m²
VASO
12.00 m²
Ubicación de pieza
Acceso
PASO
6.33 m²
SALA 2
52.39 m²
PLANTA GENERAL e:1/50

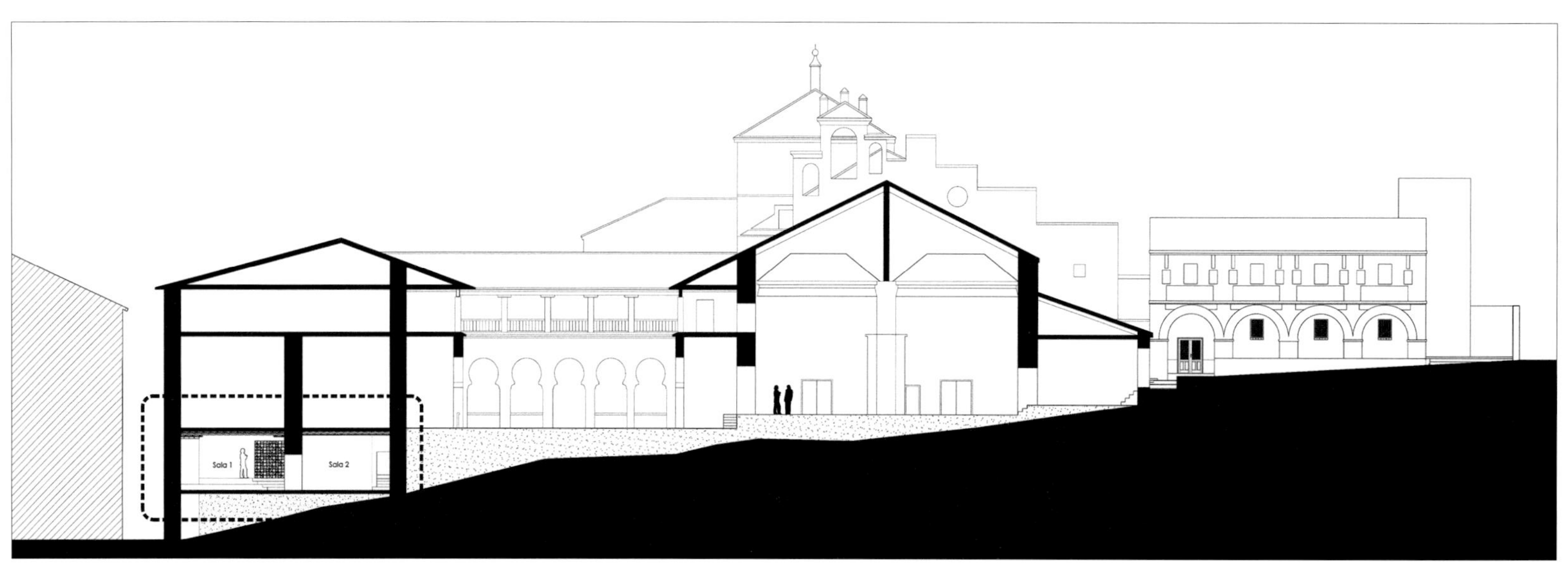
Sala 1
Sala 2

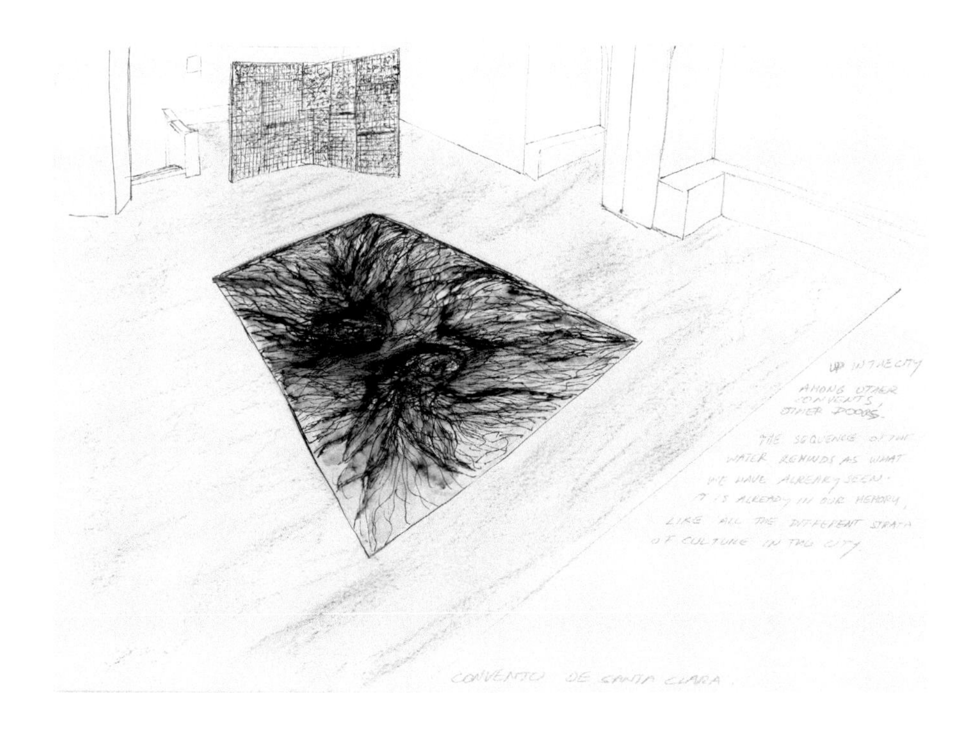

PÁGINA CONTRARIA, Planos del Convento de Santa Clara, 2012
Corroto Arquitectura, Toledo

ARRIBA, Estudio, *Tres Aguas,* Convento de Santa Clara, 2012
Acuarela y lápiz sobre papel
21 × 29,5 cm

ABAJO Dibujo preparatorio, *Tres Aguas,* Convento de Santa Clara, 2011
Tinta, acuarela y lápiz
21 × 29,5 cm

Tres Aguas, Torre del Agua, 2014
Acero inoxidable fundido con pátina,
mecanismo hidráulico y agua
1478 (+ 224 cm abajo) × 900 × 500 cm

PÁGINA CONTRARIA Y SIGUIENTES
Tres Aguas, Torre del Agua, 2014
Interiores desde el ático, por las escaleras
hasta la fuente

Catedral de Toledo

PÁGINA CONTRARIA, *Tres Aguas*, 2014
(detalle)
Plaza del Ayuntamiento

PÁGINA CONTRARIA Y AMPLIADA EN LA SIGUIENTE *Tres Aguas*, 2014
Plaza del Ayuntamiento

PÁGINA CONTRARIA Y ARRIBA
Convento de Santa Clara

AMPLIADA EN LA SIGUIENTE *Tres Aguas*, 2014
Acero inoxidable fundido con pátina, mecanismo hidráulico y agua
0,70 × 4 × 3 m
Convento de Santa Clara

Tres Aguas

A continuación, haré algunas consideraciones previas acerca de por qué estamos en Toledo y cómo surgió *Tres Aguas*. Muchas obras de encargo comienzan con una idea de dónde se va a ubicar la obra encargada. La organización comisaria pregunta: «¿Te gustaría hacer algo en el sitio X?». En Artangel vamos un paso más atrás y preguntamos: «¿Te gustaría trabajar con nosotros en un proyecto y, en caso afirmativo, en qué lugar sería interesante y cómo podríamos proceder?». Así que las primerísimas conversaciones que tuvimos con Cristina no fueron realmente sobre Toledo, sino sobre el agua.

Fueron sobre el agua en la naturaleza —lo que en su momento podría haber sido el mar o un río— y sobre cómo una obra de Cristina podría recoger esa relación entre el agua en movimiento y los materiales de su obra escultórica. Pasados uno o dos años desde la conversación, Cristina sugirió que Toledo podría ser una opción interesante para nosotros. Pasamos unos días caminando por la ciudad y compartiendo la experiencia de la bajada desde la misma, por ese mundo un tanto perdido que sigue el Tajo bajo la ciudad, para así comprender la escasa relación que había entre la ciudad de arriba y el río que corría por debajo.

Recuerdo también una experiencia constructiva al principio de nuestra estancia en Toledo. Cuando una tarde nos llevaron a una visita guiada. Nuestro guía levantó una tapa de registro y nos hizo mirar hacia abajo, a un sistema de agua antiguo, el cual todavía se revela en varios puntos de la ciudad. Y entonces empezamos a ver cómo esta estructura —en gran parte oculta, que permitió que Toledo estuviera aquí y se construyera como ciudad— seguía estando de algún modo dentro del tejido de la ciudad. Ello nos hizo recordar los diferentes credos que cohabitaron aquí, y cómo utilizaron el agua de diferentes maneras. Y llegó un momento en el que empezamos a hablar de un proyecto que pudiese englobar la realidad de los sistemas de agua de la ciudad y el río.

James Lingwood

Tres Aguas, 2014
Convento de Santa Clara

Luis Fernández-Galiano

Aguas oscuras: Ofelia en Toledo

Cuando me pidieron que hablara —ante la iglesia de San Lucas, patrón de los artistas— de la diversidad de culturas en Toledo, una ciudad que fue testigo de la coexistencia de musulmanes, judíos y cristianos en la Edad Media, intenté relacionar *Tres Aguas* con esas tres culturas. Para hacer mis deberes, releí *El ornamento del mundo,* de mi añorada amiga María Rosa Menocal, y *El sueño del poema,* una selección de poesía hebrea en la España musulmana y cristiana, de Peter Cole —dos obras sobre la tolerancia a cargo de expertos vinculados, como yo, al Centro Whitney de Humanidades de la Universidad de Yale—, esperando que así pudiera interpretar la obra de Cristina Iglesias.

Sin embargo, no fui capaz de encontrar las raíces de *Tres Aguas* en la historia medieval de Toledo, puesto que en esencia es una obra universal; asimismo, tampoco fui capaz de presentarla como un alegato a favor de la tolerancia, porque a fin de cuentas tiene tintes más bien oscuros. Así que propongo que la interpretemos a través de dos itinerarios, uno de ellos ascendiendo hacia la luz —el camino explorado en este libro, desde la Torre del Agua hasta el convento de Santa Clara y la plaza del Ayuntamiento— y el otro, invirtiendo el camino, descendiendo hacia la oscuridad.

El itinerario convencional arranca en la Torre del Agua, una antigua fábrica de armas en una ciudad famosa por sus espadas, que se templaban en el río Tajo. En la poza oscura del interior de la Torre del Agua tenemos el ciclo completo del agua condensado en minutos, y se nos recuerda la importancia del agua en Toledo, que se tiene que subir desde el río mediante el ingenio de artilugios como el Artificio de Juanelo, un ingeniero y matemático de Cremona que trabajó para Carlos V, y que también construyó en Toledo el Hombre de palo: una figura mecánica —como un robot o un gólem hebreo— que gesticulaba a los transeúntes y les agradecía las monedas donadas.

Desde aquí, subimos por el laberinto de calles hasta el mudéjar convento de Santa Clara, donde encontramos una fuente o una balsa que se transforma en un espejo introspectivo, un espacio de intimidad doméstica. Aquí percibimos la respiración del agua como si estuviésemos en un *hortus conclusus* reforzado por el entramado de la característica celosía de Iglesias, que es una referencia a los patrones decorativos islámicos e inevitablemente evoca la *mashrabiya* tan asociada a la España medieval y musulmana.

La siguiente y última obra en nuestro viaje es la fuente situada frente a la catedral y a los pies del ayuntamiento, un espacio muy público y urbano tras la intimidad del convento, conformado como una cicatriz arqueológica que nos insinúa lo que hay debajo —ya que, si profundizamos lo suficiente, al final siempre encontramos agua—. Aquí, una mezcla de raíces y hojas, una naturaleza podrida que parece emerger de las profundidades, nos recuerda el carácter amenazante de otros estanques de Iglesias, como los muy populares de Amberes con Robbrecht en Daem o de Londres con Norman Foster.

El segundo itinerario, el que desciende de la luz hacia la oscuridad, propongo usarlo como guion de una película —y no de un simple documental, sino de un relato que exprese el carácter universal de la obra de Iglesias—. De hecho, aquí mi guía va a ser una obra de arte universal, el *Hamlet* de Shakespeare, con lo que voy a sustituir el paseo histórico por otro teatral, y a transformar una obra de un lugar específico en otra con un significado universal. *Hamlet* es la tragedia más extensa de Shakespeare, y pocas veces se representa en su totalidad, así que podríamos escoger la subtrama de Ofelia —cuya esencia se recoge básicamente en los actos III y IV— y rodar una película con solo seis actores, que interpreten a Hamlet, Ofelia, Polonio, Gertrudis, Claudio y Laertes.

Podríamos tomar la plaza del Ayuntamiento, donde la catedral se refleja en el agua de la fuente y la sede municipal le otorga carácter urbano, como escenario de las promesas de amor y matrimonio de Hamlet en el Acto III.1 (44-162), donde se usa a Ofelia como arma política, por lo que este entorno público parece apropiado. Como es sabido, Ofelia entra con un libro que le ha regalado su padre, Polonio, y tras «Palabras, palabras, palabras» y el soliloquio de Hamlet —en el que «Ser o no ser» también hace referencia a su relación con Ofelia— tenemos los versos «Yo te quería antes... Yo no te he querido nunca» y «Vete a un convento».

Y a un convento nos vamos, para una segunda escena en el convento de Santa Clara, donde la celosía se podría usar como la cortina tras la que se esconde Polonio —al que mata el rey Claudio, sin saber quién es—, y para ver a Ofelia desquiciada tras el asesinato de su padre, cuando se pone a cantar canciones obscenas y a ofrecer flores con los pies en el agua podrida del estanque, rodeada de ramitas y raíces, con un texto que se puede extraer del acto IV.5 de *Hamlet* (11-97 y 116-200).

La Torre del Agua es, por supuesto, escenario de la tercera escena, en la que la reina Gertrudis le dice al hermano de Ofelia, Laertes, que esta se ha ahogado, al caerse de «un sauce que crece a las orillas de ese arroyo», y nos imaginamos a Ofelia flotando rumbo a su muerte en las aguas turbias, todo ello recogido en el acto IV.7 (162-95). No sé si deberíamos incluir la escena en la que Laertes pronuncia el bellísimo elogio de su hermana en el acto V.1 (213-39): «Dadle tierra, pues. Sus hermosos e intactos miembros acaso producirán violetas suaves», porque para eso necesitaríamos un escenario diferente, mediante el cual pudiéramos terminar con Laertes en el acto IV: «¡Desdichada Ofelia! Demasiada agua tienes ya, por eso quisiera reprimir la de mis ojos...», dejando lamentablemente fuera la línea de la reina en el acto V: «Dulces dones a mi dulce amiga. Adiós...». Con estas palabras, Gertrudis se despide de Ofelia, a la vez que esparce flores, y con estas palabras me despido yo hoy.

Towards the Bottom, 2009 (detalle)
Colección privada

Debate

Luis Fernández-Galiano Mi propuesta era invertir el itinerario, empezar por arriba e ir hacia abajo. He querido presentar a Cristina, que es tan brillante, como la autora de una obra muy oscura, cuya mejor parte es su punto más oscuro, el de la Torre del Agua. Creo que de las tres obras, la Torre del Agua es la más sorprendente, la que más se diferencia de las demás. Por supuesto, todos disfrutamos con las plazas, pero a través de Cristina hemos visto otras y, como no, el convento, esa poza de agua que nos ha mostrado en varios museos y galerías. Pero cuando vas a la Torre del Agua, aquí ella dio con algo especial, más profundo y oscuro que el resto. Así que por eso he sugerido un itinerario diferente, desde lo alto hasta lo bajo, que no sube hacia la luz, sino que baja hacia la oscuridad.

Farshid Moussavi Gracias, Luis, por tu enfoque tan poético de la obra de Cristina. Me preguntaba si no podríamos tomar parte de esta terminología que has utilizado y usarla de forma ligeramente diferente. Has usado la palabra «universal». No pude evitar pensar que tal vez haya algo más amplio en la obra que la mera relación entre la arquitectura y el arte. Nos da una nueva forma de observar el paisaje urbano. ¿Crees que podemos ver su obra como una arquitectura paisajística, o quizá sea mejor la expresión «constructivismo paisajístico», que es al mismo tiempo un marco para la arquitectura?

LFG Mi mensaje principal era que la obra de Cristina no solo pertenecía a Toledo, sino que pertenecía al mundo: que era universal. Por supuesto, se puede pensar que la insinuación de traer a *Hamlet, Príncipe de Dinamarca* a Toledo, de traer a Ofelia a Toledo, es algo extravagante, pero era una forma de subrayar que esto, de algún modo, trasciende una reinterpretación del patrimonio arquitectónico y cultural de Toledo. Se ha mencionado a Cristina diciendo: «Cuando hago objetos, intento crear lugares». La creación de lugares es una forma de entrar en una síntesis de arquitectura y paisaje, sin ninguna duda.

Cristina Iglesias También habla sobre el recuerdo, el recuerdo del lugar.

Iwona Blazwick Creo que es interesante que saques el tema del teatro, mediante tu referencia a *Hamlet*, porque uno de los aspectos más peculiares de la escultura de Cristina es que está basada en la acción y, por tanto, tiene drama. El otro aspecto de lo que estabas hablando es esta especie de crisis existencial, y el hecho de que se desarrolla siguiendo un ciclo. El agua que hay en la torre se va, pero vuelve —como una especie de farsa, si se quiere, análoga a la de Hamlet. Estoy de acuerdo en que hay cierta melancolía o sensación de tragedia en ella, pero al mismo tiempo, como vuelve, también es exultante. Discreparía contigo en que la oscuridad sea el término final de la experiencia de esta obra. Hay una carga emocional positiva en la obra de la torre. Primero la torre se vació y, cuando se volvió a llenar, la gente que la había observado en pleno silencio estalló con un aplauso espontáneo. Un elemento de catarsis.

CI Una cosa que me ha gustado mucho es que Luis haya sugerido que *Tres Aguas*, quizá como cualquier obra de arte, también podría ser la base para crear una película o recrear una obra de teatro. Me gusta la idea de que una obra de arte pueda ser el terreno para activar otras ideas, otras obras de arte, otros lenguajes. Me alegra mucho la forma en la que has utilizado Hamlet en relación con mi trabajo. No hay una única manera de encontrarte con las obras; hay rutas distintas. Puede que mucha gente vaya a la plataforma sin saber que existe *Tres Aguas*, entonces ven esa pieza y luego se encuentran con otras dos. También me gusta la idea de que mis obras se comuniquen entre sí, que el agua fluya entre ellas —y no solo entre las tres de *Tres Aguas,* sino que la que hay aquí en la plaza se comunica con la de Amberes. Y quizá algún día salga por Nueva York o quién sabe dónde. Pero al mismo tiempo, las comparaciones no son fáciles porque las condiciones en las que se construye cada una son muy diferentes. Lo ideal para mí sería no tener ninguna restricción o limitación a la hora de intervenir en un espacio público, pero lo que he aprendido es que, obviamente, cada lugar es diferente y las condiciones siempre son distintas.

Michael Newman Luis, me ha encantado tu descripción de la obra en términos cinematográficos; de hecho, el cine también surgió en nuestro debate en Londres. Pero se trataba de una película diferente: Tarkovski con respecto a tres zonas de agua que además son zonas de decadencia, aunque también de transformación. Me ha recordado a uno de los relatos del maravilloso libro *Los orígenes de la geometría*, de Michel Serres. La geometría proviene en parte de los antiguos matemáticos egipcios, que tras la inundación del Nilo y de que desaparecieran todas las fronteras de los campos, la utilizaron para restablecer las fronteras a efectos fiscales. La historia ilustra la oposición productiva entre la disolución, como amenaza para los límites y fronteras definidos, y el origen de la geometría, como una forma de reintroducir el orden. Eso entonces me lleva a los muros de la pieza de Londres, donde hay espejos en la base de los mismos que dan la ilusión de que la especie de raíz podrida continúa interminablemente por debajo del intento de crear fronteras y límites. La oscuridad de la disolución está siempre ahí debajo de nosotros, como una especie de suelo.

LFG Es lo que más me gusta.

MN Sí, pero lo que quiero decir es que no es algo puramente oscuro. También es generativo. Así que yo destacaría quizá la dimensión generativa de las transformaciones. Lo que se pudre —un cadáver, hojas o lo que sea— es también algo productivo.

LFG ¿Crea vida?

MN Exacto, genera nueva vida. Esa idea de lo generativo, que es algo sobre lo que escribí en relación con la obra de Cristina hace muchos años, es del todo coherente durante toda la obra. Es un concepto de lo generativo algo diferente al de la imposición de formas sobre la materia incipiente. No es el tipo de ontología hilemorfista que, desde mi punto de vista, está detrás de la historia de la arquitectura. No es esa idea de que el arquitecto crea formas definidas como una manera de controlar o imponer el orden sobre lo que no tiene forma. Creo que Cristina ofrece otro tipo de enfoque generativo, que es muy importante, y que no es integralmente oscuro.

CI La oscuridad puede ser generativa.

MN Exactamente.

Richard Noble

Convivencia: Arte público, tolerancia e historia

Es una perogrullada biológica el hecho de que el agua es a la vez fuente y condición necesaria de vida, sin la cual no podríamos haber evolucionado ni la vida podría mantenerse. Aun con un acceso al agua reducido drásticamente, sería imposible mantener los elementos característicos de la vida humana, sobre todo en las comunidades civiles y la división del trabajo que las sustenta. Karl Wittfogel, en su magnífica obra *Despotismo oriental. Estudio comparativo del poder totalitario*, sostiene que el control de las vías fluviales para el riego y el transporte fue lo que hizo posible grandes dinastías como la egipcia, la persa o la china. Bautizó a estas dinastías como despotismos hidráulicos, argumentando que los sistemas burocráticos necesarios para aguantar esos sistemas de riego tan sofisticados requerían el desarrollo de estructuras estatales muy complicadas, que se convirtieron en ricas, estables y despóticas.[1] Más adelante, y de forma controvertida, aplicó este modelo a la Unión Soviética. Toledo nunca fue un despotismo oriental en el sentido dado por Wittfogel, sino que se convirtió en una ciudad o municipium bajo el dominio romano porque estos desarrollaron la tecnología de bombeo de agua desde el río Tajo, con el fin de construir un sistema de agua que pudiera sostener el nivel de vida que requería una ciudad romana.

Por tanto, en cierto sentido, la presencia y la gestión del agua están por lo general en el origen de las comunidades humanas, y su papel en la historia de la vida de Toledo como ciudad no es una excepción. Sin embargo, en nuestro día a día rara vez pensamos en la base hidráulica de nuestra existencia biológica y social. *Tres Aguas*, esta escultura pública tripartita tan impresionante creada por Cristina Iglesias, hace referencia a ambas verdades sublimadas. Las tres fuentes que conforman *Tres Aguas* reflejan, de maneras diferentes, aspectos importantes de la ciudad y de su historia. Los contextos en los que se ubican —un convento antiguo, la plaza central de la ciudad y una armería, en la que probablemente se forjó el famoso acero toledano— se relacionan con elementos importantes del pasado intrincado de Toledo.

El agua que recorre cada una de estas obras refleja la historia de su contexto mediante vías específicas. Por ejemplo, el agua que corre por la fuente de la plaza principal refleja literalmente el contexto en el que se encuentra. La superficie de la escultura recoge el registro arquitectónico del desarrollo espiritual e histórico de Toledo: una catedral que antes fue mezquita, y antes de mezquita probablemente iglesia. En la Torre del Agua, la luz de las ventanas de alabastro permite que la arquitectura de la armería se refleje en la superficie del estanque en el fondo, lo que enmarca el dramatismo de la fuente en la historia específica del edificio. En el Convento de Santa Clara, las pantallas y las ventanas enrejadas quedan reflejadas por momentos en la superficie de la fuente, mientras que el movimiento de la luz y de nuestros cuerpos a través de la obra evoca silenciosamente la historia claustral del Convento.

En todas estas obras el agua avanza de forma constante, aunque lenta, escurriéndose y volviéndose a llenar en un ciclo constante de renovación. La superficie plana y quieta refleja el contexto arquitectónico e histórico de las obras, pero entonces retrocede para revelar una fabulosa masa de raíces, hojas y vegetación enmarañada que deja al desnudo el terreno natural —y posiblemente los límites temporales— de nuestras construcciones sociales. Por supuesto, se trata también de una construcción. Se nos recuerda nuestra proximidad a la naturaleza, la forma en que nuestras sociedades se imponen —por así decirlo— ante un entorno natural del que, a su vez, dependen, pero de una forma que no reconoce esa dependencia. Esta ambigüedad es parte de la fuerza de *Tres Aguas* como obra de arte público, pues nos invita a reflexionar sobre tantos temas relacionados con nuestra supervivencia y prosperidad. Sobre el terreno natural de nuestras construcciones civiles, sobre la relación entre la naturaleza y la cultura dentro de ellas, sobre el entorno construido de la ciudad, sobre la historia de nuestra común existencia dentro de una ciudad concreta, pero también, de manera más general, dentro de todas las ciudades. Y, por supuesto, al plantear todas estas cuestiones, la obra nos invita a reflexionar sobre la relevancia de todos estos temas de cara a imaginarnos nuestro futuro.

Una forma importante en la que hace esto es estableciendo su propio marco temporal independiente. Cada iteración o momento de la obra tiene su propio ritmo cíclico de estasis, declive y renovación. Hay un instante en el que el agua que llena los estanques en el centro de cada obra se aquieta. Entonces se escurre progresivamente hasta que llega a un momento de desenlace catártico, o de vacío, para finalmente, poco a poco, volver a llenar los estanques. Podríamos decir que cada obra tiene su propio ciclo vital, su propio marco temporal autónomo que la distingue del contexto en el que se encuentra. Se trata de un marco temporal más lento y cíclico del habitual; un marco que vuelve interminablemente sobre sí mismo y que, por tanto, no se integra fácilmente en los marcos temporales lineales y basados en la instrumentalización que solemos habitar en el mundo contemporáneo. La construcción formal de *Tres Aguas* nos coloca y nos atrae en su propia concepción del tiempo.

Al hacerlo, al arrastrarnos a este aspecto de su lógica formal, crea una ruptura con el presente y un espacio para la reflexión. Para involucrarnos en estas obras, individual o colectivamente, tenemos que dedicarles más tiempo del que estamos acostumbrados; tenemos que entregarnos a una experiencia del tiempo más antigua y menos orientada a objetivos: tenemos que observar, escuchar, oler, habitar el espacio mientras las aguas repiten lentamente su ciclo vital. Esta sutil alteración temporal —que casi ni se percibe cuando las obras nos atrapan— recuerda a un antiguo ideal republicano romano del espacio urbano, en el que las plazas y los espacios comunes de la ciudad eran, además de espacios de comercio, lugares para la discusión, el debate y la reflexión.

Tres Aguas nos invita a cuestionarnos la relación dinámica —aunque a menudo ignorada— entre la naturaleza y la cultura en nuestras ciudades, así como la sensación de distancia, e incluso de alienación, que tenemos respecto a nuestros orígenes, tanto biológicos como sociales, además de plantearnos lo que el arte público puede hacer en cuanto a dar forma a nuestra experiencia y comprensión de la ciudad. Como obra de arte público, se podría decir que *Tres Aguas* activa una colonización imaginaria de Toledo. La obra, casi literalmente, apela a que el espectador se embarque a la deriva a través de la ciudad.

Para poder vivir la obra como es debido, uno tiene que recorrer la ciudad a pie, caminando por sus calles, a lo largo del gran río que la ha hecho posible, pasar por sus antiguos sistemas hidráulicos hasta llegar a la armería, para luego volver de nuevo por el Tajo y subir por sus calles estrechas. Al hacerlo, la historia de la ciudad, tal y como queda registrada en su arquitectura y en su ingeniería hidráulica, pasa a formar parte de la obra; la intimidad del antiguo convento, la majestuosidad de la catedral que antes fue una mezquita, la dramática transformación de la armería y la antigua Escuela de Traductores que uno atraviesa al volver del río al centro. Las rutas necesarias para vivir *Tres Aguas* como un todo se convierten en un recorrido a través de la historia de la convivencia toledana: los restos arquitectónicos de la confluencia altomedieval de las tres grandes religiones monoteístas y de sus culturas en una especie de tolerancia comunitaria —lo que Rosa María Menocal llamó, de forma un tanto polémica, «El Ornamento del Mundo»[2].

Esta me parece la segunda manera importante en la que la lógica formal de *Tres Aguas* sirve para asentar su carácter público. Una implicación plena con esta obra tripartita te arrastra hacia una inmersión en la historia única de la ciudad, y en el significado que ello tiene para nosotros en el presente. La «colonización» de estos monumentos arquitectónicos hace que una obra de escultura contemporánea entre en diálogo con las lentas acreciones de vida que componen el residuo material y visual de la historia de Toledo. Y a este respecto, me parece diferente de las obras de arte público que Iglesias ha hecho en Amberes y, más recientemente, en Londres. *Forgotten*

Streams está compuesta por tres estanques, pero a diferencia de *Tres Aguas*, los estanques están cerca unos de otros, y situados alrededor de un edificio nuevo. Si bien nos remiten al antiguo pasado del emplazamiento —el río Walbrook y el asentamiento romano que se estableció a lo largo del mismo—, hay escasa sensación de la historia londinense en la arquitectura totalmente renovada de la ciudad de Londres. El agua en *Forgotten Streams* evoca la pérdida o la invisibilidad del terreno medioambiental de una ciudad que está constantemente en reconstrucción bajo las exigencias de un capitalismo desenfrenado. Tres Aguas actúa de forma bastante diferente.

Usa la inmanencia del pasado de Toledo, encarnada en su arquitectura, para evocar una experiencia del espacio público diferente. Nos invita a reflexionar sobre el significado remoto de la historia de la ciudad respecto a nuestra experiencia con las ciudades ahora, en el presente. Las formas de vida tímidamente reflejadas en la arquitectura medieval de Toledo representan otra manera de pensar sobre cómo la diversidad cultural y religiosa puede coexistir en el espacio urbano. *Tres Aguas* proyecta una confluencia, un encuentro de diferentes aguas o arroyos que nutren la vida material y cultural de la ciudad de Toledo.

Esto refleja, de manera metafórica, la confluencia tripartita de las tradiciones culturales y religiosas que surgieron en Toledo durante el período de 700 años de instauración de Al-Andalus, desde principios del siglo VIII hasta finales del siglo XIV. Toledo fue un centro político y cultural destacado durante las distintas dinastías de dominio islámico de Al-Andalus en este periodo. En 1085, después de que el rey castellano Alfonso VI la reconquistara, continuó siendo un reino y una ciudad-estado importante en las tierras ibéricas, hasta el siglo XV, que fue cuando la corte española se trasladó a Madrid. Uno de los aspectos que convirtió a Toledo en una ciudad estratégica y culturalmente importante durante este periodo fue la confluencia de culturas monoteístas que desembocaron en ella. La convergencia de comunidades islámicas, judías y cristianas ya consolidadas —la «gente del Libro» en el Islam—, así como el desarrollo de una cultura mozárabe —cristianos de Al-Andalus, de habla árabe— dentro de esta coexistencia, produjo un legado intelectual, artístico y arquitectónico de suma importancia para España y para el mundo. Uno que además ha influido notablemente en el desarrollo del pensamiento occidental, a través de las traducciones de Aristóteles del árabe al latín, los tratados filosóficos, la teología cristiana, las matemáticas, la psicología y toda una serie de otras materias. Toledo fue uno de los primeros núcleos de esta gran confluencia, a veces llamada «convivencia», y el legado queda especialmente plasmado en su arquitectura.

En su libro *El ornamento del mundo*, María Menocal llama la atención sobre la iglesia de San Román, en Toledo, que fue construida por un artesano mudéjar —musulmanes que podían vivir en territorio cristiano— para un príncipe cristiano en el siglo XII.[3] Como tantas iglesias de esta época en España, esta encarna una mezcla de estilos arquitectónicos y decoraciones —lo románico, lo islámico y lo mudéjar. La autora destaca una serie de arcos de herradura con dovelas rojas y blancas que recuerdan a la gran mezquita de Córdoba. Estas están enmarcadas y decoradas con imágenes de santos e inscripciones en latín. Después, sobre los arcos de herradura, hay una serie de ventanas interiores también decoradas con escrituras, pero esta vez árabes —o dicho con más precisión, sucedáneos de escrituras árabes—, lo cual, como ella señala, es un tanto inusual. La autora afirma que esto es una especie de evocación simbólica del lenguaje de otro dios. Menocal ve en esta iglesia, y en este tipo de decoración arquitectónica, el legado de tres culturas que coexistieron entre sí. Esto también se hace evidente en edificios no sagrados. Al volver de la armería hay que pasar por el edificio medieval en el que se encontraba la famosa Escuela de Traductores de Toledo. Esta fue una institución importantísima en la España medieval. Esta escuela se creó después de que Toledo pasara a estar bajo dominio cristiano, en el siglo XI, pero se convirtió en uno de los centros intelectuales más influyentes de la historia de Europa, bajo el apoyo de los reyes y los obispos de Toledo.

En ella, estudiantes judíos y árabes traducían sobre todo textos árabes —que a su vez ya eran traducciones de figuras como Aristóteles, Galeno y otros filósofos griegos—, primero a la lengua vernácula castellana y luego al latín. Desde el siglo XI hasta el XIV, aproximadamente, los estudiantes musulmanes y judíos bajo el dominio cristiano desarrollaron una rica cultura intelectual a partir de la diversidad religiosa y lingüística, que introdujo, entre otras cosas, una nueva interpretación de Aristóteles —realizada por el erudito árabe Ibn Rushd (o Averroes, como se le conoce en el mundo cristiano)—, que transformó sustancialmente la cultura intelectual europea. El libro de Menocal sostiene que es este el rico legado intelectual, artístico y arquitectónico de la convivencia, de tres culturas que coexistieron entre sí en condiciones de relativa tolerancia y mutuo reconocimiento. Sin embargo, esta convivencia al final acabaría rompiéndose debido al fanatismo agresivo y monocultural de las campañas de reconquista de Fernando e Isabel para recristianizar España. La derrota de los almohades en Granada, en 1492, desencadenó una campaña de asesinatos y/o conversiones forzadas contra la población musulmana y judía de España, una de tal ferocidad y eficacia que aún sigue asombrando.

El contraste que Menocal establece entre una Toledo tolerante, multiconfesional y multicultural, en la España anterior al siglo XV, y otra con un afán austero e intolerante de uniformidad cultural y religiosa, caracterizada por Fernando e Isabel, es un tanto demasiado simplista para tomarlo en serio como argumento histórico. No obstante, no se puede negar el increíble legado intelectual y cultural que nos ha dejado esta confluencia de culturas; y ser una encarnación de este legado es uno de los rasgos que definen a la Toledo actual. Mediante el reflejo de la belleza de su legado arquitectónico, y mediante la reanimación de espacios públicos abiertos y potencialmente dialogantes, *Tres Aguas* alude a los elementos más positivos de esta confluencia. Por otra parte, también nos brinda una especie de esperanza hacia el futuro, implícita en el pasado de Toledo, aunque la realidad de esa visión no esté del todo corroborada por la evidencia histórica real.[4]

El argumento de Fernández-Morera es que la convivencia es un mito que los liberales quieren invocar, con el fin de justificar su convicción de las ventajas de la diversidad y la igualdad en el mundo contemporáneo. Para él, el consenso popular plasmado en el contraste entre una confluencia tolerante y plural de tradiciones religiosas y culturales —caracterizada por Al-Andalus y sus primeros sucesores castellanos— y el catolicismo intolerante de Fernando e Isabel no es tanto un argumento histórico, sino más bien una especie de reconstrucción utópica del pasado. Ahora bien, como todas las visiones utópicas, dice más sobre nosotros mismos y de como nos gustaría ser, que sobre el propio pasado, o incluso sobre el futuro. Así pues, la destilación de los logros de la convivencia —tanto en la arquitectura como en la vida intelectual o el arte— representa, en cierto sentido, lo mejor de esa cultura y de su diversidad y dinamismo intelectual. El mero hecho de que tres tradiciones culturales diferentes —con personas que se vestían de forma diferente, que comían de forma diferente, que rara vez se casaban entre sí, y que, en general, creían que las religiones de los demás eran manifestaciones de herejía— pudieran convivir, en cierto grado, en las hacinadas condiciones del Toledo medieval, o de cualquiera de estas ciudades, ya es bastante sorprendente. Claro está que no podrían haberlo hecho sin la explotación, la injusticia y la violencia, pero al mismo tiempo su legado representa algo de importancia universal para la humanidad, incluso si solo se trata de una aspiración.

Parte del carácter público de *Tres Aguas* como obra de arte pública tiene que ver con el modo en que evoca esta posibilidad, al intensificar nuestra comprensión de lo que significa de verdad la belleza de la arquitectura toledana o, en cualquier caso, de qué tipo de contexto social e intelectual proviene. Es bastante fácil deambular por las calles de Toledo maravillándonos con la belleza insólita de su arquitectura medieval, mientras asumimos alegremente que es un monumento más de la supremacía de la cultura europea occidental. Pero *Tres Aguas* nos conduce sutilmente hacia una perspectiva más compleja, una que pone de manifiesto una noción de tolerancia religiosa y cultural que se remonta mucho antes de las concepciones occidentales, y que se basa en una forma de pensar muy diferente acerca de cómo pueden coexistir comunidades distintas.

Esta concepción, la de que comunidades religiosas y culturales diferentes y autónomas, con tradiciones y creencias sumamente divergentes, puedan coexistir juntas en la misma sociedad civil, continúa siendo de gran importancia para muchas comunidades étnicas y religiosas minoritarias en España y otros países occidentales. De hecho, es mucho más importante que la concepción occidental de la tolerancia o el multiculturalismo basado en los derechos individuales y la igualdad ante la ley. Es una idea de tolerancia que resulta difícil de acomodar en el mundo occidental moderno, porque hace hincapié en los valores religiosos y culturales de la comunidad por encima de los derechos del individuo, y exige el reconocimiento y el respeto de formas de vida que no caben en ninguna concepción occidental de la igualdad, liberal o socialista.

Ni que decir tiene que *Tres Aguas* no puede resolver, de ningún modo, los dilemas que conllevan estos asuntos tan complicados. Su éxito como obra de arte público se debe, en parte, a que brinda un pretexto para reexaminar lo familiar, con el fin de volverlo menos familiar, menos reconfortante, pero más interesante y complejo.

El legado arquitectónico y estético de Toledo queda reflejado como se merece. Pero al vivirlo a través de *Tres Aguas* tiene menos que ver con el glorioso legado de la convivencia y más con las contradicciones que ese legado nos deja.

Notas al pie en página 155.

Debate

Michael Newman Muchas gracias, Richard, por una ponencia tan completa. Me gustaría hacer tres observaciones, o llamar la atención sobre tres aspectos, y quizá plantear una pregunta en relación con cada uno de ellos. El primer aspecto es el del tiempo. Hay como mínimo tres temporalidades involucradas en la obra.

Hay una temporalidad cíclica de llenado y vaciado, que se vincula con los ciclos naturales, pero también con otros ciclos. Luego hay una temporalidad arqueológica de capas que aparece en la obra: la obra de arte es una intervención o tiene una relación con el pasado, lo que se manifiesta claramente tanto en *Tres Aguas* como en *Forgotten Streams*. Y por último hay una temporalidad lineal, a la que la obra en sí misma se opone, que es la temporalidad del progreso, la producción y la tecnología. Me llamó la atención ayer la manera en la que la gente hablaba y se comportaba de forma distinta en cada parte de la obra. En la torre había mucho debate sobre la hazaña de haber trasladado esta pieza de metal enorme y colocarla con grúas en el fondo. En la plaza, estábamos charlando, señalando a los alrededores y hablando de la historia de Toledo. Luego, en Santa Clara, todo el mundo se calló, y si alguien hablaba era susurrando. ¿Por qué la gente hablaba así?

Fue muy interesante en el contexto de este espacio contemplativo. Eso me lleva a pensar que lo que encontramos fueron tres tipos diferentes de ser social: la torre tenía que ver con la producción, el trabajo, el uso de la tecnología; en la plaza, algo más parecido al tipo de comportamiento social que encontrarías en un ágora; mientras que en el convento, era más contemplativo y tranquilo. Son tres formas diferentes de comportamiento, pero también tres formas diferentes de ser social. Por tanto, otra cuestión podría ser la manera en la que la obra aprovecha y activa estos modos de ser social y su relación entre ellos.

La tercera observación se refiere a las importantísimas puntualizaciones de Richard sobre la tolerancia y una forma no liberal, o posliberal, de que las comunidades estén juntas, en lugar de pensar en el individualismo posesivo vinculado al consumismo, etc. Así que pone en tela de juicio, de una manera crítica y positiva, la idea de universalidad. Una cosa que me vino a la mente fue «¿cuál sería una modalidad de arte en relación con esa idea de tolerancia comunitaria? ¿está implícita en *Tres Aguas*?». Richard menciona la Escuela de Traductores y su papel crucial en la historia de la cultura occidental como punto de encuentro de las tradiciones griega, islámica y cristiana. Y yo me pregunto, ¿podríamos pensar en la propia obra de arte como un acto o una forma de traducción?

Y en este punto cobra importancia otro papel del agua: posibilitar este transporte o traslado transfronterizo.

RN Muchas gracias, Michael. Creo que tiene mucho sentido la forma en la que has articulado la temporalidad y su relación con el ser social, en términos de lo técnico, lo social y lo contemplativo. Conforme avanzan nuestros debates sobre las obras de Cristina, parece que las temporalidades que invocan son cada vez más complejas. Por mi parte, creo que es importante que las obras exijan un nivel de compromiso temporal al público, que nos saque de las construcciones lineales tan instrumentalizadas del tiempo que solemos manejar en nuestro día a día. Este es el caso, sobre todo, en los entornos urbanos. El hecho de que el drama de la obra sea cíclico, de que se repita y que te permitas meterte en ese ritmo, me parece un momento importante en la experiencia subjetiva de la obra. Sin embargo, también estoy de acuerdo en que las obras llaman nuestra atención sobre fenómenos diferentes porque se hallan en lugares distintos.

Las plazas suelen estar asociadas a una concepción de lo público, que debe mucho a la democracia ateniense. Esto es una concepción —idealizada— de ciudadanos congregados para reflexionar sobre los asuntos del día. La obra de Cristina en la Plaza del Ayuntamiento evoca ese tropo: pone a la gente a sus anchas en ese espacio abierto, y son capaces de rodearlo y relacionarse con los demás a su alrededor.

Es tan tranquilo y contemplativo que, sí, considero que invita a una forma de interacción entre las personas que es intersubjetiva. Es disfrute mutuo, es relajación, e incluso puede invitar a la discusión sobre algún asunto que preocupe a la gente, pero no es comercial. No es una forma artificial de interacción, y creo que está devolviendo esa plaza a lo que debía ser. Así que, en ese sentido, estoy de acuerdo contigo. Al final del paseo, todos nos sentamos en el convento alrededor de la obra y todo el mundo dejó de hablar. Puede que en parte fuera por cansancio, pero fue divertido porque todo el mundo hablaba de forma muy animada y luego, pasado un rato, todo se quedó en silencio, así que creo que tienes razón. Es algo muy interesante, y el poder de la obra en ese sentido es asombroso.

En cuanto a la tolerancia, dudo que haya una forma post-Ilustración de recuperar la comprensión más comunal de lo que significa ser una comunidad religiosa autogobernada que convive con otras comunidades religiosas autogobernadas, característica de la convivencia medieval. Sin embargo, tal vez esto nos brinde una manera de pensar ligeramente diferente sobre las diferencias profundas entre los defensores de los derechos comunales a la identidad y al lenguaje y los defensores de los derechos individuales y la igualdad liberal, enfrentados actualmente en España. La palabra «convivencia» quizá es un marco sobre el que pensar acerca de ello, que es bastante independiente de si existió o no un montón de violencia y embrutecimiento de las comunidades en aquel tiempo.

La obra de Cristina usa tropos formales que beben profundamente de la propia tradición de la artista, y además, con una comprensión sofisticada del lenguaje de la escultura contemporánea. La combinación de estos factores permite a la obra trascender lo específico de situarse en Toledo, en Amberes o en Londres, así como trascender cualquier horizonte cultural particular —vasco o español—, lo que permite un rango de reflexión más amplio vinculado con las inquietudes comunes entre culturas.

Russell Ferguson Ambas ponencias indicaban algo que, si no es único, es poco frecuente en una obra de arte pública. Si nos remontamos a 50 o 60 años antes, puede que tengamos dos tradiciones alternativas. Primero, una versión del arte público que aspira a una forma pura y a una «universalidad», si me puedo aventurar a usar la palabra, que se ubica en el espacio y evita en gran medida cualquier conexión cultural específica, pues aspira a algo más puramente abstracto. Y segundo, un tipo más reciente de arte público, que ha puesto mucho empeño en ser culturalmente específico y en hacer referencia a contextos muy concretos, sin los cuales no se puede entender. Al escuchar las dos ponencias que se han hecho, considero que nos encontramos ante una obra que es al mismo tiempo histórica y extrahistórica, ya que se enmarca dentro de esta historia del conflicto de culturas, pero al mismo tiempo se yuxtapone a esta idea. Cabe señalar que hay muy pocas obras de escultura pública a gran escala que puedan estar con un pie en cada uno de estos campos, pero *Tres Aguas* lo consigue.

Andrea Schlieker Creo que las tres temporalidades y los tres comportamientos sociales vienen provocados también por las tres iluminaciones distintas que hemos vivido en cada uno de estos lugares. La primera, en la torre, cuenta con esas hermosas ventanas de alabastro que guían por completo la luz hacia el interior de una manera muy específica y liminar. Luego, lógicamente, cuando pasamos a la plaza, tenemos la luz natural y los reflejos del entorno. Además, cuando la cuenca está llena se convierte en un espejo que refleja de forma hermosa los edificios circundantes. Y por último, en la obra final, tenemos la oscuridad. La luz es muy importante. Obviamente, es algo que se escenifica, un dispositivo dramático orquestado de manera hermosa en esos tres lugares diferentes.

João Fernandes ¿Me permitís retomar uno de los temas más importantes que han surgido en las ponencias de hoy, que es el de la relación de *Tres Aguas* con Toledo? Toledo es un hecho en el trabajo. El tejido visible de la ciudad habla de forma bastante legible de este periodo histórico tan largo. Creo que esto le debería dar a Cristina cierto permiso para no tener que involucrarse con ello tan específicamente, en el sentido de que sus esculturas anteriores tenían una relación más explícita, sobre todo con la arquitectura y los patrones árabes. Los detalles en las mezquitas o en las sinagogas de aquí son patrones decorativos que se forman a través de abstracciones repetitivas de la naturaleza.

Son totalmente diferentes de los patrones vegetales de *Tres Aguas*, que son una especie de descomposición sin forma. Se podría decir que el tejido cultural y arquitectónico de Toledo genera un espacio donde la ausencia de forma de la experiencia cultural se asocia a su oscuridad.

Farshid Moussavi Me parece que es una obra, como la de Londres, que homenajea el espacio compartido de la ciudad como lo que nos une. Eso es lo que empieza a hablar de tolerancia: de que hay algo que compartimos bastante valioso y que eso es lo que realmente nos une. Y al estar articulada a través de tres sitios, la obra te hace más consciente de ese espacio compartido.

Iwona Blazwick También evoca una concepción diferente de lo que es la comunidad, porque para mí el problema del multiculturalismo es que se trata de un concepto fijo, como si esas culturas nunca hubieran evolucionado o no se hubieran entremezclado. También tiende a discutirse en términos de etnicidad y sistemas de creencias, aunque en realidad sabemos que hay comunidades de instagrammers, que hay comunidades de personas como nosotros, que viajan a diferentes partes del mundo para vivir las obras de arte. Hay comunidades de DJ.

Hay comunidades de todo tipo y clase de actividades. Gracias a ello, se pudo generar alrededor de la obra una concepción muy interesante, caleidoscópica y cosmopolita, de la comunidad. En la Bienal de Liverpool del año pasado, los organizadores invitaron a fotógrafos amateur para que documentaran toda la exposición.

Me encontré con 30 personas muy variadas, desde camarógrafos bastante mayores, con enormes objetivos fálicos, hasta niños de 14 años con sus teléfonos, todos apiñados alrededor de una obra de arte tratando de documentarla. Fue maravilloso. Y luego publicaron su imagen en una página web. Así se congregaron todas estas generaciones y condiciones de vida diferentes por su amor a la fotografía. Esta es una de las cosas que puede hacer el gran arte público: enmarcar a estas comunidades diversas y llevarlas a su esfera de influencia. Esto me pareció muy interesante: que dondequiera que te encuentres con estas obras, no las puedes sacar de su contexto inmediato, por lo que eso también forma parte de la experiencia de las mismas. Pero también, en el momento en el que te unes a otro grupo de personas a su alrededor, te conviertes momentáneamente en una comunidad de un tipo u otro.

RN Una última observación en respuesta a lo que decía João. De hecho, creo que la ausencia de forma de la obra y su lenguaje escultórico son parte de su capacidad, como ha dicho Russell, para estar en este lugar históricamente específico sin quedar reducido al mismo. Por supuesto, Cristina no es en absoluto responsable de mis intentos de comprender la importancia de este momento en la historia de la tolerancia. No obstante, me parece una respuesta legítima al modo en el que el trabajo actúa en la ciudad. Tienes la oportunidad de pasear por la ciudad e interactuar con las obras desde perspectivas diferentes: el modo en el que la obra refleja las superficies de la ciudad, el modo en el que la gente interactúa alrededor de las obras, el modo en el que la obra corrobora sus propios momentos de reflexión.

Para mí, *Tres Aguas* escenifica lo que considero que debería poner en escena una obra de arte pública; es decir, momentos de compromiso crítico. Estos momentos no tienen por qué ser parte de una sola cosa, pero la obra lo consigue con mucho éxito. No todo el mundo es capaz de hacer obras de arte públicas con éxito en un lugar como Toledo. Creo que es un logro francamente impresionante.

Tres Aguas, 2014
Plaza del Ayuntamiento

Estrella de Diego

Una plantadora en serie: Cristina Iglesias se pasea por Toledo

Viajes increíbles

En 1606, Enrico Martínez —nacido en Hamburgo a mediados del siglo XVI— publicó *Repertorio de los tiempos e Historia natural de la Nueva España* en Ciudad de México, donde inauguró su propia imprenta al llegar hacia finales de 1589. Había alcanzado el Nuevo Continente tras diversos viajes por Europa. En España pasó varios años, moviéndose entre tres ciudades. Como señala Serge Gruzinski en su libro de 2008 ¿Qué hora es *allí?*, las tres ciudades eran conocidas entonces por sus florecientes negocios de impresión: Madrid, Sevilla y, por supuesto, la cosmopolita Toledo.

Martínez no era un impresor corriente. También era cosmógrafo, ingeniero y matemático. *Repertorio de los tiempos* fue un particular libro etnográfico que se centró en los hechos y costumbres de Nueva España, entre otros algunas curiosas observaciones relacionadas con los fenómenos climatológicos de esa parte del mundo. Incluso se podría decir que fue un divulgador de la ciencia, cuya principal tarea era familiarizar a los españoles y criollos de Nueva España con las costumbres y peculiaridades americanas.

Ese fue también el caso de su libro sobre agricultura, lamentablemente desaparecido, pero comentado por Gruzinski en *Las cuatro partes del mundo: historia de una mundialización* (2006), en el que Martínez reflexionaba sobre los huertos, los jardines y otras cuestiones agrícolas relacionadas con el clima y las costumbres de Nueva España. Martínez era mucho más que un impresor. Era un viajero sofisticado, entusiasta de la botánica y sus usos sociales, y deseaba hacer circular estas ideas entre ambas orillas del Océano Atlántico e incluso más allá de la región. De hecho, el texto comienza con su interés por el Nuevo Mundo y sus productos y luego se expande desde México hasta el Imperio Otomano a finales del siglo XVI.

A propósito de esta cuestión, es preciso recordar que Gruzinski toma *Repertorio de los tiempos* —junto con la crónica del Nuevo Mundo recopilada en Estambul en 1580— como uno de sus puntos de partida para revisar lo que parece ser el tema esencial en la producción del investigador francés: una especie de globalización *avant la lettre* se organizó en torno al Imperio español. Como menciona Gruzinski, no solo había un gran interés por el Imperio Otomano en México, como se ejemplifica en *Repertorio de los tiempos*. En el Estambul de finales del siglo XVI, el Nuevo Mundo y sus productos también despertaban curiosidad. Tanto México como Estambul eran entonces ciudades multiculturales, al igual que Toledo había sido escenario y testigo del cruce de culturas unos años antes.

La fuerte atracción por esta especie de globalización *avant la lettre* que reinaba en el Toledo del siglo XV impregna la ciudad aún hoy: pasear por la ciudad funciona como metonimia de la historia y de un tiempo pretérito cautivador. En el simple gesto de dar la vuelta a una esquina, el paseante se encuentra con un momento suspendido y su imaginación corre hacia ciertas reverberaciones de tiempos muy lejanos. Es el sentimiento que nos asalta cuando seguimos el itinerario de Cristina Iglesias. Hemos vuelto allí, a principios del siglo XV, obligados a amoldar nuestras mentes y cuerpos a esa época remota en un viaje sin precedentes a un país extranjero: el pasado mismo y sus fantasmas. Como escribió L.P. Hartley al comienzo de su popular novela de 1953, *El mensajero*: «El pasado es un país extranjero: allí se hacen las cosas de otra manera ».

Plantas exóticas

Esta fascinación hacia lo remoto —incluidas fauna y flora de la Edad Media— es a menudo una ficción o, al menos, una especie de fantasía diseñada para satisfacer las necesidades y las producciones históricas. La alteridad ha sido siempre una construcción cultural. De hecho, a principios del siglo XVI, justo cuando Toledo cambió su estructura multicultural, los conquistadores españoles se esforzaron por reconstruir el pasado de los grupos conquistados como método de control. Acabaron por robar sus recuerdos. Esos recuerdos estaban inscritos en una determinada cosmología muy alejada de la noción universal del tiempo que rige la historia occidental y su escritura de la historia. No se trató de un gesto baladí: como argumenta Gruzinski, robar los recuerdos de los nativos acabó por ser un modo de imponer en el Nuevo Mundo la noción universalista del tiempo que reina en Occidente.

En el mismo contexto de las imposiciones de la citada noción del tiempo y de la historia, también se podrían inscribir los diversos medios de representación, entre ellos, de las plantas, una de las principales fuentes de fascinación para los

Growth I, 2018
Aluminio y vidrio
294× 330 × 210 cm
Colección privada

viajeros y exploradores. Es el caso del artista indígena colombiano Abel Rodríguez, conocido en su cultura como «nombrador de plantas», pues ha recibido su capacidad de poner nombre a las plantas como un don del «Invisible», parte de su herencia nonuya y muinane. A lo largo de los años, ha viajado con frecuencia a Bogotá desde su tierra de origen , la selva. Ha viajado con la misión de reclamar los derechos para su cultura y, al hacerlo, ha aprendido tantas cosas acerca de la traducción cultural: cómo se debe narrar la propia cultura al otro para hacerla comprensible y eficaz. En sus hermosos y precisos dibujos de la selva, ha creado la traducción más radical que se pueda imaginar: ha decidido convertir su habilidad para nombrar las plantas —habilidad oral, en su cultura de origen— en impresionantes y delicados dibujos, en los cuales reinan las variedades de plantas -sus usos, estaciones y relaciones simbólicas con los seres humanos y los animales. De hecho, la representación de plantas exóticas —tanto las descubiertas durante los viajes como las ficcionadas— forma parte del ritual de la modernidad, la ilusión de controlar el mundo y sus habitantes cartografiando los territorios y clasificando las plantas. Por ello, los registros botánicos visuales fueron muy importantes en los viajes a América.

Cuando José Celestino Mutis emprendió la Real Expedición Botánica al Nuevo Reino de Granada (la actual Colombia) en 1783, se descubrieron y describieron 6000 nuevas especies botánicas durante el viaje y se representaron en más de 6000 dibujos y miles de láminas, algunas conservadas en Madrid. Este registro se entendió desde el principio como uno de los logros más notables del viaje. En la legendaria expedición, Celestino Mutis contó con la ayuda de locales que utilizaron colores hechos con plantas del lugar para los hermosos dibujos, cuya finalidad era nombrar y organizar aquellos exóticos especímenes descubiertos por los expedicionarios en su camino. Dibujar y nombrar esas plantas era otro método para controlar la alteridad de América.

Quizá por eso el artista colombiano Alberto Baraya —que tomó el viaje de Mutis como punto de partida para su producción visual— decidió clasificar plantas artificiales en 2001. Cinco años más tarde, esas plantas empezaron a crecer y un hermoso árbol de plástico invadió las salas de la Bienal de São Paulo, confrontando *naturalia* y *artificialia*. Al igual que Baraya, Iglesias utiliza plantas, inventa plantas y planta vegetaciones siniestras. Esas plantas crean un abismo hipnótico que persigue al espectador, oscuro presagio que asalta sin previo aviso.

ARRIBA Alberto Baraya, *Herbario de plantas artificiales—Invernadero de tropicales mutisianas*. Instalación, dimensiones variables
350× 240 × 230 cm
Centro de Arte 2 de Mayo

ABAJO *Sala de Vegetación VIII sin título*, 2000
250× 185 × 200 cm
Vista de la instalación Whitechapel Gallery (Londres)

La deriva de Cristina Iglesias como estrategia coreográfica

Las puertas permanecen cerradas la mayor parte del tiempo. Se abren de par en par solo en ocasiones especiales, como una flor poco común que rara vez florece, o como una imagen en un libro de botánica. Están casi camufladas en el edificio lateral del Museo del Prado, lejos de la entrada principal. Sin embargo, representan una firme declaración en la obra de Iglesias. Son como una criatura que parece aletargada y se mueve con lentitud. Pese a todo, su presencia es paradójicamente sobrecogedora entre los paseantes. Esas puertas, casi una amenaza, anuncian un evento importante por venir. Se obstinan en su silencio, plantas petrificadas y secas, una especie de presagio.

Las puertas del Museo del Prado (2007) visibilizan una ambigua transición entre la celosía —tan utilizada por Iglesias como claroscuro y laberinto, eco de la tradición islámica— y una cortina vegetal vertical, preludio para la estrategia de la larga lista de artefactos botánicos públicos que Iglesias ha ido plantando por el mundo durante los últimos años. El suyo es un plan preciso y definido -desde Londres a San Diego, desde Toledo a Bombas Gens en Valencia-, que ha ido creciendo en intensidad y proporciones y ha convertido la obra de Iglesias en mucho más que escultura pública. Incluso se podría decir que existe una esencia de deriva en su puesta en escena. Me refiero al término acuñado por la Internacional Situacionista: una forma de psicogeografía que persigue la desorientación emocional para producir situaciones nuevas e inesperadas. Cuando las obras acuáticas y vegetales de Iglesias aparecen en un edificio o plaza específicos, la narrativa territorial cambia por completo. El paseo —la *flâneurie*— es esencial para el Situacionismo y para el proyecto botánico de Iglesias. Tal vez por este motivo *Tres Aguas* representa una de sus empresas más ambiciosas y una de las más reveladoras en cuanto a la naturaleza performativa en su producción se refiere.

Siguiendo las técnicas clásicas del Land Art, Iglesias ha diseñado *Tres Aguas* como una obra compacta que se divide en tres emplazamientos: desde el más abierto, la Plaza del Ayuntamiento, hasta el más íntimo y recogido, el hermoso Convento de Santa Clara. Entre estos dos lugares, que representan el espacio público y el área espiritual para la contemplación, Iglesias reivindica un tercer lugar: una torre de agua en el Tajo, que subraya las connotaciones de una ruina industrial en Toledo, ciudad llena de capas históricas y pasados multiculturales que impregnan su presente. Al delinear el mapa invisible que conecta los tres enclaves radicalmente distintos —mapa que solo el paseo puede materializar—, Iglesias ofrece otro tipo de mapa temporal, del presente a los tiempos históricos, que se hace eco de la idea de Hartley en *El mensajero*: el pasado como un país extranjero donde las cosas se hacen de otra manera. Más aún. *Tres Aguas* termina por ser crucial en la obra de Iglesias al desvelar de forma inesperada la serialidad como un potente componente de su estrategia artística, una pasión relacionada con las capas que construye la narratividad, aquella que la artista persigue en sus estrictos y claros planes botánicos. Es este eco compartido por su escultura pública performativa -en diferentes ciudades y momento - lo que da un sentido narrativo unitario a su misión como plantadora. El tiempo, y no solo el espacio, están implícitos en esa misión -lo demuestra *Tres Aguas*.

La deriva de Iglesias por Toledo es, en cierto modo, un verdadero viaje iniciático en el cual la vegetación representada en las puertas del Prado se convierte en plantas siniestras, insidiosas, enredadas e imprevisibles que se transforman al contacto con el agua. De este modo, la artista construye su propio e imaginario diccionario botánico con un elenco de plantas que organizan un nuevo orden vegetal. Lo hizo Linneo en *Systema naturae* a mediados del siglo XVIII, obra en la que creó una taxonomía moderna y clasificó incluso las plantas que no habían sido descubiertas aún. Al igual que los viajeros del siglo XVI, Iglesias colecciona plantas exóticas que pertenecen a un universo siniestro relacionado con tiempos remotos y, por tanto, con ese país donde se hacen las cosas de otra manera. Hablemos, pues, de botánica.

Plantas invasoras

Hablemos de botánica y de las plantas cuando invadan las ciudades; plantas reflejadas en un jardín, que construyen abismos, descubren la historia, la releen, oprimen a los espectadores y al tiempo los fascinan. Iglesias satura sus obras con elementos vegetales, a veces especímenes botánicos petrificados, una especie de vegetación mágica que recuerda la novela *A contrapelo* de Huysman y su fabulosa flora inventada. El proyecto creativo de la artista también recuerda a Borges y su colección de bestias fantásticas. De hecho, Iglesias coquetea constantemente c on «una especie de perverso agujero de la gloria botánica», como se describe a las malvadas plantas invasoras en *El día de los trífidos*, de John Wyndham, una de las novelas de ciencia ficción más populares de los años cincuenta. Es un género que cautiva a Iglesias, aficionada a las distopías de Ballard..

El día de los trífidos, publicada en 1951 —por lo tanto parte de cierta producción postapocalíptica muy popular durante la Guerra Fría—, describe un mundo invadido por trífidos, una especie de plantas terriblemente agresivas que asesinan a los seres humanos tras un experimento científico malogrado. Estas plantas, altas, venenosas y carnívoras, con capacidad de locomoción y comunicación, surgen un día y desde ese momento toman el control. Uno tiene la impresión de que las amenazantes plantas fosilizadas de Iglesias pertenecen a ese mundo postapocalíptico conformado por mutaciones. Están latentes, como los trífidos, y podrían despertarse amenazantes en cualquier momento. De hecho, las plantas de Iglesias parecen mutar al contacto con el agua, elemento que utiliza a menudo en su escultura pública performativa. Esos obstinados reflejos subrayan las cualidades siniestras que conforman el perverso diccionario botánico, su plan maligno. Caminando junto a su hermosa e insólita vegetación, nunca se sospecharía que forma parte de una deriva -de Londres a o Los Ángeles- diseñada con cuidado y disimulo. En este sentido, el paseo por Toledo parece crucial también: es un espejo del paseo global que Iglesias ha emprendido, plantando esas criaturas subversivas que los espectadores tomarán por plantas inocuas.

Y, por supuesto, siempre es cuidadosa con su estrategia, eligiendo con exactitud los lugares para que crezcan las plantas suyas misteriosas y revolucionarias. A través de su libro de botánica, está escribiendo cierta novela de ciencia ficción radical, aunque camuflada. Tal vez su gesto más activista no sea haber elegido Toledo —una ciudad encrucijada, un lugar en el que confluyen las tres culturas básicas en España—, sino haber tomado Toledo como un paso previo para otros paseos insurrectos. En este sentido, la estrategia de Iglesias en *Tres Aguas* toma forma de un ensayo general y ofrece la vibrante descripción de la artista como viajera, amante de la vegetación exótica ficcionada; como plantadora y lectora de ciencia ficción. Esta plantadora en serie ha dedicado los últimos años a esparcir por el mundo sus bellos y siniestros trífidos que acechan en los espacios públicos, dispuestos a despertar al contacto con el agua. Podrían gobernar nuestras ciudades cualquier noche, después de que una lluvia de meteoritos haya iluminado inesperadamente el cielo. Y se apoderarán de los espacios en una serie de movimientos silenciosos, una mascarada que Iglesias ha ideado con precisión. Será la escena más sofisticada de su diccionario botánico, donde el pasado es siempre un país extranjero en el que se hacen las cosas se hacen de forma diferente.

Portón – Pasaje, 2006– 07
Puertas que se abren en secuencia
Museo Nacional del Prado, Madrid

Debate

Andrea Schlieker Muchas gracias, Estrella. Me pareció increíblemente interesante tu inferencia de la conexión de Cristina con la ciencia ficción. Me pregunto si podría argumentar un poco sobre lo que parecía estar presente en tu relato, así como en el de Luis, que es una sensación de oscuridad e incluso de tragedia en la obra de Cristina. También me pareció muy interesante tu conexión con el Barroco en lo referente a los bodegones. Obviamente, hay muchos bodegones barrocos que se pueden relacionar con la obra de Cristina, pero yo estaba pensando también en la escultura barroca, y esto se aleja de lo botánico y vuelve al agua. Pensaba en la fuente de Bernini en la plaza Navona de los cuatro ríos del paraíso, donde creó una especie de gruta edénica, que también veo en la obra de Cristina. Así que no se trata tanto de una cuestión como de un argumento contra la oscuridad, para dejar entrar algo de luz.

EdD Quizá sea porque somos españoles y tendemos a ver la tragedia en todas partes. Quería hablar de la ciencia ficción en relación con la obra de Cristina, Wyndam en particular, porque tenía la sensación de que a veces, en la actualidad, tenemos un problema con la belleza. Cuando vemos algo bello, lo damos por sentado. Tengo que decir que las obras de Cristina son extremadamente bellas y conmovedoras. Pero a veces, bajo esta belleza, hay algo más intrigante que la propia belleza.

AS Quería mencionar otro punto en relación con la oposición que planteas entre naturaleza y artificio. Pensaba en Des Esseintes en Contra natura de Huysmans, que en un momento dado se obsesiona con las plantas. Al principio colecciona todas las plantas naturales, pero luego se aburre de ellas y empieza a coleccionar plantas que imitan el artificio. Hay una escena extraordinaria en la que describe cómo una planta parece una herida. Es bastante estomagante, pero en un momento dado grita de alegría porque una planta parece sifilítica. Eso representa un sentido bastante extremo de la relación entre naturaleza y artificio en la botánica: el horror como algo que se convierte en una fuente de deleite.

Luis Fernández-Galiano Muy brevemente, esta vertiente trágica del pensamiento español proviene en parte del hecho de que los filósofos españoles más importantes del siglo XX fueron Ortega y Unamuno. Al igual que Cristina, Unamuno era vasco, y era un católico devoto. Escribió una obra titulada El sentido trágico de la vida. Pero en su caso, pateaba con fuerza el existencialismo, más que el Barroco o las cosas distópicas. Esta es probablemente la obra que han leído la mayoría de los escritores españoles de mi edad. Ortega era muy diferente.

Era europeo y era absolutamente ajeno a cualquier tipo de dimensión trágica de la vida.

Michael Newman ¿Puedo hacer un comentario rápido sobre esto? Al igual que Andrea, no estoy seguro de que sea trágico en absoluto, porque hay que preguntarse, ¿trágico para quién? No es trágico para la vegetación. Estos vegetales (trífidos) probablemente estén muy felices de conquistar el mundo. No es su tragedia. Es nuestra tragedia, si es que la hay, lo que me lleva a la pregunta que me sugirió en parte tu afirmación de que la obra anterior tiene que ver con la naturaleza y la posterior, con los trífidos. Creo que la obra anterior puede verse en relación con el jardín, concretamente con los muros del hortus conclusus cristiano, pero también con el jardín morisco. El agua es crucial para ambos, pero sirve a cada uno de una manera muy diferente. Me pregunto si el paso de los jardines a estos entornos pantanosos más recientes tiene que ver con un alejamiento del antropocentrismo, que creo que se ha puesto de manifiesto en tu comparación con la ciencia ficción y lo extraterrestre. Por un lado, El día de los trífidos puede verse como una alegoría de la Guerra Fría, pero también está esta idea, que quizá esté más presente para nosotros ahora, de lo poshumano. Que la obra de Cristina desplace lo humano por procesos no humanos cambia el sentido de lo trágico, o la relación con lo trágico. Es decir, la tragedia puede ser que nos vayamos a extinguir, lo cual es una certeza en algún momento, a lo largo de grandes escalas de tiempo geológico, pero no es trágico para estas formas alienígenas que nos sustituirán.

Russell Ferguson Entiendo el deseo o la tentación de ver una especie de oscuridad o lo que en cierto modo puede llamarse un elemento trágico en la obra. Pero, al mismo tiempo, me parece que la obra va totalmente en contra de eso, porque para mí lo trágico tiene que ser: a) humano y b) implicar algún elemento de declive irrevocable. Lo que veo en la obra es algo que pone un gran énfasis en el retorno y la circularidad y el ritmo, donde las cosas terminan y luego vuelven a empezar. Es un ritmo cíclico; y ese ritmo de repetición cíclica, para mí, parece incompatible con una visión trágica de la obra.

Iwona Blazwick También quería añadir algo sobre la calidad formal de las superficies botánicas. Hay una superficie formal muy interesante, que es a la vez repetitiva y diferente. Hay una continuidad en las diferentes formas de las plantas, y el contorno de las diferentes hojas, pero cuando se repite, también hay diferencia y variación. Desde el punto de vista formal, se trata de una herramienta estética muy proteica: tiene una linealidad que también es sinuosa y texturizada. Puede crecer en muchas direcciones diferentes. En cierto modo, no se diferencia de la cuadrícula, que también puede crecer en diferentes direcciones. Es una especie de contrapartida orgánica. Me recuerda a un ensayo que Michael escribió en 2004, en el que analizaba la idea de los rizomas, que filosóficamente sugieren que las ideas podrían extenderse como las patatas o los hongos: una distribución o estructura lateral más que jerárquica que muta y prolifera de forma impredecible. Creo que, desde el punto de vista filosófico, es un aspecto muy interesante de la obra.

MN Estas superficies me recuerdan a la experiencia del desierto, que es muy diferente de la experiencia del jardín. Recuerdo un viaje, hace muchos años, a la naturaleza canadiense. Es absolutamente aterrador, por su carácter no humano. Estos árboles se están cayendo al agua y se están pudriendo, y estos procesos están ocurriendo en un marco temporal que apenas podemos imaginar. Por supuesto, ahora es imposible decir «sin intervención del ser humano» debido al antropoceno. Pero aunque intervenimos en todo, existe esa sensación aterradora de una naturaleza sin humanos, que es tan diferente de la idea de «naturaleza» entre comillas: la naturaleza del jardín totalmente construida por los humanos. Así que supongo que esto es una reiteración de la relación que siento entre lo humano y lo no humano en la obra.

EdD Desde mi punto de vista, Cristina ha ido avanzando hacia algo diferente, que es una naturaleza sorprendente, una vegetación que está creciendo de forma salvaje. Ya no es un jardín.

Es algo más imprevisible.

Richard Noble Solo para continuar con lo que decían Michael y Russell, estoy de acuerdo con ellos en que para que exista la tragedia tiene que estar relacionada con los seres humanos. Pero quizás la evocación de la naturaleza salvaje en algunas de estas obras —la masa enmarañada, la oscuridad a la que aludes— si piensas en la naturaleza en términos de la Ilustración, como una especie de paleta sobre la que los seres humanos pueden imponer sus propósitos, esa naturaleza salvaje es una tragedia. No se puede controlar. Al final, vuelve y se apodera de todo lo que hacemos. Así que tal vez exista una dimensión de lo trágico en la obra de Cristina, en el sentido de que la contradicción entre naturaleza y cultura nunca puede resolverse a favor de los seres humanos, o al menos de acuerdo con las expectativas de la racionalidad ilustrada.

Lynne Cooke También estoy de acuerdo con Russell: para lo trágico y la catarsis de la tragedia, tiene que haber un componente humano. Alguien mencionó antes la melancolía, y para mí, la naturaleza es simplemente indiferente: implacable, que se repite sin cesar, ciclos que no responden. Por ejemplo, en la Plaza, no se alinean los cortes con los edificios, por lo que son como una cicatriz que ha intervenido y no se reconcilia con la arquitectura en algún sentido. Eso refuerza el efecto de que lo que vemos es algo que no forma parte de nosotros, que es otro.

Es llamativo el modo en que las formas contienen un elemento que varías y rehaces, por lo que es fúngico en cierto modo. Lo que hace que estas nuevas piezas, para mí, sean significativamente diferentes, es que salen de alguna parte. Estas nuevas formas escultóricas parecen mucho más contingentes que el tipo de cortes que Cristina ha hecho antes.

Jane Withers

Cultura del agua

Introducción

En H2O y las aguas del olvido, Ivan Illich describe cómo la industrialización nos ha alejado del agua. «En el imaginario del siglo XX, el agua perdió (...) su poder místico de limpiar las impurezas del espíritu. Se ha convertido en un detergente técnico e industrial». Marina Warner describe la obra de Cristina Iglesias en términos casi opuestos: «Iglesias reaviva activamente la relación estética perdida con el agua»[5], escribe Warner, antes de explicar cómo la obra de la artista vuelve a conectar a los habitantes de la ciudad con las aguas, durante mucho tiempo olvidadas, que forman parte de su vida cotidiana. Está claro que nos enfrentamos a una crisis del agua cada vez mayor, ya que despilfarramos los cada vez más escasos recursos de agua dulce de los que disponemos. Un estudio de 2014 sobre las 500 ciudades más grandes del mundo publicado en la revista Global Environmental Change estima que una de cada cuatro se encuentra en situación de «estrés hídrico», y ahora que más de la mitad de la humanidad vive en zonas urbanas, la perspectiva de la ciudad seca es una de las amenazas ecológicas más directas del siglo XXI.

En febrero de 2018, Ciudad del Cabo anunció que se enfrentaba al Día Cero, el día en que sería la primera gran ciudad del mundo en la que los grifos se secarían y la gente se vería obligada a hacer cola para conseguir agua. Aunque en realidad este escenario catastrófico se retrasó con la llegada de fuertes lluvias después de una sequía de tres años, esta perspectiva provocó una conmoción en todo el mundo, reajustando el listón de nuestra comprensión de la seguridad del agua y las amenazas que se plantean a los entornos urbanos. Ante estas inminentes catástrofes, la obra de Iglesias responde a un empeño inscrito en el zeitgeist por revivir una relación olvidada con el agua, volviendo a centrar nuestra atención en la cultura del agua y en el agua como medio en la ciudad. La obra de Iglesias interrumpe la función convencional del entorno construido con cuerpos de agua inesperados que parecen venir de otro espacio y tiempo. Al igual que Tres Aguas, la Deep Fountain en Amberes y

Forgotten Streams en Londres son obras que rompen el tejido urbano contemporáneo con recuerdos de antiguos cursos de agua e insinúan el dinamismo vivo de los ecosistemas naturales que siguen existiendo, a pesar de nuestra indiferencia, bajo el frágil caparazón del antropoceno de la ciudad.

Forgotten Streams, 2017

El trabajo de Iglesias puede considerarse parte de un interés más amplio por explorar los ciclos naturales del agua y crear entornos que permitan una reconexión con sus dimensiones espirituales. En muchos casos, nuestras infraestructuras urbanas de los siglos XIX y XX ya no son apropiadas para los retos a los que nos enfrentamos en un futuro con escasez de agua, y en cualquier parte del mundo tenemos que replantearnos el uso y el abuso de este recurso crítico, volviendo a aprender a ser administradores del agua en lugar de consumidores. Los hilos conductores de la obra de Iglesias ofrecen un trampolín a la reflexión sobre las diferentes formas en que los arquitectos y diseñadores se comprometen con la renovación de la cultura urbana del agua y, al hacerlo, abordan cuestiones medioambientales de actualidad. El reencuentro con las vías fluviales urbanas perdidas e ignoradas, la naturaleza cambiante de las infraestructuras hídricas y la capacidad transformadora de los rituales del agua son áreas en las que el trabajo de Iglesias está liderando un renacimiento del interés por el agua que puede ayudarnos a provocar los cambios culturales y de comportamiento necesarios para preservar este recurso vital.

La recuperación de los cauces urbanos perdidos e ignorados

Las ciudades se desarrollaron cerca del agua por razones prácticas: el transporte, la agricultura, la defensa y, sobre todo, el acceso al agua potable; históricamente, los ríos se han situado en el centro de la vida urbana a muchos niveles diferentes. En el pasado, el Támesis estaba mucho más integrado en la vida londinense que en la actualidad. Sin embargo, en las últimas décadas, al igual que muchos grandes ríos urbanos, ha caído en desuso por las crecientes preocupaciones por la contaminación, el tráfico fluvial, la salud y la seguridad. A diferencia de nuestros antepasados, nosotros retrocedemos con temor ante las aguas urbanas. Convertimos los ríos en zonas industriales, autopistas y alcantarillas, o en espacios en blanco en la ciudad a la espera de que se les ponga un puente.

El encargo de Iglesias para Bloomberg en 2017, Forgotten Streams, nos alerta del recorrido del río Walbrook, que ha sido destruido, uno de los muchos afluentes del Támesis que ahora están ocultos bajo las calles de Londres. Al desprender el pavimento para revelar un fantasma enredado en el follaje del paisaje prehistórico sobre el que se construye Londres, Iglesias nos recuerda cómo durante siglos las vías fluviales naturales han demostrado ser un obstáculo incómodo para el progreso urbano que debería ser canalizado, cruzado por un puente o arrasado por completo para construir encima. Al desenterrar simbólicamente el Walbrook, Iglesias vuelve a conectar a los londinenses con la presencia del agua natural que aún fluye en las profundidades de la tierra y nos recuerda una época anterior a que el agua se convirtiera en el detergente técnico que Illich lamenta.

En los últimos años, arquitectos y diseñadores han propuesto otras formas de recuperar las vías fluviales urbanas, cuestionando por qué no deberían estar limpias y ser accesibles para el uso de las personas y no solo de las embarcaciones. La reciente creación de baños portuarios y fluviales en los centros urbanos ha sido uno de los resultados. Hace un par de años formé parte del comisariado en una exposición titulada Urban Plunge, que reunía una serie de proyectos sobre estos espacios públicos acuáticos tan significativos pero infrautilizados y exploraba los problemas que había detrás. El movimiento se inspiró en la exitosa transformación del puerto de Copenhague, que pasó de ser un puerto industrial muy contaminado a un espacio público lo suficientemente limpio para nadar y pescar en la década de 1990. La modernización del sistema de alcantarillado para evitar que los residuos se desbordaran en el puerto en caso de lluvias torrenciales fue fundamental.

En 2005, las aguas de Copenhague estaban lo suficientemente limpias como para abrir la primera zona de baño del puerto. Ahora hay cinco, conformando un nuevo paisaje semiacuático dentro de la ciudad. De ellos, quizá el más interesante sea Kalvebod Waves, una red serpenteante de pasarelas en voladizo sobre el agua diseñada por JDS Architects. La estructura, de forma libre, se ha diseñado para captar la mayor cantidad de luz solar posible y fomentar la libertad de uso; ninguna de las zonas de baño del puerto tiene socorristas y la gente puede nadar por su cuenta y riesgo como antes.

Tomando el ejemplo de Copenhague, Flussbad es un proyecto para Berlín concebido por realities:united. Los arquitectos proponen limpiar un brazo del río Spree mediante un sistema de filtrado de juncos para que los berlineses puedan bañarse en un tramo de 1,8 kilómetros de canal que bordea la Isla de los Museos. Las obras han comenzado y se espera que estén terminadas en 2025; flotar por esa

ARRIBA *Pozo IV*, 2011
Bronce en polvo, resina, motor, agua, estructura metálica, contenedor de acero inoxidable y eléctrico
144× 111,3 × 150,5 cm
Vista de la instalación Museo Nacional Centro de Arte Reina Sofía (Madrid)

ABAJO Kalvebod Waves, Oresund

arquitectura heroica promete una nueva y extraordinaria dimensión de la experiencia urbana.

ARRIBA Flussbad, Berlín (perspectiva desde el Lustgarden)

CENTRO Zona de baño en la Galería James Simon en la Isla de los Museos (Berlín), 2016

ABAJO *Pozo III*, 2011
Vista de la instalación Museo Nacional Centro de Arte Reina Sofía

La naturaleza cambiante de las infraestructuras del agua

A medida que las ciudades se han modernizado y los sistemas de fontanería se ocultan en el interior de los edificios, se esconden bajo las aceras o se destierran a vastas plantas de tratamiento centralizadas, las históricas infraestructuras de agua que antaño sustituían a los cauces naturales también han desaparecido de la vista.

En Toledo, los pozos y embalses históricos siguen indicándose con bolas de piedra en las esquinas de los edificios, y se alude a ellos en la palabra pozo que aparece en los nombres de las calles del casco antiguo, mientras que las diferentes arquetas significan agua del Tajo o de la ciudad. James Lingwood describe cómo a lo largo de su trabajo aquí, Iglesias observa que otros «vestigios de (los sofisticados sistemas históricos de agua de la ciudad) siguen siendo visibles: antiguas cisternas, canales subterráneos, casas de baños y fuentes de agua potable». Iglesias ya se ha referido a fuentes de agua olvidadas y redundantes en su obra, explícitamente en su serie Pozo, una de las cuales está instalada en el exterior del Museo Reina Sofía de Madrid. Devolver el agua a la largamente abandonada Torre del Agua de Toledo es otra forma en la que Iglesias reutiliza los restos ignorados de la cultura del agua perdida, haciendo hincapié en una función imaginativa más que práctica.

La extraordinaria situación de Ciudad del Cabo y la inminente perspectiva de que la ciudad se quede sin agua llama la atención sobre la infraestructura hídrica de la ciudad como nunca antes, y al hacerlo exige una recalibración de la conciencia y la respuesta de cada uno. Las principales capitales de Europa y América también se enfrentan a problemas de infraestructuras arcaicas y en mal estado que son sencillamente demasiado caras para repararlas o sustituirlas por nuevas alternativas centralizadas. Según el Centro del Agua de la Universidad de Columbia, con el que trabajamos en Water Futures, un programa de investigación sobre el agua potable en A/D/O en Nueva York entre 2018 y 2019, las ciudades del mundo desarrollado y en desarrollo pueden enfrentarse al mismo futuro: una dependencia de los sistemas de recolección y limpieza de aguas residuales fuera de la red y de las instalaciones de procesamiento que funcionan a nivel de barrio. Los diseñadores están empezando a imaginar cómo podrían ser estos sistemas.

Los arquitectos de Ooze creen que la invisibilidad de los sistemas indispensables de los que dependemos —como el agua, el clima o la energía— nos impide comprender plenamente el impacto que tenemos en el mundo que nos rodea. Su trabajo trata de reintroducir los procesos cíclicos de la naturaleza en la vida cotidiana, haciéndolos visibles y tangibles. Para ello, han reimaginado un sistema de tratamiento de aguas residuales para Río de Janeiro, una ciudad que sufre una grave carestía de infraestructuras hídricas, sobre todo en los asentamientos informales de las favelas. En lugar de un sistema municipal centralizado, Agua Carioca propone la construcción de humedales locales para limpiar las aguas residuales, situando las obras hidráulicas en el corazón de la comunidad y permitiendo que la gente experimente los ciclos de primera mano para apreciar mejor la importancia de estos sistemas para la vida, además de crear nuevos espacios verdes comunales. En Chennai, su proyecto City of 1000 Tanks se centra en el agua a nivel de toda la ciudad y trata de ofrecer una solución integral a los problemas de las inundaciones, la escasez de agua y la contaminación, resucitando el sistema histórico de depósitos de agua de la ciudad en lugar de ampliar la infraestructura moderna. Este sistema cíclico ha sido diseñado para recargar el acuífero natural y liberar los depósitos de agua almacenada durante largos periodos de tiempo. La propuesta utiliza canales de limpieza por encima del suelo en lugar de desagües subterráneos que hacen visible el proceso, reintroduciendo los cambios de estación del agua en la vida cotidiana de esta ciudad monzónica.

Este enfoque es sintomático de un movimiento más amplio para redescubrir los sistemas de agua antiguos y vernáculos que integran las prácticas del agua en el tejido de la vida cotidiana y trabajan con los procesos naturales, en lugar de contra ellos.

Agua potable

El agua potable es quizás el aspecto de la cultura del agua que más se ha vuelto tóxico en los últimos tiempos. La ONU calcula que en 2025, 1800 millones de personas vivirán en países con escasez absoluta de agua y acceso limitado al agua potable. Los países en los que la escasez no es un problema se enfrentan a otros problemas. El auge de la botella de agua de plástico, que las empresas de agua embotellada promocionan por encima del agua corriente con espurios argumentos de calidad, salud y sabor superiores, es un factor importante en la contaminación por plásticos de los océanos. La alcaldía de Londres ha emprendido recientemente una campaña para recuperar las fuentes públicas de agua potable en respuesta a la creciente presión para reducir el uso de botellas de agua de plástico en la ciudad.

Vers la Terre, 2011 (detalle)
Colección privada

ARRIBA Inauguración de la primera fuente pública de agua potable en Londres, 1859

CENTRO *The Fleet*, 2019
Fuente de agua potable de Michael Anastassiades para la London Fountain Co.

ABAJO *New Public Hydrant*, 2018
Proyecto de Tei Carpenter y Chris Woebken

Recuperar una tradición cívica perdida de suministro público gratuito de agua potable es otro ejemplo del recurso a métodos históricos para resolver un problema medioambiental contemporáneo.

Las fuentes públicas de agua potable también devuelven a la esfera pública la infraestructura y la práctica del agua. Históricamente, Londres estaba sembrada de pozos públicos de los que se podía extraer agua potable y beberla directamente de la tierra. El estudio de John Stow de 1603 señala que todas las calles y callejones de Londres tenían «diversos pozos y manantiales» que abastecían a la ciudad de «agua dulce y fresca». A los pozos se les atribuían cualidades medicinales particulares y existía toda una cultura en torno al agua mineral y una comprensión —o a veces una incomprensión— de las diferentes calidades del agua y sus beneficios para la salud. Pero a medida que Londres, al igual que otras grandes ciudades, crecía y se industrializaba, las fuentes naturales de agua estaban cada vez más contaminadas. En el siglo XIX el agua era peligrosamente venenosa. La primera fuente pública segura de Londres se inauguró en 1859, y a partir de entonces las fuentes de agua potable donadas por filántropos se convirtieron en elementos célebres de la ciudad.

Mientras que las fuentes parisinas del siglo XIX y la romana Nasone o «Gran Nariz» siguen siendo muy utilizadas, en Londres las fuentes victorianas han dejado de funcionar casi por completo. Las restauramos como elementos escultóricos, permitiendo que se conviertan en monumentos a la provisión pública de agua potable gratuita, en lugar de proporcionarla realmente.

En la mayoría de los centros urbanos del siglo XXI hemos perdido la creencia en el agua y en sus propiedades curativas cuasimísticas. Damos por sentado el líquido industrial limpio e incoloro que sale del grifo. O incluso de una botella de plástico. En la obra de Iglesias, el agua no es solo una misteriosa fuente de vida, sino también un manantial para la imaginación. En Toledo, los vestigios de la tradición viva se encuentran en la Fiesta de la Virgen del Sagrario, el único día en que se permite a todo el mundo beber el agua mágica del pozo de la catedral. Ocho y medio, de Federico Fellini, sugiere que el director italiano cree en la dimensión creativa del agua: la película cuenta la historia de un director de cine en decadencia que se retira a un balneario de la Toscana en busca de inspiración, donde rejuvenece gracias a un vaso de agua de manantial que le sirve en sueños Claudia Cardinale. Estamos ante una gran oportunidad para devolver a nuestras calles y parques las fuentes con un bonito diseño. ¿Por qué no convertirlas en hitos y puntos de encuentro como lo fueron los pozos? ¿Podrían proporcionar un momento de calma en la ciudad que nos ayude a redescubrir la magia del agua?

Recientemente he fundado la London Fountain Co. con mi socio Charles Asprey para intentar precisamente esto. Hemos encargado a Michael Anastassiades un nuevo diseño de fuente para beber y nuestro primer modelo, llamado The Fleet por el río perdido de Londres, es una forma elegante que hace referencia a la tradición londinense de mobiliario urbano atractivo. El cuenco de bronce y el arco de agua evocan una sensación de ritual. Es un diseño que cumple con elegancia su función básica de suministrar agua potable, pero que también devuelve a las calles el disfrute y el deleite por el agua.

Chris Woebken y Tei Carpenter, de la empresa de diseño Agency-Agency, con sede en Nueva York, han imaginado otra posibilidad para la cultura del agua potable en el siglo XXI reutilizando la infraestructura urbana existente.

Su proyecto New Public Hydrant para Nueva York se presentó en el marco de Water Futures en A/D/O. En una ciudad en la que las bocas de incendio funcionan con agua potable procedente principalmente de los Catskills, los diseñadores proponen una serie de ingenios que utilizan piezas de fontanería estándar para adaptar las bocas de incendio públicas y utilizarlas como bebederos para personas, pájaros y perros, o para crear un aspersor en el que los niños puedan jugar en los días calurosos.

La capacidad transformadora de los rituales del agua

En Tres Aguas, la capacidad meditativa del agua se acentúa especialmente en los suaves ritmos de llenado y vaciado de las piscinas en el espacio cerrado del Convento Santa Clara. Beatriz Colomina describe cómo Iglesias utiliza el agua en movimiento para evocar una respuesta física, algo así como un cambio de marcha corporal, y escribe que «Cristina Iglesias nos ralentiza, lo que no es una tarea fácil en nuestros tiempos de déficit de atención. Su ambición es despertar nuestros sentidos, ayudarnos a reaprender a ver con todo nuestro cuerpo». A través del lento movimiento del agua dentro y fuera de una piscina, Iglesias «nos pide que nos alejemos de la ciudad y trascendamos el espacio en el que nos encontramos»[6].

Podría decirse que un uso trascendental similar del agua está volviendo a la ciudad con el actual renacimiento de la casa de baños comunal. En Toledo, la casa de baños ha formado parte de la vida de la ciudad desde las termas romanas de Amador, y atraviesa las culturas musulmana, judía y posiblemente cristiana. Mucho más allá de un ritual de higiene, el acto de bañarse y vaporizarse ha respondido también a necesidades sociales, sensoriales y, en cierta medida, espirituales. Este es el aspecto que más encaja con los ritmos suaves, pero viscerales, expresados en la obra de Iglesias. ¿Por qué la casa de baños debería volver a ser tan atractiva ahora? ¿A qué necesidades y deseos contemporáneos responde? En la exposición Soak, Steam, Dream: Reinventing Bathing Culture que comisarié en 2016, mostré una serie de proyectos recientes para casas de baños que vuelven a los antiguos ideales y a las conexiones con los rituales comunitarios del agua. Sigfried Giedion escribe que «el papel que desempeña el baño dentro de una cultura revela la actitud de la cultura hacia la relajación humana... Es una medida de hasta qué punto el bienestar individual se considera una parte indispensable de la vida comunitaria»[7]. En lugar del lujo y la exclusividad asociados al balneario contemporáneo, estas casas de baños recuperan las raíces más tradicionales de inclusión y sociabilidad, presentando la casa de baños como un espacio sensorial y de inmersión que trata de la contemplación y la recalibración. Crean un espacio comunitario alternativo con una dimensión sensorial diferente del mundo vestido.

Conclusión

A la obra subacuática de Iglesias en Baja California, Estancias Sumergidas (2010), solo pueden acceder los buceadores. Al insistir en que su público se sumerja, Iglesias lo transporta a una realidad física alternativa, involucrándolo con la sensualidad del agua y su capacidad para cambiar la sensación de sus propios cuerpos. Al igual que los proyectos diseñados para permitir la natación urbana, también confronta al público con los efectos contaminantes del comportamiento humano en los entornos acuáticos. Estancias Sumergidas evoca la imagen romántica de una civilización que, al estilo de la Atlántida, se ha perdido en el océano y está en proceso de ser reclamada por la naturaleza. En gran parte de la obra de Iglesias, los entornos acuáticos representan una última naturaleza salvaje, no alterada por el hombre. Pero recientemente hemos descubierto que incluso las partes más remotas del océano ya no pueden presumir de ser territorio virgen; en mayo de 2018, se encontró una bolsa de plástico en el mismo fondo de la Fosa de las Marianas, a 36 000 pies de profundidad en el océano Pacífico.

Está claro que es cada vez más crítico que aprendamos a revalorizar el agua. Es esencial para la vida, un bien común universal y un recurso precioso. Y está amenazada. Al llamar la atención sobre los arroyos olvidados en el entorno urbano y recordarnos el poder místico del agua, así como su necesidad, Iglesias nos reconecta con la importancia fundamental del agua en tantas facetas de nuestras vidas y de la vida del planeta. Además de los muchos y variados papeles que el agua ha desempeñado a lo largo de la historia, para los que vivimos hoy en día sigue teniendo el potencial de limpiar las «impurezas del espíritu» de nuestras desencarnadas vidas digitales. Necesitamos el agua ahora más que nunca.

Notas al pie en la página 155

Tres Aguas, 2014
Convento de Santa Clara, Toledo

Iwona Blazwick Muchas gracias, Jane. Fue realmente maravilloso, y además nuestros debates sobre la tragedia y la melancolía me produjeron un sentimiento de esperanza. ¿Crees que este tipo de iniciativas, junto con lo que está haciendo Cristina, pueden contrarrestar nuestra indiferencia? Somos muy desconsiderados con los plásticos de un solo uso. ¿Cuál crees que es la forma de comunicar el coste de esta situación, y la alternativa?

JW Creo que es muy complicado, pero el tema del plástico es uno de los que ha cobrado fuerza recientemente. Hace dos años y medio hicimos un proyecto con Selfridges para ayudarles a dejar de vender botellas de plástico. Reunieron a todos sus proveedores y trataron de cambiar de mentalidad, y de ahí surgió una iniciativa con el zoológico de Londres encaminada a estudiar cómo Londres podía convertirse en la primera ciudad en erradicar las botellas de plástico de un solo uso. Todo eso parecía estupendo, pero a nadie le interesaba demasiado.

Sin embargo, en los últimos tres o cuatro meses, probablemente desde que David Attenborough habló sobre ello, la situación ha cambiado radicalmente. Existe una gran sensibilización pública. Se pueden utilizar estos proyectos para modular la conciencia, y aunque parezcan más bien minúsculos e ineficaces, puede haber un punto de inflexión en el que pueden impulsar el cambio. Así que hay que seguir siendo optimista.

IB Otro elemento que comentas sobre el ritual y la comunidad es cómo las casas de baños son este espacio peculiar en el que puedes exponer tu cuerpo delante de extraños. Esto es algo que actualmente nos pone bastante nerviosos. Me preguntaba si podríamos trasladar ese concepto a la experiencia de ver la obra, por ejemplo, en los confines, ya sea del convento o de la torre, porque son espacios cerrados. No quiero instrumentalizar las obras, pero ¿crees que existe la posibilidad de utilizar esas obras, ese espacio de reflexión, como un espacio de activismo, en el que congregues a la gente en una especie de toma de conciencia?

JW Bueno, como tú dices, no quieres ser reduccionista con el trabajo, pero creo que es el efecto que consigues de todos modos. Puede depender de lo que la gente aporte por sí misma, pero puede suponer un motivo de cambio. Te hace ser tan consciente del agua que nos rodea, que está dentro de ti, etc., y tiene un efecto tremendamente absorbente.

IB Cristina, ¿percibes una dimensión política en tu trabajo?

Cristina Iglesias Sin duda. En toda obra de arte hay una dimensión política. Hemos hablado de la presencia de lo visible y de lo que no es visible normalmente, de cómo este desprendimiento del suelo para hacer una escultura revela la complejidad de lo que hay debajo: la historia del lugar, su suelo natural, sus sistemas de agua. No obstante, la parte política también depende del lugar.

Hablar de *Tres Aguas* en Toledo es muy diferente a hacerlo en Jerusalén, pero ciertamente existe un sesgo político. Creo que lo hay en todo lo que hacemos.

Richard Noble Me llamó la atención el comentario de Jane sobre cómo nos alejamos del agua a causa de la industrialización. Londres ha dado esencialmente la espalda al Támesis: lo trata únicamente como una cloaca y una vía de agua. Está cambiando lentamente, pero ha sido así durante mucho tiempo. La relación de Toledo con el Tajo parece similar. Este magnífico río se ha redescubierto hace poco como un lugar donde la gente puede pasear, nadar y relajarse. Las obras de Cristina ayudarán a este proceso, pero además, al utilizar el agua de esta forma tan explícita e interesante, la obra nos recuerda que damos el agua por sentado.

No la tratamos realmente como un recurso natural. Simplemente la tratamos como algo que está ahí como un suministro infinito y siempre limpio, que nunca porta el cólera o minerales tóxicos u otras sustancias perjudiciales. Existe un paralelismo muy interesante entre la forma en que Cristina utiliza el agua en su trabajo y la forma en que algunos de estos diseñadores que ha mencionado Jane están tratando de observar las antiguas formas en que se utilizaba el agua. Por supuesto, no queremos que el cólera vuelva a aparecer, pero estaría bien poder ir a diferentes pozos o fuentes de una ciudad a sabiendas de que tienen diferentes sabores o cualidades. Así, podría armonizar estrechamente nuestra experiencia con la savia de la vida natural que la recorre.

James Lingwood Creo que también hay una relación entre los diferentes estados de ánimo y los movimientos del agua dentro de Tres Aguas, como la hay en el propio río. Se ve y se oye cuando se pasea por el río. Tiene una calidad casi sinfónica: va de allegro a andante; a veces el sonido es muy abrumador, y en otros momentos es extremadamente tranquilo. Creo que hay una conexión entre los movimientos del río y los de la escultura.

Farshid Moussavi Iwona hizo referencia a los jardines islámicos de España. Creo que una diferencia entre su uso del agua y el de Cristina es que no se intenta mostrar una continuidad entre el agua del jardín y el agua del exterior.

Un jardín como el de la Alhambra es un microcosmos del paraíso. Se trata de identificar elementos de la naturaleza que se disfrutan como un paraíso, como un signo de la creación y un recuerdo del creador que se encuentra fuera del mundo. En este sentido, es muy diferente de la obra de Cristina.

Estrella de Diego Estoy de acuerdo con Farshid: no tiene tanto que ver con el trabajo de Cristina. La parte fundamental de la arquitectura islámica, no solo el jardín, es en realidad toda la idea de la belleza conectada a la espiritualidad. Esto es algo que a menudo se pierde cuando se mira desde una perspectiva occidental, porque hemos perdido esa conexión espiritual, y por lo tanto tendemos a ver la caligrafía como patrones. Creemos que es un tipo de decoración, pero en realidad se trata de filtrar la naturaleza. No tiene nada que ver con la decoración. Es una especie de dispositivo abstracto que resulta tener un patrón. No se trata del motivo, sino de lo que evoca.

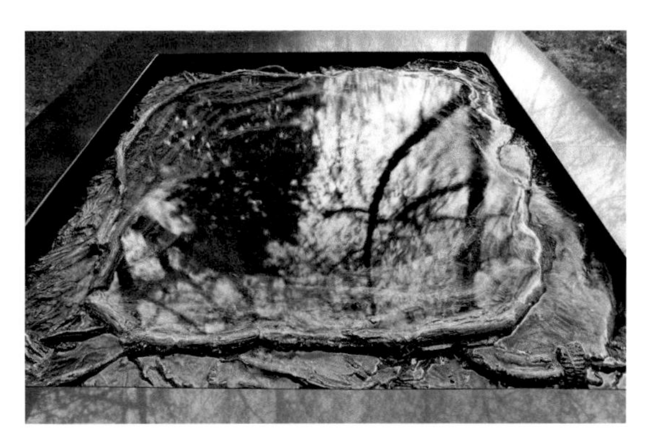

Pozo III, 2011
Detalle de la secuencia de agua
Museo Nacional Centro de Arte Reina Sofía, (Madrid)

João Fernandes

Todo arte es una forma de literatura

Les propondré algunos temas para debatir, cosas que siempre me han entusiasmado de la obra de Iglesias. Una cosa que me encanta en su obra es una sutil y silenciosa subversión de ciertos aspectos de la escultura. Por ejemplo, hay una subversión de una tradición eréctil de la escultura. Hay una dirección o movimiento hacia formas fluidas, hacia situaciones transitorias, y el uso del agua en estos últimos años. En lugar de añadir objetos al espacio, redefine el espacio creando nuevas superficies que lo cubren, desde las ruinas rotas de las esculturas hasta los proyectos actuales para lugares públicos donde el agua se convierte en un flujo de nuevas situaciones. Subvierte y abre nuevas posibilidades en el espacio público. Añadir una fuente a un espacio público significa abrir una especie de abismo en nuestra percepción. Puede hacernos percibir las cosas de una manera nueva y encontrar muchos conceptos que no esperamos encontrar en el espacio público.

La forma en que el objeto, la condición de escultura, entra en el espacio no es solo un desafío a la arquitectura, sino a la comprensión del espacio según las primeras reglas de la geometría euclidiana. La condición plana de la obra de Iglesias despierta un nuevo tipo de profundidad, un nuevo tipo de realidad paralela de representación que subvierte el espacio euclidiano. Hace muchas propuestas que desarrollan interesantes situaciones complejas y estas originan nuevos ritmos y movimientos en lo que ha sido mayoritariamente una tradición estática de la escultura.

La obra de Iglesias añade un nuevo capítulo a la historia de la escultura donde el objeto, donde la forma, los volúmenes y el peso, se convierten de alguna manera en una transgresión del arte a través de la simulación y lo teatral. Por ejemplo, nos permite pensar que los materiales son pesados cuando no lo son. Pero también simula a veces las condiciones de presentación —por ejemplo, cuando la representación de la naturaleza se cruza con la tradición de las artes decorativas en una especie de inmersión en el paradigma de lo sublime—, todo el lado oscuro y espeluznante de lo sublime, del que se habló antes en torno al concepto de lo trágico.

Es interesante la forma en que los opuestos compiten en el lenguaje visual de sus obras. Hay una tensión particular entre lo estático y lo dinámico, o lo vertical y lo horizontal, o lo sólido y lo líquido, lo fluido, lo transitorio. También me resulta curiosa la oposición entre la forma en que Iglesias hace brillar u oscurecer la piel del agua. Así es como su obra comienza, poco a poco, a acercarse al tiempo. El tiempo está representado por el flujo del agua y por la actualización del viejo dicho «El río nunca pasa dos veces por la misma orilla». El aspecto continuo de los proyectos acuáticos de Iglesias introduce el ritmo en la escultura, introduce el tiempo en la escultura. Aquí en Toledo hay una brillante manifestación de ello en el proyecto de la torre de agua, donde los movimientos sistólicos y diastólicos se alternan para crear la sensación de que todo el edificio respira.

Es especialmente relevante el modo en que su obra modela algo que está inacabado, algo que es continuo, un proceso que nos enfrenta al concepto de nuestra condición transitoria, al espacio, al tiempo, al hecho de que no hay espacio sin tiempo. El tiempo está representado de alguna manera también en las primeras esculturas, que proceden de la tradición romántica de la representación de la falsa ruina, una representación de la transición continua del tiempo. Pero ahora, el tiempo se ha convertido en un elemento cada vez más relevante de su gramática visual. La forma en que el tiempo funciona en las fuentes a través del sonido es una parte importante de su materialidad. Es muy bonito escuchar el sonido y esta es una tradición que viene de los jardines árabes. El agua produce constantemente sonido y el sonido del agua se convierte en una representación del movimiento continuo de la vida. Las cualidades formales de los materiales y procesos se vuelven más complejas cuando se les añade el sonido. El sonido invita al espectador a una percepción sinestésica de la situación; activa la participación del espectador. El sonido continuo del líquido, de esta música permanente del universo, disuelve el objeto en el espacio y el tiempo.

Además, el hecho de que el agua revele todos estos motivos vegetales puede articularse dentro de una tradición de patrones repetidos. Antes hablábamos de William Morris, y es muy interesante ver cómo la naturaleza se representa a través de patrones en las artes decorativas de Morris, cómo la naturaleza se convierte en una especie de representación asexuada de patrones. En la obra de Iglesias, hay tanto un arquetipo de cosas que podemos reconocer como motivos vegetales como un concepto más abstracto de la naturaleza. La naturaleza nos enfrenta a la condición efímera de la vida; es literalmente una cuestión de vida y muerte. Las cosas son efímeras, aparecen y desaparecen. Los ciclos de la vida y la muerte están representados simbólicamente por el flujo continuo de agua sobre las superficies vegetales.

De alguna manera, toda la obra de Iglesias es una representación de la complejidad derivada de situaciones muy simples. La idea de paisaje se convierte en un concepto y en una especie de modelo de complejidad. Esta complejidad está unificada por la idea de tiempo, de continuidad. Las fuentes o estanques de Iglesias son, de alguna manera, fuentes falsas o estanques falsos; son como nuevas superficies que ella añade al planeta, y esto es como una nueva piel o un nuevo tatuaje en la piel. Sus obras se acercan cada vez más a una especie de representación fractal de los territorios. Por ejemplo, algunos de sus últimos proyectos son como mapas. La vegetación se convierte en un mapa, en una nueva cartografía, en ríos, en cursos de agua o en la superficie de la

ARRIBA William Morris, *Acanthus*, 1875
Stapleton Historical Collection (Londres)

IZQUIERDA *Sin título (Venecia I)*, 1993 (detalle), XLV
Bienal de Venecia

Habitación Vegetal III, 2005
283.5 × 551.5 × 724.5 cm
Galería Marian Goodman, Nueva York

piel. Cuando veo sus Habitación Vegetal o los proyectos de agua, siempre recuerdo una frase de Paul Valery: «La piel es lo más profundo». Encuentro una profunda apertura al tiempo en una representación que va más allá de su propia corporeidad. Las cualidades formales, las propiedades de los materiales y los procesos se vuelven más complejos cuando se les añade el sonido. El sonido invita al espectador a una percepción sinestésica de la situación, activa la participación del espectador. La situación disuelve el objeto en el espacio y el tiempo y el sonido continuo del líquido, de esta música permanente del universo. De alguna manera, toda la obra de Cristina es una representación de la complejidad derivada de situaciones muy, muy sencillas que va añadiendo a la realidad. Esta clase de complejidad está bien representada por la forma en que desarrolla el arte de los paisajes enredados. La idea de paisaje se convierte en un concepto y en una especie de modelo de complejidad. Esta complejidad está, de alguna manera, unificada por la idea de tiempo, de continuidad. Las fuentes o estanques de Iglesias son, de alguna manera, fuentes falsas o estanques falsos, son como nuevas superficies que ella añade al planeta, y esto es como una nueva piel o un nuevo tatuaje en la piel.

Toda esta nueva composición de movimiento, de ritmo, de tiempo, es, para mí, lo que sostiene mi curiosidad por la continuación de la obra de Iglesias. Ella explora cómo el tiempo subvierte el espacio, cómo el tiempo subvierte incluso la condición estática del espectador, cómo el espectador es invitado a entrar en la obra, a experimentarla a través de su movimiento y del movimiento de nuestras percepciones. Sus obras proponen una interesante percepción basada en algo que cubre el espacio e impregna las sensaciones físicas del espectador. Por eso, para mí, estas oposiciones o estas dicotomías son una transgresión muy interesante de la historia de la escultura, donde la escultura supera la tradición objetual y se convierte, de alguna manera, en una nueva piel del mundo.

En lugar de añadir objetos, Iglesias añade arquitecturas y superficies al mundo. Estas superficies pueden ser suelos o techos o paredes, pero de alguna manera siempre son propuestas de algo que cubre otra cosa. Sus obras son pantallas que oscilan entre una especie de protección y una especie de revelación de algo que está detrás. Su escultura es un desafío muy interesante al deseo de ir hacia nuestras sensaciones inmediatas y a los estereotipos de la tradición escultórica. Se origina como una aproximación feminista a la escultura, y hay una subversión de una narrativa monumental, una historia de poder masculino que ella hace de una manera muy tranquila, incluso silenciosa.

El silencio es una falta de sonido: no hay sonido sin silencio. Al añadir nuevos movimientos, al añadir lo fluido a lo sólido, al añadir sonido al silencio, Iglesias propone una nueva experiencia de nuestra presencia en este mundo.

Debate

James Lingwood Gracias, João, por tu presentación. Has tocado bastantes temas, y me gustaría retomar uno del que no hemos hablado tanto hoy, que es el trabajo de Cristina en relación con la historia de la escultura. Una parte de su obra se inscribe en la historia de la escultura autónoma, el tipo de obra que se presenta en museos y galerías.

Pero otra parte tiene que ver mucho más con, como dices, una experiencia más enredada, así que existe una relación entre la autonomía por un lado y el enredo por otro. Pero la pregunta que quiero hacerte es sobre lo que llamas «la subversión de la historia de la escultura». Es interesante que Cristina utilice materiales, en particular, materiales asociados a esa historia, como la piedra y el metal fundido. Me pregunto si podrías hablar un poco más sobre el modo en que trabajas con esos materiales específicos, además del elemento sonoro del que has hablado.

JF La mayoría de las esculturas reproducen, a través de su relación con el espacio, la relación entre la figura y el suelo en la pintura, y creo que Cristina borra esta relación. En lugar de añadir figuras, construye suelos. Esto se relaciona con una historia muy interesante de la arquitectura y las artes decorativas, por ejemplo en la tradición de los palacios árabes o la arquitectura mesopotámica. Por eso el bajorrelieve en la obra de Cristina resulta tan interesante, porque su bajorrelieve borra las particularidades de la figura; borra cualquier tipo de representación épica o heroica de la condición humana. Cristina propone la escultura como una absorción de nuestra experiencia personal, de nuestra presencia en el espacio.

Para mí, términos como «impregnación» o «absorción» son importantes. Me absorbe la forma en que el agua y la luz pueden hacer que la materialidad de las esculturas brille y en diferentes momentos se oscurezca. Este juego entre las sombras y la luz se produce en un proceso no programado en todas las piscinas de Cristina, y también en el fantástico movimiento de la torre de agua de Toledo. En los primeros trabajos de Cristina, se invitaba al espectador a adentrarse en la obra. Podíamos atravesar laberintos de texto, podíamos entrar en las *Habitación Vegetal*, que eran como pabellones. Hoy, en lugar de proponer este juego de interior y exterior, la obra consiste más en cubrir algo con cosas que representan un concepto más amplio de la naturaleza y de nuestra relación con nuestra propia experiencia visual y sensorial de la naturaleza.

Algo que lo unifica para mí es la simulación, como en el teatro. Los materiales simulan otros materiales de tal manera que los espacios parecen otros espacios.

Russell Ferguson Me parece que los elementos ilusionistas, o podríamos decir, falsos —las plantas irreales, los efectos ilusionistas del espejo— se ven superados por la experiencia real de ver la obra, por la calidad háptica de la presencia real de la escultura. Y por supuesto, en particular, por el hecho de que el agua no es falsa ni ilusionista. Estoy pensando en mi propia experiencia de la obra. Era tan consciente de la subida y bajada del agua y de su paso por encima de los demás elementos, que no recuerdo haber sido muy consciente de que estaba viendo una representación de la vida vegetal. Puede que sea algo que recuerde más tarde, pero en el momento del encuentro con la obra, fue la cualidad fuertemente háptica presente de la misma la que parece anular cualquier sensación de teatralidad o ilusionismo.

Iwona Blazwick Volviendo a tu argumento sobre la piel y la superficie, ¿puedo pasarle la palabra a Cristina? Es cierto que la obra no trata tanto del volumen y la masa como de los planos y de una propuesta de profundidad conceptual o ilusoria sugerida por los espejos. ¿Por qué te sientes atraída por la superficie de esta manera?

Cristina Iglesias Bueno, en muchos casos, ha sido deliberado pensar en la piel y hacer dibujos que trabajan con patrones y con repeticiones, pero que también hacen referencia a la historia de cómo se han utilizado los patrones en la construcción de espacios. Como dijo João, me ha interesado y me sigue interesando construir pabellones o habitaciones que puedan tener interiores laberínticos. Trabajo en la piel exterior y luego, cuando estás dentro, la piel puede ser como una pantalla. Para mí, las mejores pantallas son las que no se ven a través de ellas, pero tienen la ilusión de profundidad y, por tanto, te preguntas qué hay detrás. Todos estos lugares, al final, se sitúan en el mismo nivel de reflexión sobre la escultura y la construcción: artefactos para construir lugares donde permanecer, pensar, moverse, así como que atravesar o a los que ir. Intento encontrar la manera de hacer más evidente todo el pensamiento que ha estado presente en la escultura.

Sala de Vegetación XVII, 2005–16 (detalle)
Vista de instalación Musée de Grenoble

Michael Newman Me recuerda la famosa historia de Plinio: la competición entre Zeuxis y Parrhasius, en la que Zeuxis pinta las uvas que los pájaros vienen a coger y Parrhasius pinta la cortina, de la que Zeuxis demanda: «¿Qué hay detrás de la cortina?» Entonces, Parrhasius, por supuesto, vence porque Zeuxis solo engaña a los pájaros, mientras que Parrhasius engaña a un humano. Lacan habla de esto como el deseo de ver el trasfondo que provoca el telón. Pero no hay un trasfondo real; es simplemente deseo de ver lo que hay detrás. Cristina hace estas pieles, si se quiere, que son las uvas y la cortina al mismo tiempo. Creemos que estamos viendo lo real, y creo que esto surge del desprendimiento de la piel. *Tres Aguas*, especialmente la obra de la plaza, tiene esa sensación de que la superficie se desprende para revelar las agitadas raíces, pero, por supuesto, no es más que otra piel. Lo que vemos es también el resultado de nuestro deseo. Así que existe esta interesante mezcla de uvas, que sería la verdad de la que hablabas, y la cortina, el molde de lo real. Es una semejanza producida por las propias cosas, por lo que es real, pero también es una pantalla y si la peláramos solo veríamos otra piel debajo, que pensaríamos que es real, pero que al mismo tiempo querríamos pelar.

Luis Fernández-Galliano Ahora que estamos hablando de materiales, y muchos han mencionado que Cristina utiliza fragmentos de la naturaleza para producir las obras, esperaba Cristina, que pudieras compartir con nosotros algunos tecnicismos sobre cómo lo haces, dónde lo haces, etc. ¿Cuáles son las principales dificultades técnicas a las que te enfrentas al producir estas obras? Es algo de lo que rara vez hemos hablado.

CI En realidad, hago moldes a partir de la realidad, pero siempre son muy fragmentarios. A veces una misma superficie está hecha de muchos fragmentos. Por ejemplo, el jarrón de la torre está hecho de diferentes fragmentos que se repiten una y otra vez. En este sentido, es como todas las piezas vegetales, aunque en algunas quiero que la repetición aparezca después de la primera impresión, mientras que en esta quiero que los fragmentos desaparezcan en el conjunto. El suelo de la torre es una composición de diferentes fragmentos que fundí y luego modelé. Compuse el conjunto y luego le añadí más fragmentos hasta completarlo. Después, una vez que el conjunto estaba ahí, había que volver a cortarlo para que los nuevos fragmentos pudieran pasar al horno para ser fundidos de nuevo.

JF ¿Cuál es el tamaño máximo que puedes fabricar?

CI Depende del lugar en el que se trabaje, pero puede ser de aproximadamente 1,2 por 80 centímetros. Para las superficies de Londres [Forgotten Streams], por ejemplo, hice 12 planchas con esas medidas. Pero luego las compongo, las corto y, a continuación, como he dicho, también las añado. Aparte de las incorporaciones a una superficie que al final es una sola, hay diferentes capas de superficies. Hay repetición, pero es muy difícil encontrarla. No intento ocultarla; tiene más que ver con la composición. Como he dicho antes, se trata de jugar a crear una ilusión mayor.

JF ¿Tienes vídeos o fotografías de ti trabajando?

CI No tengo buen material, no. Esto es lo que ocurre normalmente: cuando alguien viene a hacer una foto, tú ya la has terminado o estás en medio de ella, así que finges. Pero hay diferentes momentos en la construcción: hay un momento que es más íntimo, cuando trabajo sola. Tiene que ver con la fundición, y con hacer composiciones más pequeñas. Y luego, cuando tiene que crecer, necesito más gente, y entonces trabajamos en un equipo de unas tres personas modelando al mismo tiempo.

IB Viendo varias de estas piezas, me preguntaba si existe una progresión. Por ejemplo, en Amberes son las hojas, y en los últimos trabajos se ha optado por las raíces y el suelo del bosque. Debe ser una elección deliberada, así que, en cierto modo, casi parece que está volviendo a algo que es más profundamente primitivo. ¿Qué te hace decidir si se trata de hojas o ramas? ¿Recoges tú misma los especímenes? ¿Tienes un equipo que los recoge? ¿Cómo funciona? Muchas preguntas en una, me temo.

CI Hay un poco de todo. Me aburrí de hacer las mismas cosas en los comienzos, pero también soy bastante constante y obsesivo con las cosas. Así que puede tratarse de construir una obstrucción que en el detalle parece el fondo de un río, pero también puede crecer hasta convertirse en una idea totalmente fantástica de la naturaleza que no existe. Creo que busco superficies, espacios e ideas que se metamorfoseen: empiezan con una forma (por ejemplo, ramas y hojas) y se convierten en otra forma (por ejemplo, venas y tendones) que de alguna manera siempre ha estado ahí. Y luego siguen creciendo. No sé qué vendrá después.

1. Karl August Wittfogel, *Oriental Despotism: A Comparative Study of Total Power* (formato de libro electrónico, New Haven: Yale University Press, 1957), accesible en: https://hdl-handle-net.gold.idm.oclc.org/2027/heb.03224, p. 1–11.
2. Maria Rosa Menocal, *The Ornament of the World: How Muslims, Jews and Christians Created a Culture of Tolerance in Medieval Spain* (Nueva York: Back Bay Books, 2002), p.132.
3. Ibid.
4. Darío Fernández-Morera, *The Myth of the Andalusian Paradise* (Wilmington: ISI Books, 2017).
5. Marina Warner, «The Springs Beneath, the Flow Above, the Light Within», *Cristina Iglesias: Tres Aguas* (Londres: ArtAngel/ Turner, 2015).
6. Beatriz Colomina, «The Slow Art of Aquapuncture» en *Cristina Iglesias: Tres Aguas* (Londres: Art Angel/Turner, 2015).
7. Sigfried Giedion, *Mechanization Takes Command* (Mineápolis, 1948).

La escultura de Cristina Iglesias en espacios culturales

Deep Fountain, 2006
Leopold de Waelplaats, Amberes

Towards the Ground (Hacia la tierra), 2008
Castello di Ama, Toscana

A través, 2017
Bombas Gens Centro de Arte, Valencia

The Ionosphere (A Place of Silent Storms), 2017
Norman Foster Foundation, Madrid

een *permanent*
verbazende collectie
GORGE
(L)
BEKLEMMING
EN
VERADEMING IN KUNST
OPPRESSION
AND
RELIEF IN ART
07.10.06
-
07.01.07

Deep Fountain, 2006

PÁGINA 157 *Deep Fountain*, 1997–2006
Hormigón policromado, resina y agua
0,60× 13,72 × 32,88 m
Museo de Bellas Artes, Amberes

IZQUIERDA Dibujo preparatorio, 1998
Tinta, lápiz sobre papel
29,5 × 21 cm

ABAJO Vista aérea del Leopold de Waelplaats, Amberes

PÁGINA CONTRARIA *Deep Fountain*, 1997–2006
(detalle), Amberes

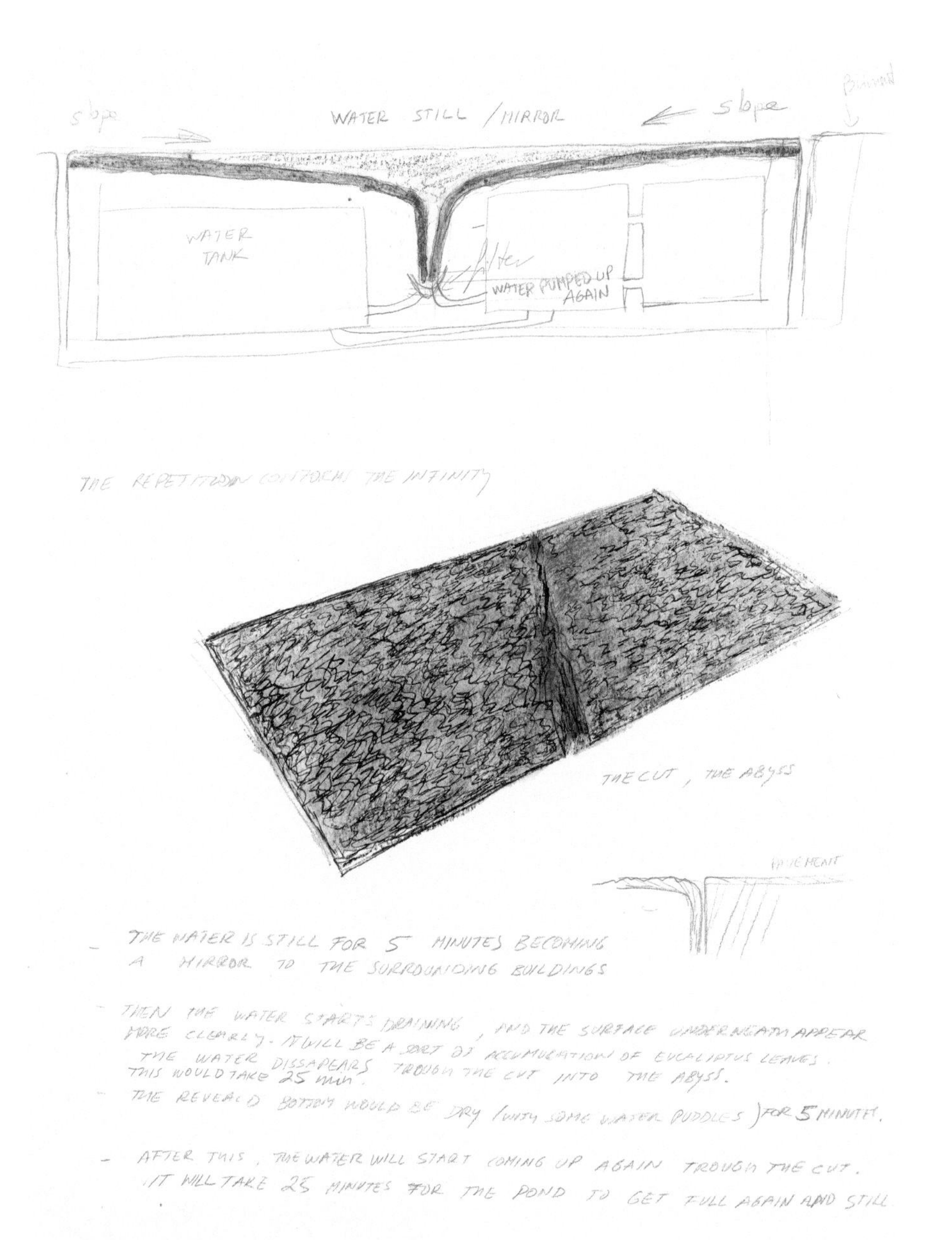

Antwerp

een permanent
verbazende collectie
GORGE
(L)
07.10.06
-
07.01.07

Vista general del Leopold de Waelplaats, Amberes

Towards the Ground (Hacia la tierra), 2008

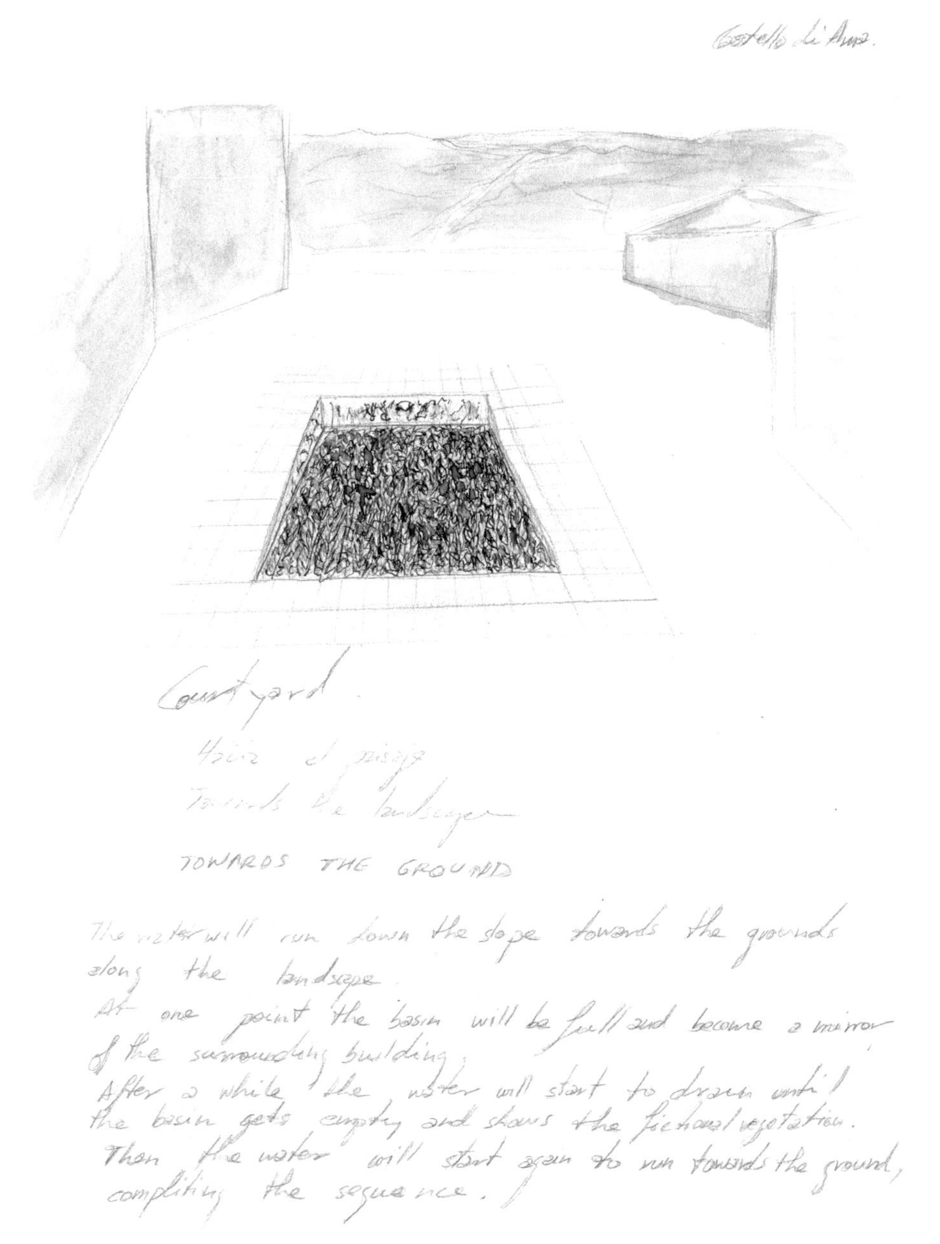

Dibujo preparatorio, 2007
Tinta, lápiz sobre papel
29,5 × 21 cm

PÁGINA CONTRARIA *Towards the Ground (Hacia la tierra)*, 2008
Bronce en polvo y resina
243 × 243 cm

Castello di Ama
Toscana

A través, 2017

Dibujo preparatorio, 2017
Lápiz y collage sobre papel
29,5 × 42 cm

PÁGINA CONTRARIA *A través*, 2017
Bronce con pátina verde, mecanismo hidráulico y agua
Acequia 1: 110× 519 × 320 cm
Acequia 2: 94× 625 × 143 cm
Bombas Gens Centre d'Art, Valencia

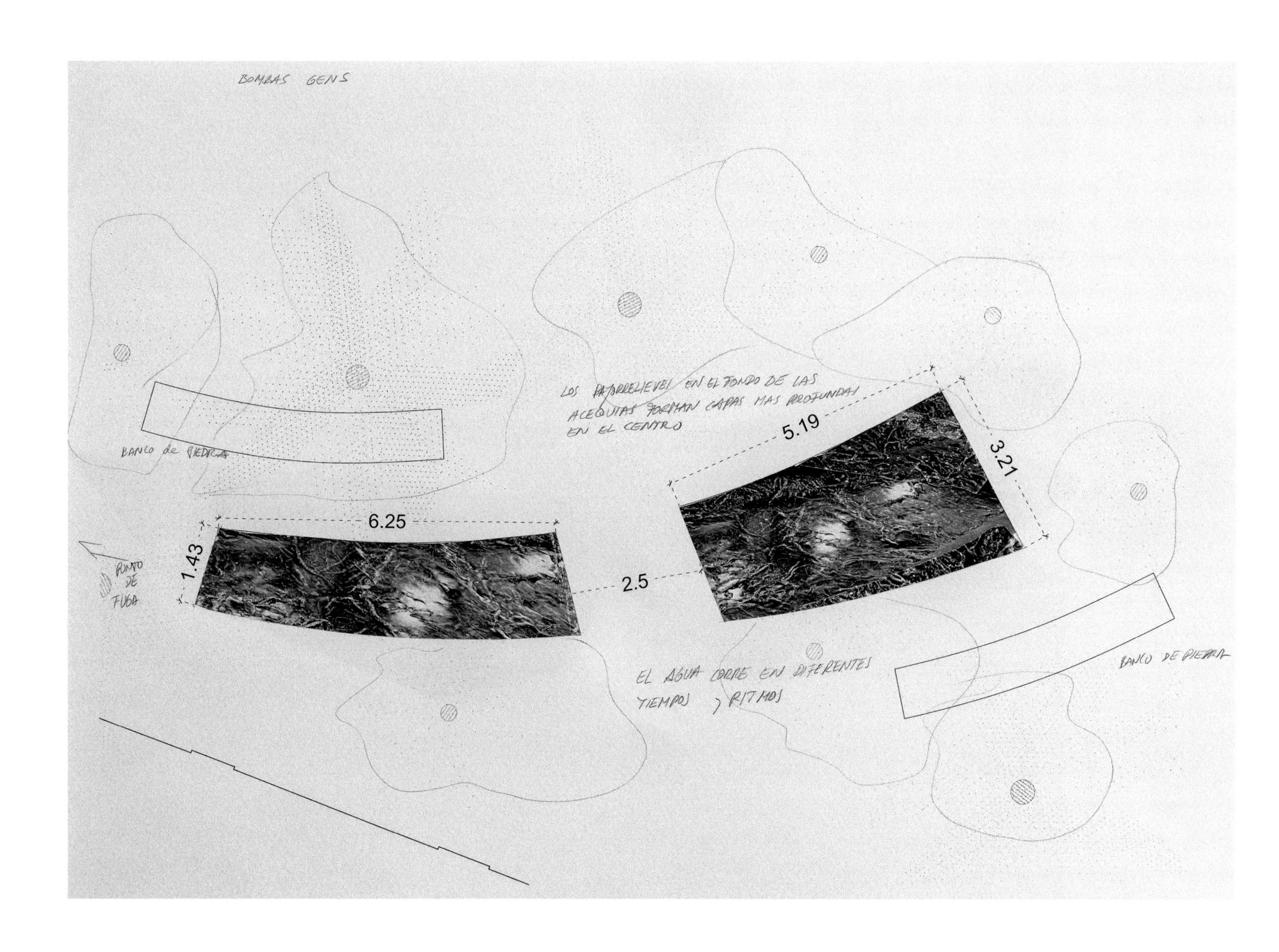

Eificio Bombas Gens Centro de Arte
Valencia

The Ionosphere (A Place of Silent Storms), 2017

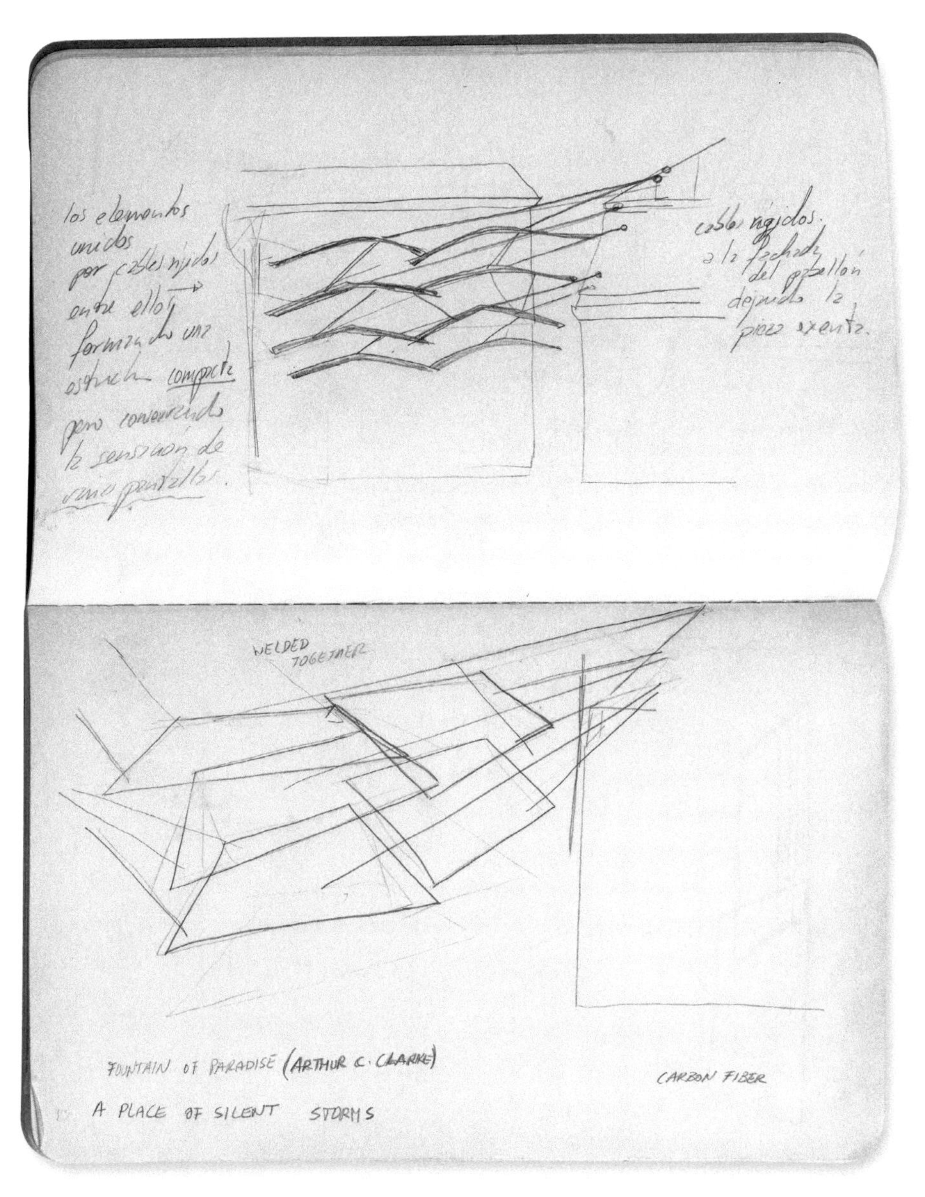

ARRIBA A LA IZQUIERDA Cuaderno – dibujos preparatorios, 2016
Lápiz sobre papel
25,5 × 21 cm

The Ionosphere (A Place of Silent Storms), 2017
Hilo de fibra de carbono, cable y sombra
4× 8,8 × 8 m
Texto en la estructura: Arthur C. Clarke, *Las fuentes del paraíso*

Norman Foster Foundation
Madrid

ARTE/ NATURALEZA

Sobre el entorno natural —como metáfora y estética; como destino remoto; como hábitat no humano; y como ecosistema en crisis.

Estancias Sumergidas, 2010
Mar de Cortés,
Baja California Sur (México)

Estancias Sumergidas

Estancias Sumergidas (Submerged Chambers) nació en la Isla Espíritu Santo, en la bahía del Mar de Cortés, en Baja California. Es un monumento a la preservación marina, que crea un refugio para la vida. La escultura se construyó en tierra firme y luego la sumergimos para que quedara permanentemente en el fondo del océano. Actúa a modo de pantalla entre los manglares y el mar abierto, y ofrece un lugar creado para que la vida lo ocupe y lo transforme. Sus paredes —o «celosías»— crean espacios interiores concebidos para que se habiten. Pero también se puede vislumbrar desde la superficie del agua, a catorce metros sobre el fondo del mar. Esta visión desde la lejanía incita al espectador a querer acercarse.

Actuando al mismo tiempo como símbolo de la creación de refugios marinos y como punto de referencia en un lugar remoto, *Estancias Sumergidas* existe a caballo entre la idea de escultura y la de no monumento. La obra imagina el vasto fondo oceánico del Mar de Cortés como un inmenso espacio público en el que habita como cómplice de la naturaleza y de la rica vida que hay en él.

Las dos «estancias» o «habitaciones» se asientan sobre la arena blanca de la bahía, entre dos formaciones rocosas de 15 metros de profundidad. Estas formaciones geológicas que yacen en el fondo de los océanos de la Tierra son, en síntesis, una especie de laberinto del que *Estancias Sumergidas* se ha vuelto parte. El efecto de una luz siempre cambiante nos hace percibir la obra de maneras muy distintas. Puede incluso desaparecer por completo tras la atmósfera neblinosa de una nube de plancton.

Estancias Sumergidas se desarrolló en diálogo con biólogos que nos asesoraron sobre sus condiciones y ubicación ideales para que la vida floreciera. Su accesibilidad o su interesante imposibilidad de acceso, su proximidad potencial y su distancia, las mareas y las corrientes del agua fueron factores que se discutieron para hacer surgir la vida. Se exploró cada perspectiva para conectar la vida con la visión de la misma, para conectar lo biológico con el punto de vista artístico. Los muros de las «estancias» atraviesan y enmarcan los espacios. Estas «celosías» forman un entramado hecho de frases del *Historia natural y moral de las Indias* de José de Acosta. Letras independientes crean aperturas y cierres, dando forma a los espacios necesarios para el paso de las corrientes, favoreciendo la formación de corales y otra flora, y ofreciendo un hábitat para criaturas marinas, que van desde las estrellas de mar hasta las mantas. Acosta describe la Atlántida como una idea platónica. Habla de las personas que llegaron de África y Europa a las Nuevas Indias, a las Américas. Además, el texto plantea una idea poética, la de la Atlántida como una ficción a través de la cual, en las profundidades marinas, la vasta extensión entre continentes es un terreno de la memoria.

Cristina Iglesias

PÁGINA 168 *Entwined I*, 2017
Aluminio fundido y resina
270,5× 250,2 × 8,9 cm
Galería Marian Goodman, Nueva York, 2018

Captura de pantalla del vídeo de Alfredo Barroso, 2013

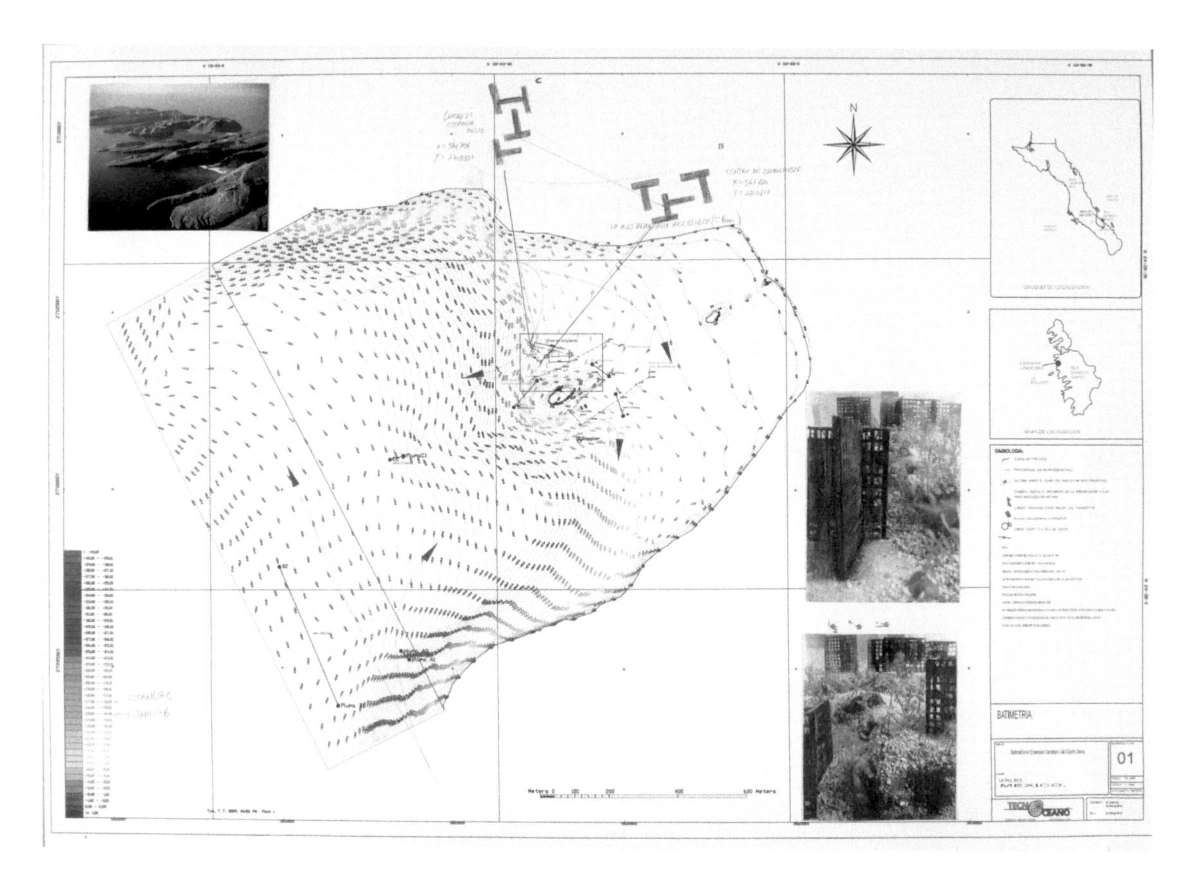

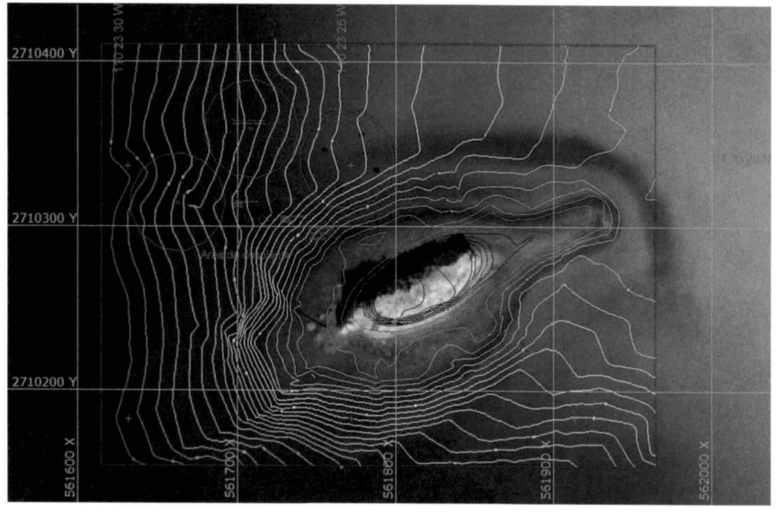

ARRIBA Topografía y plano de situación, 2009
Collage (tinta, fotografía y lápiz sobre papel)
420 × 594 mm

ABAJO Vista aérea y plano de situación
Archipiélago de Espíritu Santo, Mar de Cortés (México)

PÁGINA CONTRARIA Cuadernos con dibujos preparatorios, 2009
Imágenes impresas y lápiz
Impresión de un modelo 3D
31 × 23 cm

PÁGINA 174 Cuaderno de recortes de estudios para *Estancias Sumergidas*, 2009
Imágenes impresas, lápiz y tinta sobre papel
25 × 18,5 cm

PÁGINA 175 Cuadernos de recortes con fotos del sitio en la Isla Espíritu Santo, 2008
Imágenes impresas y tinta sobre papel
31 × 23 cm

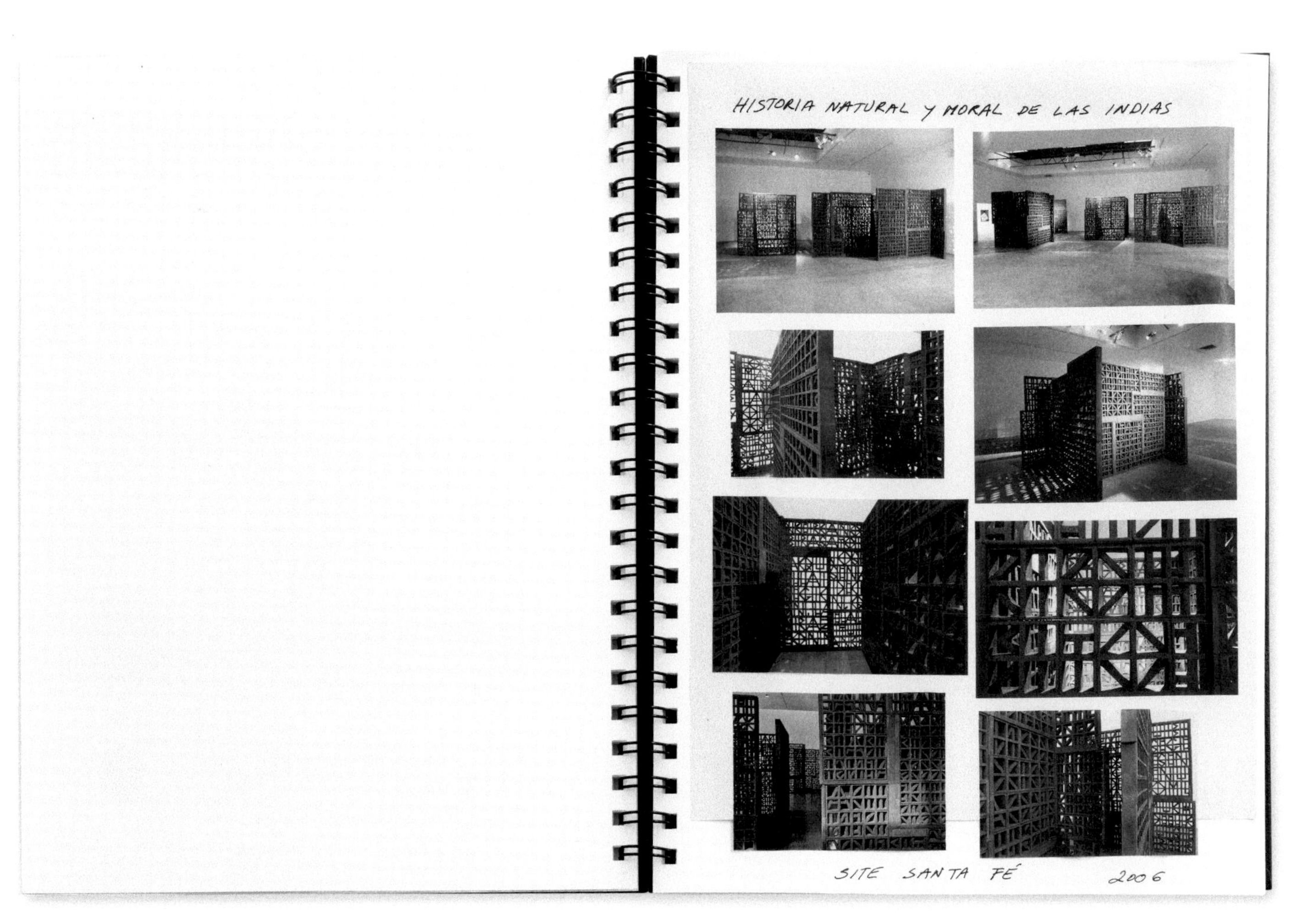
HISTORIA NATURAL Y MORAL DE LAS INDIAS
SITE SANTA FÉ 2006

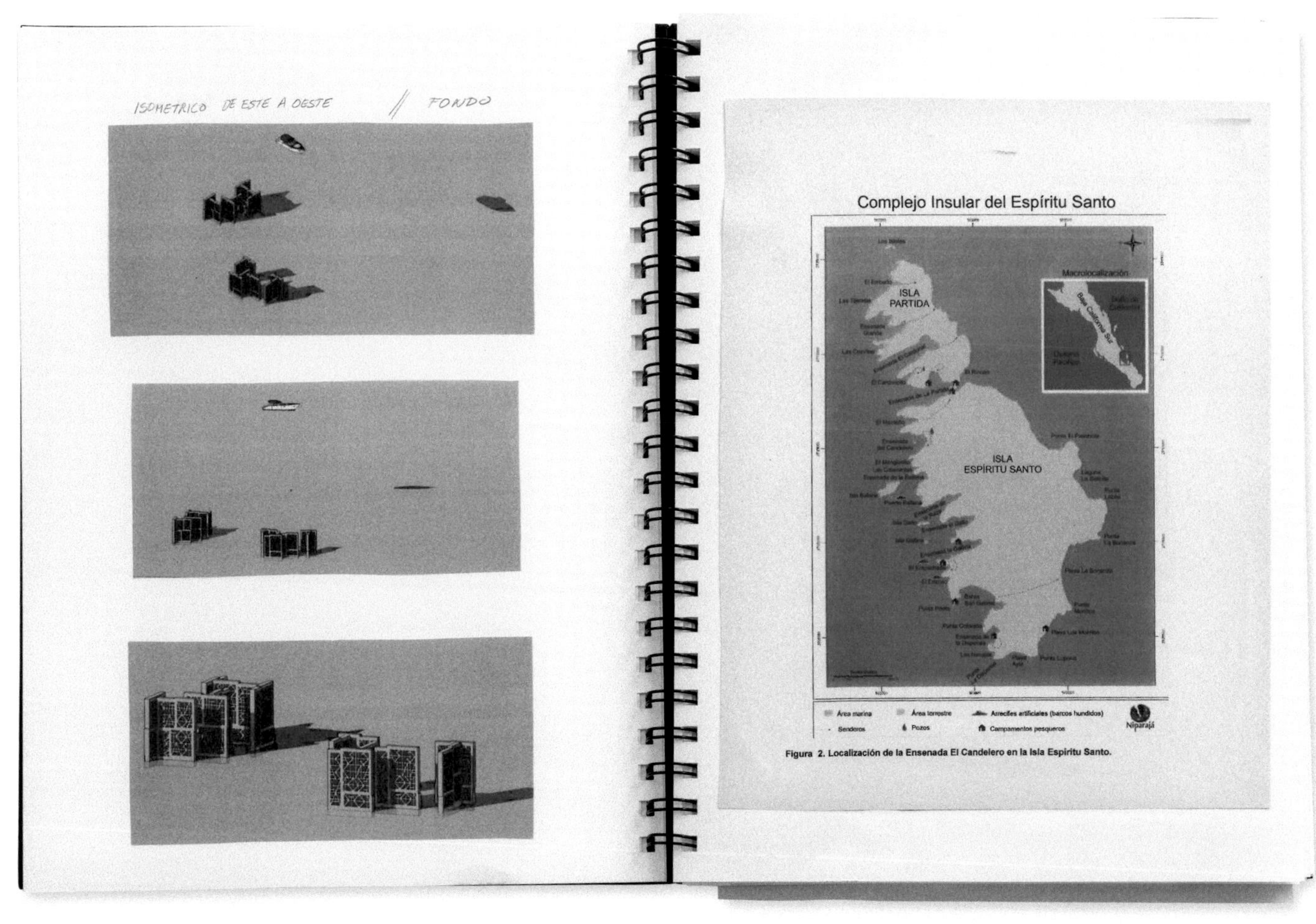
ISOMETRICO DE ESTE A OESTE // FONDO
Complejo Insular del Espíritu Santo
ISLA PARTIDA
ISLA ESPÍRITU SANTO
Macrolocalización
Figura 2. Localización de la Ensenada El Candelero en la Isla Espíritu Santo.

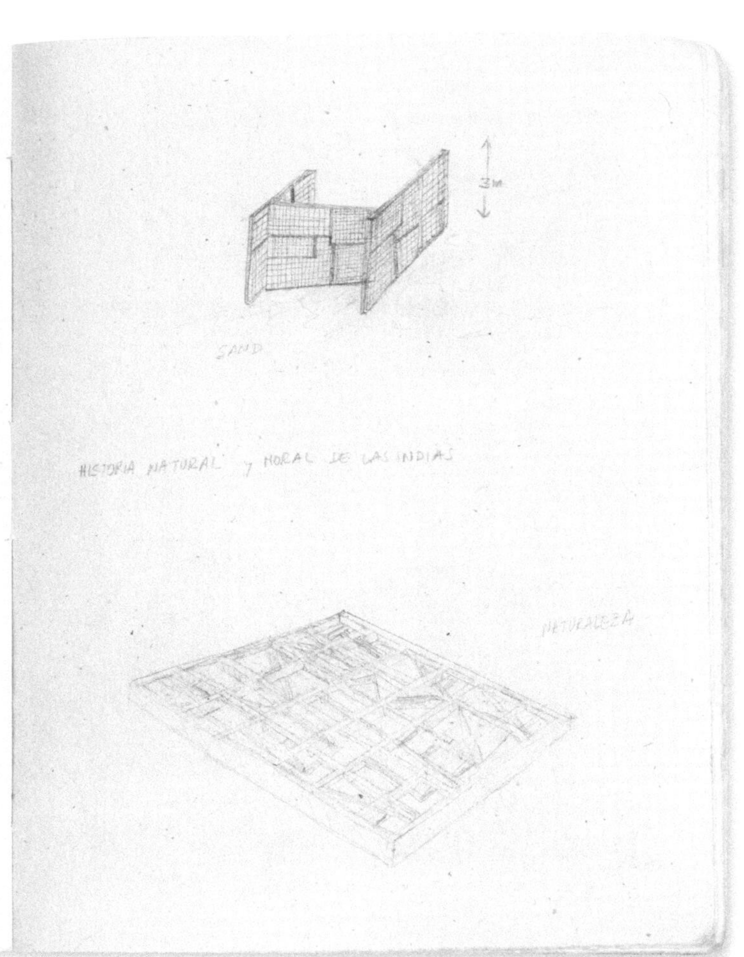
3m
SAND
HISTORIA NATURAL Y MORAL DE LAS INDIAS

WATER TANK
AQUARIUM

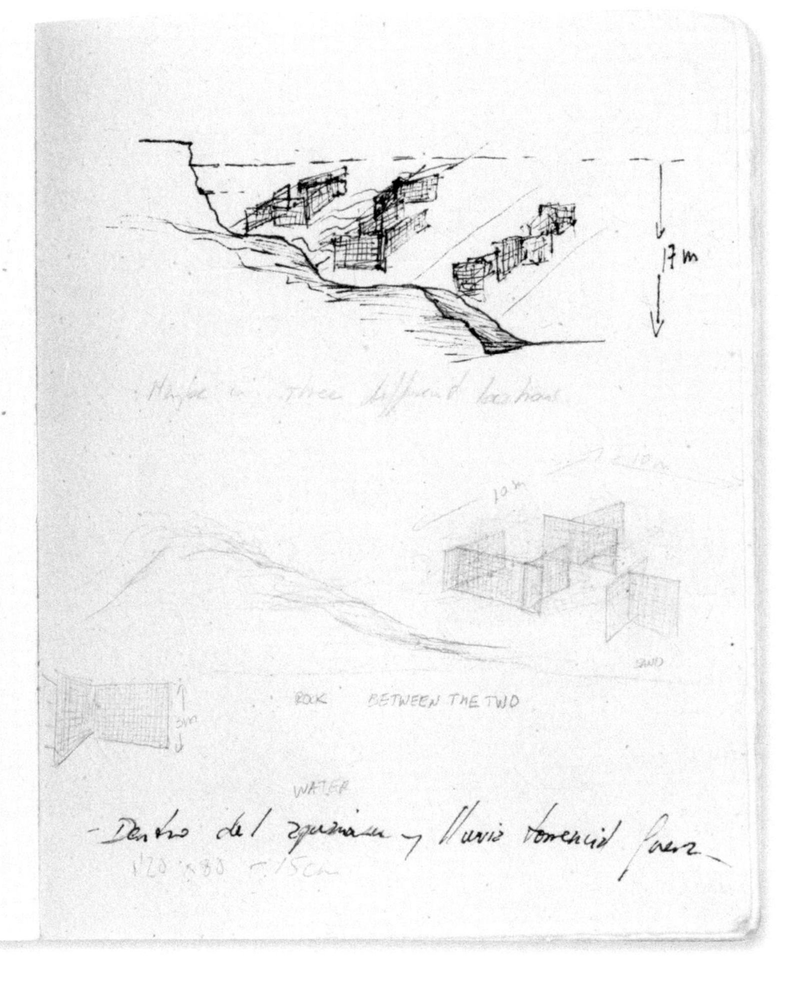
17 m
SAND
ROCK BETWEEN THE TWO
3m
WATER

MANGLARES ISLA ESPIRITUSANTO
BAJA CALIFORNIA SUR
ISLA DE ESPIRITU SANTO
BAJA CALIFORNIA SUR

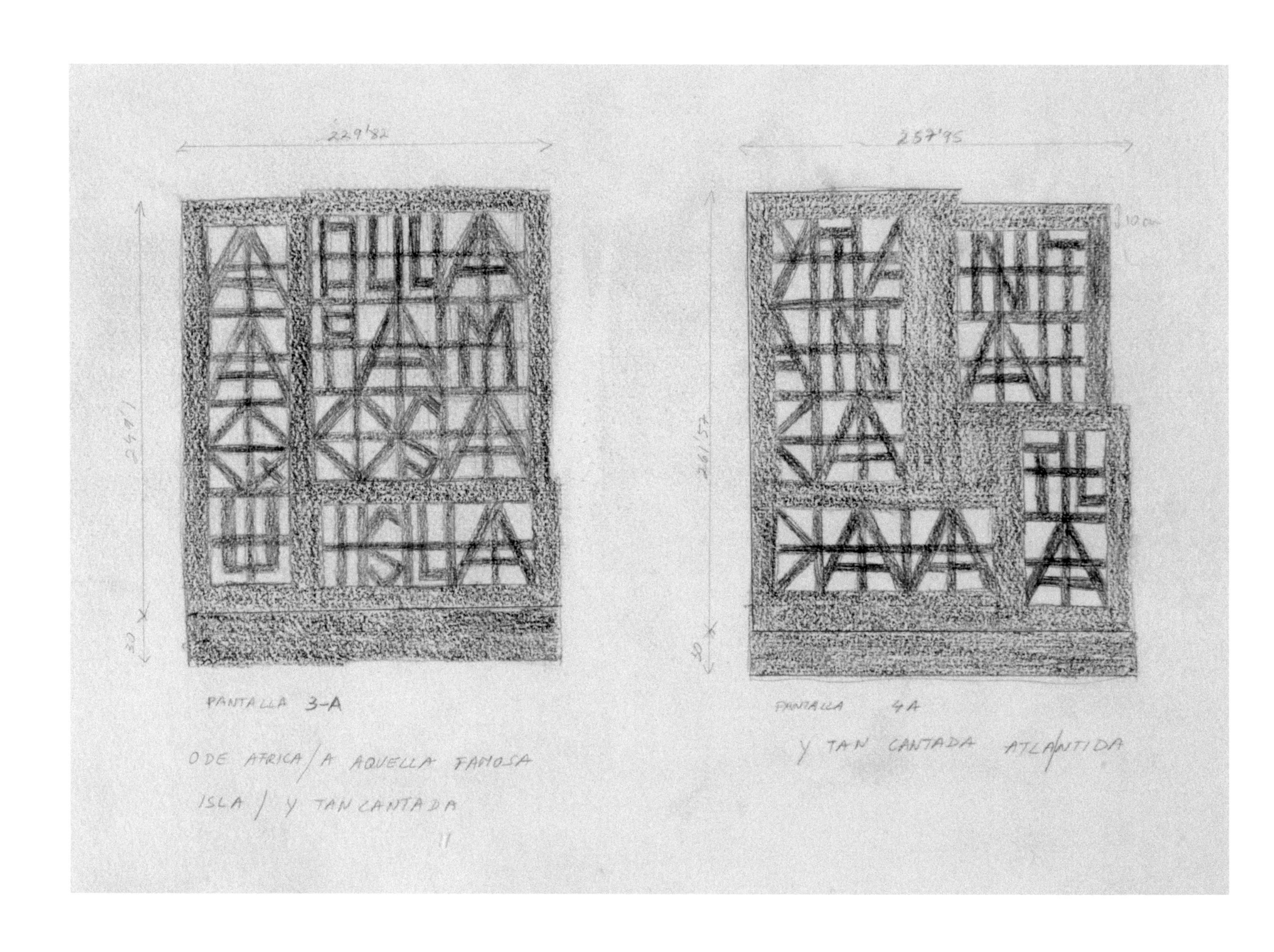

Dibujo preparatorio, 2009
Carboncillo y grafito sobre papel
31,5 × 44 cm

Acuario como modelo para *Estancias Sumergidas*, 2009
Estancias Sumergidas, 2010

Estancias Sumergidas, 2010
Serigrafía, carboncillo y grafito sobre seda
200 200 × 110 cm, cada uno

PÁGINAS 180–187 Capturas de pantalla de la película *Jardín en el mar*, Thomas Riedelsheimer, 2010

Estancias Sumergidas, 2010
Hormigón armado con pH neutro
Estancia I: 265× 747 × 398 cm
Estancia II: 265× 736 × 380 cm

Captura de pantalla del vídeo de Alfredo Barroso, 2013

PÁGINAS 190–193 Captura de pantalla del vídeo de Alfredo Barroso, 2015

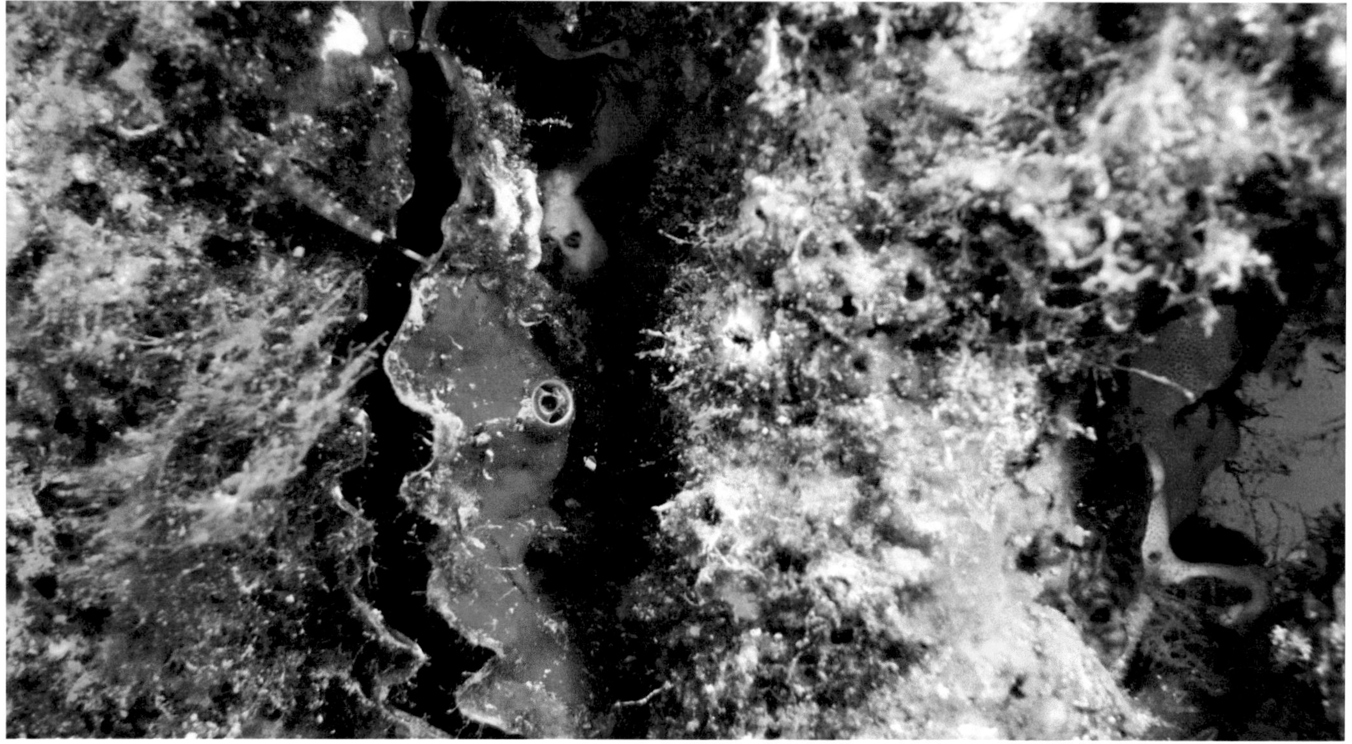

PÁGINAS 194–197 Captura de pantalla del vídeo de Alfredo Barroso/Octavio Aburto, 2018

Octavio Aburto

Arrecifes olvidados: Utilizar el arte para recuperar y proteger los entornos marinos

En 2011, conocí a Cristina Iglesias en el barco Don José en la isla Espíritu Santo, en la bahía de La Paz, Baja California (México). Conocía bien esta isla y el entorno marino que alberga. Cristina se embarcó en un viaje para explorar la isla, no solo para apreciar y aprender más sobre los ecosistemas submarinos de aquella hermosa región, sino también para buscar un lugar apropiado para asentar su obra de arte, que se acabaría conociendo como *Estancias Sumergidas*. Pasamos juntos casi una semana con su hija y su hijo. Durante ese tiempo, Cristina aprendió a bucear y yo guié al grupo por los manglares y arrecifes de la isla, dedicando tiempo a señalar las juguetonas crías de león marino entre los brillantes arrecifes de coral y los bancos de pargos jóvenes que buscaban protección entre las raíces de los manglares. Entre estas inmersiones, Cristina compartió su visión de su obra. Inmediatamente me di cuenta de que podría ser una de las obras de arte más importantes a la hora de sensibilizar al público sobre los problemas de los océanos y la conservación marina. Como artista, aprecié y me identifiqué con la misión de Cristina de utilizar el arte como puente para conectar la ciencia y la gente. Cristina y yo estuvimos de acuerdo en que la ciencia puede colaborar con el arte para inspirar la mentalidad oceánica en la sociedad y, posteriormente, ser un catalizador para la administración marina.

Pero ¿por qué es importante la conservación de los océanos? La rica biodiversidad y la abundancia de vida que Cristina y yo vimos en Espíritu Santo no es, por desgracia, típica de muchos otros entornos marinos del mundo. Más bien, nuestros océanos se utilizan generalmente de forma insostenible, hasta sus límites máximos.

Todos hemos oído esas historias de generaciones anteriores en las que, en su día, se hicieron a la mar y pescaron un pez «¡así de grande!». Aunque estas historias a menudo se tachan de exageraciones de nuestros encantadores ancianos, si bien ligeramente seniles, quizás haya una pizca de verdad en ellas. Los libros de registro histórico de los desembarcos pesqueros, llevados metódicamente, nos dicen que la gente solía pescar criaturas más grandes que se situaban en la cima de la cadena alimentaria: depredadores como los tiburones y los meros. Sin embargo, a medida que el ser humano ha desarrollado la tecnología pesquera, ha podido ampliar exponencialmente las zonas sobre las que lanza sus redes y ha aumentado la intensidad con la que captura los peces.

La explotación de los océanos de esta manera ha producido un fenómeno descrito como «pesca cadena abajo», una transición en la que las pesquerías mundiales capturan ahora ejemplares de menor tamaño y especies de presa que se sitúan más abajo en la cadena alimentaria. Además de las grandes implicaciones medioambientales de este fenómeno, estas capturas más pequeñas se han convertido en el nuevo estándar para la próxima generación de la sociedad, un fenómeno secundario que se conoce en la comunidad científica como «cambio de líneas de base».

Estos dos fenómenos juntos son síntomas de sobrepesca. La sobrepesca se produce cuando los peces se extraen más rápido de lo que pueden reproducirse, y puede llevar al agotamiento del recurso y a la posterior colapso de las economías y los medios de vida dependientes, destruyendo la ilusión de unas poblaciones de peces interminables e inmutables. Para encontrar pruebas de los cambios en las líneas de base y de la sobrepesca, no hay que buscar más allá del Golfo de California (México), descrito en su día como el «Acuario del Mundo» por el famoso explorador Jacques Cousteau. Esta región ha sido quebrantada y vaciada mediante actividades extractivas como la pesca intensiva, cuyas consecuencias sociales y económicas se manifiestan en comunidades como la de cabo Pulmo, en Baja California Sur. Los recursos que antes eran abundantes en forma de grandes tiburones y meros gigantes desaparecieron, y los pescadores locales de cabo Pulmo pescaron en la red alimentaria hasta que el otrora próspero pueblo pesquero se convirtió en un desierto económico. La comunidad se enfrentó entonces a la dura decisión de cesar todas las actividades pesqueras y buscar trabajo en otra parte, para permitir que el arrecife de la región se recuperara. Es en lugares como cabo Pulmo donde la presencia de líneas de base cambiantes en nuestros recursos marinos señala la gran intensidad y velocidad con la que estamos extrayendo estos recursos. Cabo Pulmo nos muestra las consecuencias de estas acciones, y la urgencia de la necesidad tanto económica como medioambiental de reparar el ecosistema.

Con el fin de salvaguardar los cambios futuros de los niveles de referencia, así como para revertir los niveles de referencia que ya se han desplazado con el agotamiento de los recursos marinos, se han implementado nuevas herramientas de gestión marina en todo el mundo. Este mecanismo incluye las «zonas marinas protegidas», en las que el gobierno restringe determinadas actividades extractivas en una región designada. Este hiperónimo tiene muchos matices, desde los parques multiusos, en los que se permiten actividades estacionales o la pesca con artes específicas, hasta las reservas marinas de veda en las que se excluyen todas las actividades extractivas, pasando por otras herramientas, como los refugios pesqueros, en los que las comunidades pesqueras aceptan el cierre temporal de determinadas zonas para recuperar sus recursos. En México, estas herramientas de gestión de los recursos marinos han sido diseñadas y ejecutadas para adaptarse a las múltiples necesidades de las diferentes sociedades con el uso de los recursos. Sin embargo, el éxito de los parques multiusos, la herramienta de gestión implantada con más frecuencia ha resultado ser bastante limitado. Los estudios científicos han demostrado que, a pesar de la creación de zonas marinas protegidas a nivel federal, en estas zonas rara vez se mejora o recupera la abundancia y la biodiversidad de su vida marina.

Considerados como «parques de papel», a menudo carecen de la aplicación de la ley y del apoyo de la comunidad necesarios para una legislación eficaz. Pero esto no tiene por qué ser así. Cabo Pulmo, la comunidad que llevó sus niveles de referencia a cero se comprometió a dejar de pescar. De forma permanente. Encabezados por los miembros de la familia Castro, apelaron al gobierno federal para que estableciera formalmente una zona protegida por el mar. El Parque Nacional Marino de Cabo Pulmo fue inaugurado en 1995 y la comunidad hizo valer el cambio convirtiéndolo en una estricta reserva marina con exclusión de pesca. En 1999, pocos años después de la creación del parque, documentamos por primera vez la estructura de la comunidad de peces e invertebrados en los hábitats de rocas y arrecifes de coral de la región. Diez años más tarde, en 2009, volvimos a cabo Pulmo para inspeccionar la zona de nuevo y detallar el impacto del establecimiento de un área protegida sin capturas. De 1999 a 2009, descubrimos que el parque había aumentado su biomasa (el tamaño de los organismos y su número) en un 460%. Los corales prósperos han construido amplias estructuras para sostener una comunidad submarina increíblemente diversa. Esta biomasa sigue aumentando en la actualidad, ya que se sigue aplicando el protocolo de exclusión de pesca.

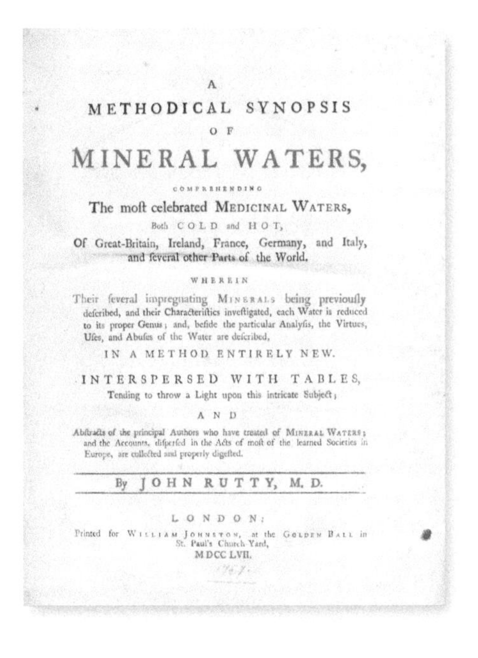

A

METHODICAL SYNOPSIS

OF

MINERAL WATERS,

COMPREHENDING

The moſt celebrated MEDICINAL WATERS,

Both COLD and HOT,

Of Great-Britain, Ireland, France, Germany, and Italy, and ſeveral other Parts of the World.

WHEREIN

Their ſeveral impregnating MINERALS being previouſly deſcribed, and their Characteriſtics inveſtigated, each Water is reduced to its proper Genus; and, beſide the particular Analyſis, the Virtues, Uſes, and Abuſes of the Water are deſcribed,

IN A METHOD ENTIRELY NEW.

INTERSPERSED WITH TABLES,

Tending to throw a Light upon this intricate Subject;

AND

Abſtracts of the principal Authors who have treated of MINERAL WATERS; and the Accounts, diſperſed in the Acts of moſt of the learned Societies in Europe, are collected and properly digeſted.

By JOHN RUTTY, M. D.

LONDON:

Printed for WILLIAM JOHNSTON, at the GOLDEN BALL in St. Paul's Church-Yard,

MDCCLVII.

John Rutty: *Sinopsis metódica de las aguas minerales: comprendiendo las aguas medicinales más famosas, tanto frías como calientes, de Gran Bretaña, Irlanda, Francia, Alemania e Italia, y otras partes del mundo*
Publicado por William Johnston, 1757

Los peces loro y los peces cirujano, jardineros clave de los arrecifes de coral que controlan el crecimiento excesivo de las algas que pueden competir con el coral, han formado grupos más grandes y densos, lo que indica los enormes volúmenes de algas que devoran a diario. Ahora se pueden encontrar bancos de meros cazando junto a las morenas, un comportamiento entre especies que los investigadores no habrían podido conocer de otra manera. Las aguas de esta región también albergan acumulaciones de mantas voladoras del género Mobula, son el destino invernal de las ballenas jorobadas migratorias y albergan lugares críticos de desove. Ahora se ven bancos de tiburones toro casi todo el año, mientras que se pueden encontrar multitud de pargos amarillos y peces loro durante todo el año. Podemos presenciar decenas de miles de jureles de ojos grandes cortejándose en grandes ríos de peces y luego formando una esfera (bola de cebo), desovando en parejas con luna llena y nueva. Mis colegas y yo hemos continuado regresando a cabo Pulmo anualmente desde 2009 para estudiar cómo este ecosistema marino sigue transformándose y creciendo.

En cabo Pulmo, el ecosistema submarino no es lo único que se ha recuperado: la economía local también ha repuntado. Lo que antes era una ciudad cuya misión era la pesca se ha transformado en una ciudad cuya identidad se centra en la conservación de los recursos marinos. Este cambio ha producido un próspero ecoturismo que sostiene una economía turística más amplia y saludable. Más de 30 000 viajeros de todo el mundo visitan anualmente cabo Pulmo para hacer esnórquel y bucear con la vida marina que ahora alberga. Se ha ganado el título de Hope Spot como ejemplo de éxito en la conservación dirigida por la comunidad. Una historia así necesitaba ser compartida, y me propuse contarla. Me llevó tres años encontrar las condiciones adecuadas para tomar la imagen *David y Goliat*, pero quería representar con precisión la relación entre la gente de cabo Pulmo y sus recursos marinos.

Preservando el círculo de la vida y convirtiéndose en administradores del hábitat marino, las personas pueden llevar a cabo una increíble recuperación del ecosistema, que a su vez genera grandes beneficios económicos para las comunidades y pueblos adyacentes.

Cabo Pulmo demuestra que, cuando se aplican correctamente y con el apoyo de la comunidad, las zonas marinas protegidas pueden ser una herramienta increíblemente poderosa para recuperar recursos previamente agotados. Sin embargo, los gobiernos no tienen que esperar a que se produzcan cambios en los niveles de referencia para poner en marcha estas estrategias de administración. Tal es el caso del Parque Nacional Archipiélago de Revillagigedo, establecido como área marina protegida en 1994, y ampliado a una reserva marina de 14,7 millones de hectáreas sin explotación en 2017. El archipiélago de Revillagigedo está situado a unos 600 kilómetros al oeste de cabo San Lucas y, gracias a esta distancia, se encuentra en un estado relativamente prístino porque las islas están alejadas en gran medida de las actividades extractivas humanas directas. Revillagigedo abarca una gran variedad de organismos, desde bancos de tiburones martillo hasta una población de mantas gigantes, que está casi, genéticamente hablando, desconectada de otras poblaciones de esta especie en todo el mundo. Al designar, aplicar y hacer cumplir eficazmente estas reservas marinas, no solo podemos recuperar los recursos marinos agotados, sino también proteger nuestros niveles de referencia para que no se desplacen ahora y en el futuro.

Estancias Sumergidas demuestra que el arte en cualquier medio ya sea físico o digital, puede llamar la atención sobre un tema concreto, incluida la conservación marina. No solo proporciona estructura y hábitat a un floreciente ecosistema de arrecifes, sino que también conecta emocionalmente con su público y se identifica con sus intereses. Es un ejemplo de cómo el arte puede educar al público sobre el océano y crear un vínculo entre ellos, invitando a los humanos a convertirse en administradores de la naturaleza.

La atracción de las *Estancias Sumergidas* también ha sido un catalizador de la economía de la región, y el turismo puede aumentar a medida que la gente viaje para experimentar la escultura en persona. Como monumento cultural, puede atraer a personas de todo el mundo, además de suponer un motivo de orgullo para los lugareños. El aumento de esta tendencia puede, a su vez, alentar a la comunidad con la idea de recuperar el entorno marino a través del arte y de formas de vida alternativas. Sin embargo, sorprendentemente, *Estancias Sumergidas* tienen la capacidad de evolucionar a través del tiempo manteniendo un registro histórico. Este trabajo madura junto con el entorno natural, la cultura local y la comunidad. *Estancias Sumergidas* existe como algo más que la estructura en sí: su identidad es evidente en el movimiento que crea, inspirando a la próxima generación a comprometerse y actuar en la conservación de los océanos. Puede unir a actores locales, pescadores, buceadores y viajeros en una misión por la apreciación y protección de nuestro capital natural.

Actualmente, *Estancias Sumergidas* es única, pero un referente así no tiene por qué vivir aislado. Una red de estas piezas, cuando se coloca estratégica y científicamente, podría cambiar el paradigma del uso de los recursos y el enfoque de conservación para las aguas de México y más allá. Al generar economías turísticas basadas en la riqueza de los hábitats marinos, las comunidades locales no solo pueden cosechar los beneficios de sus servicios ecosistémicos marinos locales, sino que también pueden apoyar el crecimiento de la capacidad de estos servicios. Estas redes pueden establecerse geográficamente, pero se conectan digitalmente a través de un atlas, que puede cartografiar las atracciones de buceo dentro del país. Este atlas puede servir de portal al mundo del buceo y del arte subacuático. Al invitar a los miembros de la comunidad mundial de buceadores a añadir sus propias emociones y sentimientos a cada lugar concreto, el atlas invitará a otros a explorar la belleza natural y humana de nuestros océanos.

Esta mezcla de estética natural y humana puede unirse en sinergia y representar la coexistencia de la humanidad con la naturaleza. *Estancias Sumergidas* es clave para aumentar la sensibilización sobre la importancia de proteger los entornos marinos alrededor de la isla Espíritu Santo. Sin embargo, su influencia va más allá del golfo de California, ejemplificando el impacto del arte dentro del movimiento más amplio de la conservación de los océanos y mostrando la armonía de la humanidad con la vida marina.

Mar de Cortés, Baja California

Iwona Blazwick Octavio, muchísimas gracias. Antes de que hablemos de tu alegación, ¿podrías decir algo sobre el contexto más amplio de los proyectos de recuperación oceánica o las zonas de exclusión de pesca en todo el mundo?

OA Creo que el problema más importante es que el público en general no es consciente de lo que ocurre con los océanos. Me voy a referir solo al problema de la sobrepesca. Durante siglos, hemos estado pescando muchas especies del océano y, al contrario de lo que ocurría en tierra, en los océanos hemos ido primero a por los animales grandes, dejando a los más pequeños en el mundo marino. Así que esto es algo que está ocurriendo en todas partes y es algo que deberíamos empezar a pensar en cómo podemos cambiar.

Uno de los enfoques consiste en recuperar los entornos marinos en las llamadas zonas marinas protegidas, que son similares a los parques nacionales en tierra. La idea es prohibir todas las actividades extractivas en estas zonas, para poder proteger las especies que viven en ellas. En realidad, estas zonas de no extracción también tienen un efecto de desbordamiento hacia otras zonas que están desprotegidas. Uno de los beneficios de esta protección es para las pesquerías, ya que este efecto de desbordamiento ayudará a que las pesquerías se recuperen. Y ahora tenemos algunos datos que demuestran que cuando se protege a los principales depredadores, los arrecifes de coral empiezan a recuperarse y vuelven a adquirir la biomasa que tenían antes de la sobrepesca. Sin embargo, lo que mejor funciona en términos de recuperación de la biomasa y la biodiversidad es detener la extracción por completo. Las «áreas marinas protegidas», que actualmente son más populares entre los gobiernos, simplemente no son tan eficaces como detener la extracción por completo. En la actualidad, el 3,7 % de los océanos son Áreas Marinas Protegidas (AMP), mientras que solo el 1,4 % son zonas de no extracción. La mayoría de los científicos marinos creen que hay que convertir el 30 % de los océanos en zonas de exclusión para proteger su biomasa y biodiversidad, mientras que el objetivo político para 2020 es el 10 %. Estamos muy lejos de ambos objetivos.

IB ¿Qué puedes argumentar en términos económicos? Porque ese es siempre el reto que lanzan los políticos.

OA Bueno, hay algo que siempre digo. En la historia de cabo Pulmo, que ahora mismo abarca 22 años, los primeros años no fueron tan bonitos como los presenté. En los primeros años, no había actividades pesqueras, y muchos tenían que viajar lejos para ganar dinero. El gobierno no apoyó a la comunidad con ninguna subvención.

Aun así, después de siete u ocho años, las comunidades comenzaron a repuntar. Básicamente, los buceadores empezaron a llegar allí por la información y las imágenes compartidas a través de las redes sociales. Así que creo que la respuesta a la pregunta es que los beneficios económicos llegarán después de algunos años de protección. Ahora, podemos medir estos beneficios económicos para las zonas que ya tienen cuatro, cinco, siete años de protección. Quizá no ocurra al principio, pero ocurrirá.

Lynne Cooke ¿Esa comunidad estaba muy unida por estructuras familiares o sistemas de creencias? ¿Qué los mantuvo unidos durante los años más difíciles? Y, ahora que vienen los buceadores, ¿están entrando recursos económicos alternativos? ¿Se organizan en colaboración o en términos de accionistas? ¿Cómo se beneficia la gente de la comunidad?

OA Sí, la historia de cabo Pulmo es única, porque dos familias dominan toda la comunidad y han trabajado juntas para lograr esta misión. No hay grandes hoteles, no tienen electricidad y no quieren electricidad a través de tendido eléctrico. Todo funciona con energía solar.

No hay aceras, ni carreteras de hormigón, todo es salvaje. Seguro que tienen problemas, como en cualquier pueblo pequeño, pero se han reunido con la ayuda de varias organizaciones para discutir una misión a largo plazo para la zona.

Russell Ferguson Me pregunto si podría decir algo sobre las perspectivas de este tipo de trabajo en Estados Unidos en el actual entorno político. Seguro que hay gente que quiere hacerlo.

OA Estados Unidos tuvo un enfoque más bien de arriba abajo con Obama y fueron testigo de la creación de una de las mayores áreas de reserva marina. Me refiero básicamente a las islas del norte del archipiélago de Hawái, y esto supuso un gran paso. Además, hay otras áreas que son zonas de exclusión, a veces muy pequeñas. Aquí, en La Jolla, hay una zona marina protegida que no se puede pescar. Tiene menos de un kilómetro cuadrado, es muy pequeña, pero hay varias de esas zonas. Probablemente, la red más famosa de zonas de exclusión de la pesca en Estados Unidos se encuentra aquí, en California: las islas del Canal. Acabo de volver de la isla Catalina, una de las más grandes, y es increíble.

RF Es hermoso. Las algas han vuelto.

OA El kelp es como los manglares pero en aguas templadas. Así que creo que Estados Unidos estaba allí, pero después de un año con una administración diferente parece que los océanos y la administración van a cambiar completamente.

Richard Noble ¿La zona en la que se encuentra la obra de Cristina es una reserva o una zona de pesca?

OA De nuevo, es un parque marino. Es un parque marino de 3000 kilómetros cuadrados, así que no es un parque pequeño, pero el 1,5 % de esos 3000 es zona de exclusión de pesca. Es básicamente una zona de uso múltiple sin este decreto, pero se pesca. Los pescadores pescan en la zona donde se encuentra la pieza.

RN Algo que me llama la atención es que, en lo que respecta a la imaginación visual de la gente sobre lo salvaje o la naturaleza, Estados Unidos tiene todos estos increíbles parques nacionales como Yosemite y Yellowstone, etc. Creo que en la mente de muchas personas, estas áreas son un recordatorio visualmente convincente de lo que ha sucedido con el medio ambiente y pueden, en este sentido, crear una voz política o al menos simpatía por la conservación. La mayoría de la gente entiende que una reserva marina es un cuadrado verde en una superficie bidimensional azul. Es mucho más difícil identificarse con ella y me preguntaba si tiene alguna idea sobre cómo hacerla más visual.

Captura de pantalla de la película *Jardín en el mar,* Thomas Riedelsheimer, 2010

OA Sí, y creo que esos son algunos de los retos que tenemos, pero si empezamos a introducir la idea de que los seres humanos también pueden ser un elemento de este paisaje marino, tal vez inspiraremos o atraeremos a más gente para que lo entienda. Como ha ocurrido en estos parques nacionales, el ser humano puede disfrutar y comprender que muchas de sus culturas están íntimamente relacionadas con el mar y dependen de él. El reto es cómo conseguir que los humanos se consideren parte del medio marino, aunque no podamos respirar de forma natural bajo el agua.

Andrew Benjamin Quiero poner esto en el contexto de cómo se piensa en el arte. Si se piensa en ello, las pinturas de Caspar David Friedrich del hombre heroico mirando a la naturaleza nos dieron una forma de entender la relación del ser humano con la naturaleza. Para los románticos, y para muchos desde entonces, hay un heroísmo en la forma en que el arte presenta la relación humana con la naturaleza. Pero ahora, con el antropoceno, parece que ya no estamos apartados de la naturaleza como su observador o maestro, sino que estamos implicados en un mundo en el que nuestras acciones repercuten en la naturaleza y ésta en nosotros. Ya no estamos fuera de la naturaleza.

Me parece que estás presentando, tanto antropológica como científicamente, otra conceptualización de la relación de la humanidad con la naturaleza y de la naturaleza con lo humano. Así, algunas de estas comunidades aprenden algo que luego repercute en sus vidas, lo que repercute en la naturaleza, y así se ve la reciprocidad en el trabajo. Pero en lugar de instrumentalizar el arte como algo que puede tener este efecto —porque instrumentalizar el arte es una pérdida de tiempo— se puede preguntar cuál es el correlato en el mundo del arte de este replanteamiento de la relación del ser humano con la naturaleza. Es posible que el trabajo de Cristina y otros pueda empezar a entenderse, no como arte «benefactor», sino como algo que demuestra una relación no heroica entre el arte y la naturaleza. Su inmersión e invisibilidad ejemplifica la imposibilidad de estar fuera de la naturaleza. Así que creo que hay una afinidad muy interesante entre el trabajo científico que se realiza y el comportamiento del arte sin tener que instrumentalizar uno en función del otro.

Son más bien dos modalidades de repensar nuestra relación con la naturaleza. No obstante, si es cierto que necesitamos un arte del antropoceno, por volver traer el término a colación, podemos preguntarnos si la obra de Cristina es una buena versión del mismo. En lugar de decir: «¿No es maravilloso? Está lleno de animales» y demás, la pregunta es: ¿nos ayuda a pensar de forma crítica sobre el arte del antropoceno?

OA Realmente, la escala de la destrucción de la naturaleza va mucho más allá de lo que mencioné en mi intervención. Si tengo una aspiración o una esperanza, es que, en lugar de ser heroicos, encontremos la manera de demostrar que los humanos pueden mezclarse con los océanos, vivir con ellos y no contra ellos. En mi caso, esta es la forma de pensar: el humano es una cosa muy pequeña, diminuta, y puede convivir con estos animales y flotar en este espacio azul sin causar un gran impacto destructivo.

Lynne Cooke

En 2005, cuando fue invitada a proponer una escultura para Isla Espíritu Santo en el mar de Cortés, Cristina Iglesias se dedicó a bucear. En 2010, se instaló *Estancias Sumergidas* a 15 metros bajo la superficie del agua en una reserva natural adyacente a la isla. Los dos pabellones calados, separados por unos 250 metros, se pueden ver desde arriba, por ejemplo, desde la barandilla de un barco o por los nadadores y buceadores. Sin embargo, debido a las fuertes corrientes que agitan incesantemente el agua, es imposible obtener una visión clara de sus estructuras de hormigón. En el mejor de los casos, aparecen como formas oscuras y borrosas, escurridizas. Es probable que pocos que no sean expertos sigan el ejemplo de Iglesias y se dediquen a bucear para poder participar directamente en su obra. La mayoría se enterará de segunda mano a través de las tecnologías audiovisuales, tal vez el cortometraje lírico, *Estancias Sumergidas*, de 2018, que Iglesias rodó para su presentación en museos de arte y contextos afines, o a través de fotografías impresas en catálogos de exposiciones y ensayos

«...para que perduren».

críticos, o a través de conferencias y entrevistas y, más informalmente, a través de rumores y habladurías.

Las paredes del pabellón están compuestas por retículas entrelazadas, formas de letras que deletrean un texto. Este formato compositivo es uno de los que Iglesias ha empleado con frecuencia. «Me interesa la idea de que un texto puede ser una estructura, incluso física», dijo en una declaración reveladora que señala el papel clave que desempeñan las ideas discursivas, la fantasía y la especulación en su práctica[2]. El texto que subyace y sostiene literalmente esta obra está tomado de los escritos del sacerdote jesuita y naturalista del siglo XVI, José de Acosta. Basado en sus experiencias como misionero que viajaba por las Américas recién descubiertas, *Historia natural y moral de las Indias* se publicó en Sevilla en 1590.

La cita que hace Iglesias del libro, ya olvidado, destaca un pasaje en el que de Acosta reflexiona sobre quienes, en busca de la legendaria isla de la Atlántida, acabaron en las costas del Nuevo

Mundo. En su opinión, la «tierra firme de las Indias» se asienta en las ruinas geológicas de ese paraíso ficticio sumergido. Indescifrable desde la distancia, cuando se ve de cerca el texto sigue siendo más sugerente que legible: fragmentos crípticos de una hipótesis visionaria.

También son esquivos los bancos de peces y otras criaturas marinas que se mueven alrededor y a través de la red de aberturas de la escultura.

Menos de una década después de su instalación, los espacios intersticiales entre las letras han empezado a llenarse, ya que las algas se sienten atraídas por los encofrados de hormigón y acumulan rápidamente un residuo. Con las estructuras de hormigón encapsulado que sirven de armaduras, las formas arquitectónicas se transformarán a su debido tiempo en masas amorfas monumentales. Los peces de brillantes rayas amarillas y negras capturados en la película de Iglesias se encuentran entre las 900 especies que se alimentan y crían en el Golfo de California. Junto con 32 mamíferos marinos y unos 2000 invertebrados marinos, la convierten, desde el punto de vista biológico, en la masa de agua más rica del planeta: «el acuario del mundo», en palabras de Jacques Cousteau. El mar de Cortés, declarado Patrimonio de la Humanidad por la UNESCO, contiene una serie de áreas designadas como zonas de conservación y reservas naturales. A partir de la década de 1970, la sobrepesca facilitada por la falta de control gubernamental y de una regulación eficaz, provocó un importante agotamiento. En los últimos años, los programas destinados a educar a los pescadores sobre los beneficios de la sostenibilidad a largo plazo, junto con una vigilancia activa y una regulación adecuada por parte de las comunidades locales, han permitido una importante reactivación del rico ecosistema del Golfo.

La implicación de Iglesias con la región comenzó con una invitación de FUNDEA (la Fundación Mexicana para la Educación Ambiental), que, a lo largo de un periodo de tiempo, había conseguido los derechos de pequeñas parcelas de Isla Espíritu Santo que antes estaban en manos privadas, y devolvió la masa terrestre a la protección del gobierno federal. Aunque el encargo de una escultura se concibió inicialmente como una oportunidad para erigir un monumento en la isla que conmemorara este acto de restitución, Iglesias consideró que la introducción de cualquier estructura de este tipo iría en contra del espíritu de la restauración, que permitía que las aves migratorias y otras especies se reprodujeran allí sin ser molestadas. Por ello, propuso una alternativa, una escultura que se situaría en alta mar y que podría funcionar como un refugio —un arrecife— para la vida marina, y un «centro de estudio» —un «pequeño laboratorio»— para los científicos[3]. Para ello, diseñó una obra que pudiera fabricarse localmente con materiales que no tuvieran un impacto tóxico en el entorno, y cuyos componentes fueran estables en sí mismos. A continuación, tras consultar a los biólogos marinos, colocó la escultura en un lugar donde el fondo marino es arenoso, de modo que no se necesitaran zapatas ni cimientos para fijarla en su sitio.

Dado que la información sobre *Estancias Sumergidas* es proporcionada por las autoridades locales, sus coordenadas geográficas están fácilmente disponibles para el importante número de turistas que acuden a la zona para practicar el buceo recreativo, la pesca y los deportes acuáticos. Ahora alberga varias especies particulares de esta zona, y se ha convertido en un hito ecológico buscado no solo por los biólogos marinos, sino también por los fotógrafos de naturaleza y los buceadores aficionados. Por consiguiente, contribuye a la riqueza cultural de la zona, al mismo tiempo que fomenta la sensibilización sobre los esfuerzos regionales en pro de la sostenibilidad y las prácticas de conservación de base amplia. Al definir su papel como «simbólico», Iglesias subraya que, para ella, es «una idea que apunta a la necesidad de crear zonas de este tipo en todo el mundo»[4].

Dada su exposición en forma de material fotográfico y documental, *Estancias Sumergidas* también ha sido ampliamente reconocida en el mundo del arte globalizado por su doble dirección: ecológica y estética. Visto a través de la lente de la historia del arte, su fino análisis de las determinaciones de la especificidad del lugar lo sitúa en un linaje que incluye el arte de la tierra creado por Robert Smithson y su cohorte que, a partir de finales de la década de 1960, trató de hacer arte en lo que entonces se consideraba lugares remotos, lugares donde el medio ambiente apenas podía sostener la vida humana. Al dirigirse a lugares inaccesibles e inhóspitos, Smithson no esperaba que su público siguiera sus pasos. Más bien, concibió lo que denominó «no emplazamientos», diseñados específicamente para su presentación en galerías o en las páginas de una revista de arte.

Por lo general, incluían diversas formas de documentación —mapas, fotografías Polaroid, dibujos y diagramas— junto con especímenes geológicos —rocas, arena, grava, incluso fósiles— de ese mismo lugar, que exponía en cubos metálicos, o colocaba en superficies espejadas, para aumentar la conciencia de su desplazamiento de sus lugares de origen.

En 1970, Smithson concibió su seminal *Spiral Jetty*, para Rozel Point, al borde del Gran Lago

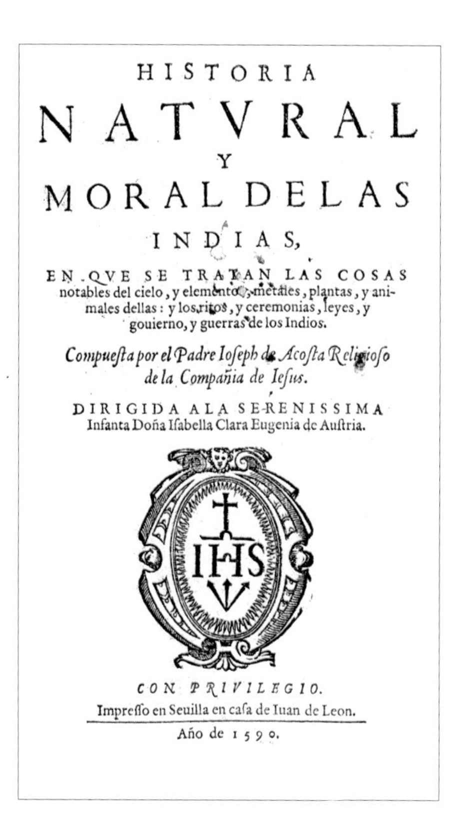

HISTORIA
NATVRAL
Y
MORAL DELAS
INDIAS,
EN QVE SE TRATAN LAS COSAS notables del cielo, y elementos, metales, plantas, y animales dellas: y los ritos, y ceremonias, leyes, y gouierno, y guerras de los Indios.

Compuesta por el Padre Ioseph de Acosta Religioso de la Compañia de Iesus.

DIRIGIDA ALA SERENISSIMA Infanta Doña Isabella Clara Eugenia de Austria.

CON PRIVILEGIO.

Impresso en Seuilla en casa de Iuan de Leon.

Año de 1590.

Historia natural y moral de las Indias de José de Acosta, 1590

Salado en Utah, en relación dialéctica con dos no emplazamientos: una película y un ensayo homónimos. En ambas representaciones, potenció el efecto de lo fantástico —la «sensación de ruptura cósmica»— que había experimentado al contemplar la monumental obra de tierra, incrustada de cristales de sal, suspendida dentro de las vastas extensiones de las aguas rojas y vivas del lago[5]. La película, de 20 minutos de duración y destinada a ser proyectada en festivales de cine y lugares afines, entrelaza imágenes de la obra de tierra desde un helicóptero que sobrevuela el lugar con otras tomadas a través de un filtro rojo en la sala de los dinosaurios más recientes del Museo de Historia Natural de Nueva York. Estos fragmentos de una geología intemporal se ríen sin regocijo de las esperanzas de la ecología llenas de tiempo», observó sombríamente[6]. La pista de audio de la película incluye una voz en off en la que el artista lee un texto distópico que enhebra pasajes de los escritos de Samuel Beckett, geología y libros de texto de medicina con sus propios pensamientos. Asimismo, el ensayo homónimo sintetiza lo fáctico y lo ficticio, lo especulativo y lo literal.

Este «mundo de la prehistoria moderna», que se sedimentó en las salinas de Rozel Point, está plagado de torres de perforación petrolíferas abandonadas y de restos industriales, según escribe Smithson, «y da testimonio de una sucesión de sistemas creados por el hombre y de esperanzas abandonadas»[7]. «La ilusión sigue a la ilusión», predice, para el espectador que se enfrenta a esta «desolación sin límites»[8].

En un texto anterior, «La entropía y los nuevos monumentos», publicado en 1966, había resumido las implicaciones de su mordaz visión en términos inequívocos: «En lugar de hacernos recordar el pasado como los antiguos monumentos, los nuevos parecen hacernos olvidar el futuro... No están construidos para que perduren, sino más bien en contra de la posteridad»[9]. El crítico Russell Ferguson ha localizado una diferencia primordial entre la obra entrópica de Smithson y los pabellones de Iglesias, construidos casi medio siglo después, en las actitudes contrastadas de los artistas hacia el futuro: «*Estancias Sumergidas* ha sido planificado desde el principio como un componente integral de la reserva natural en la que se encuentra. No se ha erigido en contra del tiempo», afirma Ferguson, «sino que pretende formar parte de una relación simbiótica continua con el entorno marino en el que se encuentra».

La escultura se convertirá en un arrecife de coral. Los manglares crecerán. La transformación que sufrirá es en parte entrópica, por supuesto, pero también generativa»[10]. En los años sesenta, la preferencia de los artistas por los lugares áridos

Robert Smithson, *Spiral Jetty*, 1970
Gran Lago Salado (Utah)
Barro, cristales de sal precipitados, rocas y agua
457,2 m de largo y 4,6 m de ancho
Colección de la Dia Art Foundation
Fotógrafos: Robert Smithson
Obra de arte © Holt/Smithson Foundation y Dia Art Foundation, con licencia de VAGA en ARS, Nueva York/VG Bild-Kunst, Bonn 2021

e inhóspitos del desierto estaba impregnada de una fascinación no solo por lo distópico, sino por lo prehistórico, un «pasado perdido» que la arqueología podía revelar en todas sus ruinas y decadencia. En cambio, para una generación más joven, entre los que se encuentran Doug Aitken, Pierre Huyghe y Olafur Eliasson, el mar y el futuro se han convertido en su lugar y tema preferidos.

Como fuente de las primeras formas de vida, el océano ha estado asociado durante mucho tiempo en el imaginario humano con lo generativo. Hoy en día, es tan probable que sea aclamado como el último reducto, el lugar más alejado y menos sujeto a las depredaciones de la humanidad y, por lo tanto, un lugar donde, en una vida posterior apocalíptica, ciertos organismos pueden resultar resistentes.

A medida que el mundo físico y el digital se entrelazan más y más, el compromiso con las obras de arte se basa cada vez más en lo que es accesible a través de una pantalla y el clic de un ratón, poniendo literalmente al alcance de la mano lo que antes se consideraba remoto e inaccesible. En el ámbito de lo digital, la realidad material se funde fácilmente con lo fantástico, lo virtual y la ciencia ficción. Huyghe, por ejemplo, se benefició de esta elisión sin fisuras al concebir *Abyssal Plain* para la Bienal de Estambul de 2015. Un escenario de hormigón en el fondo del océano frente a la costa turca en el mar de Mármara, su contribución fue diseñada como un sitio donde, en palabras del catálogo en línea de la Bienal, «la vida marina evoluciona dentro y fuera de esta creciente colección [de residuos producidos por el hombre], transformándola constantemente». Según Adrian Searle, que reseñó la exposición para el periódico londinense *The Guardian*, el artista «espera que la extraña medusa «biológicamente inmortal» *Turritopsis dohrnii* habite en su construcción»[11]. Más allá de estos breves informes, la información sobre Abyssal Plain era escasa, conjetural y sin fundamento. El artista no ofreció declaraciones directas.

El acceso físico a la obra no era posible; las imágenes no estaban disponibles. Y, dado que no existen antecedentes, se desconoce la profundidad y el alcance de su base en la investigación científica. Lejos de desanimarse, Searle declaró: «La idea de que está aquí es suficiente». Al igual que otros seducidos por la propuesta de la construcción no verificada, se inspiró en las aspiraciones del artista: la esperanza de que alguna forma de vida orgánica resida allí en épocas venideras.

Para artistas como Iglesias y Huyghe, cuya estética pone en primer plano la intersección del ámbito material con el de la especulación, la fantasía y el ensueño, la invisibilidad no es una limitación ni un lastre. En un discurso en la inauguración de *Estancias Sumergidas* en La Paz, México, en 2010, Iglesias afirmó: «El espacio que está en nuestra imaginación es real; de alguna manera está presente.

[La escultura] ya está ahí y creo que siempre lo estará»[12]. No es de extrañar que la ciencia ficción sea una de sus pasiones de siempre. Textos de Raymond Roussel, Julio Verne, Edgar Allen Poe, A.C. Clarke, J.G. Ballard y otros para quienes lo visionario es afín a lo real, figuran en muchas de sus obras.

En 1993, en Moskenes, en el norte de Noruega, Iglesias encontró un lugar que encarnaba su ideal de «una ilusión en el umbral de la realidad»[13]. Este descubrimiento fue ocasionado por una invitación de Artscape Nordland para realizar una obra que se ubicaría en el paisaje de Lofoten. Podría decirse que ninguna obra del importante corpus de esculturas en lugares públicos de Iglesias está más aislada y remota que *Sin título (Hojas de laurel)* (p. 250), situada en un condado poco poblado y sin árboles al norte del círculo polar ártico. El lugar que eligió, una gruta en la ladera de una colina con vistas al mar es conocido en la tradición local como «la mantequera del diablo». Dos pantallas de aluminio, cuyas superficies en relieve fueron fundidas a partir de racimos de hojas de laurel (una planta originaria de su tierra natal, España), enmarcan una profunda grieta en su acantilado rocoso. Como paréntesis, sus muros cubiertos de hojas crean un umbral a un espacio indeterminado, figurado y literalmente oscuro. Atrapados por la luz del sol, se convierten en un portal luminoso hacia un vacío a la vez seductor y terrible. En la mente de Iglesias, el lugar incipiente e ilocalizable que hay en su interior está vinculado a la extensión de agua cercana, que contiene el legendario remolino que tiene fama de haber inspirado el relato de Poe, «Un descenso a la vorágine»[14]. Al abordar la obra, escribió:

Había momentos en los que se veían las paredes dentro de la obra —el bosque o la vegetación dentro de ella— y el mar detrás.

Entonces, entrabas en la pieza y este mundo de imágenes te rodeaba. Podrías tener la sensación de «adentrarte en el mar». El agujero como metáfora... de un lugar imposible. Un bosque, una vegetación profunda bajo el mar[15].

Los motivos de Iglesias para aprender a bucear en 2005 fueron en parte pragmáticos: quería poder guiar a los técnicos mientras instalaban *Estancias Sumergidas* en el fondo marino.

Pero también fue crucial su deseo de experimentar directamente la interacción entre lo material, lo ilusorio y lo especulativo que subyace en la concepción de *Sin título (Hojas de laurel)* y otras obras relacionadas[16]. Porque solo en la intersección de estos distintos registros se revelan plenamente sus esculturas. Y, no menos importante, solo entre los peces de vivos colores que habitan en sus pabellones pudo tomar plena conciencia de las dos líneas temporales contrarias que constituyen el núcleo de esta obra. Una, la del corto plazo, está encarnada en los seductores habitantes de este reino edénico que los conservacionistas, biólogos y otros intentan preservar contra todo pronóstico. La segunda, la visión a largo plazo, se manifiesta simbólicamente en las algas y los microorganismos que, al borrar gradualmente las formas concretas, acabarán con todo rastro de la historia humana, tal y como se conjura en el informe pionero de Acosta.

Pero los artistas no son los únicos que privilegian las opciones imaginativas como medio para hacer avanzar el pensamiento, y que proponen que las especulaciones sin fundamento se sopesen seriamente. Entre los visionarios que tratan de avanzar más allá de lo que podrían considerarse soluciones a corto plazo para los problemas casi insolubles a los que se enfrentan los sistemas ecológicos, destaca Jonathan Ledgard. Desde 2012, el antiguo periodista, activista medioambiental y novelista se ha «reconvertido en un evangelista del pensamiento radical y en un profeta de la fatalidad concreta», escribe Ben Traub en un perfil para *The New Yorker*[17]. Aunque Ledgard admite que sus proyectos pueden sonar fantásticos y que «su probabilidad de éxito tiende a la desaparición», afirma: «Mi principal objetivo es llevar la conversación en una dirección más imaginativa». Para ello, ha comenzado a colaborar con artistas, así como con científicos, economistas y políticos.

Y se centra cada vez más en la posible contribución de la inteligencia artificial a la biosfera. Tanto en el ámbito digital como en el natural, existe un amplio consenso en que hay «formas de ver y formas de entender que son superiores a las formas en que los humanos ven y entienden». El punto de inflexión llegará, en opinión de Ledgard, cuando las redes de inteligencia artificial alcancen la «singularidad», es decir, cuando «escapen al control humano». Porque eso abrirá una posibilidad radicalmente nueva. ¿Qué pasaría, se pregunta Taub, parafraseando a Ledgard, si la inteligencia artificial «reconociera el valor de la vida en sí misma y comenzara a priorizar despiadadamente la preservación de la vida en sus formas más esenciales: los microbios, los hongos, la flora, las jaleas y las salpas, que laten en las profundidades más negras del océano»? La respuesta es concisa y sin rodeos: «Una intervención digital para mitigar el antropoceno. Otra oportunidad para la tierra, sin nosotros».

Si se puede considerar que *Estancias Sumergidas* modela esta propuesta, lo hace de forma encubierta, en contraste con su compromiso frontal con las aspiraciones de los biólogos marinos, los conservacionistas y sus afines. El punto de encuentro de estas propuestas diametralmente diferentes son las alternativas de pensamiento sobre el futuro que ofrecen. Una, dada su reconocida fragilidad y vulnerabilidad, es, en el mejor de los casos, tímidamente esperanzadora. La otra, basada en la brevedad de la existencia humana en este planeta, ofrece un registro de esperanza totalmente diferente.

Notas al pie en la página 246

Pantallazo del vídeo de Alfredo Barroso/
Octavio Aburto, 2018

Debate

Iwona Blazwick Gracias, Lynne. Quería empezar preguntando, ¿qué opinas de las demás especies que interactúan con *Estancias Sumergidas*? ¿Forman parte del público o solo permanecen ajenos o indiferentes?

LC Creo que somos nosotros los que somos público, en la medida en que observamos y porque somos ajenos: no podemos vivir en ese entorno. Somos los intrusos y pasaremos. Así que si hay una visión a largo plazo, es que el coral y las formas vegetales y animales que crecen en él cambiarán la estructura, y el texto y su contenido tal y como lo conocemos se disolverá para convertirse en otra cosa. El punto de partida se volverá irrelevante, ya que generación tras generación de especies lo transforman y lo cambian.

IB ¿Crees que lo que propone Cristina es diferente de la ruina y el patetismo de Heizer y de la idea de entropía tan importante para Smithson? Me parece que es más generativo: señala la fragilidad de la vida, pero también restaura la vida, la devuelve.

LC Creo que tiene un significado diferente, sin duda. No podemos considerar que no sea antropocéntrico, en el sentido de que está hecho por humanos en estructuras imaginativas y marcos discursivos totalmente antropomórficos, pero comparado con el tipo de antropocentrismo de generaciones anteriores, creo que es algo diferente.

Ha habido textos que han interpretado la obra de Cristina en términos feministas y uno podría pensar en cómo podría hacerse esa lectura aquí. Podría ser otra forma de entrar en él.

T.J. Demos Tengo una pregunta sobre el uso del término «salvaje». Está en el título de este simposio y Lynne, lo estabas utilizando, aunque de forma crítica y consciente. Para mí, es realmente un término problemático que está completamente obsoleto hoy en día. Me pregunto si esto es algo de lo que deberíamos hablar y tal vez descomponer productivamente. Tu argumento sobre la dialéctica del emplazamiento y el no emplazamiento de Smithson suprime la legitimidad de cualquier noción de lo salvaje, ahí mismo. Creo que es interesante y quizás deberíamos tenerlo en cuenta a la hora de utilizar ese término.

LC Yo no lo habría utilizado. No suelo utilizarlo. En realidad, no forma parte del vocabulario de los años 60. Lo utilicé como punto de referencia para conectar la argumentación con Iwona, que había hablado de lo salvaje al presentar la obra.

Richard Noble ¿Puedes explicar un poco por qué crees que ya no es una forma válida de referirse a la naturaleza en relación con la cultura?

TJD Creo que forma parte de una ideología ilustrada, colonialista y romántica que veía las nuevas tierras o el Nuevo Mundo como algo puramente natural y no como resultado de las prácticas indígenas reales.

Hay un libro titulado *Tending the Wild*[18] que es un estudio sobre el paisaje norteamericano y las recientes investigaciones sobre el Amazonas, que implica 10 000 años de gestión humana. La idea de lo salvaje en términos históricos es extremadamente problemática si nos remontamos a unos 10 000 años. Además, el término «antropoceno» nos alerta sobre el hecho de que no hay ninguna zona que no se haya visto afectada por las actividades del petrocapitalismo humano. Incluso si nos fijamos en las zonas más remotas, ya sea en el Ártico, los polos o las profundidades marinas, se están descubriendo plásticos en zonas que aún no han sido exploradas por los científicos y biólogos marinos. La composición química del océano, su acidez, está cambiando a medida que se calienta. Me recuerda a un término que utiliza Peter Galison en Harvard, en el que insiste en unir los términos «páramo» y «zona salvaje»; su término es «páramo salvaje». La llamada naturaleza se ha visto completamente afectada e infectada por formas de residuos y contaminación. Esto también se aplica a los parques nacionales. Así que, dadas las condiciones del antropoceno o del capitaloceno, no hay forma de pensar en lo «salvaje» según la propuesta original.

Cristina Iglesias Supongo que se podría pensar en lo salvaje —aunque no sea nada práctico o realista— como un sueño en términos poéticos o filosóficos, en contraposición a una descripción de hechos.

RN No estoy seguro de poder aceptar el argumento de que la noción de lo salvaje es totalmente ilegítima. Creo que es un argumento muy fuerte y claro el que planteas, pero ¿qué pasa con la distinción entre naturaleza y cultura si prescindimos de la idea de lo salvaje? A nivel general, acepto la premisa del antropoceno: no hay parte del planeta que no esté afectada por la actividad humana. No obstante, al mismo tiempo, existen verdaderas diferencias entre el lugar en el que estamos ahora en La Jolla y el fondo marino de Baja California donde se encuentra *Estancias Sumergidas*. Me pregunto si al negar la idea de lo salvaje estamos negando el significado de cualquier distinción entre naturaleza y cultura. ¿Desaparece por completo la idea de naturaleza en el antropoceno? No estoy seguro de cuánto se puede ganar en términos de nuestra comprensión del desafío que tenemos ante nosotros descartando la noción de lo salvaje.

TJD Bueno, me vienen a la mente algunos textos que podrían ayudar. El ensayo de William Cronon titulado «The Trouble with Wilderness»[19] es una crítica ecológica y política realmente importante de la idea de lo salvaje. Sostiene que lo salvaje fue una categoría producida para que pudiéramos mantener estos espacios aparentemente no humanos, lo que a menudo implicaba expulsar a los indígenas de las tierras porque no formaban parte de lo salvaje.

En respuesta a su distinción entre naturaleza y cultura, Donna Haraway insiste en unir esos dos términos para formar un nuevo término. Utiliza el término «naturacultura» para insistir en que ya no hay oposición o discrepancia posible entre esos términos, si es que alguna vez la hubo. Creo que esto es lo que estos textos intentan señalar: que los espacios de pureza o separación o lo no humano frente a lo humano, simplemente ya no se sostienen. Y este es el reto. ¿Cómo inventamos nuevos vocabularios? Hay gente como Timothy Martin que propone que renunciemos a cierto lenguaje, como la propia «naturaleza». Su libro se titula Ecología sin naturaleza[20], así que tal vez sugiera que necesitamos una «ecología sin naturaleza». Creo que Willian Cronon lo propondría. Esta es una cuestión importante. Pero en cuanto a lo que sustituye a la idea de «salvaje» dentro del llamado discurso «posnatural», no creo que queramos caer en la trampa de argumentar que no hay nada llamado «naturaleza» o «natural». Decir que no hay nada que no esté hecho por el hombre es ridículo. La cuestión es que no hay zonas puras. Estamos ante una ecología interseccionalista en la que la ecología es en sí misma conectividad; en la que no podemos separar las cosas en las viejas esferas binarias características de la Ilustración.

Por lo tanto, creo que Haraway tiene una propuesta en la «naturacultura». Hay otros términos que se nos ocurren: lo «salvaje» entre comillas; lo salvaje como categoría imaginaria, poética o lírica, poscolonial. No lo sé. No tengo una solución fácil, pero es una pregunta que vale la pena hacerse sobre lo que viene después de la deconstrucción de estos términos.

Andrew Benjamin Me gusta bastante la idea del antropoceno o la palabra que quieras usar, para indicar que el concepto de que hay un exterior es imposible. La idea de que el mundo no está, en cierto sentido, marcado por nosotros y que hay un espacio puro de naturaleza salvaje es ingenua. Las obras de Cristina demuestran los problemas conceptuales que tenemos con estos temas. Nos desafía a responder a una condición que ya no tenemos el lenguaje para entender.

Octavio Aburto De hecho, algunos de los objetivos de los que hablaba antes, como el 10 %, el 20 % que se establecieron, pensando que cuando cerremos estas áreas volveremos a este estado prístino; eso, por supuesto, no puede suceder completamente y probablemente, en el futuro, no sucederá.

RN Sin embargo, creo que la noción de tutela y conservación y el tipo de lenguaje moral que hemos estado utilizando hasta ahora sobre la preservación de elementos del mundo natural de la degradación de la empresa capitalista corre el riesgo de desaparecer si no somos capaces de distinguir entre naturaleza y cultura. Estoy seguro de que esto es solo el legado del pensamiento de la Ilustración en mi propia mente, pero lucho con la idea de cómo podemos pensar en nuestras obligaciones morales o políticas con las ecologías que habitamos. No desaparecen porque los consideremos interseccionales o porque sepamos que formamos parte de la naturaleza. Por supuesto, lo hemos sabido siempre, aunque hayamos construido estos binarios que ya no tienen sentido.

AB En mi opinión, al menos, la producción capitalista está destruyendo el mundo. La idea de que se pueda escindir una parte y ser un administrador de la misma, independientemente de la producción capitalista, simplemente no es posible. Hay que ver que lo que está ocurriendo está ligado a un orden económico que necesita las desigualdades y la degradación del medio ambiente.

IB Cristina, ¿podrías decir algo sobre el texto de la obra, los orígenes de la misma?

CI Bueno, es un texto extraído de un libro titulado *Historia natural y moral de las Indias*, escrito en el siglo XVI por un sacerdote jesuita. Es una crónica de lo que los europeos ya habían descubierto en América, pero escrita de forma muy poética. No es realmente una descripción como tal, es bastante platónica. Así que tomé un extracto que habla de la Atlántida como idea, y también, que habla de todo el espacio que cubría, desde África hasta Europa. He utilizado ese texto porque me interesa la idea de los jeroglíficos. Utilizo el texto como una forma de crear una geometría que haga de muro porque, aunque las piezas estén tomadas por la naturaleza, siguen siendo pabellones. Siguen siendo habitaciones que pueden contener, que pueden ser habitadas, y al mismo tiempo se sabe que van a desaparecer. Y eso también forma parte de la idea: el texto, el poema, desaparecerá en la naturaleza y quedará totalmente oculto dentro de la pieza.

IB Lynne, ¿podrías decir algo más sobre esta idea de la invisibilidad? Nos has mostrado obras de Doug Aitken, y también de Pierre Huyghe, que el año pasado realizó una obra bajo el fondo marino de Estambul, en el Bósforo. Nadie verá nunca estas obras. ¿Qué sentido crees que tiene?

LC Creo que estas obras existen de un modo similar a los rumores. Este es un término que he utilizado anteriormente, y es un término que Francis Alÿs ha utilizado para explicar la forma en que quería que existiera una obra: a través de la circulación, la discusión, los textos, lo que sea, pero no necesariamente la representación visual. Me gusta la idea de una obra que se conozca y de la que se hable y que adopte muchas formas diferentes, algo así como el teléfono escacharrado. El contexto siempre es inestable y cambiante porque el momento de la interpretación cambia históricamente y, por tanto, el se filtra y recrea adoptando una forma diferente. Para algunos artistas, la idea de que una obra exista principalmente en esos términos es muy poderosa, y en un mundo en el que Internet y las redes sociales desempeñan un papel tan importante como generadores de conocimiento, de memoria colectiva y de sentido de comunidad, esta posibilidad se vuelve aún más potente. La obra de Cristina puede tener, y tendrá, una vida en esos términos, además de la que tenga en eones hacia el futuro. No he hablado de la obra de Doug Aitken, en parte porque considero que es espectacular y sus pretensiones de conciencia y sensibilidad medioambiental están muy poco esbozadas y son poco específicas. En ese sentido, es profundamente diferente del trabajo de Cristina y, en cierto sentido, es un modelo que yo no propondría.

Mathieu Gregoire Lynne, me preguntaba si tienes alguna idea en relación con Allan Kaprow, que es muy importante en la historia de la UCSD [Universidad de California en San Diego], en relación con la invisibilidad y el aspecto vivo también.

LC Creo que con Kaprow, la idea es que la instrucción o el texto es una partitura a partir de la cual se puede hacer una obra performativa. No está totalmente alejado, pero creo que es una vertiente diferente de la estrategia artística.

MG Aunque el trabajo en sí no es solo la instrucción. La obra en sí misma es el acontecimiento y su paso.

LC Sí, y es una experiencia para quienes la hacen y participan en ella, pero como partitura, es un *urtext*, en cierto modo también, y creo que las relaciones entre público, espectador y obra de arte son diferentes.

AB Abres una cuestión muy interesante en relación con hasta qué punto se puede disociar una obra de arte de su documentación, y en particular cuando lo que se vuelve interesante de la obra de arte es su documentación, que incluye imágenes y fotos y críticas, etc. Vivimos en una época en la que muchas obras de arte no pueden distinguirse de su documentación. Smithson sería un ejemplo, Cristina otro.

LC Creo que hay dos generaciones, o quizás tres. En la generación de Heizer, De María y Smithson, algunos hicieron un intento coordinado de controlar la documentación. Por ejemplo, hay seis imágenes de *Campo de relámpagos* que se pueden publicar. El pensamiento de Walter de María era presentar una demanda judicial si se publicaban más imágenes y que la gente que fuera al campo firmara una renuncia a tomar fotografías y distribuirlas. Por supuesto, en el mundo actual, eso no es posible, pero esa era la idea, de modo que estas imágenes codificadas eran la única fuente que existía. En el caso de Smithson, no es la documentación, es el no emplazamiento. Sin embargo, artistas como Francis Alÿs o Pierre Huyghe dan la bienvenida a Facebook, Snapchat e Instagram. No hay una imagen o fuente de imagen o representación privilegiada y, en ese sentido, es donde creo que el rumor empieza a ser una cosa diferente. Si el rumor puede ser esta categoría global que propongo, entonces la proliferación de imágenes y discursos y textos constituye un espacio imaginativo en el que vive la obra.

T.J. Demos

Mundos inmersos: sobre las Estancias Sumergidas de Cristina Iglesias

¿Cómo podemos producir formas creativas para vivir y sobrevivir al antropoceno, la era de la transformación climática antropogénica, en la que el clima se refiere de forma expansiva a los enredos socioecológicos de la violencia político-económica y a los efectos bio-geofísicos, así como a los modos colectivos de supervivencia y a la resiliencia sobrehumana? *Estancias Sumergidas* (2010) de Cristina Iglesias ofrece una de estas propuestas para el medio ambiente marítimo, una región que ha sufrido su propia depredación tras siglos de extracción de recursos y contaminación, con el consiguiente peligro para las especies y las múltiples extinciones.

Construida para convertirse en una construcción multiespecie (jugando con los significados de estancia 'mansión', 'habitación', 'asiento'), la escultura consta de varios muros, sumergidos a unos 15 metros de profundidad en el mar de Cortés de Baja California. Las grandes piezas rectangulares perforadas, fabricadas de hormigón armado con acero inoxidable de pH neutro, invitan a la vida marina, incluidos los peces y las mantas del género Mobula, a visitar la instalación, a nadar alrededor y a través de sus numerosos pasadizos, mientras las algas, los percebes y las hierbas marinas transforman gradualmente la pieza en un arrecife artificial, así como en un especulativo objeto estético poshumanista subacuático.

Los muros están perforados en cuadrículas geométricas que, si se observan con detenimiento, contienen las palabras de un texto extraído de *Historia natural y moral de las Indias* del misionero y naturalista jesuita español José de Acosta, de 1590, cuyo pasaje compara la conquista de las Américas con el redescubrimiento de la Atlántida, además de predecir, implícitamente, una segunda inmersión.

Iglesias prefigura dicho hundimiento vinculando la caída de la modernidad colonial a sus propias fuerzas destructivas para el medio ambiente. Reconociendo la imposibilidad final de separar la ecología en las vertientes separadas de la naturaleza y la cultura, su trabajo une provocativamente la política decolonial con la justicia multiespecie en el periodo posterior a la era humana.

El proyecto de Iglesias de cultivar «un jardín bajo el agua», como se señala en el documental *Jardín en el mar*, de Thomas Riedelsheimer, promueve un tipo diferente de percepción, no solo vinculada a la belleza revelada de la biodiversidad de la vida marina, sino que también nos presenta una cuestión especulativa de lo que podría ser una percepción estética sobrehumana. Si «toda la vida es semiótica y toda la semiosis está viva», como sostiene el antropólogo forestal Eduardo Kohn, entonces también lleva un elemento estético intrínseco, en la medida en que la estética tiene que ver fundamentalmente con las sensaciones, lo que implica una experiencia que no es exclusivamente humana[21]. Aunque es posible que nunca sepamos qué sienten las mantas *Mobula* cuando revolotean alrededor de la escultura de Iglesias en sus impresionantes coreografías de aleteo, o cómo experimentan los peces sus juguetones laberintos de túneles y recintos arquitectónicos, está claro que *Estancias Sumergidas* sitúa esa potencialidad multiespecie y esa imaginación especulativa en el marco más amplio de la actual crisis ecológica, donde el mundo que se enfrenta a su fin no es solo humano. La era de la catastrófica desintegración climática invita a una nueva sensibilidad hacia la biosemiótica y la estética multiespecie al mismo tiempo que nos enfrentamos a una necropolítica generalizada en la que el extractivismo hace que los entornos destruidos, el colapso de los ecosistemas y un evento de extinción masiva de las especies nos llamen cada vez más la atención, una dinámica de reconocimiento y compensación en la que la instalación de Iglesias parece estar completamente inmersa.

Los mares son, por supuesto, un entorno clave de los cambios ecológicos impulsados por el petrocapitalismo, entre ellos el aumento de las temperaturas y los niveles de acidez, lo que lleva a la destrucción generalizada de las colonias de plancton, la vida de los crustáceos y la muerte global de los arrecifes de coral. Las diversas biologías marinas están en general amenazadas también por la pesca industrial, lo que constituye el marco más amplio de la intervención de Iglesias. Las mayores redes industriales utilizadas para la pesca de arrastre tienen bocas del tamaño de un campo de fútbol y dejan cicatrices kilométricas en el lecho marino, mientras que la pesca industrial del atún emplea líneas que se extienden a lo largo de casi 100 kilómetros y arrastran miles de anzuelos con cebo. Según una estimación, hay más de 160 000 kilómetros de líneas, con cuatro millones y medio de anzuelos, surcando el océano Pacífico cada día. Mientras

Robert Smithson, *Spiral Jetty*, 1970
Gran Lago Salado (Utah)
Barro, cristales de sal precipitados, rocas y agua
457,2 m de largo y 4,6 m de ancho
Colección de la Dia Art Foundation (Nueva York)
Arriba: Gianfranco Gorgoni;
Abajo: Charles Uibel/Great Salt Lake Photography

tanto, la expansión de los campos de perforación petrolífera en alta mar ha provocado sucesos catastróficos como el desastre de BP Deepwater Horizon en 2010, y los fondos marinos se ven sometidos cada vez más a prácticas de minería de maquinaria automatizada que destroza los frágiles entornos en actos de destrucción rapaz motivados por la acumulación interminable de capital. Por si fuera poco, la creciente contaminación por escorrentía de fertilizantes químicos y residuos industriales extiende las zonas muertas hipóxicas, y el giro del Pacífico, que contiene unas 79 000 toneladas de residuos plásticos en una zona dos veces más grande que Francia, pone de manifiesto la contaminación por micropolímeros aún más extendida en las aguas. Ante lo que Elizabeth Kolbert describe como «El mar que se oscurece» en su ensayo de 2006, en el que relata el progresivo descenso de los océanos hacia una masa acuática casi futura que ya no es capaz de sostener la existencia, el llamamiento a una rebelión contra la extinción no puede ser más claro ni más urgente[22]. De hecho, este llamamiento, tal y como se expresa en el creciente movimiento social, exigiría una transformación estructural de la producción económica y el consumo hacia una descarbonización masiva, un proceso necesariamente dirigido por un imperativo de justicia social de igualdad democrática más allá del actual nexo de la globalización corporativa y el neoliberalismo militar. La producción cultural también tiene un papel que desempeñar (aunque gran parte de ella siga atrapada en los sistemas de mercados e instituciones comerciales) para proporcionar no solo una documentación crítica de las múltiples injusticias socioecológicas del presente, sino también imágenes y sonidos emancipadores, nuevas historias y formas estéticas basadas en la imaginación especulativa, que lleguen a las comunidades en primera línea de lucha, en la construcción de un mundo posantropocéntrico. De hecho, podemos afirmar ambiciosamente y con toda seriedad que el imperativo ético-político actual del arte debe ser nada menos que salvar el mundo y las capacidades de florecimiento humano y multiespecie —como, por ejemplo, han reclamado recientemente los poetas afroamericanos y estudiosos de la performance Fred Moten y Robin Kelley para el proyecto de los estudios negros[23]—. Esto exigiría no solo diseños prácticos y creativos para la descarbonización y la restitución del medio ambiente, sino una transformación de los valores y percepciones culturales fundamentales, explorando de nuevo lo que significa vivir la vida como seres dentro de una red de vida más amplia, dentro de culturas de justicia social, igualdad y cuidado mutuo, en las ruinas del capitalismo.

Si la obra de Iglesias contribuye a ese proyecto, lo hace basándose en numerosos precedentes artísticos que forman un camino reciente de desarrollo artístico ecoestético en, alrededor y sobre el agua, y resonando con ellos, tanto en consonancia como en disonancia. Lo primero que nos viene a la mente, más allá de los antiguos relatos de la Atlántida y de las posteriores genealogías artísticas de utopías fallidas en diversas formaciones de la historia del arte, es la especificidad acuática posminimalista del *Spiral Jetty* (1970) de Robert Smithson, la espiral rocosa de 3.000 metros de largo por 5 metros de ancho situada en la península de Rozel Point, en la orilla nororiental del Gran Lago Salado de Utah.

Iniciando su propia serie de mutualidades ambientales y cocomunicaciones materiales entre la sal, la roca y el agua, la escultura representa una figura de/monumental para lo que Andrew Uroskie llama «cine estratigráfico», según el cual Smithson interviene tanto escultural como representativamente en el contexto del movimiento estadounidense del arte de la tierra[24].

Complicando e instanciando la dialéctica emplazamiento/no emplazamiento de Smithson, en la que la escultura «ahí fuera» se conecta dialécticamente con las representaciones «aquí dentro», la película *Spiral Jetty* que el artista realizó sobre su obra inició una relación cinematográfica de referencia mutua y transmutación que, en última instancia, niega el idealismo y la propia monumentalidad de un modo similar al desarrollado en los propios documentales en vídeo de Iglesias que animan y registran los devenires procesales de su escultura. La extensión rocosa de Smithson complica la referencialidad, que se arremolina en la indeterminación tanto en relación con los estratos geológicos interconectados, la forma espiral que transforma fractalmente el cristal de sal y la concha, como con el desenrollado progresivo de una película en estuche de lata, donde la secuenciación y la superposición de tiempos licúa la temporalidad en múltiples pasados y presentes.

El ecosistema producido por Iglesias también recuerda a *Ocean Landmark* (1978-80),de Betty Beaumont, un proyecto que combina la construcción de hábitats con el arte de los procesos marinos, patrocinado conjuntamente por instituciones como el Departamento de Energía de los Estados Unidos, el Instituto Smithsoniano, Bell Labs, el Observatorio de la Tierra Lamont Doherty de la Universidad de Columbia y la agencia estadounidense National Endowment for the Arts, lo que indica la amplia red de contactos que ayudó a dar forma a la obra.

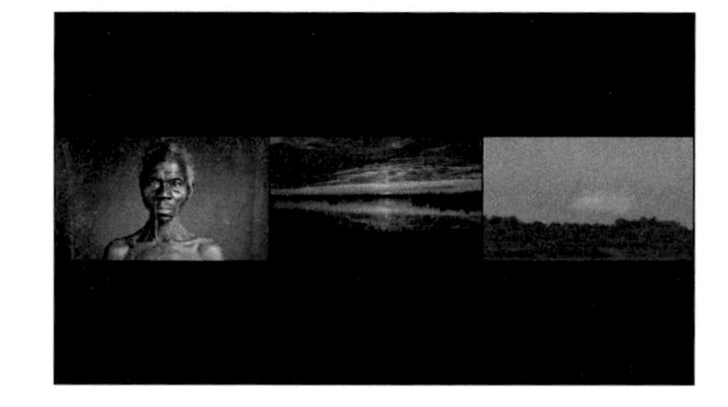

John Akomfrah, *Vertigo Sea*, 2015
Instalación de vídeo HD en color de tres canales, sonido 7.1, 48 min 30 seg (AKOM150001)
© Smoking Dogs Films; Courtesy Smoking Dogs Films y isson Gallery

Beaumont colaboró con científicos e ingenieros que experimentaban con formas de estabilizar en el agua los subproductos industriales de los residuos del carbón que, al ser vertidos en el mar, se transformarían idealmente en una escultura submarina de arrecife artificial, a poco más de 21 metros bajo la superficie del océano Atlántico. Beaumont fue pionera en el papel del artista como proveedor de servicios a los ecosistemas, así como remediador de la degradación industrial, una identidad artística interdisciplinaria que Iglesias adopta a su vez, añadiendo a ella importantes elementos estéticos de la imagen de las formaciones comunitarias multiespecie y representando las negociaciones «naturaculturales»[25].

Más recientemente, la obra *Vertigo Sea* (2015), de John Akomfrah, ofrece un montaje de pantallas de vídeo en tres canales que cuenta «historias oblicuas de lo sublime acuático», como dice uno de los varios intertítulos. Aquí, el océano se convierte en un lugar multivalente de conflictos geopolíticos y ecológicos, configurados por las conquistas coloniales, la esclavitud y el desarraigo posnacional, dentro de historias aún no resueltas de migración, industrialización y transformación medioambiental. Si Beaumont se centra en lo sobrehumano, Akomfrah se niega a dejar de hacer hincapié en las desigualdades sociales dentro de lo humano, ya que se cruzan con la vida y la muerte marítima. Con una duración de 48 minutos, los exuberantes paisajes marinos (algunos de ellos tomados del documental sobre la vida marina de David Attenborough de 2001, *Planeta azul*) proporcionan un colorido telón de fondo para las rutas de la exploración colonial y la esclavitud transatlántica, mientras que las imágenes de la biodiversidad de la vida marina se ven interrumpidas de forma chocante por pasajes en blanco y negro de marineros cazando osos polares y matando ballenas con cañones explosivos. El derretimiento y el desprendimiento de los glaciares son los signos del calentamiento global, que se contraponen a las tomas de cuerpos marrones encadenados arrastrados a la orilla desde un mar reconfigurado como cementerio, donde las geologías de la violencia medioambiental se cruzan con la vileza intrahumana (aunque la brutalidad racial del antropocentrismo negó a los esclavos su humanidad).

Mientras que Akomfrah se apropia de imágenes de *Planeta azul*, Lucien Casting-Taylor y Véréna Paravel, del laboratorio de etnografía sensorial (SEL) de Harvard, inventan nuevas visualizaciones de la pesca industrial marítima con su largometraje *Leviathan* de 2012, siendo el propósito del laboratorio «apoyar combinaciones innovadoras de estética y etnografía... que exploren la praxis corporal y el tejido afectivo de la existencia humana». Multitud de cámaras digitales GoPro, enfocadas desde diversos puntos de vista en un buque mercante frente a la costa de New Bedford, Massachusetts, proporcionan registros viscerales de los sonidos y las vistas de las olas, las redes de pesca que sueltan sus capturas en la cubierta y los hombres que procesan la vida marina en modos ejemplares de eficiencia industrial todavía basados en el trabajo manual humano, reflejado en el trabajo de los cineastas. Todo ello se pone de manifiesto en los múltiples e increíblemente íntimos primeros planos de la película, algunos de los cuales sobrepasan también los límites normales de la percepción humana, y el espectador se enfrenta a una dialéctica entre la vida y la muerte de lo sobrehumano en formas presenciadas por una vista cinematográfica no humana[26].

Aunque estas obras son totalmente diferentes de la construcción de hábitats escultóricos bajo el agua de Iglesias, aunque están más cerca de las imágenes basadas en el vídeo de sus esculturas submarinas, resuenan con su práctica de la estética marítima especulativa en la era de los mares industrializados, así como en la provisión de opciones creativas para volver a conectar la empatía y la compasión, la experiencia multisensorial y el cuidado medioambiental con el reino más que humano.

En total oposición a la imagen impasible y sin distancias de *Leviathan* sobre la industrialización de la naturaleza, se encuentra *O Peixe*, de 2016, del artista brasileño Jonathas de Andrade, un mimetismo cauteloso de las películas antropológicas exotizantes. Rodado en el noreste de Brasil, retrata a pescadores, generalmente de color, que abrazan y acarician con ternura sus capturas, capturadas con arpón o sedal, como expresión de un ritual cultural de agradecimiento a la Madre Tierra por sus provisiones, abrazando con la mayor empatía a sus hijos no humanos en sus momentos de sacrificio vital. Los primeros planos de este acto producen un cine de falsa proximidad con el otro animal, que contrasta con el modo de producción de *Leviathan*, en el que el envase de plástico del pescado del supermercado libera a los consumidores de su complicidad explícita en el vaciado de los océanos. De Andrade no solo replantea críticamente el primitivismo antropológico, sino que también arremete contra el romanticismo ecologista que se ve limitado por su psicología individualista de la culpa y la redención deseada, pasando por alto las causas estructurales de la sexta extinción en el propio marco económico que comercializa sin

Jonathas de Andrade
O Peixe (The Fish), 2016 (imágenes fijas)
16 mm transferidos a vídeo 2K,
sonido 5.1, proporción de la pantalla 16:9 (1:77), 23 min

cesar la vida de la realización feliz a través del consumo industrial.

Estancias Sumergidas de Iglesias no es exactamente ninguna de ellas, aunque resuena de forma variada con todas. A diferencia del cine geológico y la especificidad estratigráfica local de Smithson (donde el emplazamiento multiplica las materialidades y las escalas, los lugares, los tiempos y las representaciones en un remolino entrópico), las esculturas submarinas comparten, sin embargo, la preocupación por desdibujar el proceso estético y la difusión temporal con los desdoblamientos biogeológicos marinos y las incrustaciones biodiversas. Los muros están fabricados explícitamente para descomponerse gradualmente, o más bien para convertirse en otra cosa, en gran medida por obra de colaboradores sobrehumanos, en los años posteriores a su instalación en el mar de Cortés.

Al igual que *Ocean Landmark* de Beaumont, *Estancias Sumergidas* constituye un acto de ingeniería del hábitat marino en una época de destrucción y pérdida, en la que la aniquilación biológica de las formas de vida está provocando una oscuridad en los mares similar al silenciamiento de la primavera con la pérdida del canto de los pájaros (como señaló Rachel Carson)[27].

Los muros realizan así una maniobra compensatoria de restauracionismo ecológico, aunque sea a escala minúscula, que habla simbólicamente de la tragedia de los daños y la destrucción, e intenta minimizar las pérdidas modelando un nuevo paradigma de arte como proveedor de servicios ecosistémicos. Sin embargo, Iglesias se muestra más autocrítica respecto a las «colonizaciones» artísticas de su obra —palabra que la artista utiliza en el documental de Riedelsheimer— que el serio ecologismo de Beaumont. En este sentido, la escultura de Iglesias comparte con el cine de Akomfrah sobre el «Atlántico negro», que hace referencia al estudio clásico de Paul Gilroy, el reconocimiento de que la actual destrucción industrial del mar (el mar se «ennegrece» debido a los vertidos de petróleo y a las zonas hipóxicas, además de sus oscuros campos de extinción[28]) forma parte de un antiguo proyecto colonial que no ha terminado. Esto queda claro en el uso que hace de las cartas de Acosta sobre las culturas y naturalezas indígenas colonizadas de las Américas[29], comparando la conquista con el antiguo relato de la ciudad ahogada de la Atlántida, descrita en *Critias* de Platón como un estado ideal mítico envuelto en el drama teológico de la amenaza bélica a Atenas como castigo divino de los dioses. La diferencia es que la sociedad petrocapitalista contemporánea, al haber abandonado a los dioses hace mucho tiempo, se está castigando a sí misma a través de las múltiples crisis de la desintegración climática, lo que lleva incluso, posiblemente, al propio fin de la humanidad.

Estancias Sumergidas —es decir, la escultura, y su apariencia modulada que se extiende a los diversos documentales de vídeo realizados sobre ella— puede tener poco en común con las visualizaciones forenses del laboratorio de etnografía sensorial (SEL), y tampoco ofrece ningún tipo de parodia del primitivismo de la antropología o del romanticismo del ecologismo (aunque rechaza claramente la tendencia de gran parte de la ecoestética a centrarse en gran medida en los mundos no humanos sin hacer referencia a ecologías sociopolíticas como el colonialismo). Sin embargo, la obra de Iglesias abarca, en mi opinión, una estética posantropocéntrica, como en *Leviathan* y *O Peixe*, haciéndose eco de las agendas de las nuevas filosofías materialistas y las ontologías orientadas al objeto, fundadas en una sensibilidad hacia el ser multiespecie y el cultivo de su florecimiento. Siendo solo una parte de la escultura, la obra de Iglesias se abre gradualmente con el tiempo, como hemos visto, para convertirse en un hábitat marino, un arrecife devenido en coconstrucción con la vida marina biodiversa, su material y composición formados y remodelados orgánicamente y en colaboración con diversos elementos no humanos de plantas, peces y crustáceos a lo largo de extensiones de tiempos biológicos y geológicos que sobrevivirán durante mucho tiempo a la historia de 500 años de dominación humana de la naturaleza que se desarrolló en el proyecto colonial (al menos para las formas de vida que sobreviven).

En otras palabras, Iglesias adopta la «simpoiesis» como método de trabajo multiespecie para una estética del florecimiento de la convivencia. Según Donna Haraway, la simpoiesis es «una palabra propia de los sistemas complejos, dinámicos, sensibles, situados e históricos», una palabra que significa «con quien hacer mundo, en compañía». Haraway impulsa la biosemiótica indicada por Kohn hacia la creatividad estética generativa dentro de mundos posantropocéntricos recientemente reconocidos (con referencia al proyecto *Crochet Coral Reef* de Margaret y Christine Wertheim y su Institute for Figuring, con sede en Los Ángeles)[30]. Tal vez, en última instancia, el antimonumentalismo de la escultura —después de siglos de arte conmemorativo de la propia humanidad— proporciona una oportunidad para la futura redención de mundos y mundificaciones más allá de lo humano. A medida que la escultura se transforma en algo totalmente distinto, mucho más allá de un teatro minimalista poshumanista de estética relacional multiespecie, que ya podemos empezar a vislumbrar incluso unos años después de la instalación de la escultura, se hacen evidentes los signos de la venganza de la naturaleza contra las geometrías arquitectónicas y lingüísticas y la racionalidad calculadora de la cultura humana, tanto como la réplica del nativo a la imposición imperial. En este sentido, y para concluir, diría que *Estancias Sumergidas* se distingue de las esculturas submarinas de gente como Jason de Caires Taylor y Antony Gormley, quizás sus modelos más cercanos. Lo hace de forma más inmediata al rechazar su antropomorfismo estético, representado en las composiciones centradas en el ser humano de obras de Taylor como *Vicissitudes*, de 2006, que presenta un anillo de escolares esculpidos situado en el borde de una plataforma oceánica en la bahía de Molinière, Grenada. Las obras acuáticas figurativas de Gormley, parcialmente sumergidas, como *Another Place* (1997), constan de 17 moldes tomados del propio cuerpo del artista, que se extienden a lo largo de dos kilómetros y medio de costa y un kilómetro hacia el mar, permanentemente situados en las afueras de Liverpool, en la playa de Crosby. Aunque algunos podrían afirmar que son meditaciones inquietantes sobre la transitoriedad humana, corren el riesgo de caer en un populismo kitsch de parque temático, así como en un abrazo narcisista de nuestros propios intentos fallidos de conquistar territorios siempre nuevos, incluso cuando las esculturas hacen todo lo posible por ocupar permanentemente sus propios espacios. El trabajo de Taylor puede proporcionar servicios ecosistémicos en la construcción de nuevos arrecifes en una época de colapso de la biodiversidad marina, pero sigue siendo un gesto inadecuado que puede operar a la inversa al proporcionar más combustible ingenuo para un conservacionismo esperanzador.

En última instancia, no aborda su propia complicidad y continuidad con una lógica industrial de expansionismo marcada por la economía de crecimiento de Taylor de las esculturas subacuáticas desde Grenada hasta el Museo Subacuático de Arte de Cancún[31].

El singular arrecife de Iglesias, por el contrario, evita esa lógica de producción en masa e integra igualmente la narrativa de la colonización en su forma antiantropomórfica.

Tal vez la última lección de *Estancias Sumergidas* sea la sensación de que bien podemos estar viviendo una época de imparable colapso, no muy diferente a la Atlántida. La remota escultura de Iglesias vislumbra una visión estética sin ningún espectador humano, ofreciendo un futuro potencial, incluso probable, un imaginario distópico neoballardiano, así como una transustanciación en última instancia desconocida de nuestro propio mundo ahogado.

Si es así, será un drama de autodestrucción colonialista, trazado en las formas efímeras y a la deriva de nuestra propia y breve morada, una estancia de una especie en un mundo conducido a un lugar y un tiempo de su propia creación (el antropoceno), que ya no ofrece soporte vital, así como una visión de la belleza de la continuación de la vida sin nosotros.

Notas al pie en página 246.

Pantallazo del vídeo de Alfredo Barroso/ Octavio Aburto, 2018

Debate

Richard Noble Me ha gustado mucho la forma en que has articulado la idea de que el trabajo de Cristina podría ser poshumano, en la medida en que es una colaboración con una serie de especies no humanas. Me preguntaba si podrías explicar un poco cómo lo relacionarías con una estética posantropocéntrica.

TJD Bueno, me interesa en primer lugar la lejanía de la escultura, el hecho de que esté bajo el agua en esta zona que no va a ser vista por mucha gente. Y se podría seguir con el argumento de Lynne de que esto forma parte de un modo de digitalización en el que la imagen se convierte, o la documentación se convierte, en algo más importante. Y esa podría ser una forma de ver la obra. Pero otra es tomar en serio su materialidad en su emplazamiento, en relación con un reino no humano. Hay gente pensando en esto y artistas trabajando en ello. Pero hay algo importante en el pensamiento ecológico que intenta superar el tipo de antropocentrismo que ha dominado los últimos cientos, si no miles, de años de historia cultural humana. Y pensar en desarrollar una obra que pueda ser una colaboración con lo no humano, que pueda existir en una relación con un ensamblaje multiespecie y también pensar especulativamente en los espectadores no humanos, creo que es realmente interesante.

Hay un libro del antropólogo Eduardo Kohn titulado *Cómo piensan los bosques*[32].

Argumenta que la estética no es una categoría específica del ser humano, que la estética trasciende lo humano y que el mundo animal también puede tener sensibilidad estética. Cuando una abeja se siente atraída por una flor, hay un aspecto estético. Se trata de la supervivencia, pero también de algo más que la supervivencia. Donna Haraway propone una alternativa al término antropoceno, al que se opone por su potencial de regresión al antropocentrismo. Propone el término «fulosceno», que es la denominación de una época geológica que versa sobre el ser interespecie, de la sensibilidad interespecie. Es un reconocimiento, en otras palabras, que comienza con el hecho de que no existe una existencia humana discreta, que todos somos biológicamente dependientes de los organismos bacteriológicos. Así que hablar de una singularidad humana es biológicamente, fisiológicamente, problemático. Creo que el trabajo de Cristina está aprovechando esto y proporcionando otro modelo estético en el que se pueden desarrollar estos conceptos. Estoy de acuerdo con lo que decía antes Andrew sobre que las obras de arte exigen, en el mejor de los casos, sus propias teorizaciones singulares. Así que valdría la pena pensar en ello en relación con esta obra.

Lynne Cooke Me pregunto si hablar de *Estancias Sumergidas* como una escultura coconstruida y como un refugio de vida marina, combinado con la afirmación de que otras especies tienen motivaciones estéticas, significa en última instancia que el concepto mismo de la obra de arte, hasta cierto punto, ya no existe en un mundo poshumano. ¿Lo que se convierte (por ejemplo, un refugio marino) sigue siendo su única identidad o sigue llevando un residuo de alguna manera de su antigua identidad como obra de arte?

TJD Dudaría en tratar de responder a esa pregunta de forma definitiva. Creo que, en general, es más útil pensar en materia de casos específicos y ver cómo se desarrollan diferentes tipos de caminos en la práctica artística de diferentes maneras. Hoy en día hay todo tipo de enfoques especulativos en los estudios sobre los no humanos. Si podemos extender la estética a los no humanos, y si podemos extender la ética y la política a los no humanos, cosa que la gente está haciendo, no veo por qué no podríamos extender el arte a los no humanos también.

En cuanto a lo que sería el arte en un mundo poshumano o no humano o multiespecie, respondería diciendo que me interesan los porosos límites expandidos de lo que podría ser una obra de arte. La escultura de Cristina, si la tomamos como caso de estudio, definiría una obra de arte que no es en última instancia una obra de arte, que no se puede definir, que es proteica, que depende en última instancia de un despliegue infinito de sus formas. Así que supongo que deconstruye la obra de arte.

Octavio Aburto Hablo de arte más allá de los seres humanos —como, por ejemplo, las imágenes del comportamiento de los peces que te mostré—. Probablemente no las veas como fotos, pero creo que es arte. [Risas] ¿Has visto el vídeo sobre un pez globo y los dibujos que hacen para atraer a sus parejas?

RN El pergolero también decoran un tipo de espacio para atraer a su pareja.

Cristina Iglesias Es todo un espectáculo.

RN Así es, sí, lo que, en cierto modo, apoya la idea de que hay algún tipo de estética en juego, no idéntica, obviamente, a nuestra comprensión de la misma, pero sí algún tipo de juicio.

Andrew Benjamin ¿No crees que eso es simplemente una proyección? En mi opinión estamos diciendo sencillamente: «¿A que es mono el pergolero? Construye casas, igual que nosotros». El problema de las imágenes de la naturaleza es que los peces o los pájaros se organizan en bancos o bandadas por instinto, mientras que los humanos no se autoorganizan. Estamos organizados por la lógica del capital y podemos deshacer esa organización o no; es una elección. La naturaleza no tiene esas opciones en su interior. En relación con el arte, y creo que es aquí donde Kant tiene razón: el arte es aquella intervención que no sigue una regla. De repente, hay algo. Se pueden mostrar de forma retroactiva las reglas que sigue, pero ese momento de invención y creación es algo muy diferente a la repetición de la naturaleza. Aquí es donde creo que es importante hacer la distinción.

RN Me inclino a estar de acuerdo con eso, pero creo que también se podría argumentar que la estética está de alguna manera relacionada con el deseo, y el movimiento de los peces en el remolino o la actividad del pergolero están impulsados por el deseo. Es un comportamiento irreflexivo, pero caracterizarlo como estético no es necesariamente proyectar un sentido de la estética humana en esta ave. Se trata más bien de reconocer que puede haber una concepción más amplia de la estética que incluya comportamientos relacionados con los ciclos de reproducción propios de la especie.

LC Andrew, estoy de acuerdo contigo sobre los peligros de proyectar valores y visiones antropocéntricas, pero si hablamos de un impulso estético en los animales, no es necesariamente que digamos que a estas aves les gusta más el azul que el rojo y a nosotros también. ¿No podemos desglosar un poco lo que entendemos por estética, de una manera que tenga menos que ver con el gusto y quizá tenga alguna relación con cuestiones de orden y desorden o equilibrio o simetría?

AB Estoy de acuerdo, sí. Desde luego, no sería una estética kantiana, sería algo poskantiano. No se trata de proyectar lo humano en los animales, sino de abrir la estética para que signifique algo diferente, e incluso pueda resonar con cosas que la gente también hace. Creo que aquí hay todo tipo de enfoques y tampoco quiero insistir en un enfoque eurocéntrico occidental de estas categorías filosóficas. Pienso en el trabajo que Eduardo Cohen o Eduardo Viveiros de Castro están haciendo en el contexto brasileño, por ejemplo: están explorando formaciones cosmopolíticas completamente diferentes de lo que podría ser la estética y la subjetividad, y las implicaciones para la política y la ética. Me interesa abrir ese tipo de cuestiones de forma especulativa, al tiempo que reconozco los riesgos y trato de evitar los peligros de una simple proyección antropocéntrica sobre especies no humanas o categorías humanas.

Iwona Blazwick ¿Y la función de lo inútil? Porque todo lo que hemos descrito en las actividades de una especie está impulsado por el instinto hacia la reproducción, por ejemplo, pero ¿es posible que nos distingamos por fabricar objetos o por expresarnos sin ningún propósito?

LC No creo que lo hagamos. Cualquier obra de arte tiene una función: puede ser simbólica, puede ser multideterminada, y mucho de lo que tenemos en los museos nunca se hizo para ser una entidad sin función concebida en términos como la idea modernista de obra de arte.

TJD En los estudios con animales, la gente está demostrando que los animales juegan. Parece que esta no es una actividad humana única. Y el juego podría definirse como el disfrute sin propósito de hacer cosas sin el impulso del instinto. Creo que hay muchas pruebas de ello, y lo lúdico también está relacionado con lo estético.

Exequiel Ezcurra

El flujo de la vida: reflexiones sobre una escultura sumergida

I

Siento no haber podido venir antes esta mañana. Estaba impartiendo mi curso —lo llamo, en broma, porno vegetal— que trata básicamente de la identificación de las flores silvestres de primavera y de la comprensión de las adaptaciones de las reproducciones en las plantas.

Debo confesar que me siento un poco como un pez fuera del agua, siguiendo la metáfora de la última charla. Incluso Octavio, que es un científico muy serio, es también un artista. Es un gran fotógrafo submarino y un gran fotógrafo en general. Tiene un toque artístico en su obra que le ha hecho famoso. No lo sé. Soy un científico aburrido en realidad. Así que estaba escuchando todas las ideas que se estaban debatiendo hoy y pensaba: «¿Qué estoy haciendo aquí? ¿Qué voy a decir?» He decidido hacer dos reflexiones en el tiempo que tengo.

Una de ellas son algunas ideas que acabo de apuntar sobre el tema. En segundo lugar, cuando me pidieron que escribiera algo sobre *Estancias Sumergidas*, el texto nunca se publicó, por lo que el manuscrito pasó al hiperespacio. Cuando Octavio y luego Cristina me invitaron a este acto, seguí mi honorable tradición: Siempre digo que los textos son como los frijoles. Si los guardas un tiempo en la nevera y los vuelves a freír y les añades un poco de ajo y unas gotas de aceite de oliva, mejoran mucho. Así que he recuperado ese texto original, pero permítanme abrir con algunas reflexiones sobre el tema de las intervenciones artísticas en la naturaleza.

Empezaré con un recuerdo de mi primera infancia. Crecí en una zona montañosa del oeste de Argentina, cerca de los Andes, y luego en mi juventud me trasladé a México y me nacionalicé mexicano. Un día, mi abuelo, que era básicamente un pastor, un criador de ovejas y ganado me llevó a las montañas para mostrarme una cueva que había descubierto. Entramos en la cueva y nos dijo: «Mira la pared». Había una hermosa ilustración hecha con piedra caliza en polvo e incrustada probablemente con alguna savia de árbol o algo así, de una gran estructura redonda y otra más pequeña con una línea que las unía. Luego, debajo había un ciervo, y había un avestruz sudamericano, el Rhea americana, y había un humano caminando.

Nuestra interpretación fue que era el sol, la luna y la naturaleza, pero ¿quién sabe? Empezamos a excavar el suelo de la cueva, que era de tierra, y enseguida empezamos a encontrar todo tipo de artefactos y huesos humanos. Mi abuelo dijo: «Quizá no debamos seguir cavando.

Quizás esto fue sagrado para alguien hace muchos años». Ahora que sé un poco de arqueología, puedo decir que era muy antiguo. Mi abuelo era un artista muy bueno y copió las ilustraciones y finalmente las publicó en una revista, pero decidió que no le diría a nadie la ubicación de la cueva. Por cierto, el pasado diciembre, después de muchas décadas, volví al lugar donde nací y entré en la cueva y todo estaba allí, exactamente igual. Nadie sabe dónde está. Estaba pensando: «Esto es realmente maravilloso. Una intervención realizada por una persona que quería dejar un mensaje. Incluso me pregunté si esto era arte o era ciencia, esta especie de división que tenemos ahora. Era una ilustración científica bastante buena, de hecho, en lo que a ilustraciones científicas se refiere. También tenía un toque artístico. Quién sabe, quizás en aquella época las artes y las ciencias eran una misma cosa. Desde entonces, como naturalista, como conservacionista, trabajo sobre todo en entornos áridos, donde las cosas suelen estar muy bien conservadas. He visitado varios lugares así.

Quizá mi mejor recuerdo sea una experiencia en México hace muchos años, cuando hacía mi tesis doctoral sobre el campo volcánico del Pinacate. Tuve el honor de ir al campo con Julian Hayden, uno de los más grandes arqueólogos del suroeste americano. Circulábamos por un tipo de pavimento en el que las rocas estaban perfectamente dispuestas, una tras otra. Dijo: «No, no conduzcamos aquí, tomemos un camino lateral porque no quiero dañar el intaglio». No sabía lo que era un intaglio. Dije: «¿Qué es eso?». Dijo: «Los intaglios son estas enormes esculturas o dibujos hechos ordenando las rocas en la superficie del suelo que se pueden ver incluso desde el espacio exterior». Había pasado por esa estructura muchas veces, porque hice mi doctorado allí, pero ni siquiera sabía que había una estructura allí, y ni siquiera podía verla ahora. Y dijo, «Oh, esto es lo que parece». Había seguido el camino de esta línea de grandes rocas que habían tenido que mover y colocar una tras otra. En aquella época, no había drones, ni Google Earth, ni los vuelos comerciales pasaban por encima de la región, no se podía ver. Me mostró sus ilustraciones, que había publicado, y era una figura humana. Debía tener medio kilómetro de altura o algo así, con un pene enorme. Era el intaglio: una ilustración de un hombre con un pene muy grande que no se vería si se estuviera en la superficie. Ahora es bastante famoso, no tanto como las figuras de Nazca, pero es una figura importante ahora.

Así que, de nuevo, esa intervención me hizo pensar todos estos años: ¿en qué estaba pensando el tipo que lo hizo? ¿Era para alguien o para nadie? ¿Cómo se puede imaginar una intervención en la superficie de la Tierra que se pueda ver desde el espacio exterior pero que no se pueda ver cuando se está caminando por allí, si nunca se ha volado, si nunca se ha visto un dron o un satélite o un avión? A día de hoy, para mí, es un misterio. Julian Hayden tampoco pudo resolverlo. ¿Qué pasaba por la cabeza de la gente que hacía esas cosas? Para mí fue asombroso; fue casi como una experiencia religiosa estar en conexión con un hombre de 7000 u 8000 años de antigüedad —o una mujer, pero probablemente un hombre, porque se necesita una gran fuerza para mover esas grandes rocas— o con un pequeño grupo, tal vez, que fue capaz de diseñar esto y luego escalarlo a un tamaño en el que no te das cuenta de que estás. ¿Y qué pretendían hacer? ¿A quién comunicaban su arte? Y definitivamente era arte. No puedes pensar que es ciencia. Eso fue definitivamente una expresión del espíritu, una expresión visual para comunicarse con alguien.

No les aburriré con los detalles, pero trabajando desde entonces en Baja California, he estado constantemente expuesto a pinturas a escala. Son las más importantes de todo el continente americano, un enorme enigma, y un maravilloso registro de cómo vivía la gente allí hace 6000, 7000 años. Obviamente, vivían en la costa en invierno y en las montañas cuando hacía demasiado calor en verano. Y en las montañas pintaban peces y ballenas y leones marinos, y mantas gigantes y cosas así, probablemente con algún tipo de nostalgia por la costa que habían dejado durante seis meses. Es evidente que llevaban una vida itinerante, porque en verano resulta muy incómodo vivir en la costa. Así que mi primera impresión de todo esto es que estas intervenciones históricas del arte en la naturaleza son maravillosas.

Más o menos cuando vi el trabajo mexicano como joven investigador, leí un hermoso artículo del gran botánico mexicano Arturo Gómez-Pompa, que siempre estuvo en la frontera de la ciencia moderna, titulado «Taming the Wilderness Myth»[33]. Argumentaba que el concepto de lo salvaje es una construcción occidental, que lo salvaje no existe realmente.

Por ejemplo, la selva de Yucatán, que se supone que es un gran desierto, está llena de artefactos y restos humanos, e incluso la biología de la selva de Yucatán muestra que fue cultivada en algún momento y luego abandonada por alguna razón. Así que los humanos han intervenido en la naturaleza prácticamente desde el principio: es parte del ser humano, querer dejar una huella en la naturaleza; querer comunicarse con el futuro. Es casi como un mensaje en una botella: dejando algo atrás. Y desde entonces, he publicado algunos artículos sobre artefactos hechos por el hombre y su impacto en la naturaleza.

Así que, en general, mi experiencia siempre ha sido que la intervención de los humanos en la naturaleza deja grandes cosas, y puedo aprender mucho sobre lo que hacían los humanos durante, por ejemplo, la primera colonización de las Américas, cuando cruzaron el Estrecho de Bering y bajaron por las Américas, hasta la Tierra del Fuego. Esto es algo que, por cierto, escribe Charles Darwin cuando visita Tierra del Fuego y describe los vertederos de conchas que han sido formados por la gente que caza mariscos durante miles de años. En la bitácora del Beagle observa que se puede aprender mucho sobre la historia del medio ambiente a través de los restos que dejan los humanos.

Pero luego, claro, si vives en México, sobre todo en el centro del país, estos viejos restos, viejas intervenciones en el entorno te hacen reflexionar un poco sobre nuestro propio futuro. Para mí, la más impresionante es Teotihuacán, la Ciudad de los Dioses, al norte de Ciudad de México, que tardó seis siglos en crecer y evolucionar, y luego, en tres décadas, desapareció. Fue abandonado. Y ahora sabemos que se abandonó porque se les acabó la piedra caliza, se les acabó el combustible, la madera, se les acabó el agua, se les acabó casi cualquier recurso natural que puedas imaginar. Solo se han pasado. Esta enorme ciudadela fue en sí misma una intervención, un mensaje a los dioses, y luego simplemente se fueron. No podrían mantener ese nivel de complejidad en las áridas mesetas del norte de México. Y cuando ahora visito Teotihuacán, nunca sé si Teotihuacán es un mensaje del pasado o la historia de nuestro futuro. Realmente te hace pensar: «¿Vamos en la misma dirección? ¿Vamos a colapsar de una década a otra, solo porque no podemos mantener nuestro medio ambiente de una manera que pueda apoyarnos y sostenernos?». Hay algunas señales de alarma, que también tienen que ver con las intervenciones, que son bastante preocupantes. Y no estoy hablando del cambio global y todo eso. Piensa en Cancún. Una de las pocas ventajas de envejecer poco a poco es que has visto muchas cosas a lo largo de tu vida, y cuando empecé a ir a Cancún a principios de los 70, era un lugar precioso. Era solo una laguna costera con un banco de arena y solo unas pocas casas donde podías alojarte. Y entonces empezó a construirse, y a seguir construyéndose, y a construirse más, y un número de personas, incluido yo mismo, durante décadas, han estado advirtiendo: «Esto se va a estrellar en algún momento. Esto no es sostenible.

Esta cosa no funcionará a esta escala». Pero hubo discusiones sobre las inversiones, sobre la entrada de dinero. Y se llegó al punto de que todo el arrecife de coral frente a Cancún, que es lo que hizo famoso a Cancún, estaba muerto, básicamente, por las aguas residuales, la contaminación, la extracción de arena. Los hoteles son ahora tan grandes que los huracanes crean un remolino y se llevan la arena de las playas, por lo que hay que añadir arena. Así que tomaron arena del arrecife. Y ahora el arrecife ha desaparecido.

Y así, la administración de la ciudad de Cancún decidió pagar a un artista para que hiciera las famosas estatuas que hay en el fondo del mar justo enfrente de Cancún, para que los turistas estadounidenses acudan cada año en sus vacaciones de primavera a bucear allí como una de sus «experiencias». Si te sumerges en el arrecife ahora, está básicamente muerto. Es como un triste y descuidado cementerio. Pero ahora tienes estas estatuas. Hay un Volkswagen Escarabajo, y una mujer que viene del supermercado. Así, los turistas de la época primaveral pueden ver cosas que les resultan familiares bajo el agua, es decir, coches y compras. Parece gracioso, pero es trágico. Así que, cuando vi lo que ocurría en el Caribe mexicano, pensé: «Ya está. Fin del arte en el fondo del océano». Tenía que defender el océano. En realidad, mi papel como científico es ser un conservacionista y una persona que intenta pensar en el futuro, y yo diría que los ecologistas son básicamente comerciantes de la esperanza. Eso es básicamente lo que intentamos vender: futuros viables y esperanza. Dije: «Esto no es bueno: hacer arte bajo el agua para, disimular, tapar el hecho de que el océano se está muriendo, no es algo que quiera ver».

Entre otras cosas, lo que me preocupa de la magnitud de la intervención humana con fines artísticos ahora, es que creo que el medio ambiente salvaje, lo que nos queda del medio ambiente salvaje, es como un libro. La historia del mundo desde el comienzo de la vida está escrita allí en forma de fósiles, de sedimentos, de datación por carbono 14, de tendencias evolutivas, de genes en diferentes especies animales, o en diferentes especies vegetales, etc. Cada vez que hacemos una intervención y destruimos parte de ese desierto, estamos de alguna manera desfigurando el libro de la naturaleza. Corremos el riesgo de destruir información increíblemente importante.

Déjenme ponerles un ejemplo: Hace 20 años, la ciudad de San Diego, que se encuentra en las llanuras costeras sedimentarias del este, decidió que no permitiría ningún tipo de desarrollo a menos que se hiciera un modesto esfuerzo por recuperar los fósiles, o artefactos, o cualquier cosa que pudiera registrar la historia de esta parte del mundo. Y por aquel entonces, había una empresa que quería construir una urbanización allí, y querían ocupar más terreno, porque iban a hacer una especie de parque alrededor de la urbanización con algunas instalaciones culturales. La ciudad les dijo: «No, no, no pueden hacer eso. Primero hay que comprobar si hay fósiles». Así que contrataron a gente del Museo de Historia Natural y encontraron un conjunto de huesos de mamut de 40 000 años de antigüedad a unos pocos metros de profundidad.

Los promotores siguieron presionando a la ciudad para poder excavar. Afortunadamente, la ciudad tuvo la previsión de decir «No, hay que parar todo». Este enorme mamut, de 40 000 años de antigüedad, fue datado con todos los isótopos que se quiera, y los huesos estaban dispuestos de tal manera, y rotos de tal forma, que mostraban que el mamut había sido cazado por los humanos. Y aunque no había huesos humanos, era evidente que había artefactos en la misma capa. Se necesitaron 20 años para que se publicara un artículo sobre esto, debido a la animosidad en contra. Se publicó el año pasado, en la revista Nature, que es probablemente la revista científica más influyente de la Tierra, y abrió un alucinante abanico de posibilidades[34]. Hace 40 000 años, los humanos apenas habían llegado a Europa, y los neandertales seguían allí, una especie completamente diferente. ¿Quién llegó aquí hace 40 000 años? Deben haber llegado y luego se extinguieron, porque durante los siguientes 30 000 años, casi no hay evidencia de ocupación humana en el Nuevo Mundo. ¿Fueron los neandertales los que cazaron, o fue el Homo sapiens el que cazó? ¿Quiénes eran los que venían aquí? Acaba de abrir una nueva mentalidad sobre la historia de los humanos, sobre lo que sabemos de nuestra propia historia, y quizás también sobre nuestro propio futuro. A esto me refiero con el riesgo potencial de desfigurar el entorno con intervenciones. Hay tantas cosas valiosas que narran nuestra propia historia en el entorno que pueden perderse fácilmente si no se tiene cuidado. Así que, básicamente, estas son las ideas que quería compartir con ustedes, y si me permiten, me gustaría leer el texto que escribí, *El flujo de la vida: reflexiones sobre una escultura sumergida*, sobre *Estancias Sumergidas*. Mi idea básica es que soy ambivalente al respecto. Los seres humanos siempre han intervenido en el medio ambiente, y en muchos casos estas intervenciones han sido sorprendentemente buenas, pero también creo que las intervenciones humanas en el medio ambiente pueden hacer mucho daño a la narrativa de las cosas en la Tierra, a la historia de la Tierra y a lo que sabemos de nosotros mismos.

II

La superficie del mar es una película molecular moldeada por las fuerzas de la tensión superficial y el arrastre de los vientos y las corrientes. Los seres humanos vivimos arriba, rodeados de aire en un mundo donde las plantas con flores conviven con aves, mamíferos, reptiles e insectos. Este es nuestro punto de referencia diario, la vara de medir de nuestra vida terrenal. Estas son las formas de vida que pueblan nuestros parques, nuestros campos y nuestros jardines. Pero en el momento en que nos sumergimos bajo la superficie del océano, nos encontramos rodeados de un universo completamente diferente, envuelto en el silencio, una luz extraña, tenue y azulada, y formas de vida radicalmente diferentes a las que nos son familiares en tierra, con extrañas simetrías radiales, formas reticulares o cuerpos transparentes. Aquí, la gravedad no ejerce su fuerza implacable y los vientos cálidos no matan de sed; aquí, los retos de la supervivencia son los de las corrientes de agua y la falta de luz, y las pruebas de una compleja red alimentaria en la que cada especie debe localizar con precisión su nicho dentro de un puzzle de supervivencia increíblemente delicado e intrincado. El tiempo —el tiempo planetario, el tiempo profundo, ese ritmo temporal que apenas podemos imaginar— rige y define: de los 3700 millones de años que los seres vivos han existido en nuestro planeta, solo durante los últimos 500 millones ha prosperado la vida fuera del agua.

Las especies terrestres son como los *parvenus* de la vida, los colados del espectáculo evolutivo. La mayor parte de la lenta irradiación de la vida en el mundo se ha producido bajo el agua, y solo unos pocos grupos biológicos fueron capaces de adaptarse a vivir en tierra y respirar aire.

Por eso, la diversidad y la riqueza de las formas de vida es visiblemente mayor bajo el agua. Mientras que los invertebrados terrestres son en su mayoría insectos y algunos otros grupos menores, bajo el mar sobrevive una portentosa mezcla biológica que incluye gran cantidad de esponjas, anémonas de mar, corales, medusas, crustáceos, gusanos, poliquetos, equinodermos y una miríada de moluscos. Lo mismo ocurre con el abrazo de un complejo conjunto de organismos remotos y antiguos, cuyos linajes evolutivos tienen miles de millones de años y muestran formas variables y extrañas, que van desde las diatomeas microscópicas, las algas rojas y los dinoflagelados, hasta las grandes algas coralinas y los bosques de algas gigantes.

La tierra y el mar son efectivamente dos mundos dramáticamente divididos por la tenue línea de las costas, donde se encuentran tímidamente entre el oleaje y la arena y se miran a una respetuosa distancia. La misma distancia respetuosa, me parece, separa a menudo las artes y las ciencias; una separación que es producto de la evolución de culturas diferentes, de métodos distintivos, de formas de pensar contrastadas, de estéticas e historias disímiles. Y a pesar de estas distancias, hoy estamos aquí juntos, conservacionistas, investigadores, artistas, para celebrar el trabajo de una escultora excepcional —Cristina Iglesias— que intenta superar estos abismos naturales y culturales que nos separan interactuando con el mundo de la naturaleza a través de su arte.

Pero ¿qué sentido tiene —pensé en un momento— introducir una escultura, una fabricación humana, en un santuario de la naturaleza? Los pocos que se atreven a romper la tregua implícita que existe entre los entornos humanos y la naturaleza salvaje han fracasado con demasiada frecuencia: la mayoría de los zoológicos del mundo languidecen con esa extraña y gris tristeza que rodea a los animales enjaulados en un entorno urbano. ¿No traiciona entonces este proyecto este armisticio entre el mundo de la cultura y el de la naturaleza? ¿No languidecerán igualmente estas formas tan magistralmente creadas por Iglesias bajo las aguas del golfo de California? He reflexionado sobre esta cuestión con un experimento mental, tratando de imaginar esta escultura en el futuro, y su evolución con el paso del tiempo. Los peces de arrecife llegarán primero, encontrando refugio en la estructura en forma de rejilla. Al principio, un limo verde cubrirá la superficie del hormigón, creciendo gradualmente hasta convertirse en una alfombra de algas.

Los peces loro y otros herbívoros de los arrecifes llegarán para alimentarse de las algas, y su presencia atraerá a su vez a depredadores más grandes, poniendo en marcha una red alimentaria marina. Luego llegarán percebes, corales, anémonas y algas calcáreas de vivos colores para instalarse en el duro sustrato del nuevo hábitat, seguidos de ostras, almejas y cientos de otros invertebrados incrustantes. Una densa fauna de crustáceos —langostas, camarones y cangrejos— se asentará gradualmente alrededor de la estructura, y le seguirán equinodermos de todo tipo —estrellas de mar, erizos, estrellas frágiles, moluscos de arena—. En pocos años, se habrá desarrollado un rico ecosistema en torno a la obra de arte. Miles de peces nadarán a través de él, buscando alimento y refugio. La escultura será finalmente cubierta por la rica biota del Golfo en una explosión de formas de vida y colores.

Los que siempre hemos admirado la belleza de los arrecifes podremos comprobar con el paso del tiempo cómo, a partir de un fondo arenoso antes plano, las formas de la escultura de Cristina proporcionan el sustrato que da origen a uno de los ecosistemas más bellos y complejos de la Tierra. Veremos a la naturaleza crecer como resultado del arte, y veremos a la obra de arte como impulsora de la belleza natural; una intrincada danza entre la naturaleza y el arte en la que ambos se agarran para crecer y florecer juntos. Al final, el arte y la naturaleza habrán alcanzado un nuevo equilibrio, una nueva síntesis. El triunfo de estos raros y frágiles corales que colonizan la escultura será también el triunfo de nuestra capacidad para sanar el planeta e imaginar una nueva relación entre todas las especies que forman el caudal de vida planetaria.

En última instancia, la escultura sumergida se convertirá en una celebración de la continuidad de la vida y del extraordinario privilegio de estar vivo.

Notas al pie en página 247.

Pantallazo del vídeo de Alfredo Barroso/
Octavio Aburto, 2018

Debate

Richard Noble Muchas gracias. Me pregunto si podría decir algo más sobre cómo se adapta a la diferencia de tiempo bajo el agua. Cuando se estudian los arrecifes o los entornos costeros, es de suponer que hay que tener un sentido mucho más longitudinal de cómo evolucionaron que el que se tendría al estudiar, por ejemplo, la evolución de algún tipo de organización social. ¿Afecta eso a tu sentido de lo no humano cuando te relacionas con un sistema de arrecifes costeros?

EE Sí, es una pregunta increíblemente interesante. Llevo muchos años trabajando en biología con una perspectiva evolutiva y tengo la escala de tiempo en mi cabeza. Puedo entender 3700 millones de años, y 500 millones de años, pero es difícil interiorizar la escala de tiempo. Creo que la persona que mejor lo hizo fue Carl Sagan. Sugirió situar la duración de la vida en la Tierra en la escala de un año natural, que entendemos muy bien porque medimos nuestra vida en años. Dijo que si se pone todo en una escala de un año, desde la aparición de los primeros organismos vivos en la Tierra, entonces la vida sale del océano a la tierra en algo así como el 10 de diciembre. Y así, todo el resto del año planetario, lo que él llamaba el año cósmico, la vida ha estado bajo el océano, lo que demuestra lo importante que es la vida en los océanos, y por qué tienes tantas formas de vida increíbles bajo el océano que no tenemos en la Tierra. Entonces los primeros dinosaurios evolucionaron y estuvieron vivos hasta el 25 de diciembre o algo así. Y entonces aparecieron los primeros mamíferos unos dos días antes del Año Nuevo. Los humanos aparecieron en la Tierra apenas unos instantes antes del fin del año planetario, y los humanos capaces de leer y escribir aparecen en la Tierra dos segundos después de que las campanas de Año Nuevo empezaran a sonar.

Sin embargo, como sabemos, los humanos han cambiado profundamente la faz de la Tierra. Cuando se pone el tiempo en esa escala, se tiene una idea de la impresionante efimeridad de nuestra existencia, y me refiero a nuestra existencia como especie, no como individuos. Y es muy importante entenderlo cuando se trata de comprender estos fenómenos.

RN ¿Y podría hablar un poco, desde su perspectiva de biólogo, sobre esta noción del antropoceno? Porque siempre me ha parecido que representa un nanosegundo en la historia de la vida. Hablamos de ella en las humanidades como si fuera un hecho o un fenómeno, o una categoría a través de la cual podemos entender los fenómenos objetivos, pero ¿tiene un amplio reconocimiento dentro de la biología?

EE La Sociedad Geológica de Estados Unidos pone a disposición la escala de tiempo geológica en su sitio web. Normalmente presentan la historia del mundo en una escala logarítmica. Así, por ejemplo, el periodo Cretácico duró desde hace 140 millones de años hasta hace 60 millones de años. Y luego vino el Terciario, que es un periodo en el que el enorme cometa impactó en lo que ahora se conoce como la península de Yucatán y llevó a los dinosaurios a la extinción. El Terciario se muestra en una escala más amplia que la del Cretácico. Cuanto más se desciende en el tiempo profundo, más se acortan las escalas, porque de lo contrario no habría forma de dibujar los últimos, digamos, seis millones de años, que es el periodo que más conocemos sobre cómo evolucionó la vida. Si lo ponemos en una escala matemática real, los periodos geográficos en los que podemos leer el pasado son cada vez más cortos a medida que nos acercamos al presente. Así, por ejemplo, vivimos en el Holoceno, que va desde la última glaciación hasta el presente. El Holoceno tiene 12 000 años. La glaciación de Wisconsin, que es un periodo que precedió a todo el Holoceno, tuvo 120 000 años.

Y como decíamos, avanzando en el tiempo geológico, cada periodo se hace más grande, porque es ahí donde podemos leer con precisión. No podemos leer el tiempo profundo con la precisión con la que podemos leer los últimos 100 000 años. Es confuso porque en nuestro análisis histórico de la evolución de la vida en la Tierra, los periodos son cada vez más cortos. No creo que la evolución sea cada vez más rápida, francamente, sino que lo que podemos leer en el pasado pierde resolución a medida que retrocedemos. Así que esta escala permite la idea del antropoceno. Los humanos están ahora a cargo del flujo de la vida en la Tierra. Podemos hacer desaparecer todo el flujo de vida en la Tierra.

No hay duda de ello. Así que lo que hagamos, para bien o para mal, definirá el futuro del planeta Tierra, e incluso toda la viabilidad de la vida en el planeta Tierra. ¿Cuánto durará el antropoceno? No lo sé. En los tiempos actuales de cambio ecológico, dos siglos es un periodo de tiempo enorme. Steven Hawkings dio a la humanidad y a la vida en la Tierra otros 600 años. Para mí, cualquier número es bueno. Pero lo que sí sabemos es que podemos pensar en el futuro en plazos mucho más cortos que los que podemos contemplar en el pasado. De ahí mi preocupación por desfigurar la historia de la Tierra. Lo que podemos aprender del pasado es increíblemente importante para afrontar el futuro con un mejor conocimiento de hacia dónde van las cosas.

Arte del fin del mundo: apuntes sobre la obra reciente de Cristina Iglesias

Andrew Benjamin

Introducción

La obra de Cristina Iglesias plantea exigencias. Esas exigencias tienen un marco específico en la medida en que abordan el mundo tal y como existe ahora. La reconfiguración del mundo resultante de la inexorable presencia del catastrófico cambio climático exige que se rehaga este «ahora». Aunque no debería hacer falta decirlo, este «ahora» tiene una cualidad genuinamente enfática en la medida en que se está produciendo un cambio en el orden de las cosas. Y a lo que le tenemos que dar importancia es a una concepción del mundo tal y como es ahora, y por tanto, a cómo este «ahora», su particularidad, tiene que figurar dentro y para la obra de arte.

Pero sin embargo, esa insistencia, el insistente «ahora» del mundo —precisamente porque la imposibilidad de retroceder puede suponer una negación— es también aquello a lo que las prácticas, desde las políticas hasta las artísticas, suelen permanecer ajenas. Los presentes apuntes tienen la intención de identificar la forma en la que el aprieto en que se encuentra el mundo figura dentro de una serie de proyectos de Cristina Iglesias. El trabajo del arte no es dar propósitos. El arte se mantiene abierto al mundo. El trabajo aquí tiene que empezar por permitir que la presencia del mundo tenga otra configuración. El mundo en sí mismo está en tela de juicio.

I

¿Habrá arte en el fin del mundo? Es una pregunta impactante como mínimo por dos razones. Plantea y, por tanto, admite la posibilidad del fin del mundo. Tal posibilidad debe permanecer, pues refleja el aprieto actual del mundo. Aunque el mundo como un todo quizá no se acabe, los mundos que lo integran están en peligro de extinción. Tanto la desaparición de especies como la de masas de tierra es una realidad cotidiana. En segundo lugar, sin embargo, a pesar de la agudeza inicial de la formulación, esta cuestión alberga un problema. Como resultado del propio contexto de la pregunta, dentro del ámbito epistemológico, esta se sitúa dentro de un dominio definido por la primacía del sujeto que conoce. Este aspecto merma la fuerza de lo que, de hecho, se escenifica con preguntas que admiten la posibilidad del fin del mundo. Los problemas que plantea una posibilidad de este tipo exigen una reconfiguración de las relaciones sujeto/objeto. Si el sujeto que conoce dejase de ser central, de manera que el registro del aprieto del mundo fuese el proyecto del arte, entonces se habría producido un cambio de gran importancia. El sujeto se presentaría como irrelevante. Entonces el arte escenificaría esa creciente irrelevancia. La pregunta inicial hay que adaptarla de forma que refleje esta condición cambiada. De aquí en adelante, la pregunta sería la siguiente: ¿hay un arte del fin del mundo? El foco del énfasis ha cambiado radicalmente —un cambio que ocurre porque lo central ya no es la respuesta del sujeto a la obra de arte. Ahora, la centralidad se encuentra en la posibilidad de un acuerdo entre el arte y el aprieto del mundo —un acuerdo en el que la separación del sujeto y el objeto se convierte en la obra de arte.

El mundo localizado y designado dentro de la pregunta *¿existe un arte del fin del mundo?* no es concurrente con el planeta en el que los humanos moran. Es más, «mundo», que es un término singular que designa un lugar pluralizado, identifica la morada de los humanos en el planeta. Su presencia terrestre. Cómo se debe entender esa morada hoy ha adquirido una nueva serie de determinaciones. Conceptos como «lugar» y «mundo» tienen que adaptarse en consecuencia. Los efectos del catastrófico cambio climático se siguen registrando sin interrupción. Ese registro es coincidente con la ausencia constante de voluntad política. Las respuestas políticas carecen de la contundencia que exigen las consecuencias claramente perjudiciales del cambio climático. Los políticos continúan cautelosos hasta el punto de volverse mudos. Pese a la continua llamada a una respuesta, estas exigencias permanecen, en su mayoría, desoídas.

Predominan los gestos meramente simbólicos. Cada partido del espectro político exhibe formas distintas de complacencia en la medida en que todos continúan manteniendo un compromiso incuestionable con la política y la economía del crecimiento. Aun cuando el planeta quizá resista, lo que resulta cada vez menos posible de prever son las formas de vida que lo seguirán habitando. El destrozo del mundo continúa. La subida del nivel del mar amenaza la existencia de los países insulares y de las naciones costeras. Los patrones climáticos cambiantes nos traen tanto sequías como inundaciones; por igual, estos cambios son la causa de las pérdidas de cosechas.

El colapso o la transformación de las prácticas agrícolas regionales deshacen comunidades, a la vez que agudizan las preocupaciones locales e internacionales derivadas por la presencia de los refugiados. La transformación del mundo se puede documentar estadísticamente. Las descripciones tanto ficticias como no ficticias recalcan su realidad.

Puede tener su propio imaginario. Esas imágenes atestiguan la complejidad de este asunto. Las imágenes de colas de refugiados refuerzan la imposibilidad de forjar una distinción sistemática entre los que huyen del caos político y los que huyen de la pobreza, indisolublemente unida a la degradación del medio ambiente. La certeza de decidir entre tipos de refugiados siempre fue ilusoria, pero se ha vuelto todavía más imposible, ya que la etiología del colapso presenta elementos solapados que se resisten a cualquier forma de separación clara.

Hay, sin embargo, otras imágenes; unas que proyectan una posibilidad diferente; unas en las que la ruina del mundo se podría invertir (aunque solo a nivel de la imagen). La ideología que promulga la visión de que una recalibración dentro de las prácticas de diseño puede brindar una respuesta al estado del mundo tiene su propia serie de imágenes asociadas. Por ejemplo, los sistemas de transporte integrados que se funden con la arquitectura presuntamente sostenible podrían considerarse la respuesta del diseño al aprieto del mundo.

Tales respuestas se pueden trasladar al nivel de la imagen. Estas imágenes no tienen una naturaleza ambivalente. El orden del diseño, así interpretado, proyecta la posibilidad de reordenar el mundo. La inversión de la ruina, una reordenación del mundo se ve reforzada por la certeza y seguridad proyectadas de estas imágenes. Dado que lo que está aquí en juego es la proyección como apariencia, hay que hacer una reconvención. Las pruebas son claras. Esa certeza se sustenta sobre una mentira. Además, también hay posiciones que defienden que la presencia inequívoca del cambio climático y el papel de las emisiones de carbono y metano en el mismo son solo puntos de vista y, por tanto, son igual de válidos —*qua* puntos de vista— que los de los que afirman lo contrario. En la medida en que se reivindiquen tales afirmaciones, habrá que responder que son falsas, y que en consecuencia los argumentos relativos a las equivalencias son espurios. Una vez que se haya expuesto esta contraposición, entonces las imágenes y la ideología del diseño —ambas de las cuales buscan presentar el mundo como algo ordenado, coherente y, por lo tanto, capaz de continuar sin impedimentos, a la vez que permiten que las formas de mejoramiento mitiguen los efectos del cambio climático— también han de considerarse falsas. (Con la minería y el uso de los combustibles fósiles no se puede hacer un «rediseño de marca» de forma efectiva. El branding y el daño ambiental son registros diferentes; el primero no puede obviar el efecto real del segundo). Queda sin resolver en todos los casos la posibilidad tanto de una simple continuidad como de la construcción de un futuro basado en el presente como un escenario de ruinas. El intento de incorporar la ruina, bien como situación del futuro, bien como base del futuro, ya deja de ser posible.

Ni tampoco se mantiene como una opción viable que la ruina se mantenga como aquello que atormenta al futuro. La estética de las ruinas ha terminado. Ahora, el mundo está en ruinas. Lo que se tiene que abordar es cómo entender el futuro como si se viviera en, y con, un mundo en ruinas. Este entendimiento tiene tanto implicaciones políticas como éticas. Estas influyen en la pregunta, *¿hay un arte del fin del mundo?*[35]

Y no se trata de una pregunta apocalíptica. No se puede correlacionar, por ejemplo, con el argumento de que el mundo tuvo un momento inaugural definido y que, por lo tanto, tiene que terminar de la misma manera.[36] Lo que ocurre es lo contrario. El destrozo del mundo es un proceso gradual, con su propia historia. Por ejemplo, las aseveraciones sobre el advenimiento del Antropoceno forman parte de esa historia. Ha habido un cambio en la propia naturaleza del planeta. Su presencia material ahora tiene otro aspecto. Y no es solo que haya cambios sin precedentes en los patrones climáticos, sino que la destrucción y la contaminación han dado lugar a nuevos fenómenos planetarios; por ejemplo, el conocido como Gran Parche de Basura del Pacífico. Se cree que la acumulación de plástico que lo forma abarca una superficie de 1,6 millones de kilómetros cuadrados.[37] A este fenómeno se le ha llamado «hiperobjeto».[38] La atribución de la responsabilidad de la creación de estos objetos va más allá de los Estados nacionales. La ausencia de agentes inmediatamente identificables como responsables quiere decir que el papel de la ley en estos ámbitos se ha vuelto poco claro. Y no es solo que ahora la naturaleza de la respuesta sea incierta, sino que también es cierto que esa falta de claridad atiende a la pregunta de quién debe, o de hecho puede, ser obligado a actuar. El advenimiento del hiperobjeto como ejemplo de lo que ocurre dentro de un mundo en ruinas vuelve a plantear cuestiones de responsabilidad global. Aceptar estas nuevas delimitaciones no han de convertirse en una posición filosófica o política que oscile entre el nihilismo y el quietismo. Más bien, lo que resulta es la pregunta de lo que significa la actividad ante esta situación. Esa pregunta no tiene una orientación concreta. Es tanto una cuestión política como filosófica. Es tanto un reto para los profesionales creativos como para los que interpretan ese trabajo. Ha de quedar claro también que tomar el aprieto del mundo como punto de orientación no implica una respuesta unánime. Lo que resulta tan difícil como exigente es aceptar la presencia del mundo en ruinas como punto de partida. Con todo, este es el escenario en el que se pueden ubicar aspectos fundamentales de la obra de Iglesias. Lo que aquí se va a argumentar es que los proyectos específicos dentro de su práctica se puedan entender como parte integrante de lo que comprende el arte del fin del mundo.

II

La relación tradicional de la escultura con el cuerpo hace que tenga un carácter espacial activo; un carácter en el que el trabajo del arte es la actividad de espaciar, pero que al mismo tiempo necesita la presencia del cuerpo. Si bien la obra se mantuvo siempre a distancia, rara vez, por no decir nunca, fue indiferente a la presencia corporal. Esto es particularmente el caso cuando la presencia corporal delimita la particularidad de la escultura como resultado de unas relaciones específicas entre sujeto y objeto. La escultura tradicionalmente trabaja con el cuerpo. Sin embargo, la obra reciente de Iglesias se podría describir como un alejamiento de la prominencia del cuerpo —no solo del cuerpo como objeto escultórico, sino del cuerpo del espectador como aquel ante el que la escultura se presenta—.

El alejamiento en cuestión —el distanciamiento del sujeto como agente cognoscente cuyas actividades enmarcan la obra en una relación sujeto/objeto, o como presencia corporal— caracteriza a la obra como un giro hacia la Tierra y, por tanto, hacia otro sentido del lugar. Este vuelco significa que ni el lugar ni la obra se pueden seguir definiendo de forma antropocéntrica. Ahora, sin embargo, ni la Tierra ni el lugar pueden caer en la sentimentalidad. Esta ya no es la Tierra y el lugar cuya posible sublimidad —lo sublime como un modo de experiencia— apunta a lo que Kant describió como la «vocación suprasensible» del ser humano.[39]

Aquí, ni la Tierra ni el lugar se pueden desprender de la ruina que sigue prevaleciendo. El giro hacia la Tierra que acontece en la obra reciente de Iglesias se tratará aquí en relación con dos proyectos. El primero es la obra finalizada recientemente *Forgotten Streams* (2017), situada en Londres a las afueras de la nueva sede europea de Bloomberg. El segundo la obra *Estancias Sumergidas* (*Submerged Rooms*, 2010). Esta es una escultura subacuática situada en el Mar de Cortés, en Baja California. Su transformación continua hace que su fechado sea difícil. Tiene una lógica de creación distinta. Se sigue haciendo.

En *Forgotten Streams* hay una creación de aperturas. Es como si una superficie se hubiera despegado. Los espacios revelados nos muestran el movimiento del agua. Aparece y desaparece. La verdad ya no se encuentra en la profundidad. Desde un escenario en el que la vegetación se encuentra bien en estado de descomposición o de petrificación, el color y la materialidad permiten ambas posibilidades. A través de lo que queda expuesto, el agua aparece desde abajo para luego reabsorberse. Este ir y venir no evoca ni una dimensión mística ni una dimensión primigenia de la Tierra. Nos recuerda —aunque sea solo al principio— la presencia de los ríos, ahora cubiertos, que todavía corren por debajo del nivel de las calles de Londres. Los puntos en los que el agua aparece y desaparece anuncian las capas de la historia y, por tanto, la relación entre el movimiento de los componentes literales de la Tierra y la superficie real de la misma como el punto más activo de la historia. Hay superficie y profundidad; hay presencia y ausencia. Mediante estas oposiciones se juega con el complejo conjunto de relaciones entre el tiempo, el lugar, lo elemental y la labor de la historia. La historia en cuestión ya no es la que los seres humanos construyen como si la Tierra no estuviera incluida en los propios procesos históricos. La Tierra ya no es un sitio neutral. Por ende, las oposiciones en las que la Tierra, el lugar y la historia figuran tradicionalmente se convierten en el proceso. La vuelta del agua, su desaparición y su regreso, si bien ofrece un lugar de reposo, tal vez incluso de contemplación, se mantiene indiferente ante la presencia de los seres humanos. La remembranza del sistema fluvial desaparecido pone de manifiesto el hecho de que su desaparición tiene un doble carácter.

Los ríos pueden haber desaparecido de la vista de los humanos, pero siguen ahí, lo cual refuerza el hecho de que en adelante son indiferentes a la presencia humana. Es la irrelevancia del ser humano lo que ahora es una parte enfática de lo que está presente como obra de arte. Además, la presencia de la naturaleza, en lo que parece ser una oscilación entre la decadencia y la petrificación, rechaza el papel tradicional de la naturaleza dentro de la historia de la estética. La naturaleza deja de ser bonita. Pero de la misma manera, no es fea. La naturaleza se ha salido de este escenario concreto. Ya no es un emplazamiento de la estética, la naturaleza aparece de forma diferente. El distanciamiento de la naturaleza no solo permite a la Tierra aparecer como un lugar ahora transfigurado, sino que parte de esa aparición anuncia un vuelco en la forma de abordar la obra de arte. ¿Cuál es —aquí, dentro de esta obra— el trabajo del arte? Un primer paso para responder a esta pregunta es prestar atención al título de la obra: *Forgotten Streams* («Corrientes olvidadas»).

¿Qué significado —aquí, dentro de esta obra— tiene «olvidar»? En términos generales, olvidar —obviamente— se contrapone a la memoria. Superar el olvido es el proceso de recordar. Recordar como estrategia, tanto en el arte como en la arquitectura, conlleva procesos en los que hay un reconocimiento de lo que sucedió. Los terrores se recuerdan. Los monumentos muestran un pasado, haciendo ese pasado presente. Recordar es una postura adoptada dentro de un «ahora» concreto en relación con lo que sucedió. Existen tanto una política como una práctica de la memoria. Como consecuencia, el presente podría estar cargado de posibilidades; su propia responsabilidad con el pasado queda ejercida dentro de las actividades emanadas de lo que se puede llamar «recuerdo del presente». Si es que existe un apego al recuerdo del presente, entonces este es inherente al vínculo entre el recuerdo, por un lado, y un sentido de la futuridad que se define por formas de apertura diferentes, por otro. Es ese sentido del futuro —el que se puede entender como el futuro concebido como un lugar de posibilidades que se definen a su vez por un sentido de positividad— el que ha quedado comprobado mediante la presencia del mundo en ruinas. La reconfiguración del mundo no obvia la necesidad de recordar. Lo que sucede se está reubicando. Una obligación de recordar persiste. Esa persistencia, sin embargo, está atenuada por un sentido del mundo diferente. Surge otra pregunta. El papel del arte es permitir que esa pregunta tenga una presencia insistente.

Mientras el agua se mueve por encima y a través de su escenario —dentro de una presencia enmarcada que alude a la naturaleza—, al tiempo que le permite contar con una presencia misteriosa, el recuerdo de lo olvidado —dentro de una aparición que luego volverá a desaparecer— traza el movimiento de la naturaleza a través de una transformación en la que no está presente como destruida, sino como sostenida dentro de su propia ruina.

Vuelve la pregunta de qué naturaleza es. Fundamental para el trabajo de la obra es que la presentación de la naturaleza está en sí misma trabajada a través de un movimiento de retorno y desaparición, de recuerdo y olvido, todo lo cual permanece indiferente a la presencia de la acción humana. De igual modo, el vínculo entre la escultura y la naturaleza —como si el proyecto de la escultura consistiera en presentar lo que podría, en términos de Kant, «existir en la naturaleza», y dependiera en sí mismo de un vínculo entre la naturaleza y la belleza— se ha roto.[40] Aquí, en este proyecto, el trabajo de la escultura no es la introducción de otra naturaleza,

Forgotten Streams, 2017
Edificio Bloomberg, Londres (Reino Unido)

Captura de pantalla de la película *Jardín en el mar*, Thomas Riedelsheimer, 2010

sino la reubicación del concepto de naturaleza dentro del mundo, donde el mundo en cuestión es el mundo en ruinas. La naturaleza ya no está fuera. Ha perdido cualquier sentido de ser otra.

La segunda obra a considerar, *Estancias Sumergidas*, es la creación de dos habitaciones. Las paredes que forman estas habitaciones eran, en un principio, una estructura de celosía enrevesada. Sin embargo, su ubicación, bajo la superficie —literalmente, pues está en el Mar de Cortés—, implica que no son conjuntos con un interior y un exterior fácilmente discernibles —o por lo menos, no de la manera en la que se entendería según la historia de la creación del espacio. Hay una sensación constante de transformación, ya que las paredes de celosía se siguen poblando de vida animal y vegetal —un hábitat que atrae a diferentes tipos de peces. Las habitaciones se vuelven lugares de habitación y alimentación. Tienen su propia ecología, cuya indiferencia hacia los seres humanos es parte integral de la presencia de la obra como arte.

No obstante, convendría señalar que el título de la obra es más complejo de lo que parece a primera vista. Esa complejidad capta la forma en que las habitaciones tienen un sentido de lugar, historia y transformación material. Todas ellas están implicadas en un distanciamiento de la centralidad del ser humano. Hay un sentido profundo por el cual no son simplemente habitaciones. La conexión entre el término «estancia», en español, y el término *stare*, en latín, significa que lo que está en juego es la interacción entre el permanecer y el ser. El nombre de la obra apunta a la cuestión de habitar. Lo que se recuerda, al menos al principio, es la implicación de Heidegger con el «habitar» (*Wohnen*). En *Construir Habitar Pensar*, Heidegger escribe que «el ser humano [*das Menschsein*] consiste en habitar».[41] Cuando el autor continúa con la sugerencia de que para los «mortales», habitar es «salvar la tierra» y a continuación define «salvar» como «liberar algo en su propia esencia», la respuesta ha de ser que, independientemente de la relación que los mortales tengan ahora con la Tierra, cualquier relación es de por sí siempre destructiva.[42] Asimismo, es una relación con otra concepción del mundo. Una vez que el mundo está en ruinas, no puede existir ya una relación que se defina en términos de «salvación», con independencia de cómo se interprete el término «salvación». De hecho, lo que hay que abordar es un proyecto filosófico radicalmente distinto: concretamente, ¿cómo se debe pensar esa misma imposibilidad? Lo que importa es la separación radical entre el mundo y el ser humano. De ahí la pregunta de un *arte del fin del mundo*, más que la presencia del arte en el fin del mundo. Este último se seguiría definiendo en términos de relación con el ser humano. Lo que ha de perdurar como cuestión es la presencia de un arte que sigue indicando el estado del mundo —un estado en el que existe una separación fundacional y, por tanto, un continuo derrumbe de la relación entre el arte y el ser humano; un derrumbe que es una respuesta a la presencia del mundo actual.

Notas al pie en página 247.

Debate

Lynne Cooke Gracias, Andrew, es mucho en lo que pensar. Si no he entendido mal lo que has dicho, dices que la escultura es un lugar de pensamiento, diferente de la arquitectura, que no tiene esa capacidad.

AB Creo que son dos cuestiones diferentes, el funcionamiento de algo como arquitectura y el funcionamiento de algo como arte. Por tanto, cada obra de arte anuncia, por el hecho de serlo, su lugar en la historia de la que forma parte. Y pienso que lo mismo ocurre con la arquitectura; el aspecto de la relación siempre va a ser diferente.

LC ¿Por qué necesitas una categoría de escultura?

AB Te entiendo, es una pregunta muy acertada. No tengo muy claro que la necesite. Quiero decir, la necesito porque estoy hablando de ello: hay una historia de la escultura, que se remonta a cuando sea, y tiene sentido hablar de ella. Ahora, si tiene sentido o no seguir hablando de lo que actualmente hace un determinado escultor —o incluso si él o ella es un escultor—, yo personalmente lo dejaría como una pregunta abierta. Las esculturas posobjeto de las que estamos hablando son claramente esculturas continuadas en una no relación con el objeto. En cambio, sí que considero que tiene sentido hablar de género, precisamente porque es un lugar para la criticidad. Abandonar el género es muy fácil. Después, no tienes ni idea de lo que es nada. Todo tiene una relación; lo importante es la naturaleza de la relación.

LC Sí, claro, pero también hay una historia de las ruinas de los edificios.

AB Bueno, sí, y esa sería una pregunta muy interesante: saber si se trata de un capricho o de un jardín. Hay una colección maravillosa de ruinas manieristas italianas, sí, pero yo esto no lo veo como una ruina. Se sale mucho del terreno del capricho; es algo totalmente distinto, y creo que esa es la razón de que se titule así. Independientemente del lenguaje, es muy interesante porque lo que hace es anunciar el concepto de ocupación del espacio, ya sea una habitación o una vivienda, lo que quieras, no tiene mucha importancia. Lo que hacemos, como seres humanos, es ocupar espacios, como hacen los animales, por lo que existimos in situ. La idea del capricho está en que hace un guiño a algo que está o bien en el futuro o bien en el pasado. Se transforma en un momento de incompletez fingida. Ahora bien, esto no tiene nada que ver con una incompletez fingida.

LC Permite una evolución futura, así que, en su sentido más básico, está incompleto.

AB Por supuesto, pero no de la manera en que lo está un capricho.

Richard Noble ¿Hay alguna pregunta más para Andrew?

Miembro del público Has dicho que incluso estando alejada, aunque esté bajo el agua, sigue siendo arte público. ¿Puedes explicarlo?

AB Para debatir si es o no arte público, primero habría que tener claro qué es el arte público. En cierto nivel, claramente, no es arte público porque no está en el ámbito público, pero si cambiamos la definición de público, se convierte en arte público. Por tanto, es solo cuestión de cómo lo definas. Lo que es interesante no es la cuestión pública, sino cómo funciona como arte.

RN Eso está relacionado con lo que Lynne y otras personas han apuntado sobre la manera en la que vive en el mundo como documentación. Por lo que un aspecto importante de su carácter público parece ser que necesita reproducirse a través de una variedad de medios diferentes.

AB Estoy de acuerdo, y cuando Lynne expuso su punto de vista le dije que pienso que tiene razón, pero que creo que se ajusta a un tropo particular en el arte conceptual y el posconceptual, donde no existe una distinción radical entre el objeto de arte y su documentación. De hecho, puedes ir a exposiciones de arte que no son otra cosa más que documentación.

Russell Ferguson

Historia Natural

Una manera de reflexionar sobre las *Estancias Sumergidas* (2010) de Cristina Iglesias es en el contexto del *land art*, concretamente el de la obra de Robert Smithson. Esto es sobre todo cierto en el caso de su *Spiral Jetty* (1970), la cual ha pasado gran parte de su existencia bajo el agua, si bien actualmente se encuentra de nuevo en la superficie. Yo mismo establecí esta comparación, en un ensayo anterior sobre la obra de Iglesias.[43]

Pero también quiero pensar acerca de esta yuxtaposición en el otro sentido. A la larga, no estoy plenamente convencido de que esta obra se relacione tanto con el land art —al menos en el sentido tradicional del land art que supone una intervención icónica, en mayor o menor medida, sobre el paisaje—, aunque al final pueda ser una que termine rindiéndose a un tránsito entrópico o a la disolución.

Ahora, está claro que *Estancias Sumergidas* es una obra que está destinada a someterse a un proceso de cambio, pero no estoy seguro de que ese cambio tenga que ser a la fuerza uno realmente entrópico. También me parece que el hecho de que esté bajo el agua es un elemento tan dramático dentro de la obra que, en cierto modo, puede distraernos de verla como lo que es: una escultura autónoma tradicional. Cuando pensamos en *Estancias Sumergidas* en ese contexto, la obra representa una extensión directa del tipo de escultura de galería que Iglesias se encontraba elaborando antes de decidir sumergir esta obra bajo el agua, y que también incluía esas formas de letras que esbozaban textos y existían en forma de pantallas, muros autónomos o divisiones en el espacio de la galería. Por tanto, en ese sentido, pienso que tenemos que considerarla menos como land art y más como escultura, si es que se puede hacer una distinción significativa entre estos dos términos. Y si pensamos en ella como escultura, entonces tenemos que hacerlo como escultura pública en concreto, por muy difícil que sea su acceso.

Lynne Cooke ha establecido una diferencia importante entre dos categorías de obras públicas de Iglesias: unas están hechas para centros urbanos densamente poblados y otras para zonas remotas. Tal y como señaló Cooke, la segunda categoría de estas obras se relaciona inevitablemente con la idea de rumor o reputación. La idea de que una obra perdura mucho más allá del número de personas que la hayan visto realmente. Como sabemos, *Estancias Sumergidas* se ubica a 15 metros o más bajo la superficie del mar en Baja California.

La propia obra, y en particular el texto que Iglesias ha elegido para ella, afronta directamente el tema de la accesibilidad y la lejanía. Los muros enrejados de hormigón están hechos con formas de letras que pronuncian un texto de José de Acosta, sacado de su libro *Historia natural y moral de las Indias*, un relato del nuevo mundo escrito por un sacerdote jesuita que había estado allí. A mi parecer, es importante que el texto que Iglesias escogió integrar en estas esculturas sea una articulación del sueño de un mundo nuevo en el momento en que se convirtió en realidad para los europeos, si bien al mismo tiempo es el sueño de un mundo inalcanzable que había sido durante mucho tiempo una fantasía. T.J. Demos se refiere a la conexión con el mito de la Atlántida, a la idea de un mundo tan ancestral como perdido pero recuperable, potencialmente, en algunos aspectos. La obra de Iglesias cumple ahora nueve años, y ya está asumiendo algunos de los rasgos de una antigua ruina. Y no solo porque esté cubierta de algas y los peces vivan en ella. También porque, desde muy al principio, con su elección del texto para articular la forma de la escultura, la misma estaba participando en un discurso sobre mundos antiguos y perdidos, ya estaba participando en ese discurso desde el mismo día de su instalación. El texto está literalmente escrito en piedra. No podría estar más presente físicamente, pero al mismo tiempo, toda esta vida marina, las algas, el coral y los cirrípedos y todo lo demás harán gradualmente que ese texto sea ilegible. No obstante, a través de su reputación, mientras se conozca la existencia de la obra, siempre sabremos que ese texto está ahí —bajo toda la acumulación—, y que aún sigue latente a través de la estructura de arrecifes en la que se está convirtiendo la escultura. Por tanto, somos conscientes tanto de la pérdida del texto original como de la continuidad de su existencia bajo el resto de los elementos de la escultura. Por lo que, en ese sentido, no es una intervención neutra en el paisaje del mismo modo que podríamos decir del *Doble Negativo* (1970) de Michael Heizer, que remodeló parte de la meseta de Nevada en la que se encuentra, pero que al final acabará siendo reclamado totalmente por la meseta.

Estancias Sumergidas no es únicamente un intento de crear un nuevo entorno potencial de arrecifes. Ese objetivo se podría haber alcanzado sin el más mínimo componente artístico. Esto no es «solo» una intervención ecológica, aunque también lo es. Es también una escultura que se ha colocado en este lugar, y se encuentra en un continuum con otras esculturas que Iglesias ha hecho, incluyendo las que existen en tierra firme, colecciones privadas, espacios públicos y museos. En ese sentido, no es una obra aislada del resto de trabajos. Es parte de un continuum de escultura. Tiene, por supuesto, mucho en común con la profunda relación con el agua patente en las obras públicas de Iglesias en Amberes, Toledo y Londres, pese a que esas piezas se encuentran en lugares mucho más transitados. No obstante, la ubicación remota de las *Estancias* suscita preguntas reales y profundas sobre lo que significa referirse a cualquier escultura como «pública». Por un lado, esta obra se encuentra al aire libre, no está en una galería ni en un museo. En teoría, cualquiera puede verla, si bien al mismo tiempo su visibilidad real para la gente resulta obviamente muy limitada. Para mí, este es un aspecto crucial de la obra. Si pensamos en la amplia historia de la escultura pública, casi en su totalidad ha consistido en hacer exactamente lo contrario de lo que hace esta escultura, en lo que a su emplazamiento se refiere. Hasta hace muy poco, casi toda escultura pública consistía en reclamar el espacio público más emblemático y asumir el mando desde allí. Por ejemplo, si pensamos en la Columna de Nelson en Trafalgar Square, por poner un ejemplo que todos conocemos, esta columna se alza en línea recta, para dominar no solo la plaza, sino todo el espacio alrededor de ella, y por extensión toda Europa, e incluso el mundo. Eso es lo que nos dice la Columna de Nelson. Otros ejemplos podrán ser algo menos dramáticos, pero la idea es la misma: reclamar el espacio, con frecuencia en nombre de un individuo concreto, y dominar tanto espacio alrededor de la escultura como sea posible.

La obra que Iglesias ha creado en Baja California propone un enfoque totalmente diferente de la relación entre una obra de arte, supuestamente pública, y su entorno y público. Posee lo que yo llamaría una modestia en la colocación, pero de ningún modo una modestia en la ambición, y esa modestia en la colocación se hace muy presente en el efecto de la propia obra conforme nos acercamos a ella desde la superficie del mar. Ahora bien, a un cierto nivel, fue una enorme empresa logística construir esta estructura a 15 metros bajo el agua, sin embargo, cuando salí a verla, recuerdo estar oteando por encima de la borda del barco para echarle mi primer vistazo. Era impresionante lo resistente que era la escultura a la visibilidad, incluso a tan

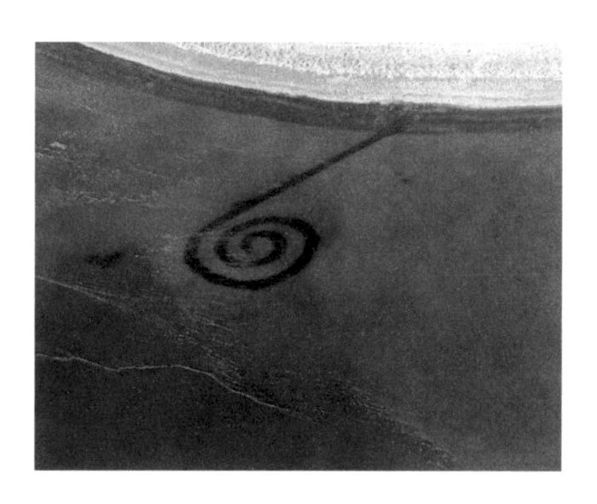

ARRIBA Michael Heizer
Double Negative, 1969
En total 240.000 toneladas de tierra removida, riolita y arenisca
45 m × 1,37 × 8,8 m en conjunto
Mormon Mesa, Overton (Nevada)
Colección: Museo de Arte Contemporáneo (Los Ángeles)

Double Negative, 1969 © Michael Heizer. Cortesía del artista y la Galería Gagosian Fotografía: Michael Heizer.

ABAJO Robert Smithson, *Spiral Jetty*, 1970
Gran Lago Salado (Utah)
Barro, cristales de sal precipitados, rocas y agua
457,2 m de largo y 4,6 m de ancho
Colección de la Dia Art Foundation
© Holt/Smithson Foundation y Dia Art Foundation, con licencia de VAGA en ARS, Nueva York/VG Bild-Kunst, Bonn 2021

William Railton
Columna de Nelson, 1843
51 m
Trafalgar Square (Londres)

corta distancia. Por supuesto, es grande, pero, debido al oleaje del agua, entra y sale de la vista. Incluso cuando nos encontrábamos justo encima de ella, muchas veces era muy difícil de ver, y hasta cuando me metí en el agua con mi tubo y mis gafas puestos, y traté de mantener mi posición, la escultura se escurría dentro y fuera de mi visibilidad. Las olas mueven tu cuerpo, te arrastran en una dirección y pierdes de vista la escultura. Después retrocedes y vuelve a aparecer de repente.

Así que estás ante esta enorme estructura de hormigón, a dos o tres metros de distancia de ella, y tienes problemas incluso para mantenerla visible. Esa es una experiencia extraordinaria para una obra de arte con una presencia física tan innegable. Así que ya desde el principio existe una inquietante oscilación entre esta monumental obra de escultura y el carácter efímero que manifiesta. La escultura está ahí, pero, de algún modo, al mismo tiempo no lo está. No obstante, esa sensación de fluidez es algo que relaciono con el trabajo de Iglesias en general, no solamente con el proyecto de *Estancias*. La artista lleva ya varios años involucrándose con el agua en muchos contextos diferentes, e inevitablemente el agua aporta un elemento de fluidez a la escultura. Por supuesto, la escultura se ha considerado convencionalmente como el medio más sólido, el más fijo, el más inmóvil de todas las formas artísticas. Uno de los mayores logros de Iglesias como escultora ha sido la introducción de formas de trabajo con el agua que desafían la propia materialidad de la escultura.

A priori, el agua parecería el medio menos prometedor para la escultura. Todos sabemos que el goteo del agua es capaz de dar forma a la roca más dura, pero el agua en sí misma, su inherente falta de forma fija parece en muchos sentidos la antítesis de la escultura, en muchos sentidos el medio menos propicio para la articulación de la forma. Y sin embargo Iglesias ha conseguido que el agua funcione esculturalmente incluso en lugares donde lo más necesario podría ser una forma fuerte. Por ejemplo, en la plaza central de Toledo, su obra ocupa por completo este espacio tan emblemático de la ciudad. Es indudablemente una obra de considerable ambición, si bien reescribe los modelos canónicos de este tipo de encargos. El agua fluye lentamente hacia abajo, en lugar de salir a borbotones hacia el aire.

En Toledo y en *Estancias Sumergidas* vemos una forma de escultura pública, ya sea muy visible o casi oculta, que rechaza la tradición de dominación, tanto espacial como psicológica, que ha definido al arte público durante la mayor parte de su historia. A pesar de que incluso las obras más integradas en el entorno natural, como las *Estancias Sumergidas*, son profundamente esculturales, también ponen de manifiesto una nueva forma de interacción, de colaboración con los lugares en los que se encuentran, en lugar de su dominación.

Notas al pie en página 247.

Captura de pantalla de la película *Jardín en el mar*, Thomas Riedelsheimer, 2010

Debate

Iwona Blazwick Russell, me has hecho recordar que casi toda la obra de Cristina es porosa. Las bambalinas de alabastro dejan pasar la luz, y los techos entramados y flotantes también lo hacen, dejan pasar el aire. Puedes ver a la gente a través de ellos, y ellos también dejan pasar el agua a través. Por lo tanto, me preguntaba si podrías decir algo sobre la relación con la energía, porque estas también son formas de energía.

RF Sí. Cuando pensamos en la energía dentro de este contexto, tenemos tendencia a pensar en la fascinación de Smithson por la entropía, o el agotamiento de la energía, pero el tipo de energía que vemos en la obra de Cristina es un nivel de energía mucho más equilibrado. Presumiblemente, en algún momento el universo acabará agotando toda su energía, ya sea en 600 años o en 6.000, pero cuando miro la obra de Cristina veo una especie de intercambio de energía, una especie de reciprocidad en ella que no se relaciona con una visión entrópica de la energía que está siempre escurriéndose. Es curioso que se hable de «escurrir», porque obviamente en las obras de Amberes y Toledo, el agua se escurre de la escultura. Revela los elementos de fundición que hay debajo, pero luego el agua rellena ese espacio. Así que hay una especie de ritmo de drenaje y llenado, lo que voy a llamar una relación recíproca.

IB ¿Crees que ese ritmo también remite a una relación más holística con el planeta, en un sentido que tiene que ver con la gravedad, con las mareas? Porque cuando observas el retorno lento del agua, piensas en los ritmos diurnos, en la muerte y el resurgimiento de la savia y la vegetación, y así sucesivamente. Por tanto, me pregunto si se podría o no reivindicar que la obra guarda una relación más amplia con los ritmos planetarios.

RF No creo que esa sea una manera errónea de describirla, pero si la comparo con alguna como *Los túneles del sol*, de Nancy Holt, en mi opinión, me parece una obra mucho más asociada explícitamente a estos ciclos naturales específicos. Otro punto que quería tratar de articular en estas reflexiones es que también hay que darle a Cristina autonomía en esto, y no considero que la obra sea una adopción pasiva de las mareas, la luna, el sol, de la misma manera que lo era el land art en sus inicios. Por eso quiero enfatizar el grado en el que incluso las obras que están más integradas en el entorno natural, como *Estancias Sumergidas*, son esculturales. En ellas se refleja un interés por ciertas formas e ideas, incluso por ciertos textos, que tiene una continuidad en la obra de la artista, incluidas sus muchas esculturas que no se ubican en un entorno natural concreto.

IB Además, los textos describirán siempre un mundo imaginario ficticio, filosófico, poético y autónomo, y creo que ese espacio a la imaginación está implícito en la obra.

RF Sí. La utilización extensiva de texto no es algo que solamos asociar con el land art o el arte de la Tierra, porque el principio —a veces tácito pero subyacente— es que es un arte para un tiempo futuro, en el que la gente no hablará ninguna de nuestras lenguas conocidas. Tiene que ser algo tan magistralmente sobresaliente que la gente lo reconozca como producto de la intervención humana, con o sin lenguaje. Me quedo en blanco buscando ejemplos de land art canónico que hagan uso alguno del texto.

Es importante que no subestimemos el uso del lenguaje y del texto en la obra de Cristina, porque le da una especificidad muy grande, y la aleja de esa idea de que se trata de las fases de la luna o algo así.

Nancy Holt, *Túneles de Sol*, 1973–76
Desierto de la Gran Cuenca, Utah
Hormigón, acero y tierra
Dimensiones totales: 2,8 × 26,2 × 16,2 m; longitud diagonal: 26,2 m
Fotografía: ZCZ Films/James Fox
Colección Dia Art Foundation con el ayodo de la Holt/Smithson Foundation
© Holt/Smithson Foundation y Dia Art Foundation, con licencia de VAGA en ARS, Nueva York/VG Bild-Kunst, Bonn 2021

IB Una última observación es que, al principio, la insistencia en que fuera una escultura implicaba que se podía presentar alegremente en un cubo blanco, pero en una especie de giro del proceso específico del lugar, con el tiempo se vuelve más y más específica del lugar. Se vuelve absorbida por la sinergia y cada vez se parece más a su contexto.

RF Sí. Creo que esa dinámica es muy interesante. Se hizo claramente para este lugar específico; el hormigón está pensado para que se adapte a la vida marina, y el texto es relevante para este lugar en particular, pero creo que se podría ver esta escultura sin necesidad de instalarla bajo el agua. Podrías verla en la Tate, o en la Whitechapel. En cierta manera también se podría decir lo mismo de la escultura de Nelson en lo alto de su columna en Trafalgar Square. Cuando se hizo era simplemente otra escultura más de Nelson, pero ahora es imposible imaginarla en otro lugar que no sea el centro de Trafalgar Square.

T.J. Demos Me ha llamado la atención lo que decías sobre el uso del agua que hace Cristina. Quizá una de las cosas que distingue esto de sus otras obras es que hay un sentido en el que su transformación se construye sobre su concepción. La ambición de convertirla en un arrecife de coral me parece un tipo de práctica radicalmente colaborativa —en el sentido de que la obra colabora con el lugar.

RF Sí. Estoy tratando de distinguirla de la idea de una escultura que tendría una relación con el cambio entrópica a lo largo del tiempo. Es decir, que se desvanecería. Esta obra está en proceso de transformarse a sí misma en otra cosa, y estaba destinada a hacerlo desde el principio, así que de manera inherente se trata más de una relación de colaboración con los elementos que van a trabajar sobre ella que de algo pensado para resistir a los elementos durante 1000 años, o destinado a sumergirse y disolver su forma en una especie de rendición ante dichos elementos. No es ninguna de esas dos cosas; es algo en lo que la relación cambia con el tiempo, pero tiene una continuidad que va a continuar en nuevas formas. En el ensayo que escribí para el libro del Reina Sofía, la comparé con la canción de Ariel en *La Tempestad* de Shakespeare, cuando se describe a un cuerpo ahogado como que ha sufrido un «cambio trascendental» y se ha convertido en coral. Así que la obra sufre un cambio trascendental, en el sentido shakespeariano.

Tu padre yace enterrado bajo cinco brazas de agua; se ha hecho coral con sus huesos; los que eran ojos son perlas. Nada de él se ha dispersado; sino que todo ha sufrido la transformación del mar en algo rico y extraño.

-William Shakespeare, *La tempestad,* Acto I,

1. Astrid J. Hsu transcribió y colaboró en la traducción de esta ponencia, dada el 4 de abril de 2018 en la Institución de Oceanografía Scripps.

2. Comunicación personal con el artista, 17 de noviembre de 2019.

3. Ibid. Si la colonización fuera efectiva se necesitarían corrientes fuertes en el lugar, que limpiarían la estructura, dejando solamente aquellas formas de vida lo suficientemente resistentes como para perdurar.

4. Comunicación personal con el artista, 9 de noviembre de 2019.

5. Robert Smithson, The Spiral Jetty (1972), en Jack Flam (ed.), *Robert Smithson: Collected Writings* (Berkeley: University of California Press, 1996), p. 152.

6. Ibid. A él probablemente le resultaría irónico que sus actuales depositarios, la Dia Art Foundation, procuren contener la destrucción entrópica a la que él dio la bienvenida. Irónico, también, que su escultura se haya vuelto una meca para los turistas de arte y otras personas engatusadas por el «mito de Occidente», la estética cargada de patetismo de lo Sublime y la atracción de «lo salvaje».

7. Ibid., p. 146.

8. Ibid., p. 152.

9. Robert Smithson, Entropy and the New Monuments (1966), en *Collected Writings*, p. 11.

10. Russell Ferguson, «Sea Change», *Cristina Iglesias: Metonymy* (Madrid: Museo Nacional Centro de Arte Reina Sofía/ Munich: Del Monico Books/Prestel, 2014), p. 21.

11. Adrian Searle, «Istanbul Biennial 2015: an overwhelming meditation on the tides of human misery», *The Guardian*, 7 de septiembre de 2015.

12. Citado en Ferguson, Sea Change, p. 22.

13. Comunicación personal con el artista, 17 de noviembre de 2019.

14. En un momento de revelación, el narrador de Poe acaba viendo el maelström como «una criatura hermosa y asombrosa». Iglesias hizo esta conexión en respuesta a una serie de acontecimientos inesperados. En su primer vuelo a Noruega, se llevó un ejemplar de la recopilación de cuentos de Poe. Durante el viaje, empezó con «Un descenso al Maelström», y descubrió que estaba ilustrado con un pequeño mapa del lugar al que se dirigía. Más adelante, descubrió que en algún momento del pasado los habitantes de Moskenes habían trasladado su pueblo de un lado a otro de la isla con el fin de estar más alejados del peligroso remolino de la costa.

15. Citado en Maaretta Jaukkuri (ed.), *Artscape Nordland* (Nordland County: Forlaget Press, 2001), p. 156.

16. Veáse, por ejemplo, *TK*, Umeå (Suecia), 2008, y *Sala de Vegetación Inhotim*, Belo Horizonte (Brasil), 2010–12.

17. Ben Taub, «Ideas in the Sky», *The New Yorker*, 23 de septiembre de 2019, pp. 32–41. Todas las citas de este texto.

18. M. Kat Anderson, *Tending the Wild: Native American Knowledge and the Management of California's Natural Resources* (Los Angeles: University of California Press, 2005).

19. William Cronon, «The Trouble with Wilderness; or Getting Back to the Wrong Nature», *Environmental History*, vol. 1, No. 1, (enero 1996), pp. 7-28.

20. Timothy Martin, *Ecology without Nature: Rethinking Environmental Aesthetics* (Cambridge, Mass.: Harvard University Press, 2009).

21. Eduardo Kohn, *How Forests Think: Toward an Anthropology Beyond the Human* (Berkeley: University of California Press, 2013), p. 16.

22. Elizabeth Kolbert, «The Darkening Sea», *The New Yorker*, 20 de noviembre de 2006; Elizabeth Kolbert, *La sexta extinción: Una historia nada natural* (New York: Henry Holt and Co., 2016).

23. Fres Moten habla con Robin D.G. Kelley, Universidad de Toronto, 3 de abril de 2017, https://www.youtube.com/watch?v=fP-2F9MXjRE. Desarrollo esta postura en mi libro, *Beyond the World's End: Arts of Living at the Crossing* (Durham: Duke University Press, próxima publicación).

24. A.V. Uroskie, «La Jetée en Spirale: Robert Smithson's Stratigraphic Cinema», *Grey Room*, No. 19 (primavera de 2005), pp. 54–79.

25. Véase Donna Haraway, *Manifiesto de las especies de compañía: Dogs, People and Significant Otherness* (Chicago: Prickly Paradigm Press, 2003).

26. Scott MacDonald, «Review: Leviathan», *Framework*, 2012, http://www.frameworknow.com/review-leviathan.

27. Rachel Carson, *Silent Spring* (Boston: Houghton Mifflin, 2002), p.1.

28. Aquí desarrollo la concepción de Mbembe del «devenir negro del mundo» hacia una ecología política del ensuciamiento, la toxicidad ambiental y la contaminación que no es ajena a las violencias socioecológicas coloniales y corporativas industriales. Véase Achille Mbembe, *Critique of Black Reason*, trans. Laurent Dubois (Durham: Duke University Press, 2017), p. 6.

29. El texto se menciona en el documental Jardín en el mar (2012) de Thomas Riedelsheimer: «Dicen que estos hombres salieron de Europa o de África hacia esa famosa y reputada isla de la Atlántida, y luego pasaron de una isla a otra, hasta llegar a la tierra firme de las Indias. Si las islas de la Atlántida hubieran sido tan grandes como dijo Platón, forzosamente habrían de cubrir todo el océano Atlántico y haberse extendido hasta las islas del nuevo mundo, y luego, con el tiempo, habrían ocupado las ruinas de la isla ahogada».

30. Donna Haraway, Sympoiesis: Symbiogenesis and the Lively Arts of Staying

with the Trouble, *Staying with the Trouble: Making Kin in the Chthulucene* (Durham: Duke University Press, 2016), p. 58.

31. Ubicado cerca de la costa de Cancún y de la costa occidental de Isla Mujeres, e inaugurado en 2010, el Museo de Arte Subacuático de Cancún alberga más de 485 esculturas sumergidas de Taylor y 30 piezas en tierra firme, y cuenta con el apoyo de la CONANP, la Comisión Nacional de Áreas Naturales Protegidas de México, y la Asociación de Náuticos de Cancún.

32. Eduardo Kohn, *Cómo piensan los bosques: Toward an Anthropology Beyond the Human* (Berkeley: University of California Press, 2013).

33. Arturo Gomez-Pompa y Andrea Kaus, «Domando lo salvaje: La política y la educación medioambientales hoy en día se basan en las creencias occidentales sobre la naturaleza más que en la realidad». en *BioScience*, vol. 42, número 4, abril de 1992, páginas 271–279, https://doi.org/10.2307/1311675.

34. Steven R. Holen, Thomas A. Deméré, Daniel C. Fisher, Richard Fullagar, James B. Paces, George T. Jefferson, Jared M. Beeton, Richard A. Cerutti, Adam N. Rountrey, Lawrence Vescera & Kathleen A. Holen, 'A 130,000 year old archaeological site in southern California, USA', *Nature*, vol. 544 (2017), 479-83.

35. Ha habido una serie de trabajos importantes sobre el arte y el Antropoceno. Véase Heather Davis y Etienne Turpin (ed.), *Art in the Anthropocene: Encounters Among Aesthetics, Politics, Environments and Epistemologies* (London: Open Humanities Press, 2014).

36. Para un argumento sólido contra esta apocalíptica disyuntiva, véase Geoff Mann y Joel Wainwright, *Leviatán climático: Una teoría sobre nuestro futuro planetario* (London: Verso Books, 2018).

37. Laurent C.M. Lebreton, et al., «Evidence that the Great Pacific Garbage Patch is rapidly accumulating plastic», *Scientific Reports* 8, no. 4666 (marzo de 2018). https://doi.org/10.1038/s41598-018-22939-w.

38. Véase Timothy Morton, *Hiperobjetos: Filosofía y ecología después del fin del mundo* (Minneapolis: University of Minnesota Press, 2013).

39. Immanuel Kant, *Critique of the Power of Judgment*, trans. Paul Guyer and Eric Matthews (Cambridge: Cambridge University Press, 2001), p. 141.

40. Ibid., p. 199.

41. Martin Heidegger, Construir Habitar Pensar, en David Farrell Krell (ed.), *Martin Heidegger Basic Writings* (San Francisco: Harper Collins, 1993), p. 351.

42. Ibid., p. 352.

43. Russell Ferguson, Sea Change en Lynne Cooke ed., *Cristina Iglesias: Metonymy* (Munich: DelMonico Books, 2013).

Cristina Iglesias
Escultura en lo salvaje

Sin título (Hojas de laurel), 1993–1994
Noruega

Habitación Vegetal Inhotim, 2010–2012
Brasil

Towards the Sound of Wilderness, 2011
Reino Unido

Hondalea (Abismo marino), 2020–2021
España

Sin título (Hojas de laurel), 1993–94

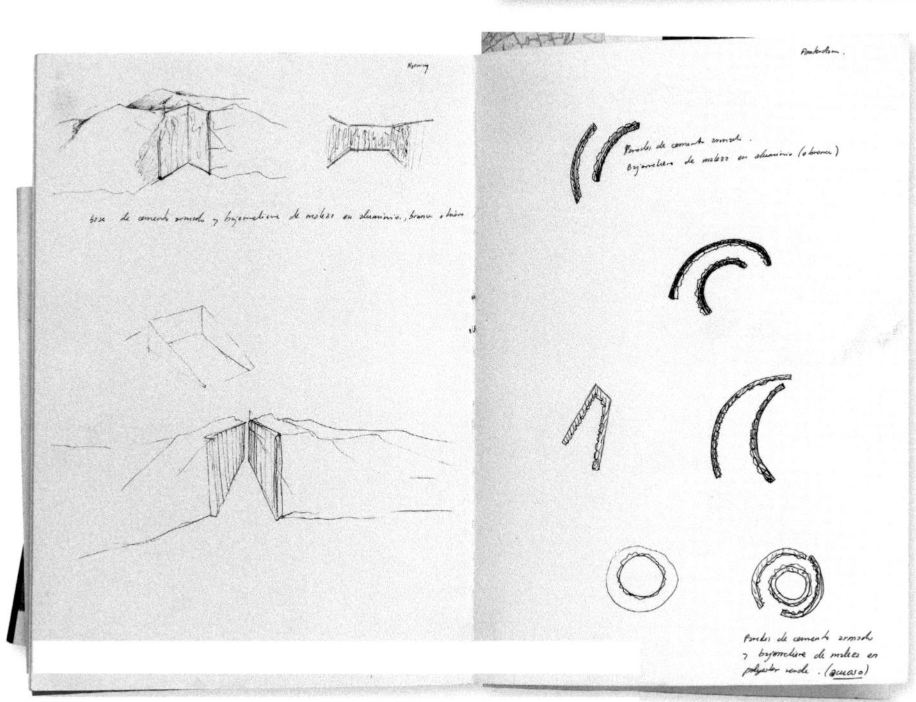

PÁGINA 249 Sala de Vegetación Inhotim, 2010–12 (detalle)

Cuaderno con dibujos preparatorios, 1993
Tinta y témpera sobre papel
29,3 × 42 cm

PÁGINA CONTRARIA Vista General, 1993–1994
Aluminio fundido
2,73 × 2,60 m y 3,12 × 2,66 m
Moskenes, Islas Lofoten (Noruega)

AMPLIADO EN LA PÁGINA SIGUIENTE Sin título (Hojas de laurel), 1993–94 (detalle)
Aluminio fundido
2,73 × 2,60 m y 3,12 × 2,66 m

Moskenes, Islas Lofoten
Noruega

Sala de Vegetación Inhotim, 2010–2012

PÁGINA CONTRARIA Vista de los pasillos interiores
Acero inoxidable, bronce, resina de poliéster, fibra de vidrio y agua
3 × 9 × 9 m

Dibujo preparatorio, 2009
Acuarela, carboncillo, témpera y lápiz sobre papel
21 × 29,5 cm

AMPLIADO EN LA PÁGINA SIGUIENTE
Habitación Vegetal Inhotim (vista desde el exterior), 2010–12
Acero inoxidable, bronce, resina de poliéster, fibra de vidrio y agua
3 × 9 × 9 m

Inhotim, Belo Horizonte, Brasil

Towards the Sound of Wilderness, 2011

Dibujo preparatorio, 2010
Acuarela y carboncillo sobre papel
22 × 30 cm

PÁGINA CONTRARIA *Towards the Sound of Wilderness*, 2011
Resina de poliéster, bronce en polvo y acero inoxidable
3,85 × 6 × 4,2 m

Folkestone
Reino Unido

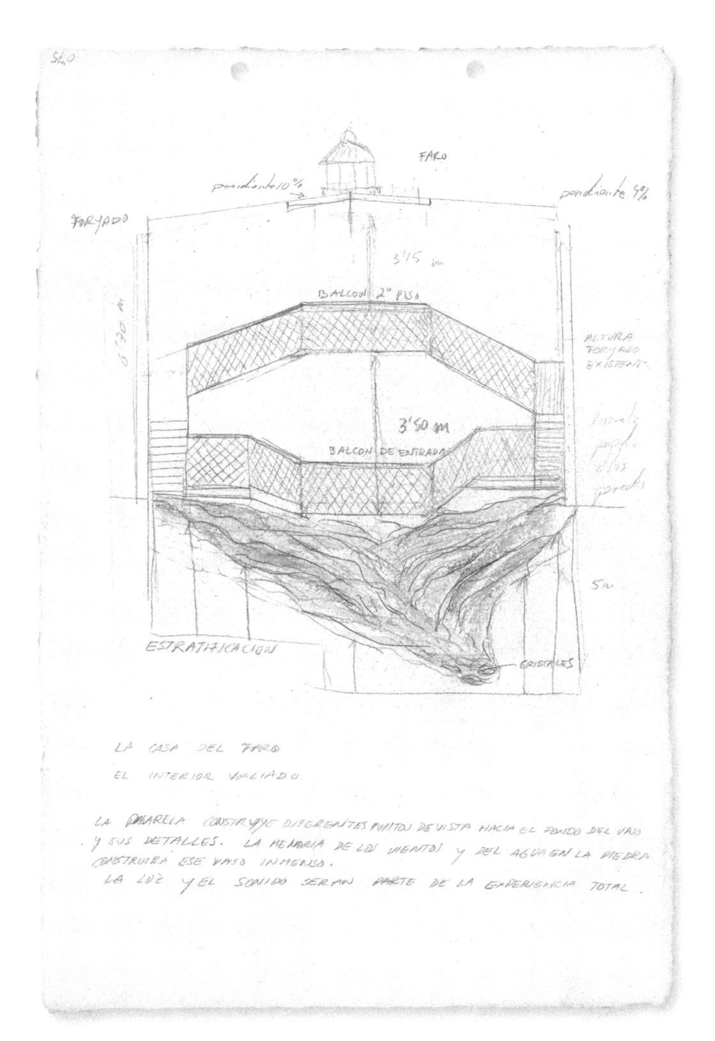

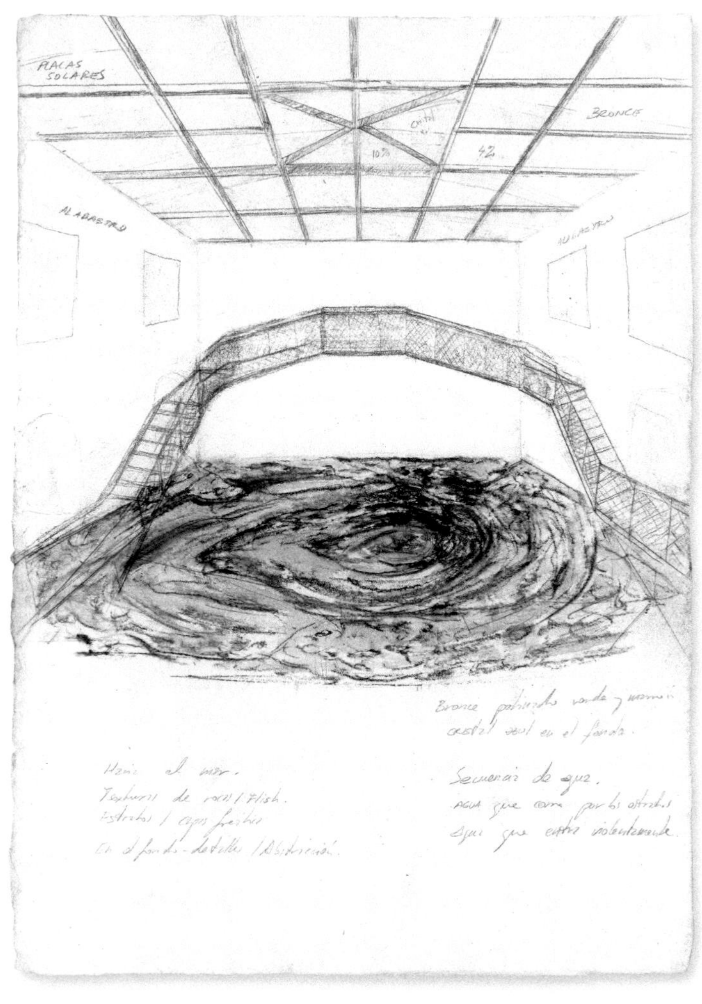

Isla de Santa Clara, Donostia / San Sebastián España

Dibujo preparatorio, 2019
Acuarela, lápiz y carboncillo sobre papel
31 × 22 cm

PÁGINA CONTRARIA Isla de Santa Clara, Donostia / San Sebastián

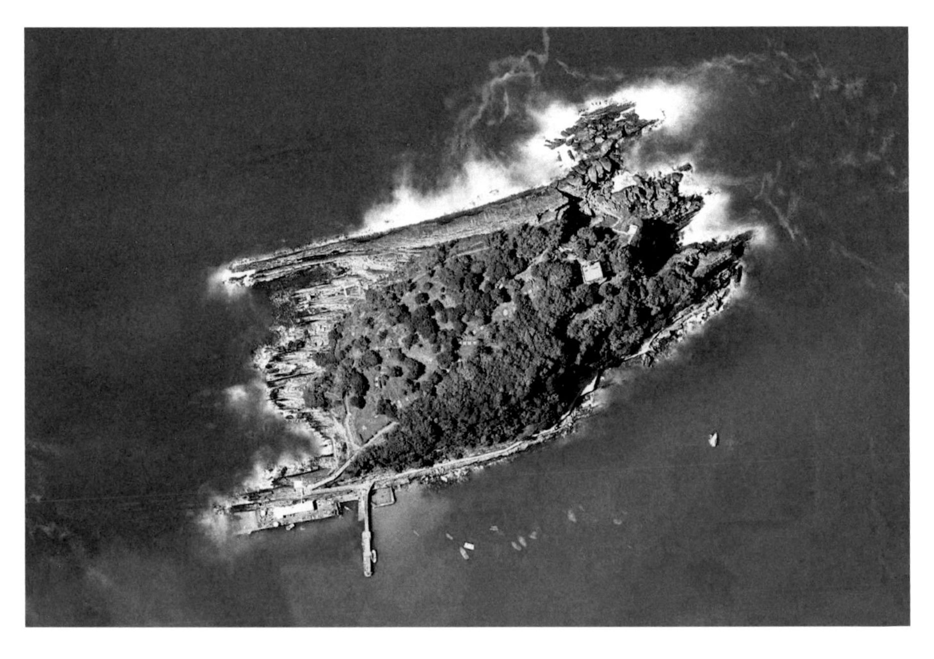

ARRIBA A LA IZQUIERDA Y A LA DERECHA
Hondalea en construcción in situ, 2020
10,21 (+ 5,85) × 11,40 × 11 m

ESTA PÁGINA Modelo 3D de *Hondalea,*
2020

PÁGINA CONTRARIA En construcción
in situ, 2020
10,21 (+ 5,85) × 11,40 × 11 m

PÁGINAS 264–265 Detalle de la gruta
de bronce, 2020

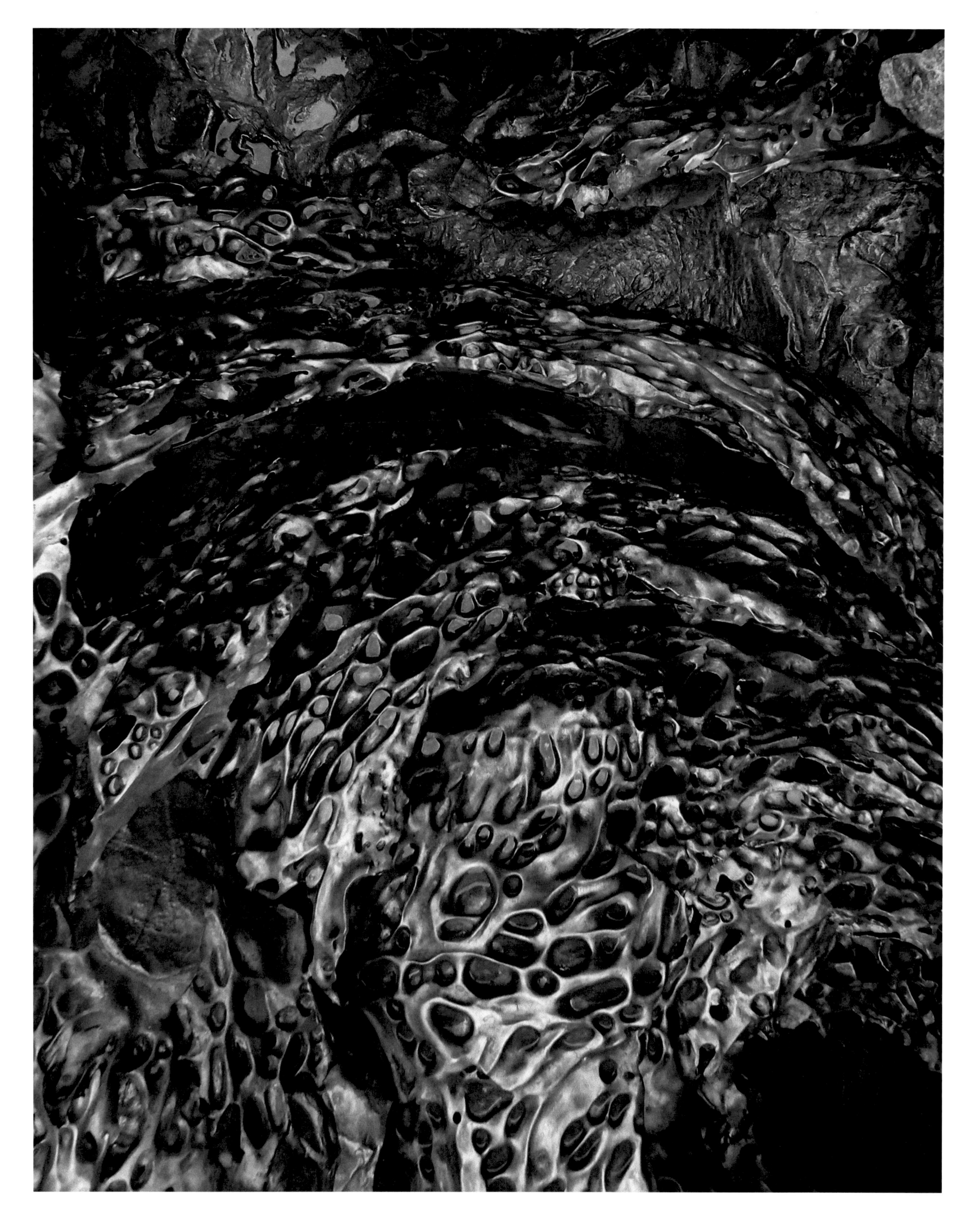

James Lingwood ¿Cuál fue el origen de tu trabajo para la Isla de Santa Clara en San Sebastián? ¿Te invitaron las autoridades municipales a realizar una obra?

Cristina Iglesias San Sebastián había sido Capital Europea de la Cultura en 2016 y el alcalde quería tener algo que permaneciera en la ciudad en perpetuidad. Ya me habían pedido que hiciera una obra en San Sebastián. En aquel momento no me

Cristina Iglesias en conversación con James Lingwood

interesaba o quizás no estaba preparada para asumir la idea de hacer una obra en mi ciudad. Viví aquí hasta los 18 años, así que es una parte importante de mí. Tal vez eso me hizo más reticente. De todos modos, por alguna razón, sentí que necesitaba desarrollar una idea que fuera más allá de las expectativas normales de la escultura pública, para buscar algo más. Decir «no» a las primeras invitaciones me ayudó a mantener un espacio en mi mente hasta que pude encontrar un lugar y una idea que me permitiera ir más allá y profundizar en mi trabajo. Siento que estoy construyendo algo en la isla que había estado en algún lugar de mis sueños.

JL ¿Cuándo imaginaste por primera vez que la isla podría ser un lugar para tu obra?

CI He realizado obras en ciudades como Amberes y Toledo, donde la arquitectura y el agua son elementos vitales en la escultura. Estas obras no son tanto objetos como lugares. A veces, cuando volvía a San Sebastián, pensaba en hacer algo en la isla, dentro del faro. es un lugar público, cercano a la ciudad y parte de la vida de la misma, pero también es una isla alejada de la ciudad. El viaje hasta ella es parte de la obra. La travesía del agua, el caminar en la isla hasta llegar al faro y, después, adentrase en él, también es parte de la experiencia.

JL No es frecuente que una obra permanente encargada por una ciudad pueda funcionar en sus propios términos, de forma tan ambiciosa.

CI A veces se pueden tener ideas más descabelladas para una pieza temporal. Hacer algo permanente conlleva muchas limitaciones. Sin embargo, en este proyecto no ha sido así. Hay responsabilidades, por supuesto —hay que proteger el lugar, respetar su ecología—, pero estas también son importantes para mí. Aparte de eso, la ciudad me ha permitido trabajar como necesito, para hacer una obra como esta.

JL ¿Cómo fue recibida inicialmente tu idea de la isla? ¿Cómo convenciste a las autoridades necesarias de que el faro podía convertirse en una escultura?

CI Sabía que tenían que hacer algo, porque el estado del faro se había deteriorado y, es una estructura histórica. La isla de Santa Clara pertenece a la ciudad, pero el faro propiamente dicho pertenece a otro organismo que se encarga de este tipo de construcciones para toda la península. Había que asegurar el futuro del faro. Mi idea era restaurarlo, manteniendo su exterior igual. Nada se verá diferente en el exterior, eso es importante. Pero la arquitectura es el recipiente para un tipo de experiencia muy diferente en el interior. En otras situaciones, podrían haber hecho un bar o un restaurante alrededor del faro, pero había que respetar el entorno de la isla y todo el mundo lo entendió. Cuando les expliqué que el viaje a la isla era una parte importante de la experiencia, que la isla es un lugar público de lugar público, captaron la idea inmediatamente.

JL Todo el mundo en la ciudad conoce el lugar, cualquiera puede ir allí. Pero ahí estás creando una experiencia más íntima, algo que se vive por dentro. Un lugar de reflexión más que de recreo. ¿Siempre tuvo claro que no quería ningún signo externo de la escultura?

CI Hemos vaciado el interior de la casa y excavado nueve metros hacia el mar, de los cuales cinco metros desde el nivel del suelo, serán visibles para el espectador. De alguna manera se podrá sentir o imaginar el mar allí abajo.

JL Como alguien que ha nacido en la ciudad, ¿qué significaba la isla para ti cuando eras una niña?

CI La isla tenía una presencia misteriosa. A veces íbamos en una barquita, pero solo hasta la orilla, y no íbamos más allá. Y, por supuesto, nadie podía entrar en el faro. Experimentábamos una sensación de aventura al ir allí, una sensación de huida. Aunque es una isla, en realidad forma parte de la ciudad: se ve desde la playa y el paseo marítimo justo encima. Pasé mi infancia en la parte antigua de la ciudad hasta los 12 o 13 años. Las calles terminan en el puerto, así que ves la isla todo el tiempo; está muy presente. Solía ir a pescar con mis hermanos al muelle, y nos sentábamos allí, mirando hacia la isla. Se ve en todo tipo de clima. Cuando hay tormenta, o cuando está envuelta en la niebla o la bruma, la sensación es de que está muy lejos. Sin embargo, la mayoría de la gente solo ha ido una vez en su niñez o en algún momento de su vida, y algunos no han ido nunca.

JL ¿Qué significó para ti crecer en una ciudad tan asociada a la escultura pública? Cuando se mira la isla desde la ciudad, en un extremo de la bahía se encuentra la escultura de Chillida *Peine del viento*, que realizó con el arquitecto Luis Peña Ganchegui, y en el otro extremo, la gran escultura de Oteiza, *Construcción vacía*. Ambas están junto al mar: el mar y el viento forman parte de la experiencia de la obra. Y también está la monumental figura de piedra de Cristo.

CI Sí, en lo alto de la colina, con vistas a la ciudad vieja. El *Peine del viento* ha estado allí desde que yo era muy joven, pero la escultura de Oteiza llegó mucho más tarde. Oteiza estuvo presente en el monasterio de Aranzazu y con su laboratorio de tizas, pero la pieza de la bahía apareció al final de su vida, en 2002.

JL Así que creciste con la presencia de estas formas monumentales que forman parte de la vida de la ciudad. ¿Significan algo para ti como joven escultora?

CI Digamos que el lenguaje abstracto de la escultura era famliar para mi precisamente por haber crecido aprendiendo el lenguaje escultórico con naturalidad. Sin duda he aprendido de ellos, así como de muchos otros, pero también de la naturaleza, de la literatura y del cine.

JL En cierto modo, el proyecto de San Sebastián es similar al trabajo en la torre de Toledo, donde también restaurasteis un edificio y donde también hay un vórtice.

CI La transformación de la torre de agua de Toledo en el marco de *Tres Aguas* fue un momento importante de mi escultura. Trabajar con la idea de una habitación, un refugio o una marquesina, ha estado presente en mi obra desde el principio y luego, un poco más tarde, vinieron las *Habitaciones Vegetales*, en las que el espectador puede entrar en ellas. La torre de Toledo era una propuesta diferente: trabajar con un edificio abandonado, restaurarlo y transformarlo en otra cosa.

Hay que subir por la escalera exterior del edificio, luego entrar por una abertura en el techo y mirar hacia abajo a ese vórtice de acero que asemeja materia vegetal en una cuenca, llenándose y vaciándose con agua. En el faro, quería llevar esa idea más allá.

JL Hay muchos tipos diferentes de movimiento en tu obra; desde las *Habitaciones Vegetales* donde se puede caminar a través de la escultura hasta *Tres Aguas* en Toledo donde se camina a través d e la ciudad y a lo largo del rio a traves de la arquitectura; y luego el movimiento del agua en la obra, que significa que siempre está cambiando. Para el trabajo en la isla, el viaje es aún más pronunciado. Hay que atravesar el mar, subir la colina de la isla y entrar en el faro. Y luego está el movimiento de la obra en el interior, la cascada de agua.

CI Hay un vacío en el corazón de la obra, una apertura. Te mueves por este vacío, dejándote arrastrar. Me gusta la idea de perderse, de experimentar una especie de salvajismo, de perder el control de dónde estás, de abandonarte. Siempre me interesado los laberintos, y en mi trabajo se puede ver que no se trata solo de entradas y pasillos, sino del tránsito por un lugar. Por supuesto, es muy sintético porque todo ocurre en un lugar relativamente pequeño. Tiene que ver tanto con el espacio mental como con el lugar físico: cómo algo puede ser más grande o más profundo en la mente. El viaje a la isla, al faro, es fundamental, y después está la experiencia de entrar y abrirse a algo más grande, de abrirse al otro, bajo tus pies. Estoy muy interesada en trabajar con estos bordes.

ARRIBA Eduardo Chillida
Peine del Viento, 1977

ABAJO Jorge Oteiza
Construcción Vacia, 2002

JL Ya has jugado con la idea del vórtice, no solo en *Tres Aguas*, sino también de forma más explícita en algunas de tus esculturas de pozos. En la isla, es mucho más acentuado.

CI Sí, esa conexión con el centro de la tierra y una noción de la pequeñez de nosotros ante esa inmensidad, el abismo.

JL ¿Podemos hablar un poco de la forma escultórica de la pieza? Dentro del faro, hay formas fundidas en bronce. En esculturas anteriores, ha utilizado a menudo formas vegetales, plantas y árboles. Aquí las formas se asemejan a la geología.

CI Llevo muchos años explorando la geología. Me fijé en la morfología de la costa del País Vasco. Es muy importante este recuerdo de cómo se forma nuestro territorio y nuestro planeta. Toda esta estratificación puede verse a lo largo de la costa. Es importante conservarlo y tenerlo presente. Es importante ver cómo se forman las rocas por la acción del viento y del mar, cómo las fuerzas de la naturaleza a lo largo del tiempo y la sal con el sol hacen agujeros en la roca, y crean una especie de celosía, una pantalla a través de la cual se puede ver parcialmente, que oculta e invita a la vez. Llevo mucho tiempo trabajando con pantallas como dispositivo arquitectónico. Esta vez, en el faro, he querido introducir en la obra los muros y los vacíos que crea la naturaleza. Estaba pensando en estar en una cueva junto a la costa y, de repente, una ola se estrella contra ella... ¡Plas! Hay una fuerza en esa experiencia que me impulsa a querer ser parte de la escultura. He desarrollado una forma de trabajar con el equipo de la fundición de Éibar para crear estratos con muchos detalles diferentes, superficies que se revelan y se ocultan. Estoy componiendo todos estos elementos en una forma total.

JL Hay un nivel de detalle geológico asombroso. Es una escultura que simula la geología.

CI Absolutamente, sí. Es muy físico en cierto modo, pero también una especie de abstracción, como los fragmentos de líneas que se ven en la estratificación de la roca. Se puede dibujar una línea aquí y luego aparece de nuevo allí y entonces sugiere algo más total sin que tenga que dibujarlo todo. Estoy trabajando con esa fragmentación.

JL El historiador francés Fernand Braudel hablaba de diferentes tipos de tiempo: hay tiempo humano y tiempo histórico y tiempo geológico. Así que tienes el tiempo humano de la experiencia de descubrir la obra y su relación con la vida de la ciudad, pero también estás sumergiendo al espectador en lo que podrías llamar tiempo geológico, tiempo profundo, un tiempo más allá de la historia humana.

CI Sí, creo que es importante que seamos conscientes de esa época, es importante recordarlo ahora. Vivimos en una época en la que a veces pensamos que hemos inventado todo lo que es visible y, en realidad, estamos negando -sobre todo en las partes más desarrolladas del mundo- lo que hay debajo, lo que está literalmente bajo nuestros pies. Por eso uso tanto el agua como material, para ser consciente del paso del tiempo, para pedir a la gente que mire más de cerca, que mire más tiempo y que espere a que pase algo. Quisiera que la gente sea consciente de que hemos construido la carretera y que, bajo esa carretera, hay un sistema de agua y también hay aguas más amplias que vienen de más atrás en el tiempo.

JL Has mencionado la colaboración con la fundición. ¿Qué otro tipo de colaboraciones han sido necesarias? Estás en el centro de un gran equipo que aporta diferentes tipos de experiencia al proyecto.

CI Sí, hay muchas personas implicadas, y su colaboración es vital. En la fundición, trabajamos juntos. Me ayudan a entender lo que es posible y quizá yo les ayude a imaginar también lo que es posible. Los arquitectos y los ingenieros han ayudado a resolver algunos problemas complejos, sobre todo cómo excavar el suelo en el interior, llevar las formas de fundición al interior a través del techo, cómo mover el agua a través de la pieza, cómo llevar la luz al espacio, cómo podemos pensar en el sonido. Todos pensamos en cómo orquestar la percepción de la obra y al mismo tiempo mantener la apertura de la experiencia. Todo el mundo está entusiasmado, desde el hombre que nos lleva en el barco, pasando por las personas que han compartido sus conocimientos sobre la isla, su geología y su ecología, hasta el ingeniero de estructuras Hugo Corres, que es profesor de la Escuela Técnica Superior de Ingeniería. También está colaborando en el diseño de la pasarela interior y del techo que almacenará la energía. La colaboración con los ingenieros hidráulicos también es muy importante.

JL Ha dicho que los donostiarras conocen la isla, la consideran parte de su ciudad. ¿Qué aporta al proyecto este sentimiento de propiedad compartida?

CI Es muy importante conservar la sensación de que la isla es salvaje para respetar su misterio. Es un lugar remoto ya la vez es parte de la ciudad. Existe el argumento de que hay que dejar a la isla en paz, que no necesita visitantes, lo que forma parte de un debate más amplio sobre cómo la ciudad ha cambiado tanto en la última década, cómo el turismo internacional ha crecido tanto que a veces puede resultar abrumador. La cuestión principal es respetar lo que es la isla, y también utilizar la escultura como una forma de hablar de temas importantes sobre la preservación, y la conservación.

JL El faro significa para la gente en el mar que está cerca del peligro, pero también cerca de casa.

CI Llegando a casa, sí. Ver la luz del hogar. Y comprender y respetar las fuerzas de la naturaleza, en lugar de ser indiferente a ellas. El clima influye en que se pueda ir a la isla o no.

Hay muchos días en los que el mar es demasiado fuerte y es demasiado peligroso salir. Hay días en los que la isla desaparece porque hay mucha niebla y solo se ve l la luz del faro.

JL ¿Te gusta el hecho de que el tiempo haga imposible a menudo el viaje a la escultura?

CI Absolutamente, sí. Me gusta esta idea de la lejanía. Mi primera obra al aire libre (*Hojas de laurel*, 1993-94) se realizó en Moskenes, una de las islas Lofoten, frente a la costa norte de Noruega, por encima del círculo polar ártico.

Es el lugar más remoto en el que he trabajado. Fui en invierno, cuando no había luz del día y a veces no podía caminar porque el viento y la nieve eran muy fuertes. Y luego, en verano, era extraordinario: había luz todo el tiempo. Edgar Allan Poe se basó en esta costa para escribir su relato Un descenso al Maelström.

JL ¿Qué hiciste en las Islas Lofoten? ¿La obra también se relaciona con el mar?

CI Encontré un lugar en un acantilado con vistas al mar. Contra unas grandes rocas, coloqué dos paredes con superficies fundidas de hojas de laurel. Quería traer la vegetación de otro lugar del mundo, como para sugerir un viaje. Era una especie de refugio, una especie de habitación desde la que se podía mirar al mar.

JL ¿Podría decirse que ahora está trayendo la vorágine del lejano norte a la isla de la ciudad?

CI Sí, tal vez.

JL Nunca has sido una artista que haya querido hacer estructuras imponentes y pesadas, aunque tus obras sean a veces de gran escala. Tal vez sea un tipo diferente de monumentalidad, que va hacia dentro o hacia lo profundo en lugar de hacia arriba.

CI Hay formas de trabajar con la percepción que no son tan obvias, que son más psicológicas y poéticas. Me interesan más estos niveles.

JL Estas obras con formas fundidas, y el agua y los vacíos, crean una especie de encanto oscuro. ¿Hasta qué punto es importante que la experiencia sea en solitario o en grupos reducidos, para que siga siendo íntima? ¿Tendrás que regular el flujo de personas?

CI La idea es que no vaya mucha gente al mismo tiempo. Esperemos que se establezca un ritmo después de los primeros meses. Es bueno que esté abierto a todo el mundo, pero me gustaría que la experiencia fuera muy privada e íntima.

JL Para mantener el misterio del lugar.

CI Sí. Esa es la idea, la posibilidad de perderte en él.

Donostia / San Sebastián, octubre 2019

Biografías

Cristina Iglesias nació en San Sebastián en noviembre de 1956. Estudió Ciencias Químicas en su ciudad natal (1976-1978) y luego, tras un breve periodo en Barcelona practicando la cerámica y el dibujo, estudió escultura en la Chelsea School of Art de Londres, Reino Unido (1980-1982). Recibió una beca Fullbright para estudiar en el Instituto Pratt en 1988. En 1995, fue nombrada profesora de escultura en la Akademie der Bildenden Künste de Múnich (Alemania) y en 1999 ganó el Premio Nacional de Artes Plásticas de España. En 2012, ganó el Grosse Kunstpreis de Berlín, en 2019 el Premio Nacional de Artes Gráficas de España y en 2020 el Premio de Arquitectura de la Real Academia de Londres.

Ha representado a España en dos ocasiones en la Bienal de Venecia, en la 42ª edición en 1986 y en la 45ª edición en 1993. Iglesias creó obras para la Bienal de Sídney en 1990 y 2012; la Bienal de Taipéi en 2003; SITE Santa Fe en 2006 y la Trienal de Folkestone en 2011. Sus obras han sido presentadas en las ferias mundiales de Sevilla en 1992 y Hannover en 2000; y en la Carnegie International de 1995, en el Instituto Carnegie de Pittsburgh. Está representada por las galerías Marian Goodman en Nueva York, París y Londres; Elba Benítez en Madrid y Konrad Fischer en Düsseldorf y Berlín.

Exposiciones seleccionadas

CAPC Musée d´Art Contemporain, Burdeos, 1987; Kuntsveiren für die Rheinlande und Westfalen, Düsseldorf, 1988; De Appel Foundation, Amsterdam, 1990; Kunsthalle Bern, Berna, 1991; Stedelijk Van Abbemuseum, Eindhoven, 1994; Konrad Fischer Gallery, Düsseldorf, 1994; Solomon R. Guggenheim Museum, Nueva York y The Renaissance Society, Chicago, 1997; Palacio Velázquez, MNCARS, Madrid, 1998; Museo Guggenheim, Bilbao, 1998; Carré d´Art, Musée d'art contemporain, Nimes, 2000; Donald Young Gallery, Chicago, 2000; Fundação Serralves, Oporto, 2002; Irish Museum of Modern Art, Dublín y Whitechapel Gallery, Londres, 2003; Museum Ludwig, Colonia, 2006; Pinacoteca del Estado de São Paulo, Brasil, 2008, Art Gallery of York University, North York, Canadá, 1992; Marian Goodman Gallery, Nueva York, 2011; Galerie Marian Goodman, París, 2011; Museo Nacional Arte Reina Sofía, Madrid, 2013; Casa Franca, Río de Janeiro, Brasil, 2013; Marian Goodman Gallery, Londres, 2015; Musée de Grenoble, 2016; Konrad Fischer Gallery, Berlín, 2017; Marian Goodman Gallery, Nueva York, 2018; Centro Arte Botín, Santander, 2018; Centre Pompidou en el West Bund Museum, Shanghái, 2019; Centro Pompidou Málaga, 2020.

Obras en colecciones seleccionadas

ARTIUM, Vitoria; CAAM, Las Palmas de Gran Canaria; CAPC, Burdeos; Carré d'Art, Musée d'art contemporain, Nimes; CCCB, Barcelona; Centre Georges Pompidou, París; Fundação Serralves, Oporto; Fundació 'La Caixa', Barcelona; Fundación Caja de Pensiones, Barcelona; Museo Guggenheim, Bilbao; Hirshhorn Museum and Sculpture Garden, Washington DC; IMMA, Dublín; IVAM, Valencia; MACBA, Barcelona; Moderna Galerija, Liubliana; MoMA, Nueva York; The Mori Art Museum, Tokio; Musée de Grenoble; Museo de Bellas Artes de Bilbao; Museo Nacional Centro de Arte Reina Sofía, Madrid; Museo Nacional del Prado; Norman Foster Foundation, Madrid; Solomon R. Guggenheim Museum, Nueva York; Tate Modern, Londres; Van Abbemuseum, Eindhoven.

Octavio Aburto es profesor asociado del Instituto Scripps de Oceanografía (SIO), fotógrafo profesional asociado a la Liga Internacional de Fotógrafos de Conservación y explorador de National Geographic. Aburto se convirtió en becario Kathryn Fuller del Fondo Mundial para la Naturaleza en 2010, fue galardonado con el Premio a la Conservación de la Naturaleza de la Secretaría de Medio Ambiente de México (CONANP) en 2014 y recibió una beca Hellman en 2015. Sus investigaciones y fotografías se centran en las reservas marinas y las especies marinas explotadas comercialmente y sus pesquerías en México, Belice, Costa Rica, Ecuador y Estados Unidos. Sus fotografías han formado parte de varios proyectos de conservación en todo el mundo y han ganado concursos internacionales de fotografía.

Andrew Benjamin es profesor distinguido de teoría de la arquitectura en la Universidad de Tecnología de Sydney y profesor emérito de filosofía en la Universidad de Monash, Melbourne. Entre sus cargos anteriores se encuentra el de profesor de filosofía y humanidades en la Universidad de Kingston (Londres). Es conocido por sus escritos sobre filosofía continental y sobre la arquitectura como actividad crítica. Entre sus últimas publicaciones se encuentran *Architectural Philosophy* (Athlone Press, 2000); *Philosophy's Literature* (Clinamen Press, 2001); *Disclosing Spaces: On Painting* (Clinamen Press, 2004); y *Style and Time: Essays on the Politics of Appearance* (Northwestern University Press, 2006).

Iwona Blazwick es directora de la Whitechapel Gallery de Londres y anteriormente estuvo en la Tate Modern (1997-2001) y en el Institute of Contemporary Arts de Londres (1980-1985 y 1986-1993). Ha sido comisaria independiente de numerosas exposiciones y encargos de arte público en Europa, América y Japón. Ha expuesto a muchos artistas modernos y contemporáneos y ha comisariado muestras temáticas que proponen historias del arte alternativas. Fue editora fundadora de Contemporary Artists Monographs en Phaidon Press, y de Whitechapel Gallery/ MIT Press Documents of Contemporary Art. Blazwick es asesora de numerosos encargos de arte público en el Reino Unido, Europa y Oriente Medio. Ha editado y colaborado en numerosos catálogos, entre ellos *Century City* (Tate Modern, 2001); *Faces in the Crowd* (Skira, 2005); *Adventures of the Black Square* (Whitechapel Gallery, 2015) junto con numerosas monografías de artistas contemporáneos, como la de Cristina Iglesias en 2002.

Lynne Cooke es comisaria senior de proyectos especiales de arte moderno en la National Gallery of Art (Washington DC), donde comisarió *Outliers y American Vanguard Art* en 2018. Fue conservadora jefe y subdirectora del Museo Reina Sofía de Madrid (2008-2012) y conservadora de la Dia Art Foundation (1991-2008). Cooke ha comisariado numerosas exposiciones en todo el mundo, como la Carnegie International de 1991 (con Mark Francis) y la Bienal de Sidney de 1996, y exposiciones individuales de Agnes Martin, Richard Serra, Francis Alÿs, Zoe Leonard, Rosemarie Trockel y Cristina Iglesias, entre otros. Ha publicado ampliamente sobre arte contemporáneo.

T.J. Demos enseña historia del arte y cultura visual en la Universidad de California, en Santa Cruz, y dirige su Centro de Ecologías Creativas. De 2005 a 2015, Demos enseñó en el University College de Londres. Escribe sobre arte contemporáneo, política global y ecología y es autor de numerosos libros, entre ellos *Decolonizing Nature: Contemporary Art and Political Ecology* (Sternberg Press, 2016); *Against the Anthropocene: Visual Culture and Environment Today* (Sternberg Press, 2017); y más recientemente, *Beyond the World's End: Arts of Living at the Crossing* (Duke University Press, 2020).

Estrella de Diego es catedrática de historia del arte moderno y contemporáneo en la Universidad Complutense de Madrid (España) y académica de la Real Academia de las Artes de Madrid. Ha ocupado numerosos puestos académicos distinguidos y es asesora de museos y fundaciones artísticas. Es una autora que ha publicado mucho, tanto en ficción como en no ficción. Entre sus escritos se encuentran: *La mujer y la pintura en la España del siglo XIX* (Madrid, Cátedra, 1987, 2009); «Reading *Las Meninas*, Again» en *Velázquez's Las Meninas* (Cambridge University Press, 2003); y «El futuro y otros mitos modernos» en *Cristina Iglesias/Thomas Struth: Constructions of the Imagination* (Ivorypress, 2014). Ha sido comisaria de numerosas exposiciones, entre ellas las de Andy Warhol, Sophie Taeuber-Arp y Anna Bella Geiger.

Brian Dillon es profesor de escritura creativa en la Universidad Queen Mary de Londres, profesor visitante de escritura en el Royal College of Art y editor en el Reino Unido de la revista *Cabinet*. Entre sus libros se encuentran *Objects in This Mirror: Essays* (Sternberg Press, 2014); Sanctuary (Sternberg Press, 2011); *Ruins: Documents of Contemporary Art* (Whitechapel Gallery/ MIT Press, 2011); *Tormented Hope: Nine Hypochondriac Lives* (Penguin, 2009); y *In the Dark Room* (Penguin, 2005). Sus escritos aparecen regularmente en *The Guardian*, *The London Review of Books*, *The Times Literary Supplement*, *Artforum* y *frieze*. Dillon comisarió *Curiosity: Art and the Pleasures of Knowing* en Turner Contemporary, Margate en 2013; y *Ruin Lust* en Tate Britain en 2014.

Exequiel Ezcurra estudia los ecosistemas del noroeste de México. Es miembro de la Sociedad Ecológica de América, ha publicado más de 300 artículos y libros, y ha realizado dos exposiciones en museos y una película sobre el mar de Cortés que ha sido premiada. Fue galardonado con el Premio de Biología de la Conservación y la beca Pew en Conservación Marina; fue presidente científico de la Convención CITES, presidente del Instituto Nacional de Ecología de México y director del Instituto de la Universidad de California para México y Estados Unidos. Actualmente es profesor de ecología en la Universidad de California, Riverside. Ha colaborado en «El Niño Effects on the Dynamics of Terrestrial Ecosystems», *Trends in Ecology & Evolution*, 2001; «Mangroves in the Gulf of California Increase Fishery Yields», *Proceedings of the National Academy of Sciences*, 2008; y «Large Recovery of Fish Biomass in a No-take Marine Reserve», *PloS Journal*, 2011.

Russell Ferguson es profesor del Departamento de Arte de la Universidad de California en Los Ángeles desde 2007. Anteriormente fue conservador jefe en el Hammer Museum, Los Ángeles (2001-2007); y editor y conservador en el Museum of Contemporary Art, Los Ángeles (1991-2001). Ha organizado numerosas exposiciones, entre ellas *Memory of My Feelings: Frank O'Hara and American Art* y *Perfect Likeness: Photography and Composition*, así como exposiciones individuales de Francis Alÿs, Patty Chang, Douglas Gordon, Liz Larner, Larry Johnson y Christian Marclay. Con Kerry Brougher, organizó *Damage Control: Art and Destruction since 1950* en el Museo Hirshhorn en 2014. Ha escrito sobre la obra de muchos artistas contemporáneos, entre ellos Cristina Iglesias.

João Fernandes fue nombrado director artístico del Instituto Moreira Salles de São Paulo en 2019. Anteriormente fue subdirector y conservador jefe del Museo Nacional Centro de Arte Reina Sofía, Madrid (2012-2019). También fue director del Museo de Arte Contemporáneo de Serralves, en Oporto (2003-2012), tras haber ocupado el cargo de subdirector de 1996 a 2003. Entre otras muchas e importantes exposiciones monográficas, comisarió una gran encuesta sobre la escultura de Cristina Iglesias en el Museo Reina Sofía en 2016. Ha escrito mucho sobre arte contemporáneo.

Luis Fernández-Galiano es arquitecto, profesor de la Escuela Técnica Superior de Arquitectura de Madrid (ETSAM) y editor de las revistas *AV/ Arquitectura Viva*. Es miembro de la Real Academia de Bellas Artes, International Fellow del RIBA y ha sido Cullinan Professor en la Universidad de Rice, Franke Fellow en la Universidad de Yale, profesor visitante en el Getty Center y crítico visitante en Princeton, Harvard y el Berlage Institute. Ha sido presidente del jurado de la Bienal de Arquitectura de Venecia y del Premio Aga Khan, también ha sido jurado en los concursos para la Biblioteca Nacional de México, el Museo Nacional de Arte de China, la Biblioteca Nacional de Israel y el Noble Oasis del Corán en Madina. Entre sus libros están *Fire and Memory* (MIT Press, 2000); *Spain Builds, 1975-2015* (Arquitectura Viva, 2015); y *Atlas: Architectures of the 21st Century* (Phaidon Press, 2004), del que fue colaborador.

James Lingwood es codirector de Artangel desde 1991. Anteriormente fue comisario en el ICA de Londres. Artangel ha producido proyectos específicos para exposiciones con más de 100 artistas, entre ellos House de Rachel Whiteread, *Cremaster 4* de Matthew Barney, *Empty Club* de Gabriel Orozco, *The Palace of Projects* de Ilya y Emilia Kabakov, *The Battle of Orgreave* de Jeremy Deller, *Seven Walks* de Francis Alÿs, *Seizure* de Roger Hiorns, *Surround Me, INSIDE: Artists and Writers in Reading Prison* de Susan Philipsz y *Year 3* de Steve McQueen en Londres. Entre los proyectos de Artangel a largo plazo fuera del Reino Unido se encuentran *Vatnasafn/Library of Water* de Roni Horn en Islandia, *Mobile Homestead* de Mike Kelley en Detroit y *Tres Aguas* de Cristina Iglesias en Toledo, España. Es asesor del proyecto escultórico de 2021 de Cristina Iglesias para la Isla de Santa Clara en San Sebastián.

Michael Newman es profesor de escritura de arte en Goldsmiths, Universidad de Londres, desde 2007, y profesor asociado de historia del arte, teoría y crítica en la School of the Art Institute of Chicago desde 2002. Ha publicado numerosos ensayos sobre artistas modernos y contemporáneos, así como ensayos temáticos sobre la herida, el horizonte, la contingencia, la memoria, el dibujo y el sinsentido. Sus ensayos más recientes se incluyen en *Florian Hecker: Halluzination, Perspektive, Synthese* (Sternberg Press/Kunsthalle Wien, 2019) y en Kirstie Imber y Fiona Johnstone, eds., *Anti-Portraiture: Challenging the Limits of the Portrait* (Bloomsbury, 2020). Ha escrito dos ensayos anteriores sobre la obra de Cristina Iglesias. Entre los libros más recientes figuran *Seth Price*, (JRP|Ringier, 2010); *Richard Prince Untitled (Couple)* (Afterall Books/MIT Press, 2006); *Jeff Wall: Works and Writings* (Poligrafa, 2007). Ha coeditado con James Elkins *The State of Art Criticism* (Londres y Nueva York, Routledge, 2007).

Richard Noble es profesor y director del Departamento de Arte del Goldsmiths College. Ha escrito sobre la importancia del impulso utópico en el arte contemporáneo y la educación artística, y más generalmente sobre la relación entre arte y política. También ha escrito ampliamente sobre la escultura contemporánea, con ensayos sobre Rachel Whiteread, Antony Gormley y, más recientemente, el artista Adrián Villar Rojas. Entre sus publicaciones más recientes *Utopia: Documents of Contemporary Art* (Whitechapel Gallery/MIT Press, 2010); y *Language, Subjectivity and Freedom in Rousseau's Moral Philosophy* (Routledge, 2019).

Jane Rendell es profesora de arquitectura y arte en la Bartlett School of Architecture del University College de Londres desde el año 2000. Es directora del programa de arquitectura y teoría, y autora de numerosos libros y artículos sobre arquitectura y arte. Entre sus últimas publicaciones se encuentran *The Architecture of Psychoanalysis* (I.B. Tauris, 2017); «Critical Spatial Practice as Parrhesia», número especial de MaHKUscript, *Journal of Fine Art Research* (2016); *Site-Writing: The Architecture of Art Criticism* (I.B. Tauris, 2010); y *Art and Architecture: A Place Between* (I.B. Tauris, 2006).

Andrea Schlieker es directora de exposiciones y exhibiciones de la Tate Britain desde 2018. Anteriormente fue directora de proyectos externos en White Cube London de 2012 a 2018. Ha concebido y comisariado la Trienal de Folkestone (2008 y 2011), encargando nuevas obras en lugares públicos; ha sido cocomisaria de *My City*, un proyecto de arte público en cinco ciudades de Turquía (2010); cocomisaria del *British Art Show* (2005). Como comisaria en Arnolfini, Bristol, ICA y Serpentine Gallery (Londres) ha producido exposiciones nacionales e internacionales y ha contribuido con importantes ensayos a numerosos catálogos y publicaciones. Entre sus publicaciones se encuentran *The Folkestone Triennial: Tales of Time and Space* (Culture Shock Media, 2008) y *Lynette Yiadom- Boakye*, Isabella Maidment y Andrea Schlieker eds. (Tate Publications, 2020).

Jane Withers es una destacada comisaria de diseño, consultora y escritora. Ha sido comisaria de exposiciones y proyectos en el Victoria and Albert Museum y la Royal Academy of Arts, entre otros muchos. Imparte clases y conferencias a nivel internacional y ha formado parte de numerosos jurados y consejos consultivos. Lleva mucho tiempo interesada en la sostenibilidad y en el agua en particular, y en el papel que el diseño puede desempeñar para hacer frente a la crisis mundial. Entre las publicaciones se encuentran los catálogos de las exposiciones, *Water Futures* (A/D/O, 2019); *Circular by Design* (Salone del Mobile, 2018); y *Soak, Steam, Dream: Reinventing Bathing Culture* (Roca London Gallery, 2016).

Colaboradores de la mesa redonda

Mary Beebe, directora, Stuart Collection, Universidad de California en San Diego.

Kirstin Dunne, estratega de infraestructuras culturales y espacio público, Alcalde de Londres, Autoridad del Gran Londres.

Stephen Gallagher, vicerrector adjunto del Instituto Oceanográfico Scripps.

Stella Ioannou, directora de Lacuna, consultora de proyectos públicos/directora creativa de Sculpture in the City.

Kathryn Kanjo, conservadora jefe del Museo de Arte Contemporáneo de San Diego.

Ben Luke, crítico de arte, *Art Newspaper*, *Evening Standard* et al.

Farshid Moussavi OBE, arquitecto, fundador de Farshid Moussavi Architecture y profesor de arquitectura en la Escuela de Diseño de la Universidad de Harvard.

Bibliografía

Monografías y exposiciones individuales

Cristina Iglesias: Arqueologías. Antonio Cervera Pinto. Portugal: Casa del Bocage, Galería Municipal de Arte Visuais de Sétubal, 1984.

Cristina Iglesias: Esculturas 1984-1987. Alexandre Melo. Burdeos: CAPC Museé d'Art Contemporain, 1987.

Cristina Iglesias: Aurora Garcia y Jiri Svesta. Düsseldorf: Kunstverein für die Rheinlande und Westfalen, 1988.

Cristina Iglesias: Bart Cassiman. Amsterdam: de Appel Foundation, 1990.

Cristina Iglesias. Esculturas Recentes. Textos de Cristina Iglesias. Lisboa: Galería Cómicos, 1990.

Cristina Iglesias. Ulrich Loock y José Ángel Valente. Berna: Kunsthalle Bern, 1991.

Cristina Iglesias. Pepé Espaliú y Loretta Yarlow. Ontario: Art Gallery of York University, North York, 1992.

Cristina Iglesias. XIV Bienal de Venecia. Aurora García y José Ángel Valente. Barcelona: Ámbit Servicios Editoriales S.A., 1993. *Cristina Iglesias.* Zdenka Badovinac.

Eslovenia: Mala galerija, Moderna galerija, Liubliana, 1993.

Cristina Iglesias. Francisco Jarauta. San Sebastián: Galería D.V., 1996.

Cristina Iglesias: Cinco proyectos. Javier Maderuelo. Col: Artistas españoles contemporáneos no. 4. Escultura. Madrid: Fundación Argentaria, 1996.

Cristina Iglesias. Nancy Princenthal, Adrian Searle y Barbara María Stafford. Nueva York: Solomon R. Guggenheim Foundation, 1997.

Al otro lado del espejo. Marga Paz. Madrid: Ediciones El Viso, 1999.

Cristina Iglesias. Jennifer Bloomer, Patricia Falguières, Michael Tarantino y Guy Tosatto. Nimes; Acte Sud/Carré d´Art - Musée d´art contemporain de Nîmes, 2000.

Cristina Iglesias: Kritisches Lexikon der Gegenwartskunst. Doris von Drathen. Múnich: Weltkunst und Bruckmann, 2002.

Cristina Iglesias. Ed. Iwona Blazwick Barcelona: Ediciones Polígrafa, 2002.

DC: Cristina Iglesias Drei hängende Korridore. Texto de Ulrich Wilmes. Colonia: Museum Ludwig, Walter König, 2005.

Cristina Iglesias. Texto de Patricia Falguières. París: Instituto Cervantes, 2007.

Cristina Iglesias: Deep Fountain. Textos de Hilde Daem, Catherine de Zegher, Siska Beele. Amberes: BAI en Koninklijk Museum voor Schone Kunsten, 2008.

Cristina Iglesias. Entrevista de Ivo Mesquita, Thais Rivitti. Pinacoteca do Estado de São Paulo, 2008.

Cristina Iglesias. Ed. Gloria Moure. Catálogo de la exposición. Fondazione Arnaldo Pomodoro, Milan. Barcelona: Ediciones Polígrafa, 2009.

Cristina Iglesias: Il senso dello spazio. Ed. Angela Vettese. Milán, Fondazione Arnaldo Pomodoro, 2009.

Cristina Iglesias: Mar de Cortés. Cuaderno de artista. Madrid: Matador, La Fábrica, 2012.

Cristina Iglesias: Metonimia. Textos de Russell Ferguson, Estrella de Diego, Gertrud Sandqvist, Lynne Cooke y Giuliana Bruno. Madrid: Museo Nacional Arte Reina Sofía, 2013.

Cristina Iglesias: Lugar de Reflexão. Texto de Lynne Cooke. Casa França. Río de Janeiro, Brasil, 2013.

Cristina Iglesias & Thomas Struth: On Reality. Texto de Estrella de Diego. Madrid: Ivorypress, 2014.

Cristina Iglesias: Impresiones. Texto de João Fernandes. Madrid: Casa Real de la Moneda y Timbre, 2015.

Cristina Iglesias: Tres Aguas. Textos de Beatriz Colomina, James Lingwood y Marina Warner. Madrid: Ediciones Turner, 2015.

Cristina Iglesias. Giuliana Bruno y Guy Tosatto. Catálogo de la exposición. Musée de Grenoble. Grenoble, Francia: FAGE, 2016.

Cristina Iglesias: INTERSPACES. Catálogo de la exposición. Ed. Vicente Todolí. Textos de Patricia Falguiéres, Cristina Iglesias, Juan José

Lahuerta Alsina, Michael Newman y Benjamin Weil. Santander, España: Fundación Botín, 2019.

Exposiciones colectivas (selección)

La imagen del animal: Arte prehistórico, arte contemporáneo. Madrid: Caja de Ahorros y Monte de Piedad, Palacio de las Alhajas, 1983.

Ed. R. H. Funchs, Jan Debbaut, y Piet de Jonge. Textos de Lourdes Iglesias.

Eindhoven: Stedelijk Van Abbemuseum, 1985.

VI Salón de los 16. Textos de Miguel Logroño. Madrid: Museo de Arte Español Contemporáneo, 1986.

Beelden en Banieren. Texto de R. H. Fuchs y Pet de Jonge. Acquoy: Fort Asperen, 1987.

Quatriémes ateliers internstionaux des Pays de la Loire. Textos de Lynne Cooke y Chris Dercon. Abadía de Fontevraud: FRAC, País del Loira, 1987.

Cinq siècles d´ art espagnol: Espagne 87: Dynamiques et Interrogations. Textos de Carmen Gallano. París: ARC, Museo de Arte Moderno de París, 1987.

Rosc ´88. Textos de Aidan Dunne, Olle Granath Rosemarie Mulcahy y Angelica Zander Rudenstine. Dublín: Royal Dublin Society, The Guinness Hop Store y el Royal Hospital Kilmainham, 1988.

Spanish Art Today. Miguel Fernández-Cid. Takanawa: Museo de Arte Moderno, 1989.

Psychological Abstraction. Textos de Jeffrey Deitch. Atenas: Fundación DESTE, Centro de Arte Contemporáneo, 1989.

The Eighth Biennale of Sydney: The Readymade Boomerang: Certain relations in Twentieth century Art. Texto de Cristina Iglesias. Sídney: Art Gallery of New South Wales, 1990.

Before and After Enthusiasm, 1972-1992. Texto de José Luis Brea, habla con Cristina Iglesias. Amsterdam: KunstRai, 1992.

Hacia el paisaje/Towards the Landscape. Textos de Aurora García y Denys Zacharopoulos. Las Palmas: Centro Atlántico de Arte Moderno, 1990.

Metropolis. Textos de Jeffrey Deitch, Wolfgang Max Faust, Vilém Flusser, Boris Groys, Jenny Holzer, Christos M. Joachimides, Dietmar Kamper, Achille Bonito Oliva, Norman Rosenthal, Christoph Tannert y Paul Virilo. Nueva York: Rizzoli International Publications, 1990.

Espacio mental. Texto de Bart Cassiman. Valencia: IVAM Centro Julio González, 1991.

Últimos días/The Last Days. Textos de Juan Vicente Allaga, José Luis Brea, Massimo Cacciari, Dan Cameron, Manuel Clot y Francisco Jarauta. Madrid: Gran Vía S.A., 1992.

Escultura española actual: Una generación para un fin de siglo. Francisco Calvo Serraller. Madrid: Fundación Lugar, 1992.

Juxtaposition. Textos de Mikkel Borgh y John Peter Nielsson. Copenague: Chalottenborg, 1993. *The Sublime Void (On the Memory of Imagination).* Texto de Bart Cassiman. Amberes: Koninklijk Museum voor Schone Kunster, 1993.

La voce del genere: Cristina Iglesias, Eva Lootz y Soledad Sevilla. Texto de Mar Villaespesa. Roma: Instituto Cervantes, 1994.

Some Notes on Nothing and the Silence of Works of Art: Lili Dujourie, Pepe Espaliú, Cristina Iglesias. Textos de Michael Newman. Londres: Chisenhale Gallery, 1995.

Gravity´s Angel. Textos de Penelope Curtis. Leeds: Henry Moore Foundation, 1995.

Carnegie International 1995. Pittsburgh: Museo de Arte Carnegie, 1995.

Ten Years of the Foundation of the Kunsthalle Bern. Berna: Kunsthalle Bern, 1997.

Damenwahl: Cristina Iglesias, Olaf Metzel. Conversación entre Cristina Iglesias, Ursula Kuhn, Olaf Metzel y Matthias Winzen. Munich: Siemens Kulturprogramm, 1999.

North and South Transcultural Visions. Breslavia: Mediterranean Foundation, 1999.

Co-laboraciones Arquitectos-Artistas. Textos de Luis Fernández-Galiano y Mark Wigley. Lisboa: Parque Expo´98, S.A., 2000.

Dialog: Kunst im Pavillon. Texto de Victor de Río. Hannover: Sociedad Estatal de Hannover, 2000. *Enclosed and Enchanted.* Textos de Kerry Brougher y Michael Tarantino. Oxford: Museo de Arte Moderno, 2000.

Dialogue Ininterrompu. Museo de Bellas Artes. Nantes: Éditions MeMo, 2001.

Alter Ego: 35 artistes contemporaines à Luxembourg. Museo de Historia. Luxemburgo: Ville de Luxembourg, 2002.

Happiness: A Survival Guide for Art and Life. Mori Art Museum. Tokio: Mori Art Museum and Tan, 2003.
La Ciudad que Nunca Existió. Museo Bellas Artes de Bilbao. Bilbao, 2004.
L´Emblouissement. Galerie Nationale Jeu de Paume. París: Ed. du Jeu de Paume, 2004.
Colección Siglo XXI, Afinsa Grupo, Madrid, 2004.
Big Bang: Creation and Destruction in 20th Century Art. Centro Pompidou. París: Centro Georges Pompidou, 2005.
Las tres dimensiones de El Quijote: El Quijote y el arte español contemporáneo. MNCARS. Madrid: Sociedad Estatal de Conmemoraciones Culturales, 2005.
The 80s: A Topology. Ed. Ulrich Loock. Museo Serralves. Oporto, 2006.
Still Points of the Turning World: Sixth International Biennial Exhibition 2006. Santa Fe: SITE Santa Fe, 2006.
Everstill, Ed. Hans Ulrich Obrist. Granada: Fundación García Lorca, Huerta de San Vicente, 2007.
Sobre la historia. Ed. Gloria Moure. Fundación Santander Central Hispano. Madrid, 2007.
The Architecture of Desire. InterDisciplinary Experimental Arts program at Colorado College. Colorado Springs, 2008.
España 1957-2007. L´arte spagnola da Picasso, Mirò e Tápies ai nostri giorni. Ed. Demetrio Paparoni, Milán: SKIRA, 2008.
Umedalen Sckulptur 2008, Umeå: Galleri Andersson / Sandström and Balticgruppen, 2008.
Peripheral Vision and Collective Body. Bolzano: MUSEION, 2008.
El reino del silencio: Escultura española actual. Entre el objeto y su ausencia, 2000-2010, Segovia: Museo de Arte Contemporáneo Esteban Vicente, 2009. Texto de Francisco Calvo Serraller.
Elles@centrepompidou: Artistes femmes dans la collection du Musée national d´art moderne, Centre Pompidou. Centro Pompidou, París, 2009.
Folkestone Triennial. A Million Miles from Home. Ed. Andrea Schlieker. Folkestone: The Creative Foundation, 2011.
Locus solus: Impresiones de Raymond Roussel, Ed. Manuel J. Borja-Villel, Madrid: Ediciones Turner, 2011.
18th Biennale of Sydney: All Our Relations. Ed. Catherine de Zegher y Gerald McMaster. Sídney: La Bienal de Sídney, 2012.
Biennale Architettura 2012, Common Ground. Ed. David Chipperfield. Venecia: Marsilio Editori, Fondazione La Biennale di Venezia, 2012.
Personal Reflections on Art by Today's Leading Artists. Ed. Simon Grant. 2012.
Moving: Norman Foster on Art. Carré d'Art—Musée d'art contemporain, Nîmes, France. Ed. Ivorypress, 2013.
The Insides Are on the Outside, Ed. Casa de Vidro and SESC Pompeia, São Paulo, Brasil, 2013
Do It: The Compendium. Ed. Hans Ulrich Obrist en colaboración con Independent Curators International, 2013.
Cristina Iglesias & Thomas Struth: Constructions of The Imagination, Ed. Ivorpress, 2014.
Between Earth and Heaven, Ed. Museo Nacional de Escultura de Valladolid, España, 2014.
Disorder: The Curious Case of Dishevelled Art, Artium Collection, Basque Museum Center of Contemporary Art, Vitoria-Gasteiz, Spain,2015.
Lost in the City: Urban life in the IVAM Collection, Ed. Valencia: IVAM. IVAM - Institut Valencià d'Art Modern,Valencia, España, 2017.
Portable Art: A Project by Celia Forner, Hauser & Wirth New York. Ed. Hauser & Wirth New York, US, 2017.
Más allá del negro: El grabado en color en la colección del Museo de Bellas Artes de Bilbao, Ed. Museo Bellas Artes de Bilbao, España, 2017.
Después del 68: Arte y prácticas artísticas en el País Vasco 1968-2018. Museo Bellas Artes de Bilbao, España, 2018.
The Shape of Time, Centre Pompidou × West Bund Museum, Shanghai. Ediciones Centro Pompidou, 2019.
De Miró a Barceló: Un siglo de arte español. Ediciones Centro Pompidou, 2020.

Vídeos

Cristina Iglesias: Memoria desordenada. Dir. Caterina Borelli. Nueva York: Anonymous Productions, 1996.
28 min
Jardín en el mar. Dir. Thomas Riedelscheimer, México: Fundea, 2011.
68,43 min
Guided Tour- Caterina Borelli and Cristina Iglesias. Madrid: 1999-2002.
10,11 min
Guided Tour II- Cristina Iglesias and Lourdes Iglesias. Madrid: 2007. 21,23 min
Guided Tour III- Cristina Iglesias and Lourdes Iglesias. Madrid: 2011. 26,57 min
Guided Tour IV- Cristina Iglesias and Lucía Muñoz. Madrid: 2012.
Tres Aguas- Cristina Iglesias y Lucía Muñoz. Madrid, 2014.

Créditos de las imágenes

Página 2 Attilio Maranzano
Página 6 James Newton
Página 8 *arriba* Whitechapel Gallery
abajo Luis Asín
Página 16 Marian Goodman Gallery
Página 18 Thierry Bal
Página 20 Ignacio Aceño / Alfa Arte Foundry
Páginas 22–25 Luis Asín
Página 26 Estudio Cristina Iglesias
Página 27 Jose Luis López de Zubiria
Páginas 28–31 Thierry Bal
Páginas 32–33 Ignacio(Alfa ArteFoundry)
Páginas 34–35 Estudio Cristina Iglesias
Páginas 36–37 Jose Luis López de Zubiria
Páginas 38–39 James Newton
Páginas 40–43 Jose Luis López de Zubiria
Página 45 Whitechapel Gallery
Página 46 Attilio Maranzano
Página 47 *arriba* Attilio Maranzano
abajo Attilio Maranzano/Titine Daem
Página 48 *arriba* Whitechapel Gallery
abajo Kristien Daem
Página 49 Whitechapel Gallery (Londres)
Página 53 Ignacio Aceño/Alfa Arte Foundry
Página 55 Kristien Daem
Página 57 *arriba* Palacio Velázquez, Madrid
abajo Attilio Maranzano
Página 58 Ignacio Aceño/Alfa Arte Foundry
Página 63 Matt Rowe
Página 65 Fotografía de Scala Florence
Página 69 Kristien Daem
Página 70 Imágenes de imago/imagebroker
Página 79 Attilio Maranzano
Página 80 *arriba* Cuauhtli Gutiérrez
abajo Museo Nacional Centro de Arte Reina Sofía
Páginas 80 Kristien Daem
Página 82–83 Lopez de Zubiria
Página 84 Museo Nacional Centro de Arte Reina Sofía
Página 85 Attilio Maranzano
Página 86 Cuauhtli Gutiérrez
Página 87 Luis Asín
Página 88 Cuauhtli Gutiérrez
Página 89 Página web Steven Holl Architects
arriba a la derecha Estudio Cristina Iglesias abajo Estudio Cristina Iglesias
Página 90 Thomas DuBrock / Museo de Bellas Artes (Houston)
Página 91 *arriba a la izquierda* Estudio Cristina Iglesias
arriba a la derecha Thomas DuBrock / Museo de Bellas Artes (Houston) abajo Estudio Cristina Iglesias
Páginas 92–4 Attilio Maranzano
Página 96 Cuauhtli Gutiérrez
Página 97 Luis Asín
Página 98 Corroto Arquitectura, Toledo
Página 99 Cuauhtli Gutiérrez
Página 100 Corroto Arquitectura, Toledo
Página 101 Cuauhtli Gutiérrez
Página 102 Corroto Arquitectura, Toledo
Página 103 Cuauhtli Gutiérrez
Páginas 104–120 Attilio Maranzano
Página 123 Museo Nacional Centro de Arte Reina Sofía
Página 133 Attilio Maranzano
Página 135 Luis Asín
Página 136 *arriba* Alberto Baraya 2015
abajo Whitechapel Gallery
Página 137 Attilio Maranzano
Página 141 *arriba* Attilio Maranzano
abajo Julien Lanoo © - 2007
Página 142 *arriba y en el centro* © 2016 Flussbad Berlin e.V., realities: united
abajo Attilio Maranzano
Página 143 Attilio Maranzano
Página 144 *arriba* Artokoloro/Alamy Stock Photo
centro Fotografía de Andy Stagg
abajo Tei Carpenter y Chris Woebken
Páginas 145–147 Attilio Maranzano
Página 149 derecha Fotografía de Scala Florence/Heritage Images *izquierda* Kristien Daem
Página 150 Marian Goodman Gallery
Página 153 Jean Luc Lacroix
Página 157 Kristien Daem
Página 158 Estudio Cristina Iglesias
Página 159 Kristien Daem
Páginas 160–161 Kristien Daem
Página 162 Estudio Cristina Iglesias
Página 163 Kristien Daem
Página 164 Luis Asín
Página 165 Attilio Maranzano
Página 166 *izquierda* Luis Asín
derecha Guillermo Rodríguez/Norman Foster Foundation
Página 167 Guillermo Rodríguez/Norman Foster Foundation
Página 168 Attilio Maranzano
Página 170 Estudio Cristina Iglesias
Página 172 *arriba* Cuauhtli Gutiérrez
abajo Estudio Cristina Iglesias
Página 173 Luis Asín
Página 174 Cuauhtli Gutiérrez
Página 175 Luis Asín
Página 176 Cuauhtli Gutiérrez
Página 177 Luis Asín
Páginas 178–179 Taka Studio
Páginas 180–197 Estudio Cristina Iglesias
Página 201 Octavio Aburto
Página 204 Estudio Cristina Iglesias
Página 211 Estudio Cristina Iglesias
Página 221 Estudio Cristina Iglesias
Página 229 Estudio Cristina Iglesias
Página 235 Jose Luis López de Zubiria
Página 236 Estudio Cristina Iglesias
Página 242 imago images/Westend61
Página 243 Estudio Cristina Iglesias
Página 249 Ricardo Mallaco
Página 250 Luis Asín
Página 251 Artscape Nordland Norway
Páginas 252–253 Artscape Nordland Norway
Página 254 Eduardo Eckenfels
Página 255 Cuauhtli Gutiérrez
Páginas 256–257 Eduardo Eckenfels
Página 258 Estudio Cristina Iglesias
Página 259 Matt Rowe
Página 260 Estudio Cristina Iglesias
Página 261 *arriba a la izquierda* Estudio Cristina Iglesias
arriba a la derecha Ignacio Aguayo
abajo Jose Luis López de Zubiria
Página 262 arriba a la izquierda Txintxua
abajo Gim Geomatics para Estudio Cristina Iglesias
página contraria Jose Luis López de Zubiria
Páginas 263–265 Jose Luis López de Zubiria
Página 268 *arriba* Miguel Mendez/Flickr/ CC 2.0

Cristina Iglesias y los editores desean agradecer a las siguientes personas y organizaciones su inestimable contribución a esta publicación:

Los autores
Octavio Aburto
Andrew Benjamin
Iwona Blazwick
Lynne Cooke
T.J. Demos
Estrella de Diego
Brian Dillon
Exequiel Ezcurra
Russell Ferguson
João Fernandes
Luis Fernández-Galiano
James Lingwood
Michael Newman
Richard Noble
Jane Rendell
Andrea Schlieker
Jane Withers

Colaboradores de la mesa redonda
Mary Beebe
Kirstin Dunne
Stephen Gallagher
Stella Ioannou
Kathryn Kanjo
Ben Luke
Farshid Moussavi

Estudio Cristina Iglesias
Lucia Muñoz, Amaya Ortuondo, Maddi Rotaeche y Ana Fernández-Cid
Con la colaboración de Artingenium: Lourdes Fernández y Cristina Egaña

Apoyo al proyecto
Especial agradecimiento a Plácido Arango sin el cual este libro no existiría.
Gracias a Lucía y Diego Muñoz Iglesias por su participación y apoyo constante.

Organizaciones
Consorcio de Toledo
Goldsmiths, Universidad de Londres
Instituto de Oceanografía Scripps
Whitechapel Gallery
Agradecemos a todas esas personas y organizaciones su apoyo a cada comisión.

El Estudio Cristina Iglesias rinde un agradecimiento especial a Maddi Rotaeche Setién.

El Estudio Cristina Iglesias desea agradecer a las siguientes personas e instituciones su apoyo a esta publicación:
Acción Cultural Española (AC/E)
Galería Elba Benítez
La Fundación Bloomberg
Ayuntamiento de Donostia/San Sebastián
Gipuzkoako Foru Aldundia/Diptacion Foral de Gipuzkoa
Galería Marian Goodman

APÍTULO 1: ARTE/CIUDAD

***Forgotten Streams*:** Michael Bloomberg, Kathryn Mallon, Helen Chiles, Magnusson (Bloomberg), Daniel Haines (ingeniero de diseño y tasador en OCMIS), Nancy Rosen (asesora de arte), Ana Fernández-Cid, Ismael Fraile (Estudio Cristina Iglesias), Matthew Lusty (Stanhope), Mark Rowan (QCIC), Suzan Tillotson (TDA), Amanda Burden (Bloomberg Associates), Lord Norman Foster, Michael Jones, Owe School, Kate Murphy (F + P London), Alfa Arte Foundry

***Passatge de coure (Pasaje de cobre)*:** Josep Luis Mateo, Gloria Moure, Estudio Cristina Iglesias

***Cúpula inclinada suspendida (Cita con Rama)*:** Iberdrola, Rafael Orbegozo, Lourdes Fernández, César Pelli Studio, Estudio Cristina Iglesias

***Portón - Pasaje*:** Miguel Zugaza, Rafael Moneo, Fundición Capa, Estudio Cristina Iglesias

***Desde lo subterráneo*:** Javier Botín, Paloma Botín, Renzo Piano, Vicente Todolí, Iñigo Saenz de Miera, Benjamin Weil, Begoña Guerrica- Echevarria, Fundición Alfa Arte, Estudio Cristina Iglesias

***Paisaje interior (la Litosfera, las Raíces, el Agua)*:** Gary Tinterow (Director del MFAH), Willard Holmes, Matthew Snellgrove, Alfa Arte Foundry, Daniel Haines, Estudio Cristina Iglesias

CAPÍTULO 2: ARTE/CULTURA

***Tres Aguas*:** Gregorio Marañón, Emiliano García Page, James Lingwood, Artangel International Circle, Paloma Acuña, Jose Manuel Entrecanales (Acciona), Liberbank, Jesús Corroto (Estudio Corroto Arquitectura), Elena Sánchez, Jesús Escribano, Javier Rueda, Manuel Santaolalla, Jesús Carrobles, Borja Coca, María de Madariaga, Universidad de Castilla la Mancha, Ayuntamiento de Toledo, Consorcio de Toledo, Estudio Cristina Iglesias

***Deep Fountain*:** Arquitectos Paul Robbrecht y Hilde Daem en asociación con Marie-José Van Hee (Gante), Ayuntamiento de Amberes, Real Museo de Bellas Artes, Rubén Polanco, Estudio Cristina Iglesias

***Towards The Ground*:** Lorenza Sebasti, Marco Pallanti, Galleria Continua, Vicente Todolí

***A través*:** Jose Luis Soler y Susana Lloret Segura, Nuria Anguita, Vicente Todolí

***The Ionosphere (A Place Of Silent Storms)*:** Lord Norman Foster, Lady Elena Foster, Taba Rasti (Foster and Partners), Hugo Corres (Fhecor), Stefano Primi (Acciona), Estudio Cristina Iglesias: Maddi Rotaeche, Julián López, Sergio Rodríguez, Eduardo Segovia

CAPÍTULO 3: ARTE/NATURALEZA

***Estancias Sumergidas*:** Fundación Mexicana para la Educación Ambiental, A.C., Fundación Manuel Arango, A.C., Rodolfo Ogarrio, Octavio Aburto, Scripps Research Institute, Universidad de La Paz, Thomas Riedelsheimer Sin título (Hojas de laurel): Maaretta Jaukkuri, alcaldesa de Moskenes

***Sala de Vegetación Inhotim*:** Bernardo Paz, Rodrigo Moura, Inés Grosso, Mariana Gabarra, Estudio Cristina Iglesias

***Hondalea (Abismo marino)*:** Ayuntamiento de San Sebastián, Eneko Goia-Alcalde, Hugo Corres (Fhecor), Fundición Alfa Arte, Lourdes Fernández (Artingenium), LKS, Jabier Lekuona, Moyua (Onyx Solar, Uxama,BetiPrest, Giroa)

ESKULTURA LIKIDOA

CRISTINA IGLESIAS-EN ARTE PUBLIKOA

HATJE
CANTZ

Izan al daiteke eskultura bat ibai? Arte garaikideak adiskidetu al ditzake sinesmen-sistema kontraesankorrak? Harremak al dituzte beste espezie batzuek giza kulturarekin? Arte publikoak berpiztu al ditzake komunitateak eta ekosistemak? Cristina Iglesiasen eskultura publikoak, haren iturri horizontalek, gela urperatuek eta labirinto tropikalek, hizkuntza, arkitektura, botanika
eta geologia uztartzen dituzte, begiztatu eta elkartzeko murgiltze-espazioak sortzeko asmoz.

Cristina Iglesias artista espainolak irudimenezko espazio sakonak sortu ohi ditu. Aski ezaguna da Iglesias metal, zur eta harzuriz ehundu, galdatu edo eraikitzen dituen eskulturengatik, eta, aldi berean, artistak aire zabalean sortzen ditu egiturak eta instalazioak, uraz baliatuta. Hiriguneetan edo urrutiko irletan daude haren obrak, gizakien erromesaldi-leku edo animalien habitat gisa.

Nazioarteko komisario, historialari, filosofo, arkitekto eta zientzialari batzuek arteak hirian eta hiritik kanpo duen ahalmen sozialaz eta ekologikoaz ari izan dira.

Saiakeragileak
Octavio Aburto
Andrew Benjamin
Iwona Blazwick
Lynne Cooke
T.J. Demos
Estrella de Diego
Brian Dillon
Exequiel Ezcurra
Russell Ferguson
João Fernandes
Luis Fernández-Galiano
Cristina Iglesias
James Lingwood
Michael Newman
Richard Noble
Jane Rendell
Andrea Schlieker
Jane Withers

Txostengileak
Mary Beebe
Kirstin Dunne
Gaby Hartel
Stella Ioannou
Kathryn Kanjo
Ben Luke
Farshid Moussavi

ARTEA/ HIRIA

ARTEA/ KULTURA

ARTEA/ BASAGUNEA

Eskultura Likidoa: Cristina Iglesiasen arte publikoa

Liburu honek Cristina Iglesiasen aire zabaleko eskulturak aztertzen ditu eta arteari eta hiri inguruneei eta hiri ingurune ez direnei buruzko eztabaida zabalago bat planteatzen du.

Liburua hiru eskultura nagusiren inguruan egituratuta dago: *Forgotten Streams* (Londres, 2017), *Tres Aguas* (Toledo, 2014) eta *Estancias Sumergidas* (Kaliforniako Golkoa, 2010). Eskultura horietako bakoitza idazle, komisario, zientzialari eta akademiko entzutetsuek aztertuko dute. Lehenengoa Bloombergek Londresen duen egoitzarako enkargu bat da eta Whitechapel galerian artearen eta hiriaren inguruko sinposio bat antolatzea eragin zuen. *Tres Aguas* hiru zatitan banatutako eskultura publiko bat da, Toledon (Espainia) kokatua, non bigarren sinposio batek artearen, kultur ondarearen eta uraren ekologien arteko harremana aztertu zuen. *Estancias Sumergidas* lana Kaliforniako Golkoko urtetan murgildutako hiru ganbera gardenek osatzen dute. Kaliforniako La Jollako Scripps Research Institution delakoan sinposio bat inspiratu zuen itsas ekologiei buruz.

Basatiaren eta gizakiak ez diren espezieentzat arte aukerei buruzko ideiak.

Sinposioan eztabaidan zen lanari buruzko eskolak eman ziren, eta gero eztabaidak egin ziren. Gure partaideen konstelazioa diziplinartekoa da: arkitektoak, artearen historialariak, enkargu agentziak, komisarioak, filosofoak eta zientzialariak. Guztiek aztertuko dituzte Iglesiasen eskulturak eta haiek duten oihartzuna, gizarteari, kulturari eta ingurumenari dagokienez. Eskola horiek entsegu moduan garatu dira hemen, eta bakoitzaren ondoren inspiratu zituen eztabaidaren laburpena jarri dugu. Horietan, Iglesiasen lanak sortutako ideia sare konplexu bat argitzen da, hainbat gai ukitzen dituena; esaterako arteak hiri espazio oso instrumental eta aldakorretan duen eginkizuna, edo arteak hainbat ondare kulturali eta errituali erreferentzia nola egin diezaiekeen, baita arteak urruneko habitatetan eta gizakiarenak ez direnetan duen esanahia ere. Hiru kapituluak, *Artea/Hiria*, *Arte/Kultura* eta *Artea/Basatia* Iglesiasek errubrika horien pean sortu dituen beste obra publiko batzuekin amaitzen dira.

Liburuak bizirik dagoen artista garrantzitsu batek bizitza kultural eta intelektual garaikidean duen eragin errizomikoa arakatzen du. Iglesiasen lanak diziplina ugaritako pertsonengan izan du eragina, artearen historiatik eta komisariotzatik hasi eta filosofia, ekologia kritikoak eta itsas biologiaren tankerako alorretaraino. Nahiz eta entseguek obra zehatz batean oinarritutako analisi formal bat edo interpretazio bat aurkeztu irakurleari, eztabaidek modu interesgarrian eta, batzuetan, sakonean gainditzen dituzte muga kulturalak eta akademikoak. Gure asmoa irakurleari gure paisaia aldatu duen artista garaikide baten lana aintzat hartzeko modu berri eta diziplinartekoa eskaintzea da.

Liburuak ilustrazio ugari ditu, zirriborroak, marrazki teknikoak eta hiru eskultura nagusien 360 graduko ikuspegiak, baita Iglesiasek Europan eta Estatu Batuetan egindako beste artelan publiko batzuen azterketa ere. Liburu honek arteak etengabe hedatzen ari diren gure hirietan duen garrantzia aztertzen du, eta harremanetan jartzen du hainbat komunitateren kultura ondareekin, Antropozenoko ingurumen hondamendien aurrean.

Argitalpena honako hauen arteko lankidetzako ikerketa proiektu baten emaitza da: Goldsmiths, Londresko Unibertsitatea, San Diegoko Scripps Institution of Oceanography eta Londresko Whitechapel Gallery.

Iwona Blazwick eta Richard Noble

Cristina Iglesias Iwona Blazwick ekin solasean

Iwona Blazwick *Eskultura Likidoa* lanak eremu publikoan egindako lan nagusien errepasoa egiten du. Nolabait, zure aurreko eskulturak eskultura publiko horien kontrakoa egiten du; arkitektura sortzen du gelen barruan. Kubo zuria euskarri moduko bat bihurtzen da: sabaia esekitzen duzu, oihalak horman bermatzen dira, kamerak lurrean pausatzen dira. Kanpoan zaudenean, bestelako koordenatu sorta bat hartu behar duzu kontuan, hala nola klima, plangintza baldintzak eta sarbide publikoa; arkitekturaren antz handiagoa du. Nola zabaldu du horrek zure praktika teknikoki?

Cristina Iglesias Nire aurreko piezetan, gelaren arkitektura eraikuntzaren parte bihurtzen zen. Izkina edo pareta bat eskulturaren zati ziren. Sabai eseki eta inklinatu batek hormarik gabeko gela bat sortzen zuen. Teilatupean egotearen edo korridore estu batean ezin sartzearen esperientzia zen gakoa hemen. Baina beren leku propioa ere sortzen dute. Orduan, kanpoan edo barruan egon zitezkeen gelak egiten hasi nintzen, fikziozko landarediko gelak edo korridoreak. Pabiloiak ere sortu nituen patio eta lorategietan, edo basoan.

Eremu publikoan pentsatzen dugunean, muga eta murrizketa asko hartu behar dira kontuan. Asko ikasi dut muga horietatik, eta aukera bihurtu ditut. Oso leku gutxi duen sakontasun *ilusioa* sortzera behartu naute, baita keinuak sortzera zeinetan piezek proposatzen duten horretan parte hartzera behartzen zaituzten. Putzu batetik edo dorre batetik behera begiratu eta eskuak ertzean bermatu behar izatea bezala, gorputzari eusteko... Piezak beste eskala batean egiteak mekanika bat eta ingeniariekin elkarlanean aritzera behartzen ninduten egiturak zekartzan, eta horrek beste dimentsio bat gehitu dio lanari. Baliteke arkitekturara eta egiturazko eraikuntzara gehiago hurbiltzen den eremu bat izatea, eta eskulturak egiteko ideia klasikotik aldentzea.

Lekuak eraikitzeko dudan interesa aldatu egin da, mundu errealaren eta nik sortutako mundu baten artean lan egitetik berez pabiloi bat den areto bat eraikitzera, beste batzuekin elkartzeko leku batera. Horrek eragina izan du nire egiteko eran, zalantzarik gabe. Pentsatzeko estudioa daukat, eta ekoizteko estudioa, baina galdategia gero eta gehiago bihurtu da nire estudioaren luzapen bat. Argizari eta metal urtuekin lan egiten dudan moduagatik, elementu horiek osatzen ditudan moduagatik eta prozesutik hain gertu egon behar dudalako, galdategia beste gauza batzuk ere egiten ditudan lekua bihurtu da. Talde bat sortu dut han, eta kanpoko piezak egitetik etorri da aldaketa hori, baina barruko piezei ere eragin die.

IB Nola eragin die?

CI Egin ditudan horma pieza berrietako batzuk, esaterako New Yorkeko Marian Goodman galeriarekin 2018an egin nuen erakusketa, planetako eremu freatikoei buruz, lur azpiko ur eremuei buruz, egin nituen azken piezekin lotuta daude, adibidez Bloombergen Londreseko egoitzarako obrarekin.

Edo *Landaredia Aretoak (Vegetation Rooms)* naturan hazteko ideia hori arkitektura jakin batean hazten hasten den masa abstraktu gisa partekatzen dutenak.

IB Kubo zuriaren barruan irudimenaren espazio oso bat sortzen duzu. Fisikoa da, hormigoia eta alabastroa bezalako material arkitektonikoak erabiltzen ditu, baina errealitatetik urrun dagoenez, irudimenezko espazio bat definitzen du. Baina kanpoan zaudenean, errealitatea leku guztietan dago. Orduan, nola mantentzen duzu alteritate sentsazio hori, denbora eta espazio errealetik kanpo?

CI Bai, museo, galeria edo estudio batean erabateko kontrola duzu imajinatutako eraikin bat benetako arkitekturan nola kokatzen den ikusteko. Fikzioaren autonomia hori beti gorde behar da espazio publikoan. Piezak izaera propioa du, bere ingurunea ez bezalakoa. Funtsezkoa dena da nola eutsi piezan mantentzea nahi dituzun balio horiei. Edozein testuingurutan pertzepzio maila hori lortzeko geure hizkuntzaren barruan garatzen diren mekanismo batzuk daude. Piezak bere mundua sortu behar du.

IB Materialen paleta handitzen duela uste dut, ez baita soilik egitura, altzairua edo hormigoia, egunetik gauera aldatzen den argiarekin ere lan egiten da, tenperaturarekin, haizearekin, soinuarekin, eta hiriaren kasuan, trafikoarekin eta jendearekin. Beraz, askoz ere konplexuagoa da kubo zuritik irteten zarenean. Elementu horietan pentsatzen duzu zure buruan aire zabaleko obra bat sortzen ari zarenean?

CI Jakina. Izan ere, elementu batzuek oraindik ere galdera ikur bat izaten jarraitzen dute Adibidez, obra baten argiztapena.

Testuinguruaren araberakoa da, noski, baina hirian badago edo naturan badago, argia naturala balitz bezala pentsatzen dut, eta batzuetan ez dago argiztapenik. Auzi bat da, zeren pentsa dezakezu 'ba ez da bidezkoa', gau erdian joaten bazara eta ez duzu ezer ikusten ilargirik ez dagoelako. Niri horixe gustatzen zait. Teilaturik ez duen pabiloi batean, adibidez, euria egiten badu, barruan ere egiten du. Argia ere aldatu egiten da barnealdean, egunaren orduaren arabera. Horrek denboraren sentsazioa dakar, eta piezaren pertzepzioari ere eragiten dio. Baina pieza batzuetan argi artifizialarekin lan egitea eta itzalak kontrolatzea ere gustatzen zait. Kanpoan nahiago dut denborarekin lan egin.

IB Beraz, ezaugarri zinetikoa ematen dio. Espero ez duzun moduetan animatzen da?

CI Bai, eta denboraren aldaketa hori da interesatzen zaidana. Ura espazio eta denbora dimentsioak sortzen dituen elementua ere bada.

IB Esango al zenuke zerbait aire zabaleko egoerei heltzeko duzun modua inspiratu edo eragin duten artistei buruz?

CI Une jakin batean, Robert Smithsoni erreparatu nion, ez bakarrik *Spiral Jetty*ri, baita *Partially Buried Woodshed*i ere, eta paisaiako ispiluei, "Joan etorriak", begiratzeko moduarekin jolasten diren lanak. Walter De Mariaren *Earth Room* ere bai. Hiri batean gela bat ausazko espazio baten modura izatearen ideia, bertatik pasa eta gero beste mundu bat dela konturatzeko. Asko gustatzen zait hirian noraezean ibili eta espero ez zenuen zerbait aurkitzea. Asko pentsatu dut horretaz, espazio publiko batean leku pribatu bat aurkitzeaz.

IB Izan ere, badira bi lan denden barruan kokatu dituzunak: bata denda huts bat Londresko East End auzoan, eta bestea Madrilgo abandonaturiko liburu denda batean.

Walter De Mariaren *The Broken Kilometer* Manhattango Dia Art Foundationgo instalazioa bezala, non itxura anonimoko ate batetik sartzen zaren kobrezko barraz betetako loft erraldoi hau aurkitzeko.

CI Edo *Earth Room,* zeinetan eskailera bat igotzen duzun Wooster kalean lurrez beteriko espazio bat aurkitzeko.

IB Egunerokotasunaren ehunaren etenaren antzekoa da. Beste errealitate bat ikuskatzen duzu. Gure liburua hiru ataletan banatuta dago, eta atal bakoitzak lan nagusi bat du ardatz. Lehen atalak *Forgotten Streams* aurkeztuko du, 2018an sortua Bloombergen Londresko egoitza berrirako. Hiri egoeretarako egin dituzun enkarguetako batzuen adibidea da hau. Nola heltzen diozu dentsitate handiko eta historikoki estratifikatutako hiriko plataformari? Zer erronka praktiko ditu horrelako obrak egiteak?

CI Lehengo eztabaidak segurtasun horma baten ordez eraikinaren gainean gerta zitekeen edozein eraso ekintza geldiaraz zezakeen pieza bat jartzearen ingurukoak izan ziren. Gaztelu bat inguratzen duen lubanarroan pentsatzen hasi nintzen. Anberesen 2006an eginiko *Deep Fountain (Diepe Fontein)* lanaz ere hitz egin genuen. Lan horrek ingurunea islatzen du. Asmoa espazioa etengo zuen obra bat sortzea zen, distantzia bat sortuta, baina baita irekiagoa izatea ahalbidetuta ere, topaleku bat sortzeko, leku pribatu bat publiko egiteko. Noski, eragozpen eta muga asko zeuden.

Nahiko nukeen pieza espaloiaren jarraipena izatea, Toledon eta beste plaza batzuetan bezala. Londresko agintariekin negoziatu behar izan nuen, baita Bloombergeko segurtasun taldeekin ere. Haien mugek eraikitzeko aukera berriak ekarri zituzten, baita jendea esertzeko lekuak sartzeko aukera ere. Londresko finantza barrutiaren testuingurua nahiko mugatua da.

IB Anberesen *Deep Fountain* eraikitzeko baimena lortzeko negoziazioek ez zuten hamar urte iraun?

CI Ia hamar urte igaro ziren enkargua jaso eta egin bitartean. Paul Robbrecht eta Hilde Daem arkitektoekin lan egin nuen. Plaza berri bat sortu zuten eta trafikoa birbideratzeko lan egin zuten. Beraz, hirigintza plan bat zen, eta hori beti izaten zait interesgarria. Plazan nagusi den Arte Ederren Errege Museoa ere islatuko zuen arte pieza bat nahi zutelako sartu nintzen proiektuan. Iturria, haren eskaileraren oinarrian dago. Kontuan hartu nuen nola izan zitekeen uraren eta mugimenduaren sekuentzia museoan sartzeko behar den denboraren baliokidea, museoko erakusketa edo bilduma bat ikusi eta berriro ateratzeko zenbat denbora behar dugun, bide batez nahiko azkar egiten duguna.

Pieza desberdina izango litzateke handik igarotzean. Denborarekin eta mugimenduarekin lan egitea da helburua. Eta nola eragiten dizun astiro eta hurbilagotik begiratzeak.

IB Anberesen eta Londresen ere naturaren garai sakonari egiten diozu erreferentzia. Zoladura askatu eta mundu organiko eta geologikoaren lurrazpiko denbora mantsoa erakutsiko bazenu bezala da.

CI Asko interesatzen zait argitara ekatzeko prozesu hori, lurra zuritzea, gure oinen azpian natura dagoela eta ura dabilela erakusteko. Errekonozimendu horren beharra dago: gogoratu egin behar dugu. Bestalde, konexioak sortzea da helburua. *Forgotten Streams*-ek eraikinaren ekialdeko eta mendebaldeko hegalen arteko jarraitutasunaren ilusioa sortzen du. Pentsatzen nuen, halaber, hain gogorra den hiriaren azpian, ibai batzuk zeudela Tamesisen iristen zirenak, kultura geruzen azpian murgilduak; naturaren lurpeko geruza hori hor dago oraindik. Uste dut horregatik interesatzen zaidala hainbeste lurpeaz, geologiaz, estratu ezberdinez, ikusten dugunaren azpian dagoenaz diharduten lanak egitea.

IB Obrak ere erritmoa jaitsarazten digu. Publikoarentzako denboraren beste dimentsio bat gehitzen du; izan ere, ura pixkanaka jaitsi eta gero oso poliki igotzen ikusteak gure gorputzekin konektatzera behartzen gaitu, nire ustez, gure arnasketarekin, erritmo fisiko motelago batekin. Bloombergeko eraikina City barrutian dago, Londresko finantza zentroan; enpresak berak datu digitalak ematen ditu abiadura handian. Michael Newmanek, liburu honen kolaboratzaileetako batek, hiriaren azpian hormigoiz estali ditugun errekak bakarrik ez daudela adierazi du, baizik eta baita elektrizitatea, energia eta datuak garraiatzen dituzten kableak ere.

CI Bai, komunikazioa eta konexioa.

IB Finantza barrutiko jendearen bizitza frenetikoa da benetan; erritmoa jaitsarazten diguzu. Zer neurritan hartzen duzu kontuan ikuslearen gorputza?

CI Asko interesatzen zait konexioak sortzea. Piezen, lekuen eta pertsonen arteko loturak. Askotan, zatika lan egiten dut, eta horregatik behar dut konexioa osoa izateko. Gure buruan, gure adimenean gertatzen den konexioa. Asko pentsatu dut norbaitek zerbaiti kontu handiz begiratzean eman dezakeen denboraz.

Nire eskulturen ikuspegi orokorra, haiek urrutitik ikustea, asko interesatzen zaidan arren detaileak ere azpimarratzen ditut, begiratzeko beste modu batera eramaten zaituztelako, pertzepzio ekintza moteltzen dutelako. Urak are biziago egiten du hori, pieza batzuk besteak baino motelagoak direlako eta horrekin jolasten dut. Batzuetan pentsa dezakezu ez dela ari ezer gertatzen.

Bloomberg eraikinaren ekialdea handiagoa da eta iturria sakonagoa; oso aktiboa da betetzen denean, baina gero, ur bolumen handiagoa dagoenez, denbora gehiago behar du joateko. Hasieran ez da hain erraz ikusten, eta gero oso azkar joaten da. Jakin badakit jendea ez dagoela beti prest begiratzeko denbora eskaintzeko, agian handik igarotzen ari dira, besterik gabe, eta begirada bat zuzenduko diote lanari, baina beste egun batean, geratu egingo dira, eta arreta handiagoz begiratuko diote.

IB Bai, denbora guztian aldatzen ari denez, zerbait desberdina ikusiko dute pasatzen diren bakoitzean.

CI Zerbait desberdina ikusten dute eta jakina, desberdin erreakzionatzen dute. Pentsa dezakete: "Berriro gertatuko da hau?" edo "berriro ikusiko dut une hau?". Oso zaila da, egia esan, dena ikustea, ordubete behar baita prozesu osoa ikusteko. Aldi berean, obrak leku bat eraikitzen du. Begiratzeko denbora hartzen dugunean, batez ere bakarrik bagaude eta norbaitekin hitz egiten ez badugu, han zer dagoen ikusten dugu. Arteak ere sortzen du une bat non ez duzun gehiago ikusten begira zeundena eta zure baitan sartzen uzten dizun.

IB Obra honek ura bertikalki jaurtitzen duten ohiko iturriak ere berrikusten ditu: ethos guztia hiria etetea da, gorantz sortzea. Zergatik aukeratu zenuen horizontaltasuna?

CI Esan beharra dut oso naturala izan zela niretzat. Berehala bururatu zitzaidan pitzadura eta amildegi moduko bat sortzea. Eta ura agertzea eta desagertzea, ikusgarria iruditzen zitzaidalako. Bazen ur enpresa bat hasieran laguntzeko prest zegoena... Esan zidaten ingeniariak aurki zitzaketela zurrusta bertikalak sortzeko, ikusgarria izango zelako, eta nire jarrera babestu behar izan nuen. Niretzat, ikusgarriagoa da ura pitzaduratik hustea, eta erabat hutsik egon ondoren, poliki-poliki amildegitik gorantz, kanporantz joaten hastea, azalera guztia berriro betez.

IB Londres hiriaren azpian, Londresko metroa, hoditeria, elektrizitate eta telekomunikazioetarako kableak, azpiegitura betak daude. Nola zulatu zenuen lekua eta zenbat leku behar izan zenuen ura igo eta jaitsarazten duen lan hidraulikoetarako?

CI Hainbat baldintzarekin lan egiten dut; esaterako, Toledon, non ezin izan nuen sakonki industu arkeologia ondarearen ondorioz. Londresen kasuan, eraikitzen ari ziren alde guztietatik, beraz, zulo handi bat zegoen dagoeneko bertan. Nahi nuena eraiki nezakeen, baina mugekin. Uraren sakoneraren mugek segurtasunarekin zuten zerikusia. Haurrik ez erortzeko edo gauez inor ez itotzeko (mozkorren bat, adibidez) moduko sakontasunarekin egin behar nuen. Zoladurarekin ere konbinatu behar nuen, adibidez, ikusmen urritasuna duen pertsona batek bastoi baten laguntzaz uraren ertzera iristen ari dela ulertzeko moduan.

Kontu horiek guztiak aintzat hartuta lan egin behar izan nuen. Adibidez, harri zati bat erabili dut kalearekin ertz bat egiteko, mugak sortzeko, baina baita geometria ere. Jarraitutasun bat sortzeko ideia hori zegoen. Zubi bat ibai baten ilusioaren gainean, baina zoladuraren azpian.

Ekoizpenari dagokionez, baldintzarik onenak genituen eraikin berri bat egiten ari zirelako, eta, beraz, ingeniari hidraulikoekin eta uraren ingeniariekin batera, nire lanak eskatzen zituen beharrak kontuan hartuta, ur biltegiak non jarri aztertu genuen. Bi lan dira, baina ideia bakarra balitz bezala sentitzea da, hori da pieza horiek sortzen duten ilusioa. Piezak bere autonomia izan behar du, nahiz eta obra bera baino handiagoa den diseinuarekin elkarlanean aritu.

IB Liburuaren beste zati batean, hiriarekin harreman apur bat desberdina duen beste eskultura bat sartu dugu. *Folkestoneko Towards the Sound of Wilderness*-ek hiritik urrundu eta aldirietara eramango zaitu. Martello dorre batean oinarritzen da lana, eta horrek maitagarrien ipuinetako topaketa elegiako bihurtzen du.

CI Lekua jada han zegoen, baina ez zen irisgarria, huntzak nahiko modu erasokorrean estaltzen baitzuen. Ezin zen benetan lubakia ikusi, ezta dorrea ere, eta, beraz, pertsona batentzako aterpe moduko bat sortzea erabaki nuen, edo gehienez ere birentzako, lubakiaren ertzean.

Eta, jakina, naturak lagunduko zidan, ezinezkoa baitzen hara hurbiltzea, dena gehiegi hazita eta nahasita zegoelako. Martello dorrearen fantasian inspiratu nahi nuen, hiria inbasioetatik babesteko eraikitako, eta aldi berean eskuraezin egiten duen zaintza dorre horren esanahian. Baina natura basatiko leku bat ere bazen, han bizi diren txori eta intsektuen hotsekin. Horregatik deitu nion *Towards the Sound of Wilderness* («basatiaren soinurantz» esan nahi duena) naturak irentsi duen zerbait ikusten duzulako, baina oraindik bere forma duena; bere istorioa ikus dezakezu, beraz, pieza sortzeko ordoki perfektua zen. Ez nuen pieza iraunkor izateko asmoarekin sortu.

IB Benetan?

CI Ez, Folkestoneko hiru urteko erakusketarako enkargatu zidatelako, baina haren espezifikotasunak berak ahalbidetu zuen irautea.

IB Jendea gainetik begiratzen dion horri begiraraztea ere gertatzen da, dorrea ikusezina baitzen. Marko bat jartzearekin batera arreta erakartzen duzu.

CI Natura duzu, eta naturaren isla; basatia fikziozko moduan.

IB Obraren kokapenak, hiriaren ertzean, Donostian egiten ari zaren piezarekin ere lotzen du. Itsasargi zahar batean dago kokatua, Donostiako badia ederreko uharte batean; ikusten dugun guztia itsasargi bat da. Lana teknikoki hirian dago, baina bertatik urrun eta ikusezin. Irudimenaren erreinu bat sartu duzu espazio funtzional batean. Nola funtzionatzen du, zure ustez, hondartzatik ikusten duen norbaitekin? Bertan dago, baina urrun.

CI Tira, desberdina da ontzia hartu eta han izan bazara. Baina *Estancias Sumergidas*-en antzekoa da – gerta liteke irudi bat edo film bat bezala bakarrik ikustea. Egia esan, horri buruzko film bat egiten ari gara, piezaren zati bat ikustea ezinezkoa izango delako. Badira brontzezko geruza batzuk sakonera iristen direnak, itsas-argiaren barrutik bost metroko sakonerara. Han egon bazara eta esperientziaren oroitzapen bat baduzu, itsas-argiari begiratu eta gogora etorriko zaizu. Beste pertsona batzuentzat ikusezina izango da.

IB Espazio fantastikoen ideia hori irudimenaren ezinezko espazioak sortzen dituzten idazle batzuekiko duzun interesarekin lotuta dago? Esan dezakezu ezer zugan eragin duten idazleez?

CI Tira, askok eragin didate, baina lan batzuetan erabili ditudan benetako testuak aipatzearren Joris-Karl Huysman-en *Against Nature*, mundu naturala islatzen duen mundu artifizial bat eraikitzen duen pertsonaia baten kontakizuna, naturarekin fikzio gisa jokatzen duena; Jules Verneren *Lurraren bihotzeraino* eta Raymond Rousselek inoiz ikusi ez zuen Afrikara eginiko bidaiari buruzko *Impressions d'Afrique* izan dira.

Donostiako piezan, piezarainoko bidaia haren parte da, portura joan eta irlara joateko itsasontzia hartzen den unetik -haren inguruan ere nabigatu daiteke-. Noraezean ibiltzearen ideia garrantzitsua da, eta, azkenik, sartzea, atea irekitzea eta gero esperientziari aurre egitea. Eta itzultzean beti gogoratuko duzu ikusitakoa itsasargiari hondartzatik begiratzen diozunean ikusi duzuna, itxita egon arren.

IB Berez nahiko txikia den itsasargiaren barnealdea izugarri handitu duzu. Bost metroko sakonera eta bost metroko altuera du; ia ezinezkoa da nola egiten duzun ulertzea, baina eraldaketa harrigarria da. Britainia Handiko telebistako Dr. Who pertsonaiaren Tardis izeneko denbora makina bezalakoa da; haren barrualdea ere kanpoaldea baino askoz handiagoa da.

CI Hemen, adibidez, bost metro jaitsi zaitezke eta iritsiko zara leku batera non beherantz begiratu ahalko duzun, uretara, askoz gorago dagoen harkaitz batetik. Baina zure irudimenak egiten eta konektatzen duen ilusioa da.

IB Halako lanek bidaia psikoanalitiko baten antza dutela uste duzu? Inkontzientera iristen ari zarela?

CI Bai, hala uste dut. Esperientzia bakoitza desberdina da, eta horregatik, bizitzako une horretan edo begiratzen ari zaren une horretan duzun gogo aldartearekin lotuta dago, eta begiratzen ari zarenak eragiten dizun moduarekin. Eguraldiak eragina izan dezake haren urruntasunean, irisgarritasunik ezean, baina eragina izango du piezarekin topo egiten duzunean sentitzen zaren moduan ere, eta hori obra guztiekin gertatzen da. Behera begiratzea zeure burua jartzen duzun lekuarekin lotuta dago, halaber. Kontua da, agian, ezagutzen ez duzunari aurre egitea; baina, era berean, egoera ahulean jartzen zara psikologikoki.

IB Interesgarria da Freuden erruz memorian aztarrika aritzea sakonean bilatzeko prozesu arkeologiko gisa ulertzea, jatorria, traumak eta pultsioak lurpetik ateratzeko; gora begiratzearen ideiak, berriz, etorkizuna esan nahi du. Badirudi agertoki posibleak proiektatu nahi direla, eta behera begiratzea, berriz, dagoeneko gertatu denaren azterketa dela. Eta atentzioa eman zidan *Forgotten Streams*-en, zoladuraren urratze hori eta azpian dagoenaren errebelazio hori "erreprimituaren itzuleraren" analogia literal eta metaforikoa ere badela, non ura kontzientziaren antzekoa den.

CI Erabat. Natura zaintzeko beharra ere agerian uzten du. Donostiako piezan naturaren babesean ere pentsatu behar dugu. Uharteko natura babestu nahi dugu eta ez genuke ukitu behar. Egiaz ezer ukitzen ez duen zerbait egiteak lehen planoan jartzen du gaia. Eta horrek eztabaida eragiten du. Agian, ingurumena zaintzen dugula ziurtatzeko aldi berean joan daitezkeen pertsonen kopurua murrizteko arauak ezarriko ditugu; gauzak natura zein ederra den jabetzeko moduan egin nahi ditugu.

IB Donostia oso hiri bizia eta erosoa da. Folkestone guztiz kontrakoa zen: oso itsasaldeko oporleku oparoa zen, eta Erregeordetzaren garaian modan egon zen oporrak igarotzeko leku gisa. 1960ko hamarkadan aireko bidaia merkeak iritsi zirenean, gainbehera larrian sartu zen. Nire buruari galdetzen diot ea *Towards the Sound of Wilderness* bezalako lan batek leku bat leheneratzeko lana bete dezakeen, galdu zena ikusarazten digulako. Agian harrotasun edo konpromiso sentimendua piztu dezake inguruan.

CI Bai, eta lekuaren oroitzapenarekin nolabaiteko malenkonia sortzen du, ezta? Esan nahi dut handik etorkizunera proiektatzen saiatzen garela.

IB Zure eskulturak kulturarekin duen harremana aztertu nahiko nuke. Ez dugu beste obra goiztiar garrantzitsu bati buruz hitz egin, Bartzelonako Nazioarteko Konbentzio Zentroko zure piezari buruz, alegia. Toldo sorta bat da eta futbol estadio baten tamaina du.

CI 150 metro dira eta hamazazpi toldo eseki ditu. Izugarri handiak dira, bakoitzak sei metro neurtzen ditu eta gainjarri egiten dira azpian itzalak sortzeko.

Testu luze batean biltzen dira: J.G.Ballard-en *The Drowned World*, non Londres ur azpian dagoen.

IB Beste kultura bateko hizkuntza ere aipatzen duzu, Ipar Afrikako zokoetakoa, hain zuzen. Zerbait esan dezakezu horri buruz?

CI Toldoak arabiar eta espainiar arkitekturan erabiltzen diren gailuak dira, itzalak sortzeko, eguzkiaren argia geldiarazita leku freskoak sortzeko, baita ezkutatzeko ere. Gainean dituzun toldoek argiarekin jolasten dute eta beste espazio bat sortzen. Pasabideak ere sortu ditut, gela baten erdian, izkina baterantz joateko. Helburua norberaren irudimenaren lekuren batera doan bide bat sortzea da.

IB Gaur egun "moro" terminoa saihesten da eta "hispano-arabiar" erabiltzen da kultura arabiarra ehunka urtez hemen egon zela eta Espainia kristaua bakarrik ez dela aitortzeko. Garrantzitsua al zen zuretzat kultura horren ondarea ospatzea?

CI Erabat. Uste dut odol judua edo arabiarra egon daitekeela nire gorputzean, nire izatean, eta uste dut oso harro egon behar dugula nahasketa horretaz, hizkuntzan dagoelako. Jatorri arabiarreko hitz asko ditugu gaztelaniaz, hala nola burkoa (almohada), hemen daukagun burko hau arabiarra da; gure sukaldean dago, gure kulturan.

Nahasketa bat gara eta ospatzekoa iruditzen zait.

IB Horrek Toledora garamatzana eta *Tres Aguas* izeneko proiektu handi batean zentratzen den gure bigarren kapitulura. Zure asmo handieneko proiektuetako bat da, hiri oso bat hartzen baitu. Egoitza Londresen duen arte publikoko Artangel agentzia izan zen lanaren komisarioa. Toledo arkitektura kristaua, islamiarra eta judua batzen dituen Erdi Aroko hiria da. Fedean oinarrituriko legatu horiek zenituen buruan?

CI Horregatik daude obra bakarra osatzen duten hiru leku. Gehiago egon izan balira ere, hiru erlijio horiek izan ziren nagusi. Zoragarria iruditzen zait kultura batek espazioari forma ematen diola dioen ideia hori. Elkarrekin bizi izan ziren, baina batak bestearen kulturak birziklatu zituzten baita ere.

Aurretik meskita izan ziren eliza katoliko batzuek beste kultura batetik jasotako oinordetza irudikatzen duten motibo apaingarriak dituzte, eta motibo horiek ere nire obrara ekarri ditut.

Erasoaren zantzuak ere badira, sinesmen sistema bat beste baten gainetik jartzearen zantzuak. *Tres Aguas* lanak horri buruz eta uraz hitz egiten du komunikazioaren sinbolo gisa, dena baitago konektatuta. Hainbat kulturak erabili izan dute ura erritualetarako eta higienerako. Erromatar bainuetxeetan erabiltzen zuten, baita haien ondorengo kulturetan ere, hainbat mendez. Bainatzeko bi txanda zeuden, goiza eta gaua, gizonek eta emakumeek erabiltzeko. Pieza hori erabilera horiekin guztiekin lotuta dago, baina baita lotura fisiko batekin ere, hiriaren oinarriaren, ibaiaren, eta aratzeak dauden eta ibaiko urak behar duen hiriaren goiko aldearen artekoa. Beti egon da ura gorantz ekartzeko beharra.

Hiru piezen arteko bidaiak irakurketa bat osatzen du, eta irakurketa hori, berriz ere, oso psikologikoa da. Leku batean ikusten dena beste leku batean modu ezberdinean ikusten da. Beraz, beti dago ikusi duzunaren oroitzapena. Bataren eta bestearen artean ikusten dituzun kultura geruza guztiez gain, hiri azpian dagoen ibaiaren kontzientzia duzu, lurrean agertu den zulo batena. Ura distira egiten duen materiala da, beste leku batean ikusi duzuna, eta ura behetik gora nola mugitzen den senti dezakezu.

IB Hiru tokiek hartzen dituzten eraikinen historia ezberdinak lotzen dituzte. Bat, armategi zahar batean dago kokatuta. Armak egiten zituzten bertan.

CI Bai. Ezpatak, lehenik, hala hasi ziren. Eta gero, XIX. mendean, beste arma batzuk egiten hasi ziren.

IB Orduan, armak egiteko espazioa duzu, gero klaustroa duzu, emakumeei zuzendutako meditaziozko otoitz gune bat.

CI Bai, Santa Klara Ordenako mojen klaustroarentzat zen.

IB Eta gero herriko plazan beste iturri bat duzu, zuzenean katedrala islatzen duena.

CI Hori bere garaian meskita bat izan zen. Eta gizalegearen presentzia ere baduzu, udalaren islarekin.

IB Beraz, sekularra eta sakratua dituzu. Interesgarria da zure lana elementu arkitektoniko horietatik elikatzea, erabilera desberdinen historiaz kargatuta baitaude.

CI Berriz ere, denbora elementu bat da. Tartean mugitzeko denbora, baina baita ere, plazan zaudenean begiratzeko denbora. Pieza benetan geldoa da. Eskala handikoa da, eta zati batean suntsituta eta aldatuta zegoen zoladura osoa zaharberritu genuen. Norabidea berreskuratu genuen, ibairantz makur dadin. Orain ibaia zoruan agertu eta desagertuko balitz bezala da. Geldotasun horrek isla optikoa ez ezik, isla kontzeptuala ere eskaintzen du. Han esertzen bazara, gure historiako gai horietan pentsa dezakezu, baina beste mundu batera eramaten zaituen ezaugarri hipnotikoa ere badu.

IB Liburu honetan ditugun eztabaidetako batzuk urari buruzkoak dira, sinesmen desberdinei buruzkoak. Guztiek erabiltzen dute ura erritual gisa; bataioa garbitzeko, berritzeko eta hasteko modu bat da. Zerk eramaten zaitu behin eta berriz ura material gisa erabiltzera?

CI Ura erabiltzeak denbora ikusgarriago egiten du, presenteagoa. Denboraren erabilera eta horrekin nola lan egin daitekeen, baita modu musikalean ere, sor daitezkeen sekuentziak, soinuak. Hori guztia lanera ekartzea interesatzen zait. Konexioaz ere hitz egiten nahi dut: iturriek erreflexuak sortzen dituzte, inguruan dagoena islatzen dute, kultura eta natura lotuz. Ura, oso-oso astiro, bertikalki isurtzen den piezak ere egin ditut. Horrek zure zentzumenei eragiten die eta beste modu batera begiratzera eta izatera bultzatzen zaitu.

IB Ura erabiltzea ere eskuzabaltasun ezaugarria da, nolabait, iturri publikoen eginkizunetako bat edateko ura eta gorputza garbitu eta freskatzeko aukera eskaintzea baita. Obra horiek guztiek elementu botaniko bat ere badute landaredia erabiltzen baituzu. Batzuek barroko gisa deskribatu dute.

CI Benetan, modu abstraktuan erabiltzen da espazioak eraikitzeko. Baina beti liluratu nau botanikak bere forma ezberdinetan, eta naturak nola eraldatzen duen gauza bat beste batean. Eraldaketa hori beti izan da obraren parte. Naturak, bestalde, zentzu zabalago batean, asmakuntzaren ideia gogorarazten du lorategiaren konbentzioaren bidez, eta atsegin dut fikziozko lorategi bat sortzeko ideia hori, fikziozko errealitate bat. Beraz, gela bat sortu dut benetako landarediaren erdian, labirinto bat, Brasilgo Inhotim herrian; ezkutatuta egon zaitezkeen leku bat. Vegetation can create

Landarediak pantaila moduko bat sor dezake.

IB Esango al zenuke zerbait formalki landarediaren forma eta egituretara eramaten zaituenari buruz (moldekatu dituzun hostoez, sasiez, perretxikoez, algez ari naiz)?

CI Naturan dauden gauzak erabiltzen ditut, baina forma botanikoak ere asmatzen ditut. Errealitatetik oso hurbil daudela diruditen gauzak egiten ditut gomaz edo erretxinaz, baina asmakizunak dira. Agian horregatik beti gustatu izan zait zientzia fikzioa. Errealitate bihurtzen den asmakuntza, munduen arteko eremu hori.

Beti interesatu zait espazio hori lantzea eta garatzea. Azken lanetan, geologiara hurbiltzen ari naiz, geruza mineralagoak egitera, agian sumendi batetik hurbilago daudenak. Forma horrek bere erritmoa eta norabidea ditu, baina baita planetaren memoria ere.

IB Kalitate formala ere ematen du, ehundura aberats bat. Dentsitatea du, baina hortik zehar ere begiratu daiteke. Hazkundearen eta metamorfosiaren konnotazio sinbolikoak interesatzen zaizkizu?

CI Bai, duela gutxi hazkunde piezak jarri ditut elkarrekin lotuta, espazioan zehar askatasunez mugitzen ari direla diruditen geletan. Bere erritmoa duen eta geldiezina den hazkunde batera itzuli naiz, agian gelaren izkina batean dagoena eta lurretik igotzen dena, hiru solairu beherago ura egon daitekeelako eraikinaren azpian. Baina bai, hazkundearen eta ugaltzearen ideia hori asko erabili dut. Beti egin izan ditut horri heltzen dioten marrazkiak. Organismoen hazkuntzari egiten dio erreferentzia, oso modu abstraktuan. Kontrolatu ezin dugun bizitza da.

IB Horrek aldaketaren ideia ematen du, obra ez dela estatikoa. Aire zabaleko eskultura monumentalek, Walter De Mariaren *Lightning Rods* delakoak, edo Nancy Holten *Sun Tunnels* kasu, denbora eta espaziotik kanpo existitzen diren euklidear forma geometrikoak erabiltzen dituzte. Haien barrak eta zilindroak, naturatik kanpoko giza eraikuntzak dira. Aldiz, zure azalerek hazten jarrai lezaketela dirudi: ez dira finkoak, usteldu edo ugaritu egin daitezkeela dirudi.

CI Baina nire lana muga geometrikoen mende dago. Biak elkartzen ditut, baina urak gainezka egin dezake eta bat-batean forma bat baino haratago doaz eta, esaten zenuen bezala, hazi egiten dira, beren kabuz.

IB Ildo horretatik, liburuaren azken atalera iritsiko gara, *Estancias Sumergidas* ingurukoa. Hemen duzu giza publikoarentzat ikusezina den obra baten proposamen aparta; itsas mailatik hamazazpi metrora, ozeanoaren hondoan, murgildutako hiru egitura beste espezie batzuentzat dira, itsas bizitzarentzat. Oso keinu erradikala da. Zertan inspiratu zara?

CI Monumentu bat egitera gonbidatu nindutenean sortu zen, Mexikoko Espiritu Santu uhartea berreskuratzeko ingurumen ekintza tankerako bat, hura esku pribatuetatik publikoari itzultzeko. Pentsatu nuen: ezin dut ezer eraiki helburua ez gehiago eraikitzea den leku batean. Baina itsas babeslekuak sortzeko programa bat zegoen.

Eta pentsatu nuen sinbolikoa izan zitekeela itsas biologoekin elkarlanean aritzea hamazazpi metroko sakoneran koralezko arrezife txiki bat bihurtu dena eta hogeita hamar metroko luze dituena sortzeko. Egiturak gela bikoitzak bezalakoak dira, eta inguratu egin behar diren arrokak daude tartean. Bata eta bestearen artean galdu egin zaitezke planktonezko lainoaren artean.

IB Eta hizkuntza eta landaredia konbinatu dituzu. Pantailak landarediak eta uretako izakiek hartu dituzten hitz eta letrez osatuta daude, bi film ederretan dokumentatu den bezala. Lehenik eta behin, manta banku bat bertan ezarri dela ikusiko dugu; eta ondorengo film batean korala hazi egin da eta itsas izarrak daude hitzen artean atseden hartzen. Esan duzu aingira batek A letra hartu duela, eta hori lorpen ikaragarria da, birsortu egiten den eta bizitza sortzen duen artelan bat egitea.

CI Bai, aukera bikaina izan da. Batzuetan, herri lanak nolabaiteko mugak lantzeko aukerak dira; baina bikaina da, halaber, arteak jendea bere bizitzetan eta, oro har, naturaren zaintzan pentsarazten duten jarduerak eta ekintzak sor baditzake.

IB Zure lanak dimentsio politikoa duela uste duzu?

CI Uste dut artelan orok daukala, begiratzeari eta gure buruak irekitzeari denbora eskaintzeaz ari garenean.

Ez naiz aktibista, baina errespetu handia diet benetako lana egiten ari direnei. Bai, uste dut arteak ere posizio bat izan dezakeela eta argi bat izan daitekeela, Donostiako hemengo itsasargia bezala.

IB Obra honek fede ekintza bat ere eskatzen dio ikusleari. Erromesaldi bat egin behar da, eta horrek Robert Smithson bezalako artistekin bat egitera garamatza, mundu guztiak ezagutzen duen baina oso gutxik ikusi duen *Spiral Jetty* bezalako lanak sortu zituena. Ikuslearentzat eskakizun interesgarria dela uste dut, artearekin konprometitzeko ere lan egin behar baitu.

CI Bertara joateko ahalegina egin behar du. Benetan existitzen duela sinetsi, fedea izan horretan.

IB Brasilgo Inhotim herrian egin zenuen lanak ere ezaugarri hori du. Gure irudimenean dago, irudien bidez ikus daiteke, beraz, modu batean eskuragarri dago, baina benetan esperimentatzeko erromesaldi bat egin behar da.

CI Bai, eta helmuga bat dago. Eta artista batentzat oso interesgarria da helmuga hori sortzea. Badakizu jende asko ez dela joango, baina batzuk bai.

IB Modu sekularrean, bidaia espiritual askorekin gertatzen dena erreproduzitu duzula dirudi, dela Done Jakue bidea, dela Mekarako erromesaldia. Sineskizun sistema guztietan, esnatze moduko bat edo transzendentzia sentsazio bat lortzeko bidaia bat beharrezkoa delako ideia dago. Lan hauetan nabarmentzekoa dena erredentzioa aurkitzeko giza bulkada horren bertsio sekularra ematen dutela da.

CI Ulertu nuen bidaia bat behar dela norberaren burua artearekin konprometitzeko prestatzeko, joatea eta bidean aurkituko duzun guztia esperientziaren parte izango da eta itzulerako bidean, horrek guztiak obraz duzun oroitzapena berretsiko du.

Donostia, 2019ko urria

ARTEA/ HIRIA

Hiriari buruz: pertsonen fluxu, kapital, datu, energia eta ibai gisa; toki zibiko, sekretu edo irudimenezko gisa; haren gainbehera eta birsorkuntzari buruz; eta bertako publiko eta pribatuaren, kulturaren eta naturaren arteko interakzioei buruz.

Forgotten Streams, 2017 Londres

Forgotten Streams Bloomberg finantza datuen enpresaren enkargua izan zen, haren Londresko egoitza diseinatu zuen Norman Foster arkitektoarekin lankidetzan. Pieza eraikinetik kanpoko lursail batean dago kokatuta; enpresaren jabetza pribatukoa den arren, plaza publikoaren funtzioa betetzen du. Publiko bihurtu den espazio pribatua da, hiria bertatik igarotzen baita.

Eraikina Londresko City barrutian dago, lanegunetan jendez gainezka egoten da, eta mugimenduz betea. Foster & Partners-ek eraikinaren beheko solairua zeharkatzen duen arkupe bat sortu zuten, asmatutako plaza baten ekialdea eta mendebaldea lotuz eta inguruko biztanleriaren fluxurako balbula bihurtuz. Britainia Handiko finantza eta zerbitzu gunea den City barrutian bulego dorreak dira nagusi. Garapen horren anbizioa bulegoko orduen ondoren bizitza gizatiartu eta aktibatzea zen, arkupean jatetxeak eta kafetegiak jarrita. *Forgotten Streams* hirigintzaren ikuspegi zabalago baten barruan sartzeko pentsatuta dago.

Obra eraikinaren mendebaldeko eta ekialdeko aldeetan kokatutako hiru gunek osatzen dute, eraikinak bitan banatutako plaza bat iradokitzeko.

Bi elementu plazaren mendebaldean daude eta bat ekialdean. Ura sekuentzian mugitzen da hiru guneen artetik, erritmo eta denbora ziklo osagarriekin, hiruetan barrena etengabe dabilen ur fluxu bakarra dagoen ilusioa sortuz. Elementu bakoitzaren erliebe baxua brontzezko fikzio bat da, eraikinaren azpitik sortu direla dirudien naturaren sustraiak eta formak dituena. Elementu horiek eskultura pieza bakar eta konektatua den ilusioa sortzen dute, eta, horrela, mendebaldearen eta ekialdearen arteko erlazioa sendotzen dute.

Londresko kaleen azpian dauden lurpeko ibaien ideia piezaren irudieriaren zati bihurtzen da. Horrela, *Forgotten Streams*ek gogora ekartzen du lurpekoa ere, lotura mental bat sortuz eraikinaren sakonean dagoen Walbrook izeneko aztarnategi erromatar baten oroitzapenarekin. Ekialdea, mendebaldea (eta lurpea) ilusio baten bidez konektatuta daude.

Forgotten Streams Norman Fosterrekin izandako eztabaida batetik sortu zen, erasoei aurre egiteko segurtasun neurri gisa plazaren inguruan eraikiko zen horma bat nola ordezkatu erabakitzeko. Alde batetik, piezak babes gisa jokatzen du eta, bestetik, topaleku bat eskaintzen du. Piezak publikoaren eta pribatuaren arteko elkarrizketa sortzen du. Jendea azkar ibil daiteke plazatik, eta ziztuan bakarrik ikusi; baina batzuetan erakarrita sentituko dira, eta denbora luzeagoan geratuko dira inguruan.

Cristina Iglesias

Bloomberg eraikina

Jane Rendell
Natura hila: Cristina Iglesiasen lanean déjà vu gaiaren itzulerari buruz

Cristina Iglesiasek 2003ko Whitechapel Gallery (Londres) galeriako erakusketaren aurkezpenean hau adierazi zuen: 'ikusten dituzun gauza batzuek beste batzuk gogoraraziko dizkizute' [1]. Esaldi horrek oso ondo deskribatu zuen galeriako bere lanekin izan nuen topaketa; izan ere, baten oroitzapena beste batean itzultzen zen. [2] Esperientzia horiek Sigmund Freudek *déjà vu* deitu zuen sentimendu psikiko baten ezaugarriekin lotu nituen, eta nire *Site- Writing* azken liburuaren osaeraren azken aurreko konfigurazioan erakusketako zazpi lanek nigan eragin zituzten pertzepzioak, ilusioak, ametsak eta oroitzapenak kokatu nituen, halako moldez non liburuaren aurreko zatietan eginiko oharrek durundatu egiten baitzuten.[3] Hemen, Iglesiasen lanari buruzko entsegu horretara itzuli naiz, *déjà vu* delakoaren gai psikikoak eta aurreko lanetan baliatutako keinu estetikoak *Forgotten Streams* lanean (2017an instalatua) nola itzultzen diren ikusteko.

Déjà vu

Freudentzat, *déjà vu* edo 'fantasia inkontziente baten oroitzapena' 'arrotzaren kategoria bat' da[4]. 1907an erabil izuen lehenengoz terminoa, berez 1901ean argitaratutako *The Psychopathology of Everyday Life* entseguaren gehigarri batean. Bertan, Freudek 37 urteko paziente baten esperientziaren berri ematen du. Pazienteak gogoratzen du nola 12 urte eta erdi zituenean, anaia bakarra oso gaixo zuela, landa eremuko txikitako lagunei egindako bisita batean, aurretik han egon izana sentitu zuela. Freudek ulertu zuen bisita horrek pazienteari anaia bakarraren berriki antzemandako gaixotasun larria gogoratu ziola, baina oroitzapen hori erreprimitutako nahi batekin lotuta zegoela: anaia hiltzea, bera alaba bakarra izan zedin. Freudentzat, oroitzapenaren sentimendua bere 'ingurunera' 'transferitu' zen desira inkontziente eta erreprimitu hori itzultzea saihesteko[5].

Itzuliz: Guided Tour (1999–2002)

Guided Tour (1999–2000) film labur bat da, Iglesiasek Caterina Borelli dokumentalgilearekin lankidetzan ekoitzitako 10 minutuko begizta bat. Filma New York eta Madril artean mugitzen da: kaleak eta korridoreak, lorategi formalak eta basa landaren zantzuak, landaredidun labirintoak eta burdin hesi testudunak. Eskuko kamera batekin grabatu zen, lurraren gainetik, arkitektura detaileak eta hostotza naturalak pasatzen dira, eta bata bestearekin nahasten. Lanak hiria markoztatzen du, eta hiriak lana, biek ala biek elkar gidatzen dute. Normalean sekuentzia koreografiko zehatz bat izanik, bira gidatua espazio-denborazko irudi bat da, bisitariari aldez aurretik zehaztutako ibilbide bateko hainbat puntutan gelditzeko eskatzen diona, testuinguruko xehetasunak nabarmentzeko: hiri ehunaren ezaugarri bisualak, etorkizuneko interbentzio guneak, leku bat egiteko une eta istorio garrantzitsuak. Espazioan eta denboran egiten den bidaia ikuslearentzat kontakizun alternatibo bilaka daiteke, barneko eta kanpoko pasabide bat, psikoanalisiak elkarketa libre gisa deskribatzen duen pentsamenduaren katea sustatuz, non kanpoko objektuek barne gogoetak ekartzen dituzten eta barneko oroitzapenak berriro kanpoko espazioetan proiektatzen diren.

Forgotten Streams I

Kale kantoi batean, Bank Station-en alboan, *Forgotten Streams* ur putzu geldi bat da itxuraz, hiriko bizitzaren fluxuan. Beste bi aurki daitezke, zubi batez banatuta, Bloomberg Arcade igarota paseo labur batera, Bloomberg Headquarters berriaren inguruan eta Roman Watling Streeteko linea berrezarrian. Londres hiriko bihotzeko jardueren erritmo frenetikoaren erdian, putzu horiek geratzeko eta norberaren isla ikusteko lekuak dira, baita inguruko eraikinena eta jarduerena ere.

Déjà Vu – Ametsetan

1909an, Freudek ametsetako *déjà vu*etan jarri zuen arreta, eta honela deskribatu zituen *The Interpretation of Dreams* (1900) lanean: 'Paisaien edo beste kokapen batzuei buruzko amets batzuetan, ametsa bera azpimarratzen da, inoiz han egon izanaren uste sendoa izanik'. [6] Honako hau baieztatzen du: 'Leku horiek ameslariaren amaren genitalak dira beti; ez dago, hain zuzen ere, beste lekurik inork inoiz han izan delako horrelako uste sendoa izatea dakarrenik'.[7] Eta 1914an, *The Interpretation of Dreams* lanera jotzen du berriro, eta *déjà vu* mota zehatz baten gisa ametsetan 'inoiz han egon izanaren' sentsazioa identifikatzeko beste esaldi bat sartu zuen: 'Ametsetako déjà *vu*aren gertaerek esanahi berezia dute'[8].

Errepikatuz: Untitled (Vegetation Room VIII) (2002) eta Untitled (Vegetation Room X) (2002)

Zinema ilunetik atera eta eskaileretan gora joaten da; goian, korridore estu batean murgiltzen da, bi aldeetan flora eta fauna patroi gero eta ugariagoz inguratuta – liliak eta olagarroak–, lehen aurkitu zuen gainazal makur bat gogorarazten diotenak. Atmosfera klaustrofobikoak labirinto edo labirinto egitura baten esperientzia iradokitzen du. Erraz imajina daiteke materia organikoaren dentsitatea areto barnera luzatzen dela, izaki eta hostotza horiek ateratzen diren mundu fantastikoetako irudiak agerraraziz. Hasiera batean, ematen du bionboak materia fabulosozko gama infinitu batek osatzen dituela, baina ondo erreparatuz gero, marken patroia errepikatutako elementuek osatzen dutela ikusten da. Ezberdintasunen ugaritze natural amaigabearen ilusioa hautsi egiten da eta horren ordez, amesgaiztozkoagoa den beste bat agertzen da: errepikapenen espazio artifizialaren eta antinaturalaren hedapen potentzialki infinitua.

Forgotten Streams II

Aurpegien, autobusen eta eraikinen oihartzunak geldi daude uretan eta islatu egiten dira, gainazala brisak ukitzen duenean distira eginez, iluntzean dir-dir eginez idazmahaiko argiak harribitxiak izango balira bezala piztean. Inguruan dauden eta kristalezko hormak dituzten beste bulego distiratsuak baino are luxuzkoagoak izanik, Norman Fosterren Bloomberg eraikinaren bira barrokoak ezohiko oparotasun bihurgunetsua gehitzen du, bere ohiko errepertorio zimelaren loratze naturalaren ukitua, bere paleta monokromo tipikoa brontze landuarekin, urre izpiekin eta arrosa ukituekin tindatuz.

Fausse Reconnaissance (Déjà Raconte) …'

1914an, '*Fausse Reconnaissance (Déjà Raconté)* in Psycho-Analytic Treatment' lanean, Freudek *fausse reconnaissance* eta *déjà vu* termino analogo gisa deskribatzen ditu, eta biak ala biak *déjà raconté* delakoarekin konparatzen ditu. Azken hori tratamendu psikoanalitikoaren ezaugarri bat da, pazienteak oker uste duenean zerbait esan izana psikoanalistari.

Besteak beste Joseph Grasset-ek arlo horretan eginiko ekarpena lehenengoz aitortuz, Freudek nabarmentzen du *déjà vu* delakoan 'inpresio inkontzientearen aktibazioa' gertatzen dela.[9] 37 urteko pazientearen *déjà vu* esperientziari buruz aurretik eginiko kontsideraziora itzuliz, Freudek orain azpimarratzen du haren *déjà vu* esperientziak paper aktiboa duela, eta, Freuden arabera, 'aurreko esperientzia baten oroitzapena berpizteko benetan kalkulatuta' zegoela. Orain, azpimarratzen du, anaia gaixoa hiltzearen nahi erreprimituaren eta bisitatzen ari zen etxean hilzorian zegoen anaiaren arteko analogia kontziente egin ezin zenez, analogia horren pertzepzioa 'hori lehen gertatu izanaren' fenomenoak ordezkatu zuela', eremu geografikoko elementu komunaren identitatea dislokatuz: etxea bera. [10]

Islatuz: Untitled (1993–97)

Urrunetik, galeriaren hormaren kontra jarritako hormigoizko lauza errektangularrek estatikoak ematen dute. Hurbildu ahala, beste zerbait bihurtzen dira. Mutur batean, lauza hormaren kontra dago; bestean, tolestuta dago, eta haren azpiko aldea agertu eta leku batera sartzera gonbidatzen du, non azalera biluzi batek barnealde sekretua erakusten duen. Aluminiozko panel baten isla desitxuratuan, agertoki arkadiar lausoaren kolore leunak ozta-ozta ikusten dira. Gehiago ikusteko grinaz, zulora hurbiltzen da eta ehiza irudi pastoral ikusten du, XVIII. mendeko tapiz koloregabe batean irudikatuta, eta lehen aurkitu zuen paisaia bat gogorarazten dio. Hala ere, erakutsitako zatia ezin da zuzenean ikusi, eta galeriako hormak hormigoiak estaltzen duen irudiaren gainerakoa begiez gozatzeko ahaleginak blokeatzen ditu. Tentazioaren eta debekuaren keinu lotuan, bere etsipenari aurre egitera behartuta dago.

Forgotten Streams III

Putzu hau ez dago beti beteta, ordea. Ia-ia ezin sumatuzko eran, urak ihes egiten du, eta agerian geratzean, atsekabetu egiten naiz. Basoko zorua agerian geratzen da. Brontze monumentalean, memorialen materialean, galdatuta, adarrak lurrean zabalduta geratzen dira. Udazkeneko hostoak lurrera erortzen dira, betierekotasunerako iraunarazita. Lur eder baina hilgarriaren irudi horri erreparatuz planetaren beraren – ekozidioaren– desagerpen azkarraren testuinguruan, zaila da ez hunkitzea.

Eta lanaren kokapena dela eta, esanahiak bilatzen ditut inguruan, guztiak ere kapitalismo finantzarioaren ereduak. Guztiok gaude tartean, era batera edo bestera, ama naturaren soiltzean, haren oparotasuna ateraz joritasun materialerako, haren aberastasunak salgai bihurtuz, direla arkitekturakoak direla beste era batekoak.

Desrealizazioa

Geroago, Freud 'desrealizazio' eta 'despertsonalizazio' fenomeno aliatuez arduratu zen. [11] 1937ko artikulu batean, 'A Disturbance of Memory on the Acropolis', anaiarekin Akropolira eginiko bidaiaren berri ematen du. Bisita egin aurretik Triesten partekatu zuten depresio sentipen arraroa du ardatz, hara joatea lehen aldiz iradoki zietenean, eta jarraian, Akropolian zeudela izan zuen erantzuna aztertu zuen: ezustekoa izan zen *existitzen zela*. Gogoeta arretatsu batzuen bitartez, Freudek hemen jokoan dagoena zer den azaleratzen du pixkanaka: haurra zela sentitu zuena ez zen horrenbeste Akropolia existitzearen sinesgogortasuna, hura bisitatzera iristea baizik. Ideia horrek baimentzen dio ulertzea Triesten anaiak eta biek sentitzen zuten depresioa benetan errua zela, debekatuta zegoena egin izanaren errua, aita gainditu eta Akropolia bisitatu izana, hark inoiz egin ez zuena. Freudek desrealizazioaren fenomenoa defentsa gisa interpretatzen du, zerbait niarengandik urrun izateko behar gisa. [12] Desrealizazio horiek erlazionatzen ditu, zeinetan 'zerbait gugandik urrun izateko grina' daukagun, 'baliokide positibo' deritzenekin - *fausse reconnaissance*, *déjà vu*, *déjà raconté* –, eta horiek 'zerbait gure niaren parte gisa onartzea nahi dugun ilusio' gisa deskribatzen ditu. [13]

Miaketa: Untitled (Celosia I) (1996) eta Untitled (Celosia VII) (2002)

Hurrengo gelarako sarreran markoztatuta, era korapilatuan zizelkatutako bionbo bat dago. Hurbiltzean, ikusten du benetan bi egitura bereizi direla, biak ala biak zizelkatutako saretazko bionboz osatuak, buruaren parean. Batean, bionboak sarrera debekatzeko jarri dira; besteak sartzera gonbidatzen du. Bi egituren pertzepzioak -bat sar daitekeena izanik, eta bestea sartu ezinezkoa- aldatu egiten dira haiekin elkarreragiten hastean.

Sarrera fisikoa ukatzean, egitura independenteak irudimenezko proiekzioa egitera gonbidatzen du. Babesleku izatearen eta harrapaleku bat izatearen erdibidean, misterioz eta espekulazioz betetako lekua izaten jarraitzen du. Pieza osagarriak osatutako U formako barrutian murgildu ahala, ikuspuntua aldatzen du. Ezkutuan duen kokapenetik, ikusi berri dituen lanen eta galeriaren ikuspegi sekretu bat eskaintzen zaio; ezaguna ematen du, baina nolabait ezberdina.

Forgotten Streams IV

Denbora apur bat igaro ondoren, ura putzurantz jariatzen hasten da berriro. Beheraldiaren eta fluxuaren erritmoa inguruan ditudan oinena baino askoz ere motelagoa dela konturatu naiz. Horrek nire arreta erakartzen du kanporantz, kontuan hartzeko hiriaren denbora, lanegun baten amaieran garraio nodoetarako joan-etorri kaotikoa eta nola pultsu frenetiko horiek gauen lasaitasunaren artean dabiltzan. Uste dut asteburuko atsedenak nahikoa luzatzen direla igandeko ordu makaletara arte, dena ahazteko, astelehen goizean dena berriro hasteko bakarrik. Urak azpian duen basoko zorua astiro-astiro estaltzen eta agerian uzten duen bitartean, pantaila elektronikoek kliskatzen jarraitzen dute etengabe, atsedenik gabe.

Oroitzapen estaltzailea

Kultura historia liluragarri batean, Peter Krapp-ek *déjà vu* delakoa 'estalkiaren eta sekretuaren egitura errepikakortzat' zuen. [14] Nabarmentzen du parapraxisari (Freuden lapsusa) buruzko lehen kontakizunean (1898koa), Freudek 'mekanismo psikiko' hori 'ezkutatze inkontziente' deitzen dionarekiko paraleloan aipatzen du. [15] Krappek enfasi espazial hori aztertzen jarraitzen du ezkutatzearen eta agertzearen egituran 'oroitzapen estaltzailea' ulertzearen bitartez 'ez faltsutze soil gisa, bi 'oroitzapenen' aldi baterako toleste gisa baizik'.[16] Freudek hiru denbora eredu desberdin proposatu zituen oroitzapen estaltzaileari buruz: bata, aurreko oroitzapen batek ondorengo bat ezkutatzen duenean,'Screen Memories' artikuluan landu zuena;[17] bigarrena, ondorengo oroitzapen batek aurreko bat ezkutatzen duenean, eta hirugarren bat, oroitzapen estaltzailea eta ezkutuko oroitzapena pertsona baten bizitzaren garai beretik datozenean. [18]

Zeharkatuz: Untitled: Passage I (2002)

Erakusketaren azken gelan sartzean, sabaitik esekitako sarezko drosel baten azpian dabil; drosela gainjarritako ihizko alfonbra errektangularrekin egina da. Aurrez ezkutaleku izan zituen bionboen antzera, espartzuzko edo zuntzezko eguzkitako horiek hitzak dituzte txertatuta, eta horien itzalek letrak sakabanatzen dituzte haren sorbaldetan eta lurrean. Gorantz begiratzeko eta testua deszifratzeko burua atzerantz okertzen duenean, zeinuak aurpegira erortzen zaizkio, eta burura iristen zaion odol uharrak zorabiatu egiten du. *Passages* lanak bi testu planoren artean kokatu zuen: bata goian eta bestea behean, argiak, itzalak eta mugimenduak aktibatuta. *Passage* edo arkupearen arkitektura tipologia barnealdearen eta kanpoaldearen arteko espazio bat da, pribatua eta publikoaren elkar sartzea, eta paseorako eta leku batetik bestera igarotzeko lekua. [19]

Forgotten Streams V

2002an, Jules Wright-ek bisita gidatu bat egitera gonbidatu ninduen Wapping-era.

'Topografia aingerutar' deitzen nienak lantzen ari nintzen orduan, elkartruke eta eraldaketarako lekuak. *London AZ* aurkibidetik abiatuta, 'aingeru' hitza zuten kale guztiak lokalizatu nituen, eta udaberri hasierekin lotutako asko aurkitu nituen. Elkarrekin lotu ondoren, eraiki nuen ibilaldiak Londreseko lurpeko ibai batzuek, Bank-en azpiko Walbrook-ek eta San Pabloren katedralaren atzeko Angel Street kaleak markatutako lerroetatik eraman gintuen. Lurperatutako ur fluxuei jarraitzeak eta horiek zeharkatzeak hainbat urte lehenago egin nuen beste ibilaldi bat oroitu zidan, Platform ingurumen artistek zuzendua. Hampstead Heath-eko udaberri busti eta belartsutik Fleet ibai lurperatuaren bideari jarraitu genion hirian barrena, Tamesis ibaian sartzen zen arte, sareta metalikoen atzean. Platformek animatu gintuen imajinatzera London zer izango zatekeen bertako ibai handiak haranetan barrena isuriz: 'Irudipena da aldaketa ororen sustraia', zioten. Iglesiasen urmaelaren ertzean makurtuta, ertzetara hurbiltzen naiz, non basoaren zoruak harrizko mugarekin topo egiten duen, eta adarrak eta hostoak betirako zabaltzen direla ikusten dut.

Arraroa

Tolestura arraroak daude -hutsak, deskuiduak, errepikapenak eta itzulerak- Freudek déjà vu delakoari buruz egindako lanean. Nabarmenena da *déjà vu* 'mirarizkoen eta 'arraroen' kategorian' sartzen duen arren 1907an 'The Psychopathology of Everyday Life' lanari eginiko eranskinean, Freudek ez duela termino hori erabiltzen 1919ko 'The Uncanny' (Arraroa) lanean.[20] Entsegu horretan, bere argumentu nagusia da arraroak markatzen duela erreprimitutakoaren itzulera: etxekoa (*heimisch*)[21] ez etxeko (*unheimlich*) gisa itzultzen dena, amaren gorputzaren oroitzapenean kokatuta. [22]

Alemaneko *heimlich* [23] terminoaren etimologia arretaz aztertuta, bai eta literaturan arraroaren adibideei buruzko eztabaida kontuan hartuta, bereziki bizidunen eta bizigabeen, bizien eta hilen, arteko harremana, E.T.A. Hoffmann-en *The Sand-Man* (1817) lanean, Freudek erakusten du ez etxekoa dela 'familiarra denaren aurkakoa' eta 'beldurgarria dela, hain zuzen ere, ez delako ezaguna eta familiarra'.[24] Hala ere, azpimarratzen du ezezaguna eta familiarra ez den guztia ez dela arraroa; aldiz, - eta hemen Freud bat dator F.W.J. Schelling-ekin- *unheimlich* zera da: 'sekretuan eta ezkutuan beharko zukeen baina argitara atera den guztia'.[25]

Itzuliz: Untitled (Vegetation Room VIII) (2002) eta Untitled (Vegetation Room X) (2002)

Hain zuzen ere, bizia eta hila, biziduna eta bizigabea batzen diren lekuan kokatzen da arraroa. Michael Newmanek hori adierazi zuen Iglesiasen lanari buruz, moldearen eta heriotzaren maskarekin duen lotura antropologikoaren arteko harremanari buruz hitz egitean, bai eta aztarna aipatzean ere bizitzaren autobetikotzearekin lotzen duen ugaritze gisa. [26]

Forgotten Streams VI

Bloomberg eraikineko bulegoen sabaiek petaloak ematen dute, delikatuak eta arrosak; patroi errepikakorra da, apaindua eta simetrikoa, eta amaigabea dirudi. Iglesiasen *Untitled (Tilted Hanging Ceiling)* (1997) lanaren beheko zatia oroitarazten dit; lan hori zen duela hainbat urte Whitechapeleko erakusketara sartzean batek aurkitzen zuen lehenengo lana. Itsas trikuak eta oskolak iruditzen zitzaizkidan patroia itzultzen da, eta, era berean, nola une hartan nire buruari galdetu nion ozeanoaren hondoaren sail fosilizatu bat izango ote zen. Eta oroitzapen horrek beste bat ekartzen dit burura: George Monbiot-en iruzkinak klima aldaketari buruzko jarrerak eraiki diren moduari buruz, errepresio geruzen bitartez, oraindik ere askatu ez direnak: lehenengo, klima aldaketa ez zela existitzen etorri zen; gero, existitzen dela baina ez dela gizakiek sortua; eta gero, existitzen dela, gizakiek sortua dela, baina ez duela axola; eta orain, existitzen dela, gizakiek sortua dela, axola duela, baina beranduegi dela.

Hala al da?

Nature morte. Natura hila.

Zer iradokitzen du *Forgotten Streams* lanak bizitzari eta heriotzari buruz mugimendua lasaitasunera eta lasaitasuna mugimendura etengabe itzultzean?

Bizitza hori geldia da, bizitza geldi egon da, bizitza hori hilda dago.

Edo oraindik ere badago bizitza heriotzan, denbora dago bizitza itzultzeko.

(Oharrak 76. orrian.)

Eztabaida

Richard Noble Eskerrik asko, Jane. Hasteko, galdetu nahi nizuen ea *Forgotten Streams* lanaren ardatz horizontala, gurekin topatzeko ez altxatzea, eta guk urrunetik ezin ikustea, agian, zerbait deskubritzearen ideiaren analogoa den. Indusketa arkeologiko bat bezala da ia-ia. Psikoanalisiaren analogoa al da?

JR Hasteko galdera handia da hori. Nire ustez, lanak plano horizontalean jarduteak zerbait fisikoa ematen dio esperientziari, bereziki landaredia arakatzen, patroiak zehazki nola funtzionatzen duen aztertzen eta uretako islak behatzen ahalegintzen zarenean. Uste dut oso harreman interesgarria dagoela psikoanalisiarekin; izan ere, 'errepresio' terminoak, itzulita dagoen moduan, azpian dagoenaren ideia hori iradokitzen du. Eta Freud nahiko obsesionatuta zegoen arkeologiarekin. Asko idatzi zuen psikoanalisiaren eta arkeologiaren arteko harremanari buruz, eta inkontzientean erreprimituta egon daitezkeen izoztutako elementu horiek 'lurpetik ateratzearekin'. Halaber, gure itzulpenean, transposizioaren edo albo bateranzko mugimenduaren zentzu hori dago. Zerbait oso interesgarria gertatzen da piezaren geruzak kentzean, baina, halaber, mugitzen diren lekuan ere bai. Pentsatzeko moduko zerbait izan daiteke hori, eta suposatzen dut, denbora gehiagorekin, hori aztertu nahi nukeela: desplazamendua. Amaieran iritsi naiz horra: inguruko testuinguruan aurki daitezkeen arrazoi eta forma batzuen desplazamendua, arterako dugun begirada hain berezi hori -begirada estetiko kritikoa- erakartzen duena inguruko arkitekturarantz.

RN Egin nahi nizun beste galdera bizitzari eta heriotzari buruzkoa da. Adierazi duzu molde bat dela, eta heriotzaren maskara ere aipatu duzu, eta ura erretiratzen denean, hondakinen sentsazioa dagoela lanean. Nolabaiteko kalitate barrokoa du -norbaitek 'gotiko' hitza ere erabili zuen-, sustraiengatik. Ez dira hostoak, kiribilak dira. Mangladi edo antzekoren bat drainatuz gero gera litekeena da, eta gero, berpiztu egiten da uraren bitartez. Horri buruzko zerbait esan dezakezu?

JR Nire ustez, klima aldaketaren tragediaren garapena ekartzen du gogora, eta azken minutuan egotearen sentsazio hori, zeinetan berehala jardun behar den, jardun behar bada. Uste dut horregatik idazketaren amaierara iristen ari nintzela bururatu zitzaidala 'natura hila' terminoa obrari buruz. Zera da aldi berean: 'natura hila' eta 'bizitza ba al dago oraindik? '. Nire ustez, brontzezko geruza urarekin konbinatzeagatik da, eta ura mugimenduan egoteagatik. Uste dut lanaren denborazkotasuna oso garrantzitsua dela, eta nola drainatzen den; gero, ura itzultzen denean, optimismoaren zentzua dago, bizitza berria agertzearena, eta aukerarena.

RN Atentzioa eman zidan bionboak aipatu zenituela, eta ura bionbo gisa baliatzearen ideia. Oso interesgarria da, eta pentsatu nuen bionboek gauzak iluntzen dituztela, baina baita jakin-mina eta desioa areagotu ere. Hortaz, elkarreragin hori dago. Neure buruari galdetzen diot ea gehiago azal dezakezun hori, eta agian, obraren zoruko patinaren eta uraren arteko harremanari buruz hitz egin, eta biek elkarreragiten duten moduari buruz.
JR Asko gustatu zitzaizkidan Whitechapelen duela hainbat urte jarritako bionboak, eta 'bionboaren' eta *jalousie* eta *celosia* edo saretaren arteko harremana. Frantsesez eta gazteleraz, egoera emozionalarekiko lotura -(*jealousy*, jelosia)- oso argia da, baina ingelesez ez. Denbora asko behar izan nuen ulertzeko nola lotzen diren ikusteko harreman horiek *Forgotten Streams* lanean. Urak inguruko eraikinen isla eskaintzen du; gauzak beste era batera ikusteko aukera ematen du. Eraikin horiek oso era desberdinean islatzen ziren uretan, batez ere ura ez delako zuzeneko ispilua; une oro aldatu egiten da. Horrenbestez, Karen Barad filosofoak aipatutakoa lortzen da: 'errefrakzio difrakzionala', gogoetaren kritika feminista mota bat. Ez da zehazki gauza bera islatzen, zerbait apur bat desberdinagoa lortzen da. Beste modu batera pentsatzeko aukera eman zidan, eraikinak niretzat nolabait berriz irudikatuta zeudela pentsatzeko; eta hori obraren keinu bihurria eta zoragarria da.

Ben Luke Interesgarria iruditu zitzaidan Cristinari buruz egin zenuen iruzkin bat, gauzen azalaren inguruan hitz egin izanari buruz. Obraren aurrean geundela, uraren mugimenduari eta arnasketari buruz aritu ginen, arnasketa oso motelarekin edo marea oso azkarrarekin lotuta. Hortaz, gorputz asoziazioa eta paisaia asoziazioa dago aldi berean. Ez dakit behar beste Freudi buruz haren lanetan egiten dituen gorputzaren eta paisaiaren arteko loturak ezagutzeko, baina iruditu zitzaidan obraren elementu benetan ahaltsua zela, baita baskularra eta erraietakoa ere: itzulera odolera eta odol fluxura.

JR Interesgarria iruditzen zait obrak denbora artifiziala eta denbora naturala elkartzea. Esan duzun moduan, gure arnasketaren denbora dago eta obrak aipatzen duen denbora naturala, mareena. Harrizko urmael natural bati erreparatuz gero, ikusiko genuke mareak denbora hain berezi horrekin sartu eta irteten direla. Baina, jakina, *Forgotten Streams* lanean, manipulatutako denbora da. Obrak denbora artifiziala baliatzen duela konturatzen zarenean, hirian gertatzen den guztiaren denboraren kontenplazio interesgarri horretara igarotzen zara, eta benetakoak zein artifizialak diren askotariko erritmoen kontenplaziora. Benetan interesgarriena da *Forgotten Streams* aztertzean, Whitechapelen zeuden obrekin alderatuta, obran benetan bitarteko gakoa dela orain denbora. Ez da soilik ikuslearen denbora espazioan mugituz, ikusi duena eta esan dena bere kabuz oroituz, dela bere irudimenekoa eta memoriakoa, dela obra materialki eragiten ari dena - denbora fluxuan gertatzen ari dena da: eskulturak agerian jartzen duen denboraren esperientzia.

James Lingwood Jane, azter al dezakezu denbora modu horiek are gehixeago? Giza denbora, hiriaren denbora izan dugu ardatz, baina ez al dago zerbait lan honetan, Cristinaren beste eskultura batzuetan bezala, olana fosilizatutik *Forgotten Streams* lanera, gizakienaren aurreko denbora bati buruzkoa eta hura ordezkatzen duena? Ez ginateke optimistegiak izan beharko lan horiek gure buruak berritzeko gaitasunari buruzkoak izatearen inguruan. Zerbait are ilunagoa ere badago.

JR Bai. Guztiz zuzen zaudela uste dut, eta horixe izan zen nire lehen erantzuna, hain justu. Arretaz pentsatzean soilik ikusi nuen argiago esperantza. Ekologiari eta ekozidioari buruz une honetan hain garrantzitsuak diren idatzi askorekin bat egiten du. Landaredi bionboei begiratuta, errepikatu egiten direla konturatzen zara denbora batera. Michael Newman-ek oso era interesgarrian idatzi du errepikapenak hilgarritasun moduko bat eragiteari buruz; aldiz, brontzezko pieza horietan askoz ere zailagoa da hori ikustea. Ezin dituzu ikusi benetan lotuneak, eta hori nahita egin zuela uste dut. Baina ez dut uste arraroaren lan hori landaredi bionboen modu berean egiten duenik. Arraroa erreprimitzen denarekin dago lotuta gehiago. Zauria edo trauma izango balitz bezala azpian zer dagoen ikusarazteko desmuntatzen den baso zorua izateri buruz aipatu duzunari dagokionez, baliteke hemen gertatzen dena izatea, eta hori patroi artifizialak sortutako desorekaren bestelakoa da.

Andrew Benjamin Lanok hondakin gisa ikusteko aukeraren jakin-mina nuen. Artearen historian gehien iraun duen motiboetako bat hondakinak dira, eta askotan hasiera berri bat iragartzen dute. Poussin-en *St John on Patmos* lanean, John antzinako munduaren hondakinen aurrean ari da idazten: zerbait hastear dagoela adierazten duen irudipena. Hala ere, hondakinek garapen bat markatu izan dute beti, zerbait berria eta hobea sortzea ekarriko duen hondamendia; agian, hori gure nostalgia bilakatu da. Beharbada, badakigu arteak ezin duela ezer egin, eta hondamenaren lekukotza besterik ezin dezake eman.

Iwona Blazwick *Forgotten Streams*, halaber, gogoetarako espazioa ere bada: haren inguruan esertzeko diseinatuta dago, nahiz eta ez den igerileku simetrikoa ez arrazionalizatua. Cristinak, hitzez hitz, Lurraren zati bat hartzen duela ematen du azpian zer dagoen ikusteko, baina gero gelditu eta esertzera gonbidatzen gaitu, hiriaren erritmoaren kontra, eta benetan hari buruzko gogoeta egitera. Uraren islak, halaber, ikuslearen gogoeta prozesua iradokitzen du. Beraz, agian, horrekin guztiarekin aurkaratuta egotearen sentsazioan dago esperantza, eta, beraz, gure ekologiaren etorkizunari buruz pentsatzean.

AB Hori da, edo aurkakoa, baso zorua bizitza lehertzear dagoen lekua izatearen zentzuan: gauza ustelek bizitza sorrarazten duten lekua. Animaliak deskonposiziotik bizi dira, eta gauza berriak hazten dira hortik. Hemen, ordea, uretako islan ikus dezakegun gauza bakarra da kapital monopolioa mundua suntsitzen. Agian hori da gertatzen ari denari buruzko leialena beste ezer baino. Ez dago amaiera zoriontsurik.

JL Jane, uste dut horri buruz duzun irakurketa oso ederra eta benetan argia dela. Hondakinak ardatz dituzten eta modu alegorikoan lantzen dituzten beste obra batzuetan pentsatu dudanean, ez horrenbeste Cristinarenetan, neure buruari galdetu diot ea posible den imajinatzea ekintza kontenplazioaren bidez. Nire ustez, galdera interesgarri bat da obrak hondakinei buruzko gogoeta egiteko aukera ematen duen. Zein da ikuslearen erantzukizun etikoa? Ikusleak zera esan dezake: 'Tira, ezin da ezer egin'. Kezkatu egiten nau pertsona batzuk ekozidioari buruzko eztabaida horietan heriotzaren ikuspegiek bultzatuta sentitzen diren eta benetan horretatik sortzen den urgentzia bat topatzen duten bitartean, beste batzuek, hain izugarria dela pentsatzen dutenez, pasibotasuna eragiten dietela. Ados nago esatearekin obrak alderdi horiei buruzko gogoeta egiteko espazioa ematen diola ikusleari , baina ez dut uste obra alaia eta optimista denik maila bakar batean ere.

Brian Dillon
Fluxuak eta afinitateak

Cristina Iglesiasen obra murgilkorra eta aditua da, materialki aberatsa baina kontzeptualki zehatza, formalki abenturazalea, baina erakargarriki erreferentziala. Bere artea irristatzeena eta fluxuena da, tektonikoa, itxitura eta indusketena. Paisaiaren eta arkitekturaren istorio sakonenak ateratzen ditu, eta aldi berean forma, testura, estrategia eta esperientzia irudikatuak asmatzen ditu galerian, edo munduan. Iglesiasen lan publikoak monumentu fluxualak dira, beste leku bat irmoki konjuratzen duten gune edo leku baten erantzunak. Edo, hobeto esanda, beste leku batzuk: benetako eta irudimenezko zorupea, ozeanoetako edo ibaietako sakonerak, iragan sakonena edo etorkizun oparo edo ilunenak, direla naturalki edo artifizialki sortuak. Sorkuntza eta pentsamendu korronte horiek guztiek bat egiten dute *Forgotten Streams* lanean, Londreseko ibai galdu edo ezkutuen historia kanalizatzen baitu hiri garaikidearen bihotzerantz.

Jarraian ahalegin bat dago, zortzi zati edo gogoetatan, *Forgotten Streams* laneko iturri eta aipamen batzuk aztertzeko, baita Iglesiasen lana ere oro har. Kasu batzuetan, ustez aurkitu ditudan leinu intelektualak eta lan literarioak beti egon izango ziren Iglesiasen buruan, edo obran bertan aipatuta. Beste kasu batzuetan, errimaren edo afinitateren bat aurkitzen ari naiz lan gorputz batean, zeinak bionbo, marko eta hodiekin norberarengandik at dauden horrelako txangoetara gonbidatzen duen. Ibilbide nabarienarekin hasiko gara: Londreseko ibai zaharretara itzultzea, iruditeria kolektiboan duten iraunkortasuna aztertzeko. Hortik irudimenera berara, artista eta idazle erromantikoek zehazki ibaien eta iturburuen irudietan kontzebitzen zutena. Gaur egun, uholdeen eta itsas mailen igoeraren garaian, ikuspegi bitalista horiek hondamendi gisa planteatu behar ditugu, J.G. Ballard-en fikzioan imajinatu zen bezala.

Lan horretatik aurrera, denboran atzera eginez, fikziozko irudi ugari ageri dira: zorupe fantastiko, zahar eta gardena, Jules Verneren eta George Sand-en nobeletan imajinatua; urpeko barrokoa, burgesia viktoriarrak imajinatua eta Des Esseintes-en dandy asmatua; paisaiaren eta geologiaren indar poetiko berpiztua klima aldaketaren eta informazio immaterialaren aroan. Horiek guztiak *Forgotten Streams* lanaren hiriko presentzia eskuzabal eta misteriotsuaren adarrak dira, agerikoak edo ezkutukoak. Eta Iglesiasen obrako beste lan askorekin lotzen dira; bere bizi historia zehatza, lekuak eta horien azpiko geruza konplexuak uztartzen dituena.

Iragaziz

1598an, John Stow historialari eta antikuarioak *Survey of London* lanaren lehen edizioa argitaratu zuen, hiriaren, topografiaren, historiaren, eraikinen eta ohituren deskribapen bat auzoz auzo. Ezagutza eta xehetasunez betetako obra da, baina horrez gain, idazle dohain handiak erakusten ditu: kale edo eraikin baten fatxada jakin batera iristean, Stow ez da mugatzen han zer gertatzen den kontatzera, irakurlea atetik barrura eramaten du, edo, baita leihotik ere, zuzenbide ikasleak beren ikasketetan ikusteko Chancery Lane-n, edo atseden hartzen ari diren bidaiariei so egiteko Bishopsgate-ko ostatu batean. Haurtzaroan ezagutu zuen hiriaren oroitzapen intimoek zipriztintzen ditu haren bidaiak, ekialdeko Portsoken auzoaren eta Hirutasun Santuaren priore etxearen oroitzapen honetan bezala:

Abade etxe honetatik hurbil, haren hegoaldean, komentu bat egon zen noizbait; komentuaren etxaldetik gaztetan nik neuk penny-erdi esne ekarri izan nuen, eta udan ez nuen izan inoiz hiru ale pinta baino gutxiago penny-erdi batengatik eta neguan ale galoi-laurden baino gutxiago penny-erdi batengatik; betiere, behiengandik bero, haiek jetzi eta iragazi ondoren.

Stow gida edo kartografo bat baino askoz gehiago da; hiriaren bizilagun mugikor bat da, hiriaren bikaintasun eta sekretuei buruz usoen ikuspegia duena. Are gehiago, irakurleak hiriko kaleen azpietatik eramaten ditu, hiria garai batean izan zen paisaiaren erlikiak irudikatzeko. Normandiar konkistaren garaian idatzi zuen, eta gutxienez bi mende geroago, hirian 'ibai, erreka, putzu eta ur freskozko bide' asko zeuden, harrezkero lurperatu direnak. Stowk 'putzuen ibaia' aipatu zuen, geroago Fleet deitua, eta haren adar Oldborne, bai eta hainbat urmael, iturri eta iturburu ere, 'ur gezak' hornitzen zituztenak; guztiak ere narriatuta edo desagertuta daude gaur egun. Halaber, gaur egun Finsbury dagoen lekuan jaiotzen zen eta Dowgate-n Tamesisen isurtzen zen ibai oso ezagun bat aipatzen du:

Hau da Walbrooke-ren bidea, antzina hainbat lekutan zubiak zituena zaldiak eta gizakiak igarotzeko, beharren arabera: erriberak inbaditzeko bitarteko gisa kanala oso estututa zegoen, eta beste aldaketa batzuk egin zitzaizkion; azkenean, adostu ondoren, adreiluz ganga forma eman eta harriz zolatu zen, bertatik pasatzen zen zorua bezala. Orain, eraikita dago leku gehienetan, inork begi hutsez bereizi ezin duen moduan, eta, beraz, jende arruntak nekez ezagutzen ditu haren aztarnak.

Une batez

Zorupeko ibaiak eta kanalak irudimenaren eta sorkuntza artistikoaren kontzepzio erromantikoaren metafora indartsuak dira. *Forgotten Streams* lana lehenengoz ikusi nuenean, ez zitzaidan John Stow eta hiriaren azpiko uraren eta lurraren arteko benetako historia burura etorri, irudimenezko hiria eta alegiazko ibaia baizik. Hauxe esan zuen Samuel Taylor Coleridge-k 1816ko 'Kubla Khan' poemaren hasieran: 'Xanadun agindu zuen Kubla Khanek / aisialdirako gune dotorea: / Alph, ibai sakratua, igarotzen zen lekuan / Gizakientzako haitzulo neurrigabeetan zehar / Eguzkirik gabeko itsasoan behera'. (Alph Greziako ibaien jainko Alpheus-etik dator, baina Aleph ere gogorarazten du, alfabeto semitikoko lehen letra). Coleridgeren poemaren azpititulua hau da: 'Or, a Vision in a Dream.

A Fragment'. Ospetsua da esan zuela obra osoa amets batean sortu eta osatu zuela, eta iratzartzean idatziz jaso zuela. Hala ere, 'Porlock-eko norbaitek' eten egin omen zion, eta haren bisitak obra bere burutik desagerrarazi omen zuen, eta, beraz, zati bat besterik ez zaigu geratzen, 'esperimentu psikologiko bat'. 'Kubla Khan' poema utopiko bat da, baina baita irudipenek huts egiteari buruzko parabola bat ere. Batetik, ibai iturria jarioan aritzearen indar sortzailea; bestetik, hondamena, 'eguzkirik gabeko itsasoa', bertara jaisten dena.

Coleridgeren irudipen orientalistaren aurrekarietako bat 'Kubla Khan' lanean William Beckford-en 1786ko nobela gotikoa da, *Vathek*.

2002an, Iglesiasek *Untitled (Passage I)* lanean *Vathek* lanaren hasierako orrietako pasarte bat sartzen du, aberastasunaren eta arkitektura handitasunaren agerpen bat:

The Delight of the Eye edo *The Support of Memory* deitutako jauregia, benetan xarmagarria zen. Munduko txoko guztietatik bildutako bitxikeriak zeuden han horrenbesteko oparotasunean, ezen itsutu eta nahasi egiten baitzuten, jarrita zeuden ordenagatik ez balitz. Galerietako batean Mani ospetsuaren margolanak erakusten ziren, eta bizirik zeudela ziruditen estatuak.

Kanpoko baldintza hauek ondorio dituzten kristalen berezko bertuteak hobeto deskriba litezke izaki bizidunekin erabili beharko genituzkeen hitzekin: 'bihotzaren indarra' eta 'helburuaren irmotasuna'. Badirudi zenbait kristalek, hasieratik, bizi indar garaiezina dutela, eta kristal espirituaren indarra. Edozein substantzia hil, energia hori onartzen ez duena, haien bidean jartzen bada, baztertu egiten da edo mendeko forma ederren bat hartzen du; kristalaren purutasunak garbi-garbi jarraitzen du, eta haren atomo bakoitzak energia koherentearekin egiten du distira.

Testu berean, ordea, Ruskinek kristalei buruzko istorio anbiguo bat kontatzen du. Haren arabera, lokatz, ikatz hauts eta ur zikinezko putzu bat imajinatzen du Ingalaterrako iparraldeko fabrika herri baten kanpoaldean. Lurraren zati gordin horretan ere, purua eta gardena dena nahastu egiten da eta denborarekin (denbora askorekin) diamanteak sortuko ditu: 'ematen du etengabeko ahalegina egiten duela bere burua egoera nagusiago batera igotzeko, eta irabazi neurtu bat, edertasun, ordena eta iraunkortasunean lurraren egituraren errebultsio gogorraren eta berritze motelaren bitartez. Denak purutasun eta edertasuneranzko joera daukala esan nahi du Ruskinek; aldi berean, ordea, purutasuna eta edertasuna lokatz organiko eta mineraleko jatorriaren mende daude.

Induskatuz

Iglesiasen eskulturetako landare formek bizi-biziak eta zaharrak, narriatuak eman dezakete aldi berean. Bere arteak naturaren hondakinak oso bizi agerrarazten ditu, bai eta maila berean haren presentzia bihurritu eta amarrutsua ere. Bietako edozein sekulakoa, hipertrofiatua izan daiteke. Batetik, nolabaiteko bizitza ahularekin petrifikatutako mundu berde baten Ballard-en aurrerapena dago. Bestean, naturaren arkeologia (inoiz ez dena natura soilik), hala nola Séamus Heaney-ren poesian aipatzen den moduan. Batzuetan, Iglesiasen obran ugari diren itxura organikoko egiturek ez dute antzik lokazti zaharretan gordetako landare, animalia eta giza gorputzekin, hainbat mendez etxe heze beltzetan hondoratuta, brontzean galdatutako objektuak ematen dute. Heaneyk honela amaitzen du 1969ko 'Bogland' poema, Irlandako muga baten absentziari (politikoa eta naturala) buruzko gogoeta eginez, iragan sakonari berari baino:

Gure aitzindariek barrurantz eta beherantz erasotzen jarraitzen dute,

Biluzten duten geruza bakoitzean, lehendik bertan kanpatu zutela dirudi. Lokazti zuloak Atlantikoaren iragazpenak izan daitezke. Erdigune bustiak ez du hondorik.

Entzunez

1916an, Guillaume Apollinaire-k 'The Moon King' izeneko istorio labur bat argitaratu zuen. Haren protagonista Tiroleko haitzulo batean babesten da;

bertan, Bavariako Luis II.a aurkitzen du musika tresna fantastiko baten, organo moduko baten teklak jotzen, eta goiko munduko soinuen gordeleku misteriotsura erakartzen du. 'Erregearen tresnaren mikrofono bikainak lurreko bizitzaren soinu urrutikoenak ekartzeko eginda zeuden': Japoniako zuhaitzen xuxurla motela, Zeelanda Berriko geiserren txistu hotsa, Tahitiko merkatu bateko iskanbila. Azkenean, Luisek soinu korronte arretu baten lebitatu eta lurpeko espetxetik ihes egiten du, baina, hori baino lehen, haitzuloko gordelekua soinu desberdin eta urrunekoentzako lotura edo errele bihurtzen du, eta mundua bere estudio ilunerantz jariatzen duen soinu ibai gisa berregiten du.

Ez al dago, azkenean, lurpeko fluxuen irudipen futurista horretako zerbait *Forgotten Streams* lanean? XX. mendearen hasierako hamarkadetan Apollinairerentzako baino gehiago, orain mugimendu immaterialaren lekua den hirira irekitzen da obra, presentzia akuatikoa eta begetala izanez: ezagutza, informazioa eta entretenimendua ziztu bizian mugitzen dira hiriaren airean bertan. Salbuespena da, jakina, hori guztia posible egin zuen kable eta hodi zaharren zein modernoen lurpeko geruza ezkutua. *Forgotten Streams* lanak, beste gauza askoren artean, gainazal fin eta hauskor baten gainean bizi, lan egin eta mugitzen garela oroitarazten digu. Gure azpian, dena da mugimendua. Iglesiasek hirian gabiltzala geldìtu eta azpian gertatzen ari den zalaparta eta irakite hori guztia behatzera gonbidatzen gaitu.

Eztabaida

James Lingwood Brian, eskerrik asko. Literatura lotura ederrak ekarri dituzu leku ilun hauetara. Zabal al dezakezu ikusizko kulturaren beste forma batzuekin? Haitzuloarekiko eta XIX. mendean azaleratzen diren espazio mota horiekiko interesa nuen buruan.

BD Bai, tira, haitzuloa lehenagokoa da, XVIII. mendiko lilura bat. Haitzuloa hondakin moduko bat izan daiteke, eszena pintoreskoaren zatia, eta, halaber, ermitauaren edo poetaren bizileku izan daiteke, hondakinaren modu berean, baina haitzuloa jatorri moduko bat ere bada, hondakinak halabeharrez ez duen sakonera proposatzen duelako. Hondakinak askotan markoak dira, eta haietatik zehar ikus daiteke. Eskeletikoa da zentzu horretan. Haitzuloak sakonera du. Iluntasuna izan dezake eta bertatik argia atera, baita ahotsak ere. Cristinaren obraren amildegiak interesatzen zaizkit: jatorri horren iluntasuna zenbateraino izan daitekeen ahotsezkoa, hitz egin dezakeen. Hitz egin behar al du obran? Batzuetan, ematen du baietz, baina ez du zertan; adibidez, poesia edo literatura erreferentziak dituelako, baina batzuetan ez. Neure buruari galdetzen diot nola hartzen dituen batek erabakiak horrelako irudi bati hizkuntza eransteari ala ez eransteari buruz.

JL Cristina, une egokia izan daiteke zu ekarri eta obra desberdinetako sakontasun eta uraren mugimendu motei buruz galde diezazugun.

Cristina Iglesias Bai, uste dut geruzei buruz esaten ari zarena, Brian, oso garrantzitsua dela, eta lotuta dagoela hondoaren ideiari buruz lehen esan denarekin: zer dagoen hor eta irekitzen ote den espazio infinitu batera edo beste leku batzuekin konektatuta ote dagoen. Alegiazko lekuak nituen buruan. Nahiz eta aipuak beste leku batzuei buruzko testuekin lotuta egon. Gure oinpeko bizitza horren guztiaren jakitun izatean pentsatzen ahalegintzen nintzen, baita horrenbeste ateren atzean dagoenean eta begiratzen ez ditugun horrenbeste gauzen atzean ere.

Baina oroimenari buruz ere bada. Jakin badakit –eta hori baino gehiago, oso interesatuta nago– eskulturak oroimena eraikitzen duen modua zein den. Horregatik, ez dut soilik lantzen ezagutzen dugun denbora, edo iragan den denbora, edo piezaren inguruan igarotzen dugun denbora. Elementu askorekin lan egin dut hemen, eta mugekin ere bai, hala nola maldarekin, hesiak behar izatearekin, eta abar. Horiek obran erabiltzea da kontua. Konposizioak errepikatzen diren elementuak erabiltzen ditu, baina, era berean, beste modu batera konposatu nuen, uraren mugimendua posible izatea, imajinagarri izatea egin behar nuelako.

JL Brian, zure ustez, zer garrantzi dute leku askotan jarritako obra hauek imajinatu soilik egin daitezkeen elementu esanguratsuak dituzten oso handiago baten zati gisa aurkeztea?

BD Zalantzarik gabe, garrantzitsua da; izan ere, guri zatiak ematea da *Forgotten Streams* bezalako lan batek zorupe erreal eta irudizko bat, psikikoa edo kontzeptuala, sotilki baina nolabait ikusgarriki iradokitzeko lana egiten duen moduetako bat. Obra oso eta bateratu bat izan balitz, nire ustez, desberdina izango zatekeen, ez bailuke emango ura leku batetik bestera mugituko zenik. Lurraren gainazala soiltzeari buruz Iwonak esaten zuenera itzulita, indusketa bat egiten aritzearen sentsazioa dago agian; arkeologo batek honela esango zukeen moduan: 'Induska ditzagun bi zanga, bat hemen eta bestea hor.' Ez da soilik 'induska dezagun hemen badakigulako hemen dagoela altxorra edo egia'; aitzitik, behin-behinean gertatzen diren azaleren eta sakoneren azterketak, esperimentuak dira.

Agian ez da ezer aurkituko, baina gauza horietako bakoitza gertatu den une desberdinak iradokitzen ditu, eta, gainera, lotutako lurpeko espazio bat eta horien arteko ibilbide bat iradokitzen ditu.

Michael Newman Brianentzako galdera bat daukat. Jakin-mina eragin didaten bi konturi buruz hitz egin duzu berriro: batetik, irakitea, landarediarekin lotu duzuna, *Forgotten Streams* lanaren sustraiak; baina, bestetik, kristala eta ispilua. Neure buruari galdetu diot ea zuretzat zer harreman dagoen Cristinaren bi lan horien artean.

BD Ez nago ziur kontrajarri egin behar direnik, edo elkarren aurka haztatu behar direnik, lehen egiten ari nintzen moduan; eta hori lortu nahi izanez gero, bien arteko harremana deskribatzeko beste moduren bat aurkitu beharko da. Testu jakin baten (Ruskinen *Ethics of the Dust*) inguruan pentsatzen dut haiei buruz; hartan, irakurleari eskatzen dio bide bat imajinatzeko likitsa, zikina, hautseztatua, gorotzez eta ikatz hautsez betea, Ingalaterrako industria herri bateko aldirietan, horren substantzia imajinatzeko, baita gainazalaren justu azpian gertatzen dena ere. Ruskinen arabera, pixkanaka, likits horrek, kapitalismoaren, industrializazioaren eta hiriaren produktu horrek, bere buruarekin bat egin eta zerbait puru bihurtuko da. Galdera interesgarria da Ruskinek industrializazioa negatiboki ikusten ote zuen ala ez. Jakina, hala egiten zuen, baina, era berean, irakiten ari den prozesu organiko horren zati gisa ikusten du. Hiria ikusten du, burdinaz, harriz eta adreiluz eginiko eraikuntza gardenak, ez era organikoan, inguruaren parte gisa baizik. Ez naiz zure galderari erantzuten ari obrari dagokionez, baina pentsatzen saiatzen ari naiz nola jarrai diezaiokegun horri obra proposatzen ari dela uste dudan metafora motei eta irudi motei dagokienez. Uneren batean bereizketa egiteari utzi beharko zenioke, azaleraren eta azpian irakiten ari den masaren artean. Zenbait alderdiri dagokionez, erauztea ilusio bat da. Dena nahaspila beraren parte da.

MN Halaber, artelanaren beharrezko irudimenezko dimentsioa dago, hau da, artelanak dira, eta, beraz, nolabait, irudimenezkoak, benetako arkeologia baino.

BD Bai.

Ben Luke Filmen erreferentziei buruz aritzean, ispiluei eta urari buruz aritzean, Jean Cocteau-ren filmetako bi sekuentzia zoragarri etorri zitzaizkidan burura: *Le Sang d'un poète* lanean protagonistak ispilu bat eskalatzen duenean, eta han inguratuta mundu desberdin batean sartzen denean, eta Orphée lanean Orphéek ispiluan eskua jartzen duenean eta azalera urtsua denean. Bi kasuetan, heriotzarako atea da, baina Cocteaurentzat, heriotza irudimenerako atea ere bada.

Andrea Schlieker Ispilu azalera horien aurrean jarriz gero, zeure burua ikusten duzu. Hortaz, bikoitzaren ideia, era batean, heriotzaren metafora izan da beti.

BL Horrenbestez, oso zirraragarria da. Bikaina da eskultura lan publiko batek heriotzari aurre egiteko eskatzea jendeari. Suposatzen da monumentu gehienek betikotu egiten dutela edo Lurretik ateratzen direla, eta betikotzen diren irudi handiak aurkezten dituztela. Lan honek, denbora tartetxo batez hari buruz pentsatzen geratuz gero, ondoren gertatzen den halabeharrezkotasunari buruzko gogoeta eginarazten dizu. Aldi berean, ordea, fantasiazko mundu hunkigarria da. Asko gustatzen zait alderdi bikoitz hori.

Andrea Schlieker
Lekua eta itxialdia: Cristina Iglesiasen Towards the Sound of Wilderness lana

'Egun batean bidezidor batetik nindoala, hondartza ezkerretara nuela, sasitza trinko batez inguratutako landaredi masa zirkular bat aurkitu nuen'.[27]

Horrela hasi zen Cristina Iglesiasen *Towards the Sound of Wilderness* eskulturaren katalizatzaile bihurtuko zen leku oroitarazlearen aurkikuntza. Argudiatuko dut lan hau bere obraren barruan nabarmentzen dela lekuarekiko duen sentsibilitateagatik eta esperientzia bat eskaintzen duelako bere horretatik harago. Lanaren kokapen berezia ulertzeko, *Towards the Sound of Wilderness* lana *Vegetation Rooms* lanen testuinguruan hartuko beharko litzateke kontuan, eta, are zehatzago, 2011ko Folkestone Triennial jaialdiaren barruan, horretarako sortu baitzuen; izan ere, obra hori, *Vegetation Rooms* sailaren barruko beste edozein baino gehiago, duen kokapenarekin lotuta dago hertsiki, baita erakusketaren gai orokorrarekin ere.

Folkestone eta birsorkuntza
Kent-eko kostaldeko Folkestone hiriak XX. mendearen hasieran bizi izan zuen goreneko maila, erregeek eta aristokraziak han igarotzen zituztelako oporrak. Artista eta idazle ospetsuentzako bi hotel handik eta arkitektura estilotsuko etxeek lagundu zuten glamourrez eta modaz betetako ospea izan zezan.

1970eko hamarkadaren hasierara arte, Folkestonek oporretarako leku ospetsua izaten jarraitzen zuen: 'Izugarri gustatuko zaizu Folkestone... Denei gustatzen zaie'[28] esaten zuen 1971ko bertako liburuxka turistiko baten titular alaiak; izan ere, Folkestone familia osoarentzako itsasoaren ondoko aisialdi gune dotore gisa aurkezten zuen, 'zabaltasun eta oparotasun kutsua' izanik.

Hala ere, hamarkadaren amaierarako, 'kutsu' hori desagertu egin zen: hegaldi merkeek oporrak atzerrian igarotzeko aukera ematen zuten, eta Folkestone gainbehera joan zen. Kanaleko tunel berria iritsi zenean, Boulognerako ferry zerbitzua amaitu zenean, eta arrantza eta eskualdeko ikatz industriek behea jo zutenean, Folkestoneko ekonomia are gehiago hondoratu zen.

Behin hiri harro eta aberatsa zena hiri ospetsu bihurtu zen langabezia, nerabeen haurdunaldi, pobrezia eta biztanleriaren zahartze tasa altuengatik, bai eta etxebizitza, osasun eta eskolatze maila kaskarrengatik ere.

Gero eta abiadura handiagoa hartzen ari zen joera hori alderantzikatzeko, etorkizun senezko mezenas batek (Roger de Haan) Creative Foundation sortu zuen (2002an), hiriaren zoria biziberritzeko ahaleginean. Birsorkuntza programa berritzaile bat garatuz, aldaketaren katalizatzaile gisa hezkuntzan eta arteetan irudimenez oinarrituta, fundazioa lanean hasi zen, eta lehenengo, Norman Fosterri eskatu zioten bigarren mailako hezkuntzako ikastetxe berri bat eraikitzeko eta Alison Brookes-i hiriko lehen artzokia diseinatzeko. Gainera, biltegi zaharrak unibertsitate sortu berri bihurtu ziren (Canterburyko Unibertsitatearekin afiliatua), arte eta negozio ikastaroetan espezializatuta. De Haanen helburua zen Folkestone kultur zentro bihurtzea etxebizitza eskuragarriekin, dendekin eta ikasteko espazioekin sormen industrietako langileentzat, eta berritzailea (bereziki birsorkuntza estilo arruntekin konparatuta) zein handinahia izatea.

Folkestone Triennial[29] birsorkuntza ikuspegi horren barnean dago eta tresna garrantzitsua da. Garrantzitsuena, ordea, zera da, artearen aldeko apustua Folkestoneko gizarte eta kultura azpiegituran aldi bereko inbertsio garrantzitsu batekin konbinatzen dela, jendea hirira ekarri eta ekonomia lokartua suspertzeko.

The Triennial 2011: A Million Miles from Home
Hiriaren ehunean arte garaikidea sartzeko, eta biztanleak konprometitzera gonbidatze aldera, funtsezkoa zen lehen Triennial edo hiru urtean behingo jaialdiak 2008an (*Tales of Time and Space*)[30] Folkestone bera, bertako historia oparoa eta osaera soziopolitikoa izatea ardatz.

Bigarren edizioan, 2011n, *A Million Miles from Home*,[31] Folkestonen errealitate geografikoa izan zen ardatz ate eta atari gisa, eta immigrante askoren iritsiera puntu izatea.

Erakusketan 'atea' gaia landu zen, hitzez hitz eta metaforikoki. Artistek migrazioari eta erbesteari, globalizazioaren ondorio eta mehatxuei, etxe, kidetasun eta babes nozioei buruzko obrekin erantzun zuten, bai eta mundu alternatiboen irudipen utopikoekin ere, dislokazioak eragiten duen harridura eta beste mundu batean egotearen sentsazioa artikulatuz.

1915ean Fredo Franzonik eginiko margolan batek, Folkestoneko (aurreko) Hotel Handian erakutsiak, 64.000 belgikar errefuxiaturen eszena bat irudikatzen du Alemaniaren inbasiotik ihes egiten ari direla, Folkestoneko kostaldera iristen 1914ko abuztuan. Gaur egun, migratzaile asko portuaren eremuan bizi dira, eta Folkestoneko Migratzaileen Laguntza Taldeak artatzen ditu. Gai garrantzitsua izan da hori hirirako hainbat hamarkadatan, eta horrekin bat egin zuen artistek 2011n.

2008an bezala, leku jakinetan egin beharreko aginduak hiri osoan zabaldu ziren, eraikin historikoekin, portuarekin eta hondartzarekin elkarrizketa estuan arituz, eta espazio horiek aktibatuz lehengo ediziotik kontserbatzen diren obra iraunkorrekin batera.

Oinez ibiltzea eta pentsatzea
Artelanak aire librean aurkitzearen esperientzia tradizionalki ikusteko moduaren, hots, museoko hormen barruan ikustearen bestelakoa da funtsean. Triennial eta antzeko erakusketak bereizten dituena oinez ibiltzearekiko eta denborarekiko konpromisoa da.

Friedrich Nietzschek, ibiltari nekaezinak, *The Gay Science* lanean hau idatzi zuen: 'Ez gara ideiak liburu artean soilik izaten dituztenak, liburuek estimulatzen dituztenean. Aire librean pentsatzeko ohitura dugu: oinez, jauzi eginez, eskalatuz, dantza eginez, ahal bada mendi bakartietan edo itsasotik hurbil, non bidezidorrak ere gogoetatsu bihurtzen diren.'[32] Oinez ibiltzea, jakina, Triennial eta antzeko erakusketetako beharrezko elementua da. Mapa batez hornituta, bisitariek hiri osoa zeharkatu behar dute, artelanak bilatuz, altxorrak izango balira bezala. Galtzea esperientziaren parte izan daiteke.

Hemen denborarekin bestelako konpromisoa behar da, egun oso bat hartuta, esna amets egiteko, gogoeta egiteko, elkarrizketan aritzeko, lan batetik bestera oinez joatean. Ohiko mugetatik askatuta, zera aurkitzen dugu, Rebecca Solnit-ek esaten duen moduan: 'oinez ibiltzean galduta... aske denboraren amarraduretan'.[33]

Gutako askok hiriko bizitza daramagu; hortaz, irten eta klima sentitzeak azkar aldatzen gaitu gu eta gure izaera, burua eta irudimena askatuz, kontzienteago eginez eta alertan jarriz. 'Oinez ibiltzeak harmena handitzen du', adierazi zuen Frédéric Gros-ek 'A Philosophy of Walking' lanean.[34]

Aurkikuntzaren, errebelazioaren edo ezustekoaren sentipena obra horiekin dugun topaketa bakoitzaren parte da gure paseoetan. Horma zurien ohiko ingurunetik aske, eta kokapen berezi eta oso oroitarazlea izatearekin sinergian, obra eta hura dagoen lekua harreman sinbiotiko batean existitzen dira, elkar indartzen dena, kokapen zehatzeko esku hartzeetarako bakarra den ernalketa gurutzatu bat.

Prozesua
Artistek oinez deskubritu zuten hiria, eta azkenean, beren lekuak aukeratu zituzten.

Batzuetan egun bakarrean amaitzen zuten; beste batzuetan, Iglesiasen kasuan bezala, prozesu luzeagoa izan zen, eta hainbat bisita behar izan zituen inspiratzen zuen leku bat aurkitzeko.

Iglesiasek hasieratik jakin zuen Folkestonen isolamenduari erantzuteko obra bat sortu nahi zuela: 'Vegetation Room' bat lurraren eta itsasoaren arteko atalase topografiko batean, hiriaren ertz-ertzean. Lehenengo bisitan, 2009ko urrian, portuan jarri zuen arreta, zaharkitua eta hondakinetan zegoena duela hainbat urtetatik, eta, batez ere, portuaren besoan, interesatu zitzaion leku bat aurkitu baitzuen.

Ate zahar bat zen, eta Iglesiasek haren bestaldean eraiki behar zuen bere eskultura, gogora ekarriz mugaren nozioa, sarrera ukatuarena. Baina, berezko logistikak eraginda, laster ikusi zen leku horretan ezinezkoa izango zela.

2010eko otsailean, Iglesiasek beste bisita bat egin zuen, bigarrena, blokeatuta dagoen hormigoizko tunel bat esploratzeko asmoz; tunel hori Bigarren Mundu Gerrako itsas frontearen defentsa egituretako bat da. Artistak, sarreran landaredia gela bat (*Vegetation Room*) eraikitzea proposatu zuen, nolabait sarrera oztopatuz. Baina ez zioten leku horretan obra bat egiteko baimenik eman.

2010eko apirilean hirugarren bisita egin zuen, eta, azkenean, bere kontzeptuarentzat aproposa izango zen lekua aurkitu zuen Cristinak: sasiz estalitako Martello Dorre luze bat, The Leasen mendebaldeko muturrean, Folkestoneko itsas pasealekuan. Antzinako egitura arkitektoniko hori natura oparoak erabat ezkutatuta zegoen, basa bizitzaren soinuaz blai eta itsasotik hurbil, eta nolabaiteko magia bat zerion, maitagarrien ipuinetakoa; horrek guztiak berehala erakarri zuen artista.

Bederatzi Martello Dorre (Martello Towers[35]) daude Folkestoneko kostaldean, batzuk abandonatuak, beste batzuk egoitza pribatu bihurtuak. Iglesiasen Martello Dorrea, 4.a, Charles Voyseyk H.G. Wellsentzat eraikitako Spade House ospetsuaren eta Robert Baden Powellentzat (Boy Scoutsen fundatzailea) eraikitako Milden Housen artean dago. Dorrea adreiluzko egitura kalamastra bat da, argamasa huntzari esker mantentzen da, eta inguruko hobia lehortuta dago, sasiz beteta. Dorrea errezel basati batek guztiz janda dagoela ematen du, eta harresiko hormetako sasi trinkoek are gehiago ezkutatzen dute. Hiriak ahaztu egin zuen Martello Dorrea, hainbat hamarkadaz ezkutatuta egon ondoren, eta hori are erakargarriagoa izan zen artistarentzat; hala, lekua obraren katalizatzaile izan zen.

Iglesiasek proposamen bat garatu zuen: ispiluak dituen (3 × 1,80 metro) egitura intimo bat, elementuen eraginpean, ordura arte ezkutatuta egon ziren harresietan kokatua. Barruan, erretxinazko behe-erliebeko hosto panelez estalita egon behar zuen, eta bukaeran leiho bat izan behar zuen, bertatik bisitariek dorrea ikusi ahal izateko; era horretan, 50 urtez ezkutuan egondako monumentu historiko hura azkenean ikusgai egongo zen.[36]

*Towards the Sound of Wilderness*en erabilitako hizkuntza estilistiko bera dute gainerako Landaredia Gelek[37], izan ere, egitura arkitektoniko horien bertsio desberdin asko sortu ditu artistak azken 20 urteetan.

Hain zuzen, Brasil, Suedia edo Espainiako kanpoko hainbat lekutan daude Iglesiasen landaredia gelak, eta guztiek altzairu herdoilgaitzezko larruazal islatzaile bat, ispilu moduko bat, eta erretxinazko panelez estalitako pasabide bat; panel bakoitzak, behin eta berriz errepikatzen diren landare motiboak ditu. Artearen historiako aurrekarien ikuspuntutik, panel horiek gogora ekar litzakete Florentziako Baptisterioko ateetako Pisanoren eta Ghibertiren brontzezko erliebeak, edo Rodinen *Gates of Hell*. Hala ere, aurrekari horiek nagusiki figuratiboak dira, izaera biziki narratiboa, perspektiba eta espazio sakona dituzte, baina Iglesiasen erliebeek, ezaugarri horiek alde batera utzita, eredu organiko apaingarriago bat dute.

Egitura horietan handiena, agian, Brasilgo *Vegetation Room Inhotim* (254. or.) izango da. Bertan, labirinto bat sortu zuen Iglesiasek bederatzi bider bederatzi metroko kubo baten barruan; labirintoak lau sarrera ditu, eta horietako batek baino ez garamatza eskulturaren erdira. Labirintoaren nozioa ideia garrantzitsua eta errepikakorra da Iglesiasen obran. Beste landaredia gela batzuk ere, hala nola Bartzelonako *Double Passage* izenekoak, hainbat sarrera dituzte. Eustearen eta murriztearen sentsazioa bereziki areagotzen da egitura handiago horietan. Bisitariaren esperientziaren ardatza obraren barnetasuna da. Badirudi egiturak beren ingurunetik independenteak direla, autonomoak eta buruaskiak. Lynne Cookeren esanetan, 'ia funtziorik gabe... pabiloi horiek ez dira haratagoko mundua ikusteko leku bat, ez dira begiratokiak'.[38]

Aitzitik, *Towards the Sound of Wilderness* ez da labirinto bat, baizik eta korridore bat, egitura irekiago bat, eta sarrera bakar bat eta leiho bat ditu. Funtzio argia du: bisitarien begirada haratago erakartzea, argirantz, eta denbora luzez ezkutuan egon den leku zoragarri bat agerian uztea.

Torrelodoneseko bere estudioan, korridorearen moldeak egiteari ekin zion artistak, eta erretxinazko eta brontze hautsezko panelak lortzeko urtze prozesua gainbegiratu zuen. Obra 2011ko maiatzaren hasieran instalatu zuten, ekainean Folkstone Trienniala inauguratzen zenerako prest egon zedin.

Behin instalatuta, zuhaitzez, zuhaixkaz eta sasiz inguratuta, eskultura ia ez zen ikusten. Muinoaren behealdean maila batzuk zeuden (hasierakoak lurrezkoak, besteak harrizkoak), eta horiexek ziren gorantz jarraituz gero beste zerbait egon zitekeenaren zantzu bakarra.

Bide estuan gora igotzean, geure buruarekin egiten dugu topo lehenik. Eskulturaren altzairu herdoilgaitzezko hormak oso islatzaileak dira, inguruaren eta bisitarien ispilu, eta, beraz, bikoizketa horretan, obra bera ia desagertu egiten da.

Barruan, landarezko behe-erliebeek jatorrizko landare materia gogorarazten dute; eta harresiak inguratzen dituzten sasien loditasuna ere durundatzen dute. Duela gutxi egindako bisita batean, harrigarria izan zen ikustea armiarmek benetako naturatzat hartu dutela artistaren simulakroa eta sareak ehundu dituztela gainazal ildaskatuan.

Korridorea zeharkatzean, natura oparo, ukigabe eta basatiaren ikuspegi harrigarri bat aurkitzen dugu, habia egiten duten txorien polifonia batek inguratzen gaituen bitartean. Hemen, humanoa den guztitik bitxiki isolatuta sentitzen da bisitaria. Aberastasun kaotiko eta dilubio aurrekoaren panorama guztiz ustekabeko bat da, bereziki kontuan hartuta itsas pasealekuko bide zainduetatik eta etxe handietatik hurbil gaudela, eta badirudi Antropozenoari buruzko diskurtso nagusiei nahita egindako kontrapuntu bat ezartzen duela.

Patinirren *St Jerome in the Wilderness* margolanari buruz hitz egin zuenean, Rebecca Solnitek honako hau adierazi zuen: 'natura basatia zibilizaziotik erbesteratzeko modu bat dat'.[39] Eta Iglesiasen eskulturak, hain justu, esperientzia hori ekartzen du gogora; izan ere, hiriaren deiadarraz haragoko espazio bat eskaintzen du, deserrotzearen, distantziaren eta 'urruntasunaren' leku batera garamatza arrastaka, eta beraz, bat dator *A Million Miles from Home*en gaiarekin ere.

Banaka baino ezin da sartu korridore estuan, eta, beraz, esperientzia pribatua da. *Towards the Sound of Wilderness*ek sotilki gogorarazten du gordelekuaren eta armairuaren atalase magikoki eraldatzailearen izaera[40], eta bertatik igaro behar da mundu Arkadiar bat esperimentatzeko.

Nabarmentzekoa da eskulturak sarrera ukatuaren ideia irudikatzen duela, debekatuaren eta eskuraezinaren ideia; izan ere, begiratu bakarrik egin dezakegu, ezin dugu landaretzaz estalitako dorrean sartu. Natura basatia bere horretan mantentzen da, gizakiongandik babestuta.

Obraren eta natura basatiaren arteko lotura horrek hainbat asoziazio iradokitzen ditu; dela, Rousseauk natura basatiari buruz egin zuen idealizazioa, zibilizazioaren gaitzetatik aske dagoen oasi bat bailitzan, dela Thoreauk 'Walking' hitzaldi ezagunean esan zuena: 'Natura basatia Munduaren babesa da.'[41]

Iglesiasen esku hartzea ere *hortus conclusus*ekin erlazionatu daiteke, Erdi Aroko eta Errenazimentuko margolanetako 'lorategi itxiarekin', zeina Mariaren birjintasunaren simil herrikoi bat izango litzatekeen.

Inguruko horma zeharkaezinak lorategiaren ohiko ezaugarria ziren, Sortzez Garbiaren eta emakumearen garbitasunaren sinonimo. Iglesiasen Folkestoneko obran ere natura itxia garbitasunarekin, babeslekuarekin eta santutegiarekin parekatzen dela esan daiteke.

*Towards the Sound of Wilderness*ek, *Lost Streams* serieak bezalaxe, agerian uzten du Iglesiasen arreta sakonki erakartzen dutela galduta dagoenak eta memoriak, Iglesiasek ezagutzera eman nahi duela galduta edo gaizki zainduta egon dena, berriro gogora ekarri nahi duela absente dagoena. Fikziozko landareak harri bihurtuta ageri dira, denboran izoztuta; jatorrizko landare formen prototipoak dira, gizakiaren aurreko organismoak. Folkestoneko obran, fikziozko eta benetako landareen arteko elkarrizketa bat dago, iragana eta oraina, errealitatea eta fikzioa konbinatuta, eta, horrela, naturaren indar iraunkorra ospatzen da.

Towards the Sound of Wilderness begiratokia eta babeslekua da aldi berean; obraz haraindiko esperientzia bat bideratzen duen ingurune bat da, leku zehatz honetan soilik egon litekeena. Mundu basati baterako atea da, maitagarrien ipuin edo amets baterako atea, eta, lurraren eta itsasoaren arteko mugako leku honetan, bakardadean entzuteko eta hausnartzeko gonbidapena egiten digu; aterpe bat da, *rus in urbe*, eta askatu eta erakarri egiten gaitu.

Eta azkenik, garrantzitsuena: *Towards the Sound o f Wilderness*ek frogatzen du Iglesiasek oso ongi ulertu duela tokiaren potentziala.

(Oharrak 76. orrian)

Eztabaida

Ben Luke Folkestoneko obra eta hemen dugun pieza hau ikustean, atentzioa ematen didan gauza bat da, obra beraz gain, inguratzen duen guztia ere garrantzitsua dela, obraren testuinguru osoa. Atentzioa eman zidan gurutzatze horretan obraren edukiak eraikin guztiak labarretako horma bihurtzen dituela une batez. Sakan baten erdian bazeunde bezala sentitzen zara. Eta bere alde magikoa ere badu, noski, Dorrean itxita dagoen Loti Ederra etortzen zaigulako gogora. Txorien soinuaz eta haizeaz hitz egin dugu, eta une baterako aterpea denez, ingurutik ihes egiten duzu eta, aldi berean, inguruaz oso kontziente zara. Uste dut alderdi hori Cristinaren lanetan oso beharrezkoa dela: zauden espazioaz hiperkontziente egiten zaitu.

AS Beno, kasu honetan, ingurua induskatu egin zuten. Badirudi artistak ia arkeologo gisa jardun duela, denbora luzez galdu den zerbait ikusteko bideratzaile gisa. Bigarren Mundu Gerran erabili zen azkenekoz eta ordutik inor ez zen han egon, ez zuen inork ikusi.

Richard Noble Andrea, zer iruditzen zaizu leheneratzearekin lotutako alderdia?

AS Tira, horregatik eman diot oinarri hori guztia, gakoa baita, noski: lan hau ez zen existituko 2002an hasitako leheneratzeko jatorrizko bulkada hura gabe. Leheneratzeak oso konplexuak dira beti, eta Londresen eta beste hiri batzuetan adibide ugari ikusi ditugu, adibide benetan txarrak, non antzinakoa den hori suntsitu egin duten altzairuzko eta kristalezko eraikin funtzionalekin ordezkatzeko. Hemen ez da hori egin. Noski, kritikoak izan gaitezke Folkstone Triennial-ean aurkeztutako leheneratze motari dagokionez, baina han sei edo zazpi urtez lan egin ondoren, baiezta dezaket bide berri bat urratzen saiatu zirela, lehendik zegoena errespetatuz, eta kontserbatzea merezi zuen eraikinen stocka mantentzen saiatuz, horien ordez merkataritza guneak eta bulegoak eraiki beharrean. Ausardiaz jokatu zen, hein batean, artistek egin zutenarengatik eta Folkstonekiko duten konpromiso mailagatik. Artistek gidatutako leheneratze bat da, zentzurik onenean, gainera.

Brian Dillon Cristinak Folkestonen egindako obraren eraginetako bat kostaldean egotearekin berarekin lotuta dagoela iruditzen zait, hori baita zerumuga kenduz ikusten dena. Korridorean zehar igaroz dugun ikuspegiak landaretza izugarri aberats eta bizia gertutik ikustera garamatza, eta horrek badu zerikusirik Cristinaren lanean zerumugak etengabe saihesteko prozesuarekin. Tarkovsky-ren planoaren antza du, goitik behera erakusten digu erreka, horrela kokatzeko, eta Cristinak beti gauza bera egiten du landarediarekin. Zerumuga ezabatzean, alderdi pintoreskoaren maila bat ezabatzen da, gauzak distantzia desberdinetan ikustearena, hain zuzen. Ez dakidana da, ea lan honi buruz zoom bati buruz bezala hitz egin dezakegun.

Cristina Iglesias Bai, arrazoi duzu. Zoom bat bezalakoa da; termino errealetan eta fisikoetan deskribatzen ari zinen, eta horrela heltzen zaio. Herritik bertara igo behar zara eta, bidean sartzen zarenean, obra leiho batetik begiratuko bazenu bezala kokatzen da. Beraz, leku baten lehen planoa da eta, horrela izan ezean, ez genuke bertara sartzeko baimenik izango. Nire lanean distantziara begiratzeko modu bat interesatzen zait, non urrutiko zerbaiten zantzu bat bezala ikusten dugun.

RN Zalantza sortzen zitzaidan: *Arroyos olvidados* bezalako artelan publiko baten arrakastaren elementu garrantzitsuetako bat ez ote da ezin dela ikusi zertarako balio duen? Inguruan dagoen gehienak ez bezala, ez duela berehala agerikoa den eginkizunik. Hori dela eta, ezingo dugu harengan pentsatu inguruko guztiarengan bezala. Badakigu farolek zertarako balio duten, badakigu espaloiek zertarako balio duten. Badakigu eraikinek eta errepideek zertarako balio duten, baina gauza honek ez du erabilera instrumental argirik. Ondorioz, beste era batera konprometitu behar zara harekin. Baliteke lauzpabost bider igaro behar izatea haren aurretik eta hainbat iteraziotan ikusi behar izatea: batzuetan beteta, beste batzuetan hutsik, besteetan burbuilak egiten, besteetan ez. Hala ere, iruditzen zait argi eta garbi instrumentala ez izateak konplexutasun maila bat dakarrela, eta hori dela artelanek esparru publikoan arrakasta izatea eragin dezaketen osagaietako bat.

James Lingwood Nik esango nuke *Arroyos olvidados* eta hiriko espazioetan kokatutako beste eskultura batzuen arrakastaren parte bat lotuta dagoela axolagabekeriarako aukera ematearekin. Hau da, arretarik ez eskatzearekin. Piezarengan pentsatu nahi baduzu eta harekin hunkitu nahi baduzu, egin dezakezu, baina ez dizu eskatuko. Batez ere Londresko City-a bezalako leku batean, non jokabide eredu oso erregularrak dauden, jendea hainbat bider igaroko da obraren aurretik. Agian, askotan pasako dira haren aurretik eta ez dute ikusi ere egingo, nolabait esatearren, baina egongo dira ikusten dutenak ere. Orduan, haien munduaren parte bihurtzen hasten da.

Michael Newman Oro har, eskultura publikoaren arazo interesgarri bat planteatzen duzula uste dut, zerbait kontraesankorra egin nahi izatea: antzematen den zerbait egin nahi duzu, baina, aldi berean, ez duzu nahi intrusiboa edo inbaditzailea izatea. Bi pieza horietatik benetan gustatzen zaidana da benetan bat datozela gertatzen diren testuinguru historikoarekin, baina interesgarria da ere ikustea hori bi erregistro oso desberdinekin egiten dela, aterki kontzeptual berberaren barruan. Londresen, hor zegoen eta jada ez dagoen zerbait gogorarazten da; Folkestonen, berriz, hor egon behar ez lukeen baina hor dagoen zerbait onartzen da. Interesgarria da ikustea nola bietan lan egiten den inbaditzailea eta intrusiboa ez den zerbait egiteko, baina baita jendeak begiratu nahi duen zerbait egiteko ere.

Jane Rendell Horri erantzungo diot, baina beste zerbait ere aipatu nahiko nuke. Uste dut ez dela gauza bera hiriko esparru publiko baterako edo galeria baterako lan egitea. Ados nago Jamesek esandakoarekin: arte publikoko obrarik onenek jendeari ez ikusiarena egiten uzten diote, eta haietara itzultzeak ere mesede egin diezaieke, denborarekin obra ulertu ahal izateko. Artearekin topo egiteari dagokionez, ez da gauza bera hirian edo galeria batean gertatzea, galeriak interpretazio esparru berezi bat eskaintzen baitu.

Gogoan dut Folkestoneko A.K. Dolven-en kanpai ederrarekin topo egin nuenean erabat txundituta geratu nintzela objektu mota harekin, inolako interpretazio esparrurik emateko beharrik gabe. Nire iritziz, arte publikoak, galeria edo museoetako arteak ez bezala, hortxe du gauzak beste modu batera egiteko abagunea.

Generoaz eta sexualitateaz ere hitz egin nahi nuen, obrarekin lotuta; zehazki, genero marka duten auziak hiriarekin eta naturarekin lotzeko modu zehatzaz. Emakumezkoaren gorputzaren inguruko ideia iraunkor bat dago, zeinaren arabera gorputz mota hori aratza den: gorputz birjinala edo amaren gorputza horren adibide dira. 1820ko hamarkada Londresen nolakoa izan zen aztertzen zuen lan bat egin nuen eta, bertan, arreta handiz erreparatu nien ibilbideei buruzko liburuetan aipatzen diren genero markadun hiriko irudiei. Gaur egun, ibilbideetan pentsatzean, natura etortzen zaigu burura, baina 1820an hirian barrena egiten zituzten, plazer sexualen bila sarritan. Hiria, maiz, emakumearen gorputzarekin lotuta irudikatzen zen, espazio labirintiko edo uterino gisa, sedukzio, plazer eta gozamenerako espazio bat zelako, gizon ibiltariak hiriko gozamenetara erakarriz liluratuko zituena. Halaber, prostitutak askotan "tranpa" eta gizakiak eror zitezkeen pitzadura metaforiko gisa deskribatzen zituzten; izan ere, sarritan hiriko espazioaren deskribapenarekin bat egiten zuten. Beraz, jakin nahiko nuke ea zer deritzozuen gai horiei.

AS Esango nuke sexualitatearen gaia Cristinaren obran agertzen dela, modu oso diskretuan bada ere. Horregatik aipatu dut *hortus concluusus*-a, Sorkundez Garbia, Ama Birjina irudikatzen duena. Izan ere, han aurrean zaudenean, halako natura aratz baten sentsazioak hartzen zaitu. Eta ez du inolako zentzurik, hiri barruan zaudelako. Urak lotura are sendoagoa du sexualitatearekin. Iturrietan pentsatzen dugunean, Genevakoa bezalako *Jet d'Eau* iturrietan pentsatzen dugu: forma faliko gisa ikus daitekeen zurrusta bertikal handi batean. *Arroyos olvidados* lanaren kasuan, oso forma horizontala dugu, ordea. Are gehiago, Anbereseko iturriaren kasuan, Janek aipatu duen 'amildegi' terminoa gogorarazten du. Oso forma femeninoa da, haren baitan desagertzen den urarekin. Menstruazioaren odola bezalakoa da ia. Ez dakit gehiegi esaten ari naizen, baina nolabaiteko zirkulartasuna dago, eta horrek, termino formaletan, lotura handiagoa du femeninoa denarekin maskulinoa denarekin baino; nik egiten dudan irakurketan, behintzat, hala da.

Michael Newman
Munduen eraketa Katastrofearen Aroan: ura eta hosto galdatuak Cristina Iglesiasen eskultura publikoetan

Jakintzat eman ohi dugu ura zer den: H2O gisa, erabili edo kontserbatu beharreko baliabide gisa ikusten dugu. Dena den, onartu beharko genuke, halaber, urak bere historia propioa ere baduela eta kultura desberdinetan hainbat modutan ulertu izan dutela.

Cristina Iglesiasen hiru eskultura publikok uraren hiru alderdi jorratzen dituzte: Anberesen dagoen *Fuente Profunda* lanak (1997–2006) gainazalaren islak sakonerarekin duen harremana; Toledon dagoen *Tres Aguas* lanak (2014) ur estandar bakarraren ordez ur ugari egotearen ideia; eta Londresen dagoen *Arroyos olvidados* lanak (2019) jarioaren ideia memoriarekin harremanetan jartzen du. Iglesiasen eskulturek uraren historiako hainbat une ustiatzen dituzte, eta une horiek oihartzun eta premia berriak bereganatzen dituzte klima krisi betean: iturburuen mitologia eta antzinako Erromako iturriaren historia; lorategi islamiko eta moriskoetan urak paradisuaren ideiarekin duen lotura; ibaiek hiriekin lotuta izan dituzten eginkizun historikoak; urak memoriarekin eta ahanzturarekin duen lotura; dabilen ura, industrializaziorako baliabide gisa; urak komunitateen eraketan izan duen eragina; eta, beste eskultura baten kasuan, *Estancias Sumergidas* lanean —zeina urperatuta baitago Kaliforniako golkoan, Kalifornia Beherean (Mexikon)—, ozeanoarekiko harreman eraldatua ikus dezakegu glaziarrak urtzen ari diren garai honetan; uraren maila gora egiten ari den, espezieak masiboki galtzen ari diren eta gizadiaren amaiera iristeko aukera antzematen den une honetan.

Ur modernoa hidrologiaren zientziarekin sortu zen, jarioa neurtzeko gaitasunaren eskutik. XVII. mendean sortu zen, kurben matematikarekin batera, eta Newton eta Leibnizen kalkulu infinitesimalaren aldaketarekin batera.

Ura gauza jarraitu bakarra balitz bezala ulertzen hasi ziren: berbera da non-nahi eta, beraz, lekurik gabea ere bada, nolabait. Ibaiek, ozeanoek, lurrunketak eta euriak osatutako ziklo hidrologikoan zehar mugitzen da ura. Neurtu, ustiatu edo ongi gorde beharreko baliabide global bihurtu zen. Galdu egin zen ura esanahi eta harreman gisa ulertzeko modua. Kolonizazioaren historiaren alderdi garrantzitsu bat tokiko ur anitzez jabetzea eta horiek ur moderno unibertsal bihurtzea izan zen. Ibaiak, beren jainko eta esanahiak zituztenak, industria eta nekazaritzarako energia iturri bihurtu ziren, presa eta erretenen bidez. Kolonizatzaileek indigenei kentzen dietena urak munduak eratzeko duen ahalmena da. Jamie Linton geografoak dioen bezala, 'Urarekin dugun harremana aldatzea munduarekin dugun harremana aldatzea da.'[42]

Iglesiasek, ez du uraren 'erabilera' hutsa egiten bere eskulturetan; aitzitik, urak munduak eratzeko duen gaitasuna berreskuratzen du. Ur berberari buruzko ikuspuntu edo perspektiba partikularrak izan beharrean (horri 'ur moderno' esaten zaio), ur anitzak hartu beharko genituzke aintzat, desberdina baita munduak —egoteko eta izateko modu gisa ulertuta— osatzen dituzten harremanen arabera. Erromatarrek bereizi egiten zituzten iturburu bakoitzaren akueduktuak, akueduktuaren amaierako iturria edo biltegia jatorriari lotuta egon zedin. Hori eginez, babestu egiten zituzten ur zehatz haren bertutea, eta baita iturburuari zegokion jainkoarekiko lotura ere.[43]

Ura zientziaren ikuspegitik ulertzen denean eta haren erabilgarritasunaren mende jartzen denean, beste esanahi, elkarketa eta mito batzuk barnerantz migratzen dira eta 'subjektibo' bihurtzen dira. Ivan Illich-ek honela idatzi zuen *H2O & the Waters of Forgetfulness* izeneko bere liburuan: 'H2O eta ura aurkako kontzeptu bihurtu dira: H2O garai modernoetako sorkuntza soziala da, baliabide urria, kudeaketa teknikoa behar duena. Behatzen den fluido bat da, ametsetako ura islatzeko gaitasuna galdu duena'.[44] Illich Gaston Bachelarden *L'Eau et les Rêves* 1942ko liburuaz ari da.[45] Liburua materiaren ametsen fenomenologia bat da.[46] Illich kezkatuta agertzen da urak ametsen dimentsio hori galdu duelako eta H2O bihurtu delako, hodietan barrena doan baliabide soila, alegia. Gertaera hori hirietan gertatutako aldaketa batekin lotzen du: etxebizitzetatik geralekuetara igaro gara. Etxebizitzak aura bakana sortzen du, usain propioa duena, geralekuak, berriz, leku higienikoak dira eta zirkulazioari lotuta daude. Ura zirkulazio horren eragile bihurtzen da, eta igarotze prozesuan etxebizitzaren auraren parte zen usaina eramaten du, espazio homogeneo eta garbi baten mesedetan. Iglesiasen eskulturak H2O 'ametsetako ur' bihurtzeko 'makina' gisa uler ditzakegu, baina ez maila subjetibo eta barneratuan gertatzen den zerbait bezala, baizik eta espazio publikoarekin lotutako zerbait bezala; historia eta historiaurrea lotu zituen denborazkotasun gisa.

Anberesko *Fuente profunda* Leopold De Waelplaats plazan dago, Arte Ederren Errege Museoko harmaila eta kolomadiaren parean. Eukalipto eta perretxiko moldeez estalitako urmaela erritmo motelean betetzen eta husten da, plaza publikoan beste garai bat eta beste espazio bat azaleraraziz. Virginia Woolfen *Between the Acts* eleberria datorkigu gogora, Bigarren Mundu Gerraren aurretik girotua dagoena, non pertsonaia batek zera esaten duen 'behin ez zegoen itsasorik gure eta kontinentearen artean... Errododendroak zeuden Stranden, eta mamutak Piccadillyn'.[47] *Fuente profunda*n perretxikoekin batera moldeetan erabiltzen den eukaliptoa ez da Europakoa, Australiakoa baizik; obra honek, beraz, baditu indigena den horrekiko eta kolonizazioarekiko konnotazioak. Propietate sendagarriak ere baditu, batez ere arnas gaixotasunak arintzeko, eta horrek iradokitzen du trafikoaren kutsaduraren ondorioei aurre egiteko modu bat dela, museoaren aurretik bi biribilgune lotzen dituen errepidea igarotzen da eta.

Hirietako plaza tipikoen espazio publikoan (eta ez da hori De Waelplaats enparantzaren kasua, XIX. mendeko urbanizazioan oinarritutako Anberes hegoaldeko auzo misto batean baitago), elizen eta administrazio eraikinen fatxadak nagusitu ohi dira eta, XIX. mendetik aurrera, museoak, herritarren edo estatuaren erakunde gisa. Ohikoa den moduan, Errege Museoko zutabe klasikoak harmaila baten gainean daude, eta bisitariak horiek igo behar ditu eraikinera sartzeko, autoritatearekiko mendekotasuna eta kulturaren bidez sinbolikoki goratua izatearen sentsazioa uztartuz. Iglesiasen eskultura urdunak nahita inbertitzen du igotze hori eta, aldi berean, museoko sarrerako harmailetara zuzenean iritsi ahal izatea oztopatzen du: plaza zeharkatzeko urmaelean ibili beharko ginateke. Gainera, ura drainatu egiten da, kolomatarantz doan ebaki sakon baten bidez. Iturri tradizional bat balitz, zurrusta bertikal bat izango luke; aldiz, ura beherantz xurgatzen da. Ura hurrupatzen duen forma hori Luce Irigaray filosofoak —faloaren ikusmenean oinarritu gabeko sinbolo femenino gisa— aipatzen dituen "elkar ukitzen duten bi ezpainekin" konparatu zuen Catherine de Zegher-ek.[48]

Iturriaren bertikaltasunaren eta maskulinotasun falikoaren arteko lotura Arthur C. Clark-en 1979ko *Fountains of Paradise* zientzia fikziozko eleberrian ere ikus dezakegu, espazioraino garamatzan igogailu bati buruzkoan. 'A Place of Silent Storm' kapituluko pasarte bat —eguzkiak kliman duen eraginari eta X izpietatik eta erradiazio ultramoretik babesten duen ionosferari buruzkoa— Iglesiasen beste eskultura baten parte da, *Pabellón Suspendido IV* (2014) obrarena, hain zuzen. Iglesiasen eskultura publikoek, zientzia fikzioak bezala, beste mundu bat irekitzen dute, kokatzen diren munduari buruzko gogoeta moduan, baina geroago helduko diot horri.

Iglesiasentzat garrantzitsua zen aztertzea ea nola berrokupatu pertsonaia garrantzitsu baten estatuak edo iturri batek bete ohi duten lekua. Iturria alderantzikatuz, eta azpitik bete eta husten den urmael bihurtuz, sakonera ez du lotzen gainazal baten atzean ezkutatuta dagoen zerbaitekin, azpimundu batekin baizik.[49] Museoko kolomadiaren isla urmaelean txertatuz, Granadako Alhambrako *Comares Patioa* dakarkigu gogora, han ere urmaelean kolomadiaren eta jauregiko atearen isla ikus baitaitezke. Uraren mugimenduak islatutako irudiak nahasten ditu, turbulentzia eta zurrunbiloen bidez autoritatearen irudi lineala eta geometrikoa hautsiz.

Iglesiasek eraldatu egiten du XVII. mendeko teknologia hidraulikoaren berrikuntzen eskutik sortu eta Barrokoan goren aldia izan zuen iturriaren eredua, lorategi moriskoetan urak arkitekturarekin zuen harremanaren kontraeredua baliatuz. Zehazki, Espainiako Alhambran eta Generalifen aurkitzen dugun lorategi morisko edo islamiar motan oinarritzen da. *Chahar bagh* tradizioko lorategi islamikoan, kanalek lorategia koadrantetan banatzen dute, Koraneko paradisuaren deskribapena islatuz.[50] Koranak 'betiereko paradisuko lorategia (*Jannat al-Khuld*) deskribatzen du: lau ibai ditu (urezkoa, ardozkoa, esnezkoa eta eztizkoa) eta iturri batek apaintzen du'.[51] Iturriak mugatuak dira lorategiko lasaitasuna ez eragozteko, eta urmaelak maiz konektatuta daude bidexken ondotik doazen ubideekin. Beraz, esan daiteke uraren nolabaiteko koreografia bat dagoela.

Gainera, Espainian eta Portugalen batez ere, azuleju (arabierako *al-zulayj* hitzetik, 'Harri landuak') beiraztatu eta polikromatuak erabiltzen dira uraren islak sortzeko. 'Paradisuko lorategian' aurkitzen dugun desmaterializaziorako edo espiritualizaziorako joeraren ordez, Iglesiasek kontraste bat sortzen du gainazalaren islaren eta landareen 'baldosen' sakontasunaren eta materialtasunaren artean (batez ere Anberesen); izan ere, errepikapenez ugaritzen badira ere, ez ditu ordenatzen mundu ideal bat iradokitzen duten eredu abstraktuetan bezala. Uraren historiarekin bezala, Iglesiasek lorategiaren memoriara jotzen du, ez hura idealizatzeko, baizik eta oraina zalantzan jartzeko.

Toledoko *Tres Aguas* lanak urak hiriaren historiarekin izan dituen harreman ugariak aztertzen ditu. *Torre del Agua*rekin has gintezke, hiriko harresietatik kanpo, Tajo ibaiaren ondoan, XIX. mendean ibaia energiaz hornitzeko erabiltzen zuen arma fabrika zaharrean. Handik, ibaian zeharreko ibilalditxo batekin hasiz, hirira igo gaitezke, plaza nagusian *Plaza del Ayuntamiento*rekin topo egin arte. Pieza hori landarez estalitako urmael paralelogramoa da, erdian ildaska bat duena. Urmaelaren estaldura, hein handi batean sustraiez osatuta dagoela dirudiena, *Torre del Agua*koaren berdina da. Konbinazio horrek hiriaren barrualdea eta kanpoaldea lotzen dituen zoru bat dagoela iradokitzen du. Hirugarren kokalekuan ere antzeko landare itxurako estaldura dago. Laukizuzen bat da, muinoaren gailurrerantz doan barnealde batean dagoena, Santa Klara komentu zaharrean. Lantegitik plaza publikora igaro gara eta, ondoren, komentuko espazio intimo eta sakratura. Baina, era berean, pentsa dezakegu plaza publikoa zeharkatuz eta zerbitzu publikoko enpresaraino espiritualtasunetik egiten dugun jaitsiera dela; edo erditik has gaitezke, gizabanakoak elkartu, harremanetan jarri eta, urmaelaren ondoan une batez gelditu, erritmoa aldatzen duen espazio hiritarretik.

Toledoko hiru urek denborazkotasun ezberdinak iradokitzen dituzte, XIX. mendeko industriari lotutako uraren indarraren jario emaritsutik, hiriko trafikoa eta joan-etorriak biltzen eta baretzen dituen urmaeletik igaroz, eta komentu barneko urmaelaren lasaitasun kontenplatiboraino. Hiruren atzean Toledoko uraren historia dago, Juanelo Turrianok diseinatutako obra hidrauliko ezaguna batik bat, ibaiko ura jauregiraino igotzeko eraikitako gailu mekanikoa.[52]

Turriano erlojugilea ere izatea aipagarria da, izan ere, gailuaren funtzionamenduak eredu gisa balio digu unibertsoa mekanismo gisa ulertuta; erloju baten antza du, bere orratzekin, eta ez hainbeste uraren fluxuaren eta presioaren kalkuluan oinarritutako zerbaitekin, hori ez baitzen iritsi XVII. mendeko hidrologiaren zientzia garatu arte. Denborarekiko harremana, beraz, jarioa segmentutan zatitzean datza, eta segmentu horietako bakoitzari mugimendu bat lot diezaiokegu. Erlojuen mekanika hori ez da Barrokoan hain hedatuta egon ziren eta, sarritan, Ovidioren *Metamorfosiak* obrako kontakizunekin apainduta zeuden jario bidezko iturrietakoa bezalakoa.

Urak elkartzen ditu Toledoko hiru mailak edo dimentsioak, eta baita haren jarioaren eta hustuketen azpian dagoen landarediak ere. Horrek guztiak elkarren artean lotzen gaituen prozesu bat dakar berekin, hein handi batean urez osatutako gorputzak baikara, denbora geologiko eta biologikodunak. Kasu bakoitzean, bai urak eta bai landarediak lekuaren historikotasuna berresten dute, eta eraldatzeko ahalmena eskaintzen dute, historiaren aurretik eta azpian dagoen dimentsio batekin duten harremanaren bidez, etorkizunean zein iraganean ez balego, sorburuko dei genezakeenarekin. Zein da orainaldiarekiko harremana?

Bloomberg eraikina Londresko gune finantzarioa den City-an kokatzen da, eta harentzako proiektu publiko gisa egin zuen *Arroyos Olvidados*. Uler dezakegu hiria hainbat jario edo fluxu motaren elkarketa bat dela adierazten duela: pertsonena, garraioarena, elikagaiena, hondakinena, informazioarena, elektrizitatearena... eta baita 'likidotasuna' kategoria ekonomikoa eta printzipio soziala dela. Jakina da Zygmunt Bauman teorialari sozialak 'likido' hitza gizartearen historiaren une bat aipatzeko erabili zuela.[53] Ilustraziotik aurrera, tradizioaren oinarriak astindu zituzten oinarriok arrazoiaren funts sendoenen gainean eraikitzeko; gure modernitatean, berriz, likidezia edo fluidotasuna oinarri edo printzipio bihurtu dira. Horrek ez du esan nahi *Arroyos olvidados*eko ura 'modernitate likidoaren" metafora denik': aitzitik, City-an duen kokapena dela eta, eskulturak jarioaren eta fluxuaren hainbat esperientzia eta ikuskera uztartzen ditu. Iraganean lurperatuta geratu ziren erreken jario ahaztuaren memoriak —Londresko erromatar historiarekin eta Bloomberg eraikinaren azpiko tenplu mitraikoarekin, eta baita Erdi Aroko kanalekin ere lotuta dagoenak— gaur egungo gizartearen izaera ekonomiko eta sozial 'likidoa' eten dezakete. Iglesiasek iraganera jotzen du oraina zalantzan jartzeko, baina egia da, halaber, bere eskulturak etorkizunarekiko harremana planteatzen duela, eta balitekeela etorkizun horretan gauzak beste era batera izatea.

Horrek estatus ontologiko bitxia ematen dio obrari, fikzio erreal baten antzeko zerbait den heinean. Eskultura bat irudikapen bat izan daiteke, baina beti da errealitate bat espazioan eta denboran. *Arroyos olvidados* lanak 'fikzioa' baliatzen du Walbrook ibai historikoa, lurperatua dagoena, bere bi zatien artean dabilenaren eta oroitzapen bat bezala azaleratzen denaren itxura emateko. Eskultura publiko batean, dimentsio figuratibo horrek mundu alternatibo bat ireki dezake eguneroko munduaren barruan. Helburu horrekin uler ditzakegu Iglesiasek bere eskulturetan fikzioari, batez ere zientzia fikzioari eta fikzio bitxiari egindako erreferentziak.

Arthur C. Clark-en *The Fountains of Paradise* zientzia fikziozko eleberria 1979an argitaratu zen; bertan, lurretik satelite bateraino joango den 'dorre orbital' bat eraikitzeko proiektua deskribatzen du, funtsean kable mikromehe batean oinarritutako espaziorako igogailu edo zubia dena. 'Zerurako eskailera edo izarretaranzko zubia' horren ideia Kalidasa erregeak Sri Kandan (Sri Lankan oinarritua) jarritako iturrien hondoarekin kontrajarrita aurkezten da: 'ez zen ezer aldatu, harkaitzaren gainean zeuden zisternak orain bonba elektrikoz betetzen zirela izan ezik, eta ez esklabo izerditsuen erreleboz'. 3. kapituluak iturrien jatorrizko instalazioa deskribatzen du: 'Lurretik aztikeriaz bezala sortzen ziren. Urezko zutabe lirainek hodeirik gabeko zerurantz jauzi egiten zuten'. Argi dago deskribapena arabiar edo islamiar paradisuaren loradegian oinarritzen dela.

Baliteke Clark-en eleberria ura duten Iglesiasen eskultura publikoetarako inspirazio iturri izatea, baina Iglesiasek arbuiatu egiten du irudipenezko proiektu honen bertikaltasuna, hau da, (espekulazio zientifiko errealetan eta posibilitatean oinarrituta) iturriak xurgatzen dituen 'dorrea'. Bertikaltasun horrek harrokeria falikoa, teknologikoa eta ekonomikoa irudikatzen ditu (klima aldaketa bere kasa konpondu ahal izango balitz bezala). Hala ere, *The Fountains of Paradise* eleberriarekiko lotura dela eta, Iglesiasen jardun eskultorikoaren eta fikzioaren arteko harremana ikus dezakegu. Eskultura publikoan zientzia fikzioa eta fantasia erabiliz, espazio bat sortzen du aurretik existitzen den hiriko espazio baten barruan, non mundua beste era batera uler daitekeen. Iglesiasen arabera, paradisuko loradegiak '*bizirik iraun duen*' horrek bezala funtzionatzen du.[54] Horrela, bada, eskultura publikoek memoriaren irudiak dituzte —paradisuko loradegia, islatzen duen urmaela—, denboraren jarraitutasunik ezaren bidez beren biziraupena ziurtatzen dutenak. Biziraupen horrek inplikazio politikoa du —'beste' iraganaren zatiak, etorkizun utopiko baten iradokizun gisa— garai nahasietan.

Urmaeletan hostoen moldeak jarriz, Iglesiasek, izan ere, fosilak sortzen ditu ia, eta horiek historiaurreari, gizakien aurreko garaiari egiten diote erreferentzia. Horrek denbora geologikoaren denborazkotasuna sartzen du obran, eta urmaela bete eta husteko erritmoarekin harremanetan jartzen du. Max Ernst-en obrekin paralelismo bat dago: baso bat sortzen du hostoekin, *frottage*a (bitartekoa igurztea, egur, larru e do soka gainean jarritako paper baten gainean) erabiliz, eta baita *grattage*a (pintura lehorra karrakatzea) erabiliz ere. Horiek ere antzekotasuna sortzen dute, erritmoaren eta ugalketaren bidez. *Frottage*-ak, bereziki, zeinu gidari gisa, zerikusia eta harreman kausala ditu antzekotasunak sortzen dituen horrekin, eta horregatik funtzionatzen dute molde gisa. Baso horiek sorburuko denbora adierazten dute —gizakiaren aurreko denbora—, aldi berean piktorikoa eta irudizkoa den espazio baten barruan, eta azalera erreal eta materialarekin. Iglesiasen hosto galdatuek sorburuko denborazkotasuna sartzen dute orainaldiaren denboran, denboran haustura bat sortuz eta harremana sortuz giza harremanik gabeko garai batekin.[55]

Ikuspegi horrek dimentsio onirikoa —edota amesgaiztoena— izan dezake, Ernst-en basoetan gertatzen den bezala; izan ere, haren basoek mundu oniriko psikoanalitikoan dute jatorria. Ernsten basoek zuzenean inspiratu zuten desioaren eta izuaren anbibalentzia Ballarden *The Drowned World*-en atzera doan garai batean. Basoko *frottage* eta *grattage* horiek sarritan eguzki baten diskoa izaten zuten. Ballarden lanean, eguzkiaren beroak itsasoaren mailak gora egitea eta Jurasikoko flora eta fauna itzultzea eragiten du. Iragan sakona orainaldira itzultzen ari ote da? Ala denbora da atzera egiten ari dena, amaitzen den punturaino iritsiz? Iglesiasek Ballarden hitzak erabili izan ditu beste eskultura batzuetan: *The Crystal World* 2006ko *Tres Corredores Suspendidos* lanean aipatzen du. Izenburua euskarara itzuliz gero (*Kristalezko basoa*), ikus dezakegu lotura inplizitua duela Ernsten *frottage*etako landaredi petrifikatuarekin. Stanislaw Lem-en *Solaris*-eko ametsetan, ozeanoa adimen bizidun zabal eta ulertezin gisa agertzen zaigu eta, noizean behin, gizakiei 'bisitariak' bidaltzen dizkie, bere adimen inkontzientearen irakurketa batetik abiatuta. Horiek *Pabellón Suspendido III (Los sueños)*, 2011-16 bitartean egindako obran aipatzen dira.

Edgar Allen Poeren 'Maelström' kontakizuna da Iglesiasek Moskenes-en (Lofoten Uharteak, Norvegia, 1933-94) lekuan bertan egindako obrarako inspirazioa.[56] Galdatutako hostoak erabili zituen lehen lanetako bat dugu: erramu hostoen behe-erliebe bat eta ura begiratzeko leize edo tenplu itxurako begiratoki bat zituen.

Uraren jarioak denbora ematen dio eskulturari, Iglesiasen beste lan batzuetan ere ageri den zinemarekiko lotura azpimarratuz.[57] Andrej Tarkovskyren filmen zalea zen bere ibilbide hasieran eta oso ongi gogoratzen du *Stalker*.[58] *Stalker*reko 'gunea' industria aurrien eta paisaiaren konbinazio hesitua da. Beti dago heze, lokaztuta, eta ibaiak eta ubideak daude: uholde baten ondorioa dirudi. Soinu bandan agertzen den Apokalipsiaren pasarte batek paisaia postapokaliptikoaren sentsazioa areagotzen du.

*Stalker*rek urak artelanetan izan ditzakeen paperentzako hainbat aukera eskaintzen ditu, bereziki hiriko paisaia batean edo espazio arkitektoniko batean instalatutako eskultura batean egongo bada. Analogia bat egiten da filmaren eta uraren artean. Urak, geldi dagoenean, irudiak sortzen ditu islaren bidez. Irudiak agertu eta desagertu egiten dira argiaren eta uraren egoeraren arabera. Ura ibai edo kanaletan barrena mugitzen da, eta filma kameraren eta proiektorearen barrena. Zeluloideak urarekin lotzen duten likidotasuna eta gardentasuna ditu. Azkenik, etengabe aldatzen den aldi baterako bitartekoa da. Horrek esan nahi du, noski, analogiaren arabera, zinema, ura bezala, itxuraldatzeko eragile bat dela.

Urak fluxu bat sortzen badu, eskultura hainbat denborazkotasunekin lotzeko aukera ematen du. Munduaren denborazkotasuna dago, munduarena eta gauzena, non ikuslea eta objektua batera existitzen diren. Dabilen urak beste denbora bat eransten dio. Ura ez da etengabeko jario soil batean mugitzen: urmaelak erritmo jakin batzuetan betetzen eta husten dira. Betetze eta huste horrek eskultura ikuslearen gorputzaren prozesuekin lotzen du: birikak arnasketarekin betetze eta hustearekin, edo bihotzaren taupadekin. Fluxua, jarioa, erritmo bihurtzen da. Barneko denboraren eta kanpoko denboraren arteko lotura hori da, hain zuzen ere, Ballarden *The Drowned World* lanean jorratzen den gaia.

Protagonistak bat egin nahi du urak hartutako munduaren garai erregresiboarekin, horretarako inkontzientearen eta gorputzaren arteko loturak erabiliz.[59] Iglesiasen eskulturek antzeko bat-egitea eragiten dute barneko eta kanpoko denboraren artean. Efektua lasaigarria izan daiteke, baina 'bitxia' ere bada, eta beldurgarria.

Urak barnekoaren eta kanpokoaren arteko bereizketa zeharkatzen du. Gela baten barruan ura dagoenean, kanpoaldea barrura sartzen dela dirudi.[60] Gorputza neurri handi batean ura dela ulertzen dugunean, gure larruazaletik kanpo dauden uren parte sentitzen gara. *Stalker*reko desioen gelan, lurra urmael bat da eta kristalezko matrazeak ditu flotatzen. Stalkerrak 'atalasean gaude' dio, gela bertara sartzen direnen desio sekretuak betetzen diren leku gisa deskribatu aurretik. Iglesiasen eskulturan atalaseak erabakigarriak dira, eta ura atalasea zeharkatzen duen hori da.[61] *Stalker* pasabideei buruzkoa da: 'gunerako' pasabidea, urak hartutako tunel batetik desioen gelara igarotzea, heriotza eta transzendentzia pasabide gisa. Pasabideari eta urari buruzko eskultura espazio publikoan txertatzean, objektuen muga arruntak zeharkatzen dituen haustura eta jarraitutasuna sortzen dira aldi berean. Eskulturak beste espazio mota bat irekitzen du hiriko eguneroko espazioan. Iglesiasen eskulturan, beste espazio honek beldurgarria edo bitxia den hori paradisukoa denarekin konbinatzen du.

Urak espazioak lotzen ditu eta paradisua distopiarekin lotzen du. Ura paradisuaren elementu eta aurrerapen bat delako ideia loradegi islamikoetatik dator. Loradegiko ura onuragarria da. Baina ura bizitzarako eta sorkuntzarako beharrezkoa bada ere, uholdeetako ura ere badago, itotzen eta suntsitzen duen ura. Eta bi horien artean zingirako ura dago, deskonposizioa eta sorrera elkartzen dituena. Hori ere Iglesiasen eskulturetako galdatutako hostoen bidez iradokitzen zaigu. Horien formak, efektuak eta eginkizunek paradisuko loradegia gogorarazten dute, eta, beraz, aurrerapen gisa ere balio dute. Hala ere, hostoak bezalako elementuetan —kasu honetan zingira eta deskonposizioa gogorarazten duen hori irudikatzeko—, ez ditu erabiltzen islamiar dekorazioaren eredu abstraktu eta idealizatuak; aitzitik, ur apokaliptigoago bat iradokitzen du.

Tarkovskyn ikusten dugun uraren balentzia berberak darabiltza. Ura espiritualtasunarekin, araztasunarekin eta haurtzaroko oroitzapenarekin lotzen da, baina baita testuinguru postapokaliptikoarekin ere, atzean utziak izan direnen eremuarekin. Urmaela betetzean eta hustean, gorputzak hirian hartutako erritmoa moteltzen da, baina horrez gain, urmaela betetzeak uholdearen izua iradokitzen du eta husteak, berriz, zurrunbilo batek xurgatuko gaituenaren antsietatea. Gaur egungo eskulturaren plazerak memoriaren eta profeziaren arteko zerbait dira. Berriz aurki al daiteke paradisu galdua? Edo etorkizuna deskonposatutako gauzez betetako zingira bat bezalakoa izango ote da?

Nola egin promesa bat duen eskultura publiko bat, statu quo-aren edo botere harremanen baieztapen hutsa izango ez dena? Eskulturak zerbait atsegina sortu behar du orainaldian, baina Adornok orainaren 'bizitasun faltsu' izendatzen zuen hori baieztatu gabe.[62] Badago plazer bat obran, baina ez da 'erabateko' plazera: gabezia edo falta ere baditu. Iraganaren aztarnak gabezia horretan sartzen dira. Batzuetan, paradisu moriskoaren lorategiaren oroitzapen gisa sartzen da eta, beti, galdatutako hostoen sorburuko formarekin. Ballarden irakaspena sorburuko iragan hori etorkizunetik etortzeko modua da. *The Drowned World* eleberrian, protagonistak etorkizunerako 'erregresio espinala' jasaten du, mundua berotzen doan bitartean.[63] Hori ez da nahitaez distopikoa eta badirudi, barrurago sartu ahala, nolabaiteko gozamena ekartzen diola. Stendhal eta Baudelairen lanetan oinarrituz, Adornok 'zoriontasunaren promesa' (*promesse du bonheur*) aipatzen du, eta horrekin alderatu genezake hau: artelanak, oraineko bizitasun faltsu bat ukatuz, etorkizuneko zorionaren promesa egiten digu. Paradisuko lorategiko zoriona, islamiar kulturan zoriontasun sentsuala zein espirituala dena, ez da orainaldiko zerbait, baizik eta etorkizunetik datorren iraganaren aztarna bat, datorren hondamendiaren erdian esperantza gisa datorkiguna.

(Oharrak 77. orrialdean daude)

Eztabaida

Andrew Benjamin Zuen baimenarekin, pixka bat estutuko zaituztet ahanzturaren parte horretan. Zuri entzutean Heidegger eta ahanztura etorri zaizkit burura. Ados nago; *Arroyos olvidados* lanean ahanztura gogora ekartzen da, baina beti dago arazo bikoitz hori, hau da, ahaztu zaigula ahaztu dugula. Nolabait, artearen proiektuaren zati bat, edo irudimena deitzen duzun horren proiektuaren zati bat, epifania une txiki hori izan dezagun lortzea da, zeinetan zera pentsatuko dugun: 'Ene, ez nintzen konturatu" 24/7 "izeneko eraikuntza hau naturalizatu egin dela, eta ez dudala haren aurreko beste aukerarik ikusten'. Ahanzturaren estrategia osoak oroigarri soil bat baino zerbait gehiago behar du. Hori errazegia litzateke, arteak egin beharko lukeen gauza bakarra zuri zerbait ezagutaraztea balitz bezala. Nolabait posizionatu egin behar zaitu, ahaztu duzula onar dezazun. Obraren indargunea da hori arazo gisa planteatzen duela. Nire iritziz, artelan batek ezingo du inoiz arazo bat konpondu. Arazoa plantea dezake eta, kasu honetan, lortzen du bat-batean konturatzea obraren inguruko denbora naturalizatu egin denaz. Une horretan, artelanak guk hura desnaturalizatzea eragin dezake. Beraz, artelanak berak naturarekin duen harremana gauza oso konplexua da.

MN Erabat ados esaten ari zaren horrekin. Lana, ahanzturaren oroigarri gisa esperientzia guztiz erabakigarria da. Eta horrek beste galdera bat jartzen du mahai gainean: zer da ahaztu duguna? Hor, tentu handiagoz ibili beharko nuke. Hor bereizketa bat egin nahiko nuke obraren eta indusketa arkeologikoaren artean, baldin eta ez badugu indusketa arkeologikoa bere horretan nolabaiteko poiesis gisa ulertzen, eta hori ere aukera bat da. *Arroyos olvidados*ek ez du aztarnategi arkeologiko bat induskatzen, sakon eta kontu handiz induskatuz gero aurkituko litzatekeen jatorri positibo bat egoteari dagokionez. Eta hori lotu nahi dut, Heideggerengandik pixka batean aldenduz, antzina-antzinakoa oroitzearekin. Ez zehazki 'aurretik zegoen hori' gogoratzearekin, baina bai gogoratu daitekeen beste edozein gauza positiborekin.

Eta, hortxe, gogoratzea 'etorkizun' baten ideiarekin lotzen da, ez dakit, baina agian 'erredentzio' kutsua izan dezake. Hein batean, arriskutsua litzateke artelanei buruz zentzu horretan hitz egiten hastea, batez ere gaur egungo giroan, Heideggerri faxismoarekin gertatu zitzaion bezala. Hala ere, antzinako zerbaiten oroitzapen aurreratua da.

Brian Dillon Michael, analogiari buruz duzun ideiak jakin-min handia pizten dit, hein batean analogia eta analogoa Bibliaren arabera uler daitezkeela proposatzen duelako; Itun Berriko gertaera edo pertsona batek Itun Zaharreko zerbait analogikoki betetzen duelako. Bete egiten du eta, iragarpen moduko baten amaiera izanik, aldi berean, hasieratik asmatzen du. Aurreko gertaerek, uneek edo pertsonek zentzua dute, soilik, bigarren uneak edo pertsonak asmatu egin dituelako, hein batean fikziora eramanez. Horrelako arte publikoa sortzearen inguruan pentsatzen badugu, ikus dezakegu sarritan, artea ikusleria zabalago bati azaltzen saiatzen garenean, "zerari buruzkoa da" edo "jorratzen du" bezalako hitz baldarrak erabili ohi ditugula, edo "iradokitzen du" edo "adierazten du" bezalako termino lausoak. 'Behartu egiten gaitu X-i aurre egitera' bezalakoak; Antropozenoari, kapitalismoari... Garai batean, Erdi Aroa izan daitekeen garai batean, ikusleak, oro har, gai ziren une historikoek, irudiek eta testuek pertsonekin, ideiekin eta abarrekin zituzten harreman analogikoak onartzeko eta ulertzeko. Nire ustez, analogiaren ideiak ibilbide luzea du Cristinaren lana deskribatzeko modu gisa, baina, modu orokorrago batean esanda, beste tradizio asko daude. Horien bidez analogia bezain konplexua den zerbait uler dezakete biztanle gehienek, kulturaren arlokoek, artearen zaleek edo haren aurreko erresistentzia dutenek.

Iwona Blazwick Badago beste hitz bat, "enpatia", agian egokia izan daitekeena Cristinaren lanaren aurrean izan dezakegun erantzunaz hitz egiteko. Obra lehen aldiz ikusi nuenean, une batez harrituta geratu nintzen, zeren eta bazirudien zerbait urratu egin zela, bazirudien hiriko ehuna urratu egin zela. Une batez gorputz disekatu bat etorri zitzaidan gogora, askatzen ari den larruazala, eta horrek sortzen duen harridura sentitu nuen. Obra ezkutukoa izateak —harekin topo egiten baituzu, ez dizu inolako aurkezpenik egiten— haren botere bitxiaren parte bat dela iruditzen zait, berehala sortzen baitzaizu nolabaiteko erraietako erantzuna haren aurrean, erantzun enpatikoa. Harri bat altxatzea edo azalaren tolestura bat altxatzea bezala da, edo zerbaitekin estropezu egitea bezala. Niretzat, obra horren alderdi oso indartsua da bronkioetako hodi edo zainen antza duten sustraien eta uraren erraietako izaera. Niretzat, era horretako analogia da.

BD Zergatik eragingo lizuke enpatia? Enpatiak sentimendu bat partekatzea esan nahi baitu. Eta hau, hain zuzen, ez-enpatikoa da. Enpatiak partekatzearekin du zerikusia. Beraz, analogiaren auzira garamatza berriro ere. Enpatia, sentimendu bat bezala hasten denean sentimendu bakar bat partekatzearen nozio bihurtzen da, izan ere, alemanieraz *Einfühlung* esaten zaio. Beraz, bere harreman ez-enpatikoa azpimarratu beharko genuke.

Jane Rendell Ez dut gogoratzen nork aipatu duen gaur, baina posible da obrako elementuek gauza desberdinak eragitea. Ez dute zertan osotasun erabat kohesionatu bat bezala funtzionatu. Beraz, baliteke urradurak erraietako eragin moduko bat izatea, enpatiaren ondorio izan ala ez. Jakina, gorpuztuta dago, hori bai, baina eragina asaldagarria bada, baliteke bestelakoa izatea inguruko eserlekuetan eseriz gero. Baliteke alderdi bakoitzak zerbait desberdina eragitea. Zalantza bat dut: Michael, zure artikuluko gauza bat guztiz liluragarria iruditu zitzaidan. Zein zen zure iritzia irudimenaren inguruan? Amaieran oso azkar aipatu duzu eta ez dakit zerbait gehiago esan dezakezun: zure iritziz, irudimenak nola eragiten du horretan?

MN Irudimena eta irudipenezkoa dena lotzen ari nintzen. Irudikatzea, literalki, irudi bat sortzea da, baina hori baino gehiago ere bada. Izateko modu baten mamitzea da, eta bertan bizi edo harremanak izateko aukera dugu, baina ez da hori 24/7 jarioaren izateko modua. Beraz, irudimena beste modu batera izateko posibilitatea ematen dizun zerbait sortzeko aukera da, aldi baterakoa behintzat, bizitzaren fluxuan hainbat erritmo daudela baieztatu edo artikulatzera mugatu ordez. Erraz baiezta dezakegu, baina zer esan nahi du bertan bizitzeak? Beraz, eskultura nolabait bertan bizitzeko aukera ematen digun iruditeria baten sorkuntza da, eta agian horrek zerikusia du topaleku izatearekin ere.

Banuen artikulu txiki bat prestatuta baina, luzeegia denez, ez dut sartu. Islandierako *Althing* hitzari buruzkoa da. Heideggerri interesatu zitzaion. 'Thing' hitzaren jatorria da. *Althing* Islandiaren historian egin zen lehen bilera parlamentarioa izan zen. Parke nazional batean egin zuten, eta nik bertara joateko aukera izan nuen. Bitxia badirudi ere, arrakala batek zeharkatzen du, plaka kontinental euroasiar eta amerikarren artean baitago, eta urtean zentimetro bat hazten ari da. Arrakala beltz handi bat dago eta ura hara erortzen da. Bikingoek ibai bat haraino desbideratu omen zuten Althing-aren ondo-ondoan ur jauzi bat sortzeko. Esan beharra dago, bide batez, legea hausten zutenak han zigortzen zituztela. Irudika daitekeen lekurik indartsuena da, eta baliteke analogikoki *Arroyos Olvidados*ekin erlazionatuta egotea . Cristinaren eskultura gauza bat da, baina baita topagune potentzial bat ere. Obra hiriaren gainazalean dagoen arrakala bat da eta ura hara erortzen da, eta urmaelen ertzetako islak ura amildegi batean agertzen eta desagertzen dela irudikatzera gonbidatzen gaitu.

NOTES

---

1. 2003an, Londresko Whitechapel Gallery-n Iwona Blazwick-ek komisariatuta Cristina Iglesiasek egindako erakusketari (2003ko apirilak 7 - ekainak 1) buruzko hitzaldi bat ematera gonbidatu ninduten. *Cristina Iglesias*ek Portoko Museu Serralvesen debutatu zuen 2002an, Michael Tarantinok komisariatuta, eta Whitechapeleko erakusketaren ondoren, Dublingo Irish Museum of Modern Art-era bidaiatu zuen 2003an. Esaldi hau Whitechapeleko inaugurazioan Iglesiasen aurkezpenean hartu nituen oharretatik hartuta dago.

Beste kritikari batzuek adierazi izan dute Iglesiasek zenbait estrategia estetiko erabiltzen dituela bere lanetan, bi garai eta/edo espazio desberdin elkarrengana hurbiltzeko; adibidez, gauza bat beste baten lekuan aurkitzea, edo xehetasun edo ezaugarri ahaztu bate ustekabean itzultzea. Adibidez, Ulrich Wilmes komisarioaren arabera, 'Iglesiasen obra eskultorikoaren kontzeptuak forma itxiko eta interpretazio irekiko berezko dialektika bat du, aldi berean errealtzat eta fikziozkotzat har daitekeena'. Ikus Ulrich Wilmes, 'The Dramatization of Space: Cristina Iglesias *Three Suspended Corridors*, 2005', *Cristina Iglesias: Drei Hängende Korridore (Three Suspended Corridors)* (Cologne: Museum Lüdwig and Verlag der Buchhandlung Walther König, 2006), 19. or. Michael Tarantino: 'Barruaren eta kanpoaren arteko desadostasuna funtsezkoa da Cristina Iglesiasen hormako piezetan'. Ikus Michael Tarantino, 'Enclosed and Enchanted: Et in Arcadia Ego', *Enclosed and Enchanted* (Oxford: Museum of Modern Art, 2000), 24. or.

Penelope Curtis komisarioak iradokitzen duenez, Iglesiasen lanak 'alderdi fisikoaren eta mentalaren arteko pasabide edo leiho moduko bat dira', eta 'Iglesiasek barrualdearen eta kanpoaldearen arteko talka eragiten du'. Ikus Penelope Curtis, 'Introduction', Penelope Curtis (arg.) *Gravity's Angel: Asta Groting, Kirsten Ortwed, Cristina Iglesias, Lili Dujourie* (Leeds: Henry Moore Institute, 1995), 5. or. eta Curtis, 'Cristina Iglesias', iturri bera, 31. or. Marga Pazek deskribatzen duenez, Iglesiasen lanek 'aurreko beste objektu batzuen aztarna fisikoen marka dute', Freuden 'screen memories' terminoari erreferentzia eginez. Ikus Marga Paz, 'Al Otro Lado Del Espejo', trans. Alison Canosa, *Cristina Iglesias* (Miengo, Kantabria, Espainia: Robayera Aretoa, 1998), 12. or.

Ikus Jane Rendell, 'That Which Keeps Coming Back', *Site-Writing: The Architecture of Art Criticism* (Londres: I.B. Tauris, 2011), 161-77. or.

Sigmund Freud, 'The Psychopathology of Everyday Life' [1901], *The Standard Edition of the Complete Psychological Works of Sigmund Freud, Volume VI (1901): The Psychopathology of Everyday Life,* alemanetik itzulia James Stracheyren zuzendaritzapean (Londres: The Hogarth Press, 1960), 265. or.

5. Iturri bera, 266-67. or.

6. Sigmund Freud, 'The Psychopathology of Everyday Life' [1901], *The Standard Edition of the Complete Psychological Works of Sigmund Freud, Volume VI (1901): The Interpretation of Dreams (Second Part)* eta *On Dreams*, alemanetik itzulia James Stracheyren zuzendaritzapean (Londres: The Hogarth Press, 1953), 339-628 or., 399. or.

7. Iturri bera, 399. or.

Stracheyren esanetan, gai hau interpolatua izan zen 1914an. Freud, 'The Interpretation of Dreams', 399. or, 1. oharra.

Gauza bat da desira inkontziente erreprimituak, *déjà vu*ak desplazamenduaren bidez saihestu nahi duenak, jatorria amets batean duela proposatzea, eta, beste bat, oso bestelakoa, *déjà vu*a ametsetan esperimentatu daitekeela iradokitzea, Freudek egiten duen moduan. Stracheyren esanetan, Freudek, 1909an eta 1914an *Interpretation of Dreams*i (1900) buruz gaineratu zuenaren bidez, *déjà vu*aren interpretazio bat aurreratu zuen, eta interpretazio horrek ez du zerikusirik 1907an lehen aldiz egin zuenarekin eta 1917an berriz egin zuenarekin. Ikus Freud, 'The Psychopathology of Everyday Life', 268. or., 1. oharra.

Sigmund Freud, '*Fausse Reconnaissance* ("*déjà raconté*"), Psycho-Analytic Treatment' [1914], *The Standard Edition of the Complete Psychological Works of Sigmund Freud, Volume XIII (1913-1914): Totem and Taboo and Other Works,* alemanetik itzulia James Stracheyren zuzendaritzapean (Londres: The Hogarth Press, 1955), 199-207 or., 203. or. Aipatzen den artikulua Joseph Grassetena da, 'La sensation du *"déjà vu"*', *Journal de Psychologie Normale et Pathologique* 1. alea (1904), 17-27. or.

Hiru urte geroago, 1917an, Freudek Grasseten lanari errekonozimendua egin zion zion 'The Psychopathology of Everyday Life' obran. Ikus Freud, 'The Psychopathology of Everyday Life', 268. or., 1. oharra.

Freud, '*Fausse Reconnaissance*', 203. or.

Sigmund Freud, 'A Disturbance of Memory on the Acropolis' [1936], *The Standard Edition of the Complete Psychological Works of Sigmund Freud, Volume XXII (1932-1936): New Introductory Lectures on Psycho-Analysis and Other Works*, alemanetik itzulia James Stracheyren zuzendaritzapean (Londres: The Hogarth Press, 1964), 237-248. or.

12. Iturri bera, 245. or.

Freud, 'A Disturbance of Memory', 245. or.

Peter Krapp, *Déjà Vu: Aberrations of Cultural Memory* (Londres eta Minneapolis: University of Minnesota Press, 2004) xxiv. or.

Iturri bera, 2-3. or. Krapp Sigmund Freudi buruz ari da, 'The Psychical Mechanism of Forgetiness' (1898), *The Standard Edition of the Complete Psychological Works of Sigmund Freud, Volume III (1893-1899): Early Psycho-Analytic Publications*, alemanetik itzulia James Stracheyren zuzendaritzapean (Londres: The Hogarth Press, 1962) 287-297. or. Krappek dioen moduan, argudioen sekuentzian zenbait aldaketa eginda, Freuden 'The Psychopathology of Everyday Life' obrako lehen kapituluaren oinarria izan zen.

Iturri bera, 5. or.

Sigmund Freud, 'Screen Memories' [1899], *The Standard Edition of the Complete Psychological Works of Sigmund Freud, Volume III (1893-1899): Early Psycho-Analytic Publications* alemanetik itzulia James Stracheyren zuzendaritzapean (Londres: The Hogarth Press, 1962), 299-322. or., 322. or.

Freud, 'The Psychopathology of Everyday Life', 43-44. or.

Ikus, adibidez, Johann Friedrich Geist, *Arcades: the History of a Building Type* (Cambridge, Mass.: MIT Press, 1983). Walter Benjaminen bukatu gabeko *Passagen-Werk* obran, edo *Arcades Project* obran, Parisko arkupeak (*arcade*) amets kolektiboen lekuak ziren. Ikus Walter Benjamin, *The Arcades Project (1927-1939)*, trans. Howard Eiland eta Kevin McLaughlin (Cambridge, Mass.: Harvard University Press, 1999). Arkupea (*arcade*) irudi dialektiko gisa azaltzeko, ikus, adibidez, Jane Rendell, *Art and Architecture: A Place Between* (Londres: I. B. Tauris, 2006), 76-78. or.

Freud, 'The Psychopathology of Everyday Life', 265. or. Nicholas Royleren esanetan, omisio hori arraroa da. Ikus Nicholas Royle, 'Déjà Vu', Martin McQuillan (arg.) *Post-Theory: New Directions in Criticism* (Edinburgh: Edinburgh University Press, 1999), 3-20. or., 11. or.

Freuden esanetan: 'Alemaneko "*unheimlich*" hitza "*heimlich*" [etxezulo] eta "*heimisch*" [natibo] hitzen kontrakoa da'. Ikus Sigmund Freud, 'The "Uncanny"' [1919], *The Standard Edition of the Complete Psychological Works of Sigmund Freud: Volume XVII (1917-1919): An Infantile Neurosis and Other Works*, alemanetik itzulia James Stracheyren zuzendaritzapean (Londres: The Hogarth Press, 1955), 217-256 or., 220 or.. Bai eta: 'Litekeena da arraroa [*unheimlich*] izatea ezkutuan ezaguna [*heimlich-heimisch*] dena'. Ikus Freud, 'The "Uncanny"', 245. or.

22. Iturri bera, 245. or.

23. Ikerketa honek aurkako definizioetara eraman zuen Freud: 'heimlich', 'etxekoa, ez arrotza, ezaguna, otzana, intimoa, lagunkoia' esan nahi duen adjektibo gisa, eta kontrako zentzua duen adjektibo eta adberbio gisa, 'ezkutuak', 'ikusezinak', 'gordeak', 'engainagarriak' eta 'isilpekoak' diren gauzei edo ekintzei erreferentzia egiteko. Iturri bera, 222-25. or.

24. Iturri bera, 220 or..

25. Iturri bera, 225. or.

Ikus Michael Newman, 'Imprint and Rhizome in the work of Cristina Iglesias', Iwona Blazwick (arg.), *Cristina Iglesias* (Bartzelona: Ediciones Polígrafa, 2002), 125. or.

Cristina Iglesias, hemen aipatua: Lynne Cooke (arg.), *Cristina Iglesias: Metonymy* (Madril: Museo Nacional Centro de Arte Reina Sofía/Del Monico Books/Prestel, 2013), 185. or.

Folkestone Official Holiday Guide, Folkestone Corporation Publicity Department, 1971 (zenbakitu gabe).

2005eko udazkenean, Creative Foundationeko fiduziarioek proiektu artistiko baterako kontzeptu bat garatzeko eskatu zidaten. Münster Skulptur Projektek eta Japoniako Echigo Tsumari Triennialek inspiratuta, eskala handiko nazioarteko hiru urtez behingo (Trienal) baten kontzeptua garatu nuen, artistek hiriko leku bakoitzerako aukeratuta kokapen zehatzeko lanekin. Segidako Trienal bakoitzeko hainbat lanek bertan gelditu behar zuten mugagabeki, 'paretarik gabeko galeria bat' osatzeko. Bilduma horri Folkestone Artworks deitzen zaio orain, eta 40 pieza iraunkor baino gehiago biltzen ditu.

Lehenengo Trienalean nazioko eta nazioarteko 22 artistari egindako enkarguak bildu ziren (besteak beste, Christian Boltanski, Tacita Dean, Jeremy Deller, Mark Dion, Ayse Erkmen, Tracey Emin, Robert Kusmirowski, Susan Philipsz, Mark Wallinger eta Pae Whitek egindakoak). Xehetasunak hemen: ikus Andrea Schlieker, *Tales of Time and Space* (Londres: Cultureshock Media, 2008).

Bigarren Trienalean, Tonico Lemos Auad, Martin Creed, Ruth Ewan, AK Dolven, Spencer Finch, Hamish Fulton, Hew Locke, Cornelia Parker, Olivia Plender, Zineb Sedira eta Paloma Varga Weiszi egindako enkarguak bildu ziren.

Xehetasunak hemen: Andrea Schlieker, *A Million Miles From Home* (Londres: Cultureshock Media, 2011).

Hemen aipatua: Frederic Gros, *A Philosophy of Walking* (Londres/New York: Verso, 2015), 18. or.

Rebecca Solnit, *A Field Guide to Getting Lost* (Edinburgo: Canongate, 2017), 37. or.

Frédéric Gros, *A Philosophy of Walking*, 89. or.

Martello Towers delakoek -ezagunak egin ziren James Joyceren *Ulysses*eko lehen eszenei esker-, Korsikako Mortella lurmuturrean dagoen dorre bati zor diote izena; 1794an, bonbardaketa bortitz bat jasan zuen dorre horrek. Defentsarako gotorleku txikiak dira, 12 metro inguruko altuerakoak, eta 1805 eta 1808 artean eraiki zituzten, kostaldea Napoleonen flotaren ustezko eraso batetik babesteko. Horrelako 74 defentsa dorre eraiki zituzten Erresuma Batuko hego-ekialdeko kostaldean. 1820an, 4.ari seinaleztapen argiak jarri zizkioten, kostaldera begira.

Kokalekua hautatu ondorengo hilabeteetan, English Heritagerekin gestioak egin eta harresien (monumentu historiko babestuaren zatitzat hartzen dira) erabilera negoziatu genituen, eta, gainera, sasi artetik harresietarainoko bidea zabaldu ahal izateko baimena eskatu genuen. Gainera, dorretik hurbil dagoen eremu lasaian bizi direnak lasaitu behar izan genituen, ez zezaten pentsatu inguru hark zirkuko ikuskizun zaratatsu bat emango zuela.

Ekainean, bidea egiteko baimen eman ziguten. Oso hunkigarria izan zen harresietara igo eta lehen aldiz landarez estalitako dorrea eta bertako fauna apartaren ikuspegia esperimentatzea.

Zalantzarik gabe, aurretik alabastroz, beiraz edo hormigoiz egindako lanetan du jatorria artistaren kezkak, sabaiak eta korridoreak iradokitzen dituzten egitura arkitektonikoetan. 1994-97ko *Habitacion de Eucalipto* (Haus am Waldsee, Berlin) izango da, beharbada, oinplano formako behe-erliebeko hormekin egindako lanen abiapuntua (obra hori barrurako egin zen arren).

Lynne Cooke, 'Alone or Aligned?', *Metonymy*, 64. or.

Solnit, *A Field Guide to Getting Lost*, 33. or.

Ikus *Alice in Wonderland* eta *The Lion, The Witch and the Wardrobe*, hurrenez hurren.

Henry David Thoreau, *Walking* (1991), hemen aipatua: Simon Schama, *Landscape and Memory* (New York: Vintage, 1996), 572. or.

Jamie Linton, *What is Water?: the History of a Modern Abstraction* (Vancouver: UBC Press, 2010), 3. or.

Ikus iturri bera, 81-88. or.

Ivan Illich, *H2o and the Waters of Forgetfulness: Reflections on the Historicity of "Stuff"* (Dallas: Dallas Institute of Humanities and Culture, 1985), 76. or.

Gaston Bachelard, *Water and Dreams: an Essay on the Imagination of Matter* (Dallas: Pegasus Foundation, 1983).

Bachelardek intentzionalitate formala eta materiala eta ontologia bereizten ditu. Bere planteamendua erabat patriarkala eta falozentrikoa den arren, elementuak generoarekin lotzeko aukera ematen du, materialismo feminista berriaren ikuspegitik.

Virginia Woolf, *Between the Acts* (Oxford: Oxford's World Classics, 1998), 27. or.

Ikus: Luce Irigaray, *This Sex Which is Not One* (Ithaca, NY: Cornell University Press, 1985), Catherine de Zegher, 'This Fountain Which Is Not One', Hilde Daem, Catherine De Zegher, Siska Beele, *Deep Fountain: Cristina Iglesias* (Antwerp: BAI and Kroninklijk Museum, 2008), 29-39. or.

Ikus Robert Macfarlane, *Underland* (Londres: Penguin UK, 2019).

Gordon Campbell, *A Short History of Gardens* (Oxford/ New York: Oxford University Press, 2016), 10. or.

Iturri bera.

Hidraulikari buruz, ikus Marina Warner, 'The springs beneath, the flow above, the light within', Beatriz Colomina, James Lingwood, Marina Warner, *Cristina Iglesias: Tres Aguas* (Londres [Toledo eta Madrid]: Artangel/Turner, 2015), 61-63. or.

Zygmunt Bauman, *Liquid Modernity* (Cambridge: Polity Press, 2000).

Didi-Hubermanek eta Maria Stavrinakik frantsesezko terminoa bizirautearen itzulpen gisa erabiltzen dute E.B. Tylorren antropologian eta Aby Warburgen historiografian. Ikus Georges Didi-Huberman, *La Ressemblance Par Contact* (Paris: Les Editions de Minuit, 2008); Maria Stavrinaki, 'Modernité préhistorique: techniques d'"auto-imitation" et temporalités à rebours chez Max Ernst et Joan Miró', *Perspective* [online], 1 | 2011, 03/5/2019/05/03an kontsultatua. URL : http://journals. openedition.org/ perspective/1053; Maria Stavrinaki, *Saisis Par La Préhistoire* (Dijon: Les presses du réel, 2019).

Ikus arkeofosilari buruzko eztabaida, hemen: Quentin Meillassoux, *After Finitude: An Essay on the Necessity of Contingency* (Londres/New York: Continuum, 2008), 22-59. or; etao Quentin Meillassoux, *Science Fiction and Extro-Science Fiction*, trans. Alyosha Edlebi (Minneapolis: Univocal Publishing, 2015).

Ikus *Cristina Iglesias: Metonymy*, 232-37. or.

Ikus Iglesiasen Ameriprise Financial Centreko serigrafiei buruzko nire analisia, hemen: Vicente Todolí (arg.), *Cristina Iglesias: Interspaces* (Santander: Centro Botín, 2019), 27-28. or.

Iglesias lehenengoz Tarkovskyrekin elkartu zen aldiari buruz, ikus Lynne Cooke, *Cristina Iglesias: Metonymy*, 52. or.

Ballarden alderdi honen inplikazio filosofikoak aztertzeko, ikus Thomas Moynihan, *Spinal Catastrophism* (Falmouth: Urbanomic, 2019).

Hau egiten duen artelan bat ezagutzeko, ikus Antony Gormley, *Host*, lehen aldiz 1991n egina.

Ikus 'Passages In/On the Sculpture of Cristina Iglesias', *Cristina Iglesias: Interspaces*, 21-38. or.

Theodor Adorno, *Aesthetic Theory*, trans. R. Hullot-Kentor (Londres: Athlone Press, 1999), 311. or; ikus James Gordon Finlayson, 'The Work of Art and the Promise of Happiness in Adorno', *World Picture* 3 (2009).

Ikus Moynihan, *Spinal Catastrophism*.

CAPTIONS

---

2. ORRIA
Portón - Pasaje (Gates - Passage), 2006-07
Pradoko Museoa, Madrid From inside the museum

6. ORRIA
Forgotten Streams, 2017 (detailea)

8. ORRIA GOIAN
Jardin de Behuliphruen, 2001 Brontze hautsa, egurra eta erretxina Ali Baba bazarrean kokaturiko instalazioa, Londres ekialdea, Whitechapel galeriarentzat, 2003

8. ORRIA BEHEAN
Librería Paradox, S.T. (Impression D´Afrique III), 2002
Gresa, Paradox liburudenda, Madril

9. ORRIA GOIAN
Robert Smithson, *Partially Buried Woodshed*, 1970
Kent State University, Kent, Ohio Woodshed and twenty truckloads of earth, 18 × 10 × 45 ft. (5.5 × 3 × 13.7 m)
© Holt/Smithson Foundation, licensed by VAGA at ARS, New York/VG Bild-Kunst, Bonn 2021

9. ORRIA BEHEAN
Walter De Maria, *The Broken Kilometer*, 1979
© Estate of Walter De Maria Photo: Jon Abbott, Dia Art Foundation-en kortesia, New York

10. ORRIA
Walter De Maria, *The New York Earth Room*, 1977
© Estate of Walter De Maria Argazkia: John Cliett, Dia Art Foundation-i esker, New York

16. ORRIA
Entwined III, 2017
Aluminio urtua eta erretxina 230,5 × 384,8 × 7 cm
Marian Goodman Gallery, New York, 2018

17. ORRIA
Nancy Holt, *Sun Tunnels*, 1973-76 Great Basin Desert, Utah Hormigoia, altzairua, lurra
Dimentsioak, guztira: 9 ft. 2-½ in.
× 86 ft. × 53 ft. (2,8 × 26,2 × 16,2 m);
Luzera diagonalean: 26,2 m. Argazkia: Nancy Holt
Dia Art Foundation bilduma Holt/Smithson Fundazioaren laguntzarekin
© Holt/Smithson Foundation and Dia Art Foundation, VAGAren lizentziarekin ARSen, New York/VG Bild-Kunst, Bonn 2021

18. ORRIA
Forgotten Streams, 2017 (Hego mendebaldeko aldea)

20. ORRIA
Forgotten Streams, 2017 (Hego mendebaldeko aldea)

23. ORRIA GOIAN
Forgotten Streams obraren mapen azterketa, 2016
Akuarela, arkatza eta argazkia paper gainean, 49 × 64 cm

22. ORRIA BEHEAN
Londres hiriko mapa, 12, mendea, 2015
Collage-a paper gainean, 30 × 42 cm
Forgotten Streams obraren azterketa (Monotype), 2015
Teknika mistoa zeta gainean, 80 × 110 cm

23. ORRIA BEHEAN EZKERREAN
Zirriborroa, 2016 Tinta, gouache-a, akuarela eta arkatza paper gainean,
21 × 29.5 cm

23. ORRIA BEHEAN ESKUINEAN
Zirriborroa, 2016
Tinta, akuarela eta arkatza paper gainean,
21 × 29.5 cm

24.-25. ORRIAK
Forgotten Streams obraren azterketen ebakin bildumak, 2015
Inprimatutako irudiak, arkatza eta tinta paper gainean,
29.5 × 39 cm

26. ORRIA
erloju orratzen noranzkoan, goiko ezkerraldetik Hego-mendebaldeko aldearen irudikapena (Alfa Arte galdategia, Eibar, Espainia); iparraldeko eta hego-mendebaldeko aldearen irudikapena (Foster + kideak, Londres, Erresuma Batua); Ekialdeko plazaren irudikapena (Foster + kideak, Londres, Erresuma Batua); Ipar-mendebaldeko aldearen irudikapena (Alfa Arte galdategia, Eibar, Espainia)

27. ORRIA
Galdategiko produkzioa
Alfa Arte galdategia, Eibar, Espainia

28.-29. ORRIAK
Forgotten Streams (Ekialdeko aldea), 2017
Brontzea, ura, harria, altzairu herdoilgaitza eta mekanismo hidraulikoa
15.92 × 8.5 × 12 × 16 m

30.-31. ORRIAK
Forgotten Streams (ekialdeko aldea), 2017

32.-33. ORRIAK
Forgotten Streams, 2017 (xehetasuna, ekialdeko aldea)
34.-35. ORRIAK
Zarina Rossheart-en materialaren pantaila argazkien sekuentzia, 2019ko maiatza
36.-37. ORRIAK
Forgotten Streams (Hego-mendebaldeko aldea), 2017
10.1 × 25.6 × 10 × 15.75 m
38.-39. ORRIAK
Forgotten Streams
(iparraldeko eta hego-mendebaldeko aldea), 2017
Brontzea, ura, harria, altzairu herdoilgaitza eta mekanismo hidraulikoa
Iparraldeko putzua: 2.45 × 9.35 × 11.26 × 9.30 m
Hegoaldeko putzua: 10.1 × 25.6 × 10 × 15.75 m
41. ORRIA
Forgotten Streams, (iparraldeko eta hego-mendebaldeko aldea), 2017
azpian
Hego-mendebaldeko aldea, 2017
42.-43. ORRIAK
Forgotten Streams, (Hego-mendebaldeko aldea), 2017
45. ORRIA
Untitled (Vegetation Room VIII), 2002
Brontze hautsa, erretxina
250 × 185 × 220 cm
Instalazioaren ikuspegia, Whitechapel Gallery, Londres, 2003
46. ORRIA
Untitled, 1993
Zementu zuntza, burdina, aluminioa eta tapiza
245 × 365 × 125 cm
Instalazioaren ikuspegia, Centro Botín, Santander
47. ORRIA GOIAN
Untitled, Celosia I, 1996 Egurra, erretxina, brontze hautsa, 260 × 220 × 250 cm
Instalazioaren ikuspegia, Velázquez jauregia, bilduma pribatua
47. ORRIA BEHEAN
Untitled (Impressions D' Afrique III), 2002 Egurra, erretxina eta brontze hautsa, 260 × 520 × 466 cm
Instalazioaren ikuspegia, Serralves Fundazioa, Porto
48. ORRIA GOIAN
Untitled Vegetation Room VIII— Untitled Vegetation Room X, instalazioaren ikuspegia, Whitechapel Gallery, Londres, 2003.
Untitled Vegetation Room X:
250 × 185 × 220 cm
Untitled Vegetation Room VIII: 250 × 185 × 200 cm
48. ORRIA BEHEAN
Untitled Vegetation Room X, 2002 (xehetasuna), brontze hautsa, erretxina
49. ORRIA
Untitled (Tilted Suspended Ceiling), 1997
Burdina, erretxina eta harri hautsa
380 × 915 × 600 cm
Instalazioaren ikuspegia
Whitechapel Gallery, Londres, 2003
53. ORRIA
Forgotten Streams, 2017 (xehetasuna)
56. ORRIA
Passage I, 2002
Espartzua
245 × 900 × 400 cm
Instalazioaren ikuspegia, Serralves Fundazioa, Porto
58. ORRIA
Forgotten Streams, 2017 (xehetasuna)
63. ORRIA GOIAN
Towards the Sound of Wilderness, 2011
Brontze hauts patinatua, poliester erretxin eta altzairu herdoilgaitzarekin.
3.85 × 6 × 4.2 m
Folkestone, Ingalaterra
63. ORRIA BEHEAN
Towards the Sound of Wilderness, 2011 (xehetasuna)
65. ORRIA
Joachim Patinir,
St Jerome in the Wilderness, c. 1520,
Louvre Museoa, Paris
69. ORRIA
Deep Fountain, 1997–2006 (xehetasuna)
Hormigoi polikromatua, erretxina, altzairu herdoilgaitza eta ura
Leopold de Waelplaats, Anberes
70. ORRIA
Arkitektura eta urmael arabiar moriskoa, Nazarien Jauregietako Comares Patioa, Granadako Alhambra, Andaluzia, Espainia
80. ORRIA
Passatge de coure (Kobrezko pasabidea), 2004
Bartzelonako Nazioarteko Konbentzio Zentroa (CCIB)
79. ORRIA
Threshold - Passage, 2006–07
Brontzea, mekanismo hidraulikoa
6 × 8.8 × 3.5 m, instalazio iraunkorra
El Prado Museo Nazionala, Madril
Study, 2003
Tinta inprimatutako argazki gainean
28.8 × 42 cm
65. ORRIA BEHEAN
Study, 2003
Ikatz-ziria eta tinta inprimatutako argazki gainean
30 × 60 cm
81. ORRIA
Passatge de coure, 2004
Txirikordatutako burdina forjatua
150 × 30 m (17 panel: bakoitza 13 × 9 m)
Egiturako testua: J.G. Ballard,
The Drowned World, 1962
82.-83. ORRIAK
Kupula Inklinatu Esekia (Hitzordua Adarrarekin), 2011
Burdina gozo txirikordatua, kableak
39 pantaila: 180 × 120 cm-ko bakoitza
Egiturako testua: Arthur C. Clarke
Iberdrola Bilduma
84. ORRIA
Zirriborroa, 2005
Argazkia, akuarela eta arkatza paper gainean
66 × 51.3 cm
85. ORRIA
Ateak - Pasabidea, 2006–07
Brontzea, mekanismo hidraulikoa
6 × 8.8 × 3.5 m
El Prado Museo Nazionala
Madril
86. ORRIA
Zirriborroa, 2016
Tinta, akuarela eta arkatza paper gainean
22.5 × 30 cm
Desde lo subterráneo (Lurpetik), 2017
Botín zentroa
Santander
87. ORRIA
From the Underground, 2017
Altzairu herdoilgaitza, Pietra Serena harria, mekanismoak eta ura
I. putzua: 6.5 × 4.9 × 4.2 m
II. putzua: 5.9 × 3.9 × 3.9 m
III. putzua: 4.9 × 4.9 × 4.2 m
IV. putzua: 1 × 1 × 1 m
Urmaela: 0.60 × 11.4 × 11.2 × 1.8 × 11.7 m
88. ORRIA GOIAN
Inner Landscape (the Lithosphere, the Roots, the Water), 2020
Zirriborroa, 2019
Tinta, akuarela eta arkatza paper gainean
32.5 × 43.5 cm
Arte Ederren Museoa
Houston
88. ORRIA BEHEAN
Zirriborroa, 2019
Tinta, akuarela eta arkatza paper gainean
21.8 × 32 cm
erloju orratzen noranzkoan, goiko ezkerraldetik
89. ORRIA
Nancy and Rich Kinder Museum eraikina, maketa
Obraren kokapenaren oinplanoa
Nancy and Rich Kinder Museum eraikinaren sarrerako maketaren collage-a
90. ORRIA
Inner Landscape (the Lithosphere, the Roots, the Water), 2020
Brontzea
1.10 × 15 × 10.60 m
Arte Ederren Museoa, Houston

ARTEA/ KULTURA

Kulturaren historia – artxibo, ingurune eta testuinguru gisa; sinesmen sistemen lotura gisa; eta urarena, ikur, erritu eta baliabide gisa.

Tres Aguas, 2014 Toledo

Toledori 'Hiru Kulturen Hiria' esaten zaio. Toledoko probintziako hiriburua K.a. 59. urtean sortu zen, eta, bata bestearen atzetik, erromatarrek, bisigodoek, mairuek, Erromatar Inperio Santuak eta Gaztelako Erresumak gailurrera eraman zuten. 1986an, UNESCOk Gizateriaren Ondare izendatu zuen Toledo.

Tres Aguas eskulturen konstelazio bat da, hiriko hiru leku lotzen dituena. Britania Handiko Artangel arte agentzia publikoak eta El Greco fundazioak enkargatu zuten 2014an. Zenbait urte neramatzan Espainian leku baten bila, ingurune berezi batean natura eta kultura uztartzen ziren leku baten bila. *Tres Aguas* garatzeko, oinarri gisa hartu nituen Toledoko ondare arkitektoniko aberatsa -erromatar, arabiar, judu eta kristau kulturen gainjartzearen emaitza dena- eta hiriaren kokalekua, Tajo ibai emaritsu eta luzearen -Iberiar Penintsulako luzeena- gainean. Ibaia funtsezkoa da, bai hiriarentzat, bai *Tres Aguas*entzat. Ibaiko ura ponpa hidrauliko indartsuek garraiatzen dute Toledoko ezponda aldapatsuetan gora, lurpeko ubideetan barrena, depositu, bainuetxe eta iturrietaraino.

Tres Aguas hiru eskultura diskretuk osatzen dute, eta bakoitza ingurune arkitektoniko zehatz horretarako sortua izan da. Uraren Dorrea antzinako arma fabrika batean dago, Tajo ibaiaren ertzean. Hainbat mendetan, Toledoko ekonomia metalgintzan oinarritu zen, eta, bereziki, ezpatak eta aiztoak ekoizten ziren. XIX. mendeko arma fabrikak behar zuen energia ibaitik lortzen zuten. 'Mudejar' edo morisko estiloan eraikitako arma fabrika horrek, gaur egun utzita dagoenak, ur dorre bat zuen. Dorrea adreiluzko egitura zaharberritu bat da, hiru solairukoa, eta, barruan, hondoan, iturri bat dago, motel betetzen eta husten den putzu bat, eta, hutsik dagoenean, metalurtuzko landare bihurriak gelditzen dira agerian.

*Tres Aguas*en bigarren osagaiak, aldirietatik hiriaren bihotzeraino eramaten du bisitaria, Udaletxeko Plazara. Eskultura Udaletxearen eta gotiko estiloko Andre Mariaren Katedral Primatuaren artean dago. Hogei bider lau metroko putzu angeluzuzen bat da, eta iturri horizontal bat dela ere esan liteke, betetzean ingurua islatzen duena, eta, hustean, sustrai eta hosto nahasien lirdinga agerian uzten duena.

Udaletxeko Plaza leku oso zibikoa da, jendearen topaleku, ezkontzen nahiz bilera politikoen lekuko, eta, horren aldean, *Tres Aguas*en hirugarren osagaia giltzapean dago, komentu bateko gela baten barruan ezkutatuta. Santa Klara Komentua XIV. mendearen erdialdean eraiki zuen María Meléndez izeneko nobleak, eta bertan bizi dira klaratar moja kristauak. Haren barruan dagoen piezak ere putzu horizontal bat du, oinarrian landareak dituena. Morisko estiloko saretak gogorarazten dituen pantaila baten atzean dago. Zurezko pantaila apaindu horiek leihoen gainean jartzen ziren, neurri batean barruan bizi zirenei (eta, bereziki, barruan konfinatuta bizi ziren emakumeei) ikusiak izan gabe kanpora begiratzeko aukera emateko. Hemen, uraren mugimendua arnasketatik eta meditaziotik hurbil dago. Hiru kokalekuetan, eskultura formak arkitekturaren ehunean txertatu dira, harriaren eta metalaren pisua eta egonkortasuna eta uraren jariakortasuna uztartuta. Eskulturen gainazalek altzairu patinadunezko behe-erliebek dituzte, sustrai korapilatuak bailiran, beharbada ibai ohe zaharrekoak. Tres Aguas pixkanaka garatuz doan esperientzia bat da, bisitaria hiru leku horietara joan eta eskultura bakoitzari behatu ahala garatzen dena. Bidaia, Tajo ibaian hasi eta hirian barrena garatzen dena, obraren kontzepzioaren parte da.

Ibaiaren ondoan eta hirian zehar gauzatzen denez, eskultura hedatu baten modukoa da, Toledoren lurpeko gorputza zeharkatzen duen ur sistema bezalaxe. Batzuetan iheskorra, beste batzuetan gogoetatsua, *Tres Aguas* hiriko ehunean eta bisitariaren irudimenean bizitzeko sortuta dago.

Cristina Iglesias

Tres Aguas

Hasteko, azalduko dut zergatik gauden Toledon eta nola sortu zen *Tres Aguas*. Enkargu bidezko lan gehienetan, obra non kokatuko den pentsatzen da hasteko eta behin. Enkargua egiten duen erakundeak, hau galdetzen du: 'Gustatuko litzaizuke zerbait egitea halako lekuan?'. Baina Artangel pauso bat harago joan zen, eta hauxe galdetu zuen: 'Nahi zenukete gurekin proiektu batean lan egin? Eta, hala balitz, non izan liteke interesgarria eta nola egin genezake?'. Beraz, Cristinarekin izan genituen lehen elkarrizketak ez ziren Toledori buruzkoak izan, urari buruzkoak baizik.

Urak naturan duen lekuari buruz hitz egin genuen, nola itsasoaz, hala ibaiaz, bai eta Cristinaren lanari buruz ere, mugitzen den uraren eta Cristinaren eskultura lanetako materialen arteko erlazioari buruz. Urtebetez edo bi urtez hitz egiten jardun ondoren, Toledo interesgarria izan zitekeela iradoki zuen Cristinak. Egun pare bat eman genituen hirian barrena paseatzen, eta hiritik behera jaisteko esperientzia partekatu genuen; hiriaren azpitik Tajori jarraitu genion, mundu gutxi gora-behera galdu horretan, eta, goiko hiriaren eta azpitik doan ibaiaren artean oso harreman txikia zegoela ikusi genuen.

Gogoan dut, halaber, Toledon egin genuen egonaldian prestakuntza esperientzia bat bizi izan genuela. Arratsalde batean, bisita gidatu bat egitera eraman gintuzten. Gidariak estolda baten estalkia altxatu zuen, eta, beherantz begirarazi zigun, hiriko zenbait lekutan oraindik ageri den ur sistema zahar bat ikusteko. Orduan, nagusiki ezkutuan dagoen egitura horrek nolabait hiriaren egituraren parte izaten jarraitzen zuela konturatu ginen, Toledo hemen egotea eta hiri gisa eraiki izatea ahalbidetu zuen egitura horrek bertan jarraitzen zuela. Gidariak gogorarazi zigun hirian hainbat erlijiotako jendea bizi izan zela, eta haietako bakoitzak ura nola erabiltzen zuen azaldu zigun. Eta orduan, hiriko ur sistema eta ibaia uztar zitzakeen proiektu bat abiatzeko aukeraz hitz egiten hasi ginen.

James Lingwood

Luis Fernández-Galiano
Ur ilunak: Ophelia Toledon

Toledoko kulturen askotarikotasunaz hitz egiteko eskatu zidatenean –artisten patroia den San Lukasen elizaren aurrean–, kontuan hartuta Erdi Aroan musulmanak, juduak eta kristauak elkarrekin bizi izan zirela hirian, *Tres Aguas* hiru kultura horiekin erlazionatzen saiatu nintzen. Lanari ekiteko, *The Ornament of the World* irakurri nuen berriro, oso gogoan dudan Maria Rosa Menocal lagun handiarena, bai eta Peter Coleren *The Dream of the Poem* ere, Espainia musulmaneko eta kristauko poema sorta bat; tolerantziari buruzko lanak dira biak, nik bezalaxe Yaleko Unibertsitateko Whitney Humanities Centerrekin lotura izandako adituenak, eta Cristina Iglesiasen lana klabe horretan interpretatzeko asmoarekin irakurri nituen berriro. Hala ere, huts egin nuen *Tres Aguas*en sustraiak Toledoren Erdi Aroko historian bilatzean, funtsean lan unibertsala delako, eta huts egin nuen ere tolerantziaren aldeko alegatu argitsu moduan aurkeztean, orain kutsu ilun samarrak ere sumatzen baitizkiot. Beraz, bi ibilbidetan barrena interpretatzea proposatzen dut: bata argirantz igotzen dena –lan honetan aztertzen den bidea, Uraren Dorretik Santa Klara Komenturaino eta Udaletxeko Plazaraino–, eta bestea, alderantzizko bidea, iluntasunerantz jaisten dena.

Ibilbide konbentzionalak Uraren Dorrea du abiapuntu, Toledoko antzinako arma fabrika batean, Tajo ibaian epeltzen zituzten ezpaten ekoizpenagatik ospetsu egin zen hiri honetan. Uraren Dorrean dagoen putzu ilunean, uraren ziklo osoa minutu gutxitan konprimitzen da, eta Toledon urak zuen garrantzia gogorarazten digu; izan ere, ura ibaitik ekarri behar izaten zen zenbait gailuren bidez, hala nola Juaneloren Artifizioa –Juanelo Cremonako ingeniari eta matematikari bat izan zen, Karlos V.arentzat lan egin zuena, eta Toledon 'hombre de palo' (egurrezko gizona) deritzon mekanismoa ere eraiki zuen, robot edo golem hebrear moduko bat, oinezkoei keinuak egin eta eskerrak ematen zizkiena haiek txanponak ematen zizkiotenean.

Bertatik, kaleen labirinto batean barrena, mudejar estiloko Santa Klara Komenturaino irits daiteke, eta, han, iturri edo putzu bat dago, ispilu introspektibo bat, etxeko goxotasunaren espazioa. Bertan, *hortus conclusus* (lorategi itxi) batean bageunde bezala, uraren arnasketa sumatu dezakegu, Iglesiasen sareta bereizgarriak indartuta, islamiar apaingarriei erreferentzia eginez, Erdi Aroko Espainiarekin eta musulmanarekin lotura estua duen *mashrabiya* gogoraraziz.

Gure ibilbideko hurrengo lana, azkena, Katedralaren aurrean eta Udaletxetik gertu dagoen iturria da. Komentuko intimitatearekin alderatuta, oso espazio publikoa eta zibikoa da, eta azpian dagoena iradokitzen duen orbain arkeologiko baten forma du; izan ere, behar adina sakonduz gero, azkenean beti aurkitzen dugu ura. Hemen, sustraiak eta hostoak konbinatzen dira, nolabait sakoneratik azaleratzen den natura ustela, eta Iglesiasen beste putzu batzuen izaera mehatxagarria gogorarazten digu –oso ezagunak dira Anbereskoa, Robbrecht & Daemekin egina, eta Londreskoa, Norman Fosterrekin egina.

Bigarren ibilbidea, argitik iluntasunera jaisten dena, film baten gidoi gisa erabil dadin proposatzen dut; ez dokumental soil bat balitz bezala, baizik eta Iglesiasen lanaren izaera unibertsala adierazteko moduan. Izan ere, artelan unibertsal bat erabiliko dut gida moduan, Shakespeareren *Hamlet*; horrela, ibilbide historikoaren ordez antzezlan bat izango dugu, eta kokapen zehatzeko obra bati esanahi unibertsala emango diogu. *Hamlet* Shakespeareren lanik luzeena da, oso gutxitan antzeztu izan dena osorik, eta, beraz, Ofeliaren azpi-trama hautatu genezake, zeinaren funtsa III. eta IV. ekitaldietan biltzen den; horrela, gure filmak sei pertsonaia izango lituzke: Hamlet, Ofelia, Polonio, Gertrudis, Klaudio eta Laertes.

Hamletek III.1 ekitaldian (44-162) egiten duen maitasun eta ezkontza promesaren eszenatoki gisa Udaletxeko Plaza erabil genezake, non iturriko uretan katedrala islatzen den, eta Udaletxeak izaera zibikoa ematen duen; izan ere, Ofelia arma politiko gisa erabilia da, eta, beraz, egokia dirudi eszenatokia publikoa izatea. Jakina denez, aita Poloniok oparitu dion liburu batekin sartzen da Ofelia, eta 'Hitzak, hitzak, hitzak' esan eta Hamleten bakarrizketaren ondoren –non 'Izan ala ez izan' Ofeliarekin duen harremanari buruz ere baden–, 'Maite izan zintudan behin, ez zintudan maite izan' eta 'Zoaz komentu batera' lerroak datoz.

Eta komentu batera joango ginateke, Santa Klara Komentura, bigarren eszenarako. Bertan, saretak gortina gisa erabil litezke, Polonio atzean ezkutatzeko, eta Klaudio erregeak hil egingo luke, nor den jakin gabe. Polonioren hilketaren ostean, Ofelia nahastuta ikusiko genuke, abesti lizunak abesten, eta oinak putzuko ur ustelduan sartuta loreak eskaintzen, adartxoz eta sustraiz inguratuta, Hamleten IV.5 ekitalditik (11-97 eta 116-200) atera daitekeen testuarekin.

Hirugarren eszena, jakina, Uraren Dorrean gertatuko litzateke; bertan, Gertrudis erreginak Ofeliaren anaia Laertesi esaten dio arreba ito egin dela, 'erreka ondoko sahats batetik erorita', eta Ofelia uretan flotatzen irudikatu dezakegu, haren heriotza lohitsurantz doala, IV.7 ekitaldiari (162-95) jarraituz. Ez dakit Laertesek bere arrebaren laudorio ederra egiten duen eszena sartu beharko genukeen –V.1 ekitaldikoa (213-39)–: 'Jar ezazue lurrean, eta haren haragi eder eta garbitik bioletak jaio daitezele!'. Izan ere, horretarako beste eszenatoki bat beharko genuke, eta, beraz, uste dut IV. ekitaldian amaitu genezakeela, Laertesek esandakoarekin: 'Ur gehiegi duzu, Ofelia gaixoa, eta horregatik debekatzen ditut nire malkoak'. Tamalez, erreginaren esaldia falta da, V. ekitaldikoa: 'Gozoa gozotasunera! Agur.' Hitz horiekin agurtzen du Gertrudisek Ofelia, hilotzaren gainean loreak jartzen dituen bitartean, eta, ni ere, hitz horiekin agurtuko naiz gaur.

Eztabaida

Luis Fernández-Galiano Nire proposamena izan zen ibilbidea alderantziz egitea, goitik hasi eta beherantz. Cristina bera argitsua den arren, obra oso ilun baten egile gisa aurkeztu nahi nuen, eta adierazi nahi nuen bere obraren punturik onena ilunena dela; Uraren Dorrea, alegia. Nire ustez, Uraren Dorrea hiru obretan harrigarriena da, gainerakoetatik gehien desberdintzen dena. Jakina, denok gozatzen dugu plazez, baina beste plaza batzuk ikusi izan ditugu Cristinaren bidez, eta, noski, baita komentua ere, hainbat museotan eta galeriatan erakutsi duen putzu hori, baina, Uraren Dorrera joaten zarenean, berezia den zerbait aurkitzen duzu, gainerakoak baino sakonagoa eta ilunagoa dena. Horregatik proposatu dut beste ibilbide bat, goitik beherakoa, argirantz igo beharrean iluntasunera jaisten dena.

Farshid Moussavi Eskerrik asko, Luis, Cristinaren lanaz duzun ikuspegi poetikoa azaltzeagatik. Erabili duzun terminologiaren parte bat hartu eta agian modu apur bat desberdinean erabil genezakeela pentsatzen ari naiz. 'Unibertsal' hitza erabili duzu. Eta uste dut obra batean arkitekturaren eta artearen arteko harreman soila baino zerbait gehiago egon daitekeela, agian. Hiriko paisaia ikusteko modu berri bat ematen digu. Uste duzu Cristinaren lana paisaiaren arkitektura gisa ikus dezakegula? Edo, agian, esan genezake 'paisaiaren konstruktibismoa' egiten duela? Zeina, aldi berean, arkitekturarako esparru den?

LFG Nire mezu nagusia izan zen Cristinaren lana ez dela Toledorena bakarrik, mundu osoarena baizik: unibertsala dela. Jakina, pentsa daiteke *Hamlet, Danimarkako Printzea* Toledora ekartzea probokazio bat dela, Ofelia Toledora ekartzea bitxikeria bat dela, baina, nolabait, Toledoko ondare arkitektonikoaren eta kulturalaren berrinterpretazio batetik harago doan zerbait dela azpimarratzeko modu bat izan zen. Cristinak hau esan izan du: 'Objektuak egiten ditudanean, lekuak sortzen saiatzen naiz'. Lekuak sortzea arkitekturaren eta paisaiaren sintesian sartzeko modu bat da, zalantzarik gabe.

Cristina Iglesias Memoriaz ere hitz egiten du, lekuaren memoriaz.

Iwona Blazwick Uste dut interesgarria dela antzerkia aipatzea, Hamleti egin diozun erreferentziaren bidez; izan ere, Cristinaren eskulturaren alderdirik berezienetako bat da ekintzan oinarritzen dela, eta, beraz, drama duela. Bestalde, krisi existentzial moduko hori ere aipatu duzu, zikloan funtzionatzen duena. Dorrean, ura joan egiten da, baina baita itzuli ere; esan liteke prebarikazio moduko bat dela, Hamleten antzera. Nik ere uste dut malenkonia edo tragedia sentsazio bat dagoela, baina, hala ere, itzultzen denez, bizigarria ere bada. Dena den, obra honen esperientziaren amaiera iluna dela diozu, eta horretan ez nator bat zurekin. Dorreko obrak karga emozional positiboa du. Dorreko putzua lehenik hustu egin zen, baina, berriro bete zenean, isiltasun osoan begira egon zen jendea txaloka hasi zen. Elementu katartiko bat da.

CI Luisek iradoki zuen *Tres Aguas* pelikula bat edo antzezlan bat egiteko eremua ere izan zitekeela, agian edozein artelan bezala, eta hori asko gustatu zitzaidan. Nire ustez, artelan bat beste ideia batzuk, beste artelan batzuk eta beste hizkuntza batzuk aktibatzeko eremua izan daiteke. Oso pozik nago, nire obrarekin lotuta *Hamlet* erabili duzun eragatik. Ez dago piezak aurkitzeko modu bakar bat; bide ezberdinak daude. Asko plataformara joan daitezke *Tres Aguas* existitzen dela jakin gabe, eta pieza hori ikustean, gero beste biak aurkitu ditzakete. Era berean, atsegin dut nire lanak elkarren artean komunikatzen direla pentsatzea, ura haien artean isurtzen dela pentsatzea; eta komunikazioa, *Tres Aguas*en hiru piezen artean ez ezik, hemengo plazaren eta Anberesen artean ere gertatzen dela. Eta agian, egunen batean, New Yorken agertuko da besteren bat, edo auskalo non. Baina, aldi berean, zaila da konparatzea, oso baldintza desberdinetan eraikiak izan direlako. Niretzat onena litzateke inolako mugarik ez izatea esku hartze publiko bat egitean, baina, jakina, leku bakoitza desberdina da eta baldintzak beti dira desberdinak.

Michael Newman Luis, izugarri gustatu zitzaidan obra film gisa deskribatzea, eta zinema ere agertu zen Londresen izan genituen hizketaldietan. Film ezberdin bat zen -Tarkovsky, hiru ur eremurekin erlazionatuta, gainbeheraren nahiz eraldaketaren adierazgarri. Michel Serresen *Origin of Geometry* liburu zoragarriko istorio bat gogorarazten dit. Geometria, neurri batean, antzinako matematikari egiptoarrek sortu zuten; Nilok gainezka egin zuenean eta soroen muga guztiak desagertu zirenean, geometria erabili zuten helburu fiskalekin mugak berrezartzeko. Historian ikusten da oposizio produktibo bat dagoela, ezarritako mugak mehatxatzen dituen disoluzioaren eta ordena berrezartzeko sortutako geometriaren artean. Eta horrek Londresko piezaren paretak ekartzen dizkit gogora; bertan, ispiluak dauden pareten oinarrian, eta badirudi nolabaiteko sustrai usteldu horiek mugagabeki jarraitzen dutela, mugak sortzeko ahaleginaren azpitik. Disoluzioaren iluntasuna beti dago hor, gure azpian, zoru moduko bat bailitzan.

LFG Hori da gehien gustatzen zaidana.

MN Bai, baina esan nahi dudana da ez dela erabat iluna. Sortu ere egiten du. Beraz, agian eraldaketen dimentsio sortzailea nabarmenduko nuke nik. Usteltzen den zerbait -gorpu bat, hostoak, dena delakoa- emankorra da aldi berean.

LFG Bizia sortzen du?

MN Bai, bizi berria sortzen du. Sortzearen ideia hori, duela urte asko Cristinaren lanari buruz hitz egitean aipatu nuena, guztiz koherentea da obra osoan. Baina sortze hori apur bat desberdina da, materia hasiberriaren gainean formak ezartzearekin alderatuta. Nire ustez, ez da arkitekturaren historiaren atzean dagoen ontologia hilomorfikoa bezalakoa. Kontua ez da arkitektoak forma definituak sortzea, formarik ez duenari ordena ezartzeko eta hura kontrolatzeko modu gisa. Nire ustez, Cristinaren sortzeko era bestelakoa da, benetan garrantzitsua, eta ez erabat iluna.

CI Iluntasuna ere sortzailea izan daiteke.

MN Bai horixe.

Richard Noble
Elkarbizitza: Arte Publikoa, Tolerantzia eta Historia

Biologiaren ikuspuntutik, bistakoa da ura bizitzaren iturria eta bizitza garatzeko beharrezko baldintza dela; urik gabe ezingo genuke eboluzionatu, eta urik gabe bizitzak ezin du iraun. Ur baliabideak urriak izanez gero, ezinezkoak lirateke giza bizitzaren ezaugarri bereizgarriak, bereziki komunitate zibilenak eta horien euskarri den lanaren banaketa. Karl Wittfogelek *Oriental Despotism, A Comparative Study of Total Power* berebizikoan adierazi zuenez, Egiptoko, Pertsiako eta Txinako dinastia handiak ibaiak ureztatze eta garraio helburuekin kontrolatzeari esker garatu ziren. Dinastia horiei despotismo hidrauliko deitu zien, argudiatuz ureztatze sistema konplexuei eusteko sistema burokratikoek estatu egitura oso konplexuak behar zituztela, eta horiek aberatsak, egonkorrak eta despotikoak bihurtzen zirela.[11] Jarraian, eredu hori Sobietar Batasunari aplikatu zion, polemika eraginez. Toledo ez zen inoiz ekialdeko despotismo bihurtu Wittfogelen ikuspegitik, baizik eta hiri edo 'municipium' bihurtu zen erromatarren mende, Tajo ibaitik ura ponpatzeko teknologia garatu zutelako, erromatar hiri baten bizi mailari eusteko ur sistema bat garatzeko asmoz.[2]

Nolabait, uraren presentzia eta kudeaketa giza komunitateen oinarri izan ohi dira, eta hori ez da salbuespena Toledo hiriaren historian. Hala ere, gure egunerokotasunean oso gutxitan pentsatzen dugu gure existentzia biologikoaren eta sozialaren oinarri hidraulikoan. *Tres Aguas*, Cristina Iglesiasen hiru zatiko eskultura publiko ikusgarri hau, bi egia sublimatu horien adierazpena da. *Tres Aguas* osatzen duten hiru iturriek hiriaren eta bere historiaren alderdi garrantzitsuak islatzen dituzte, modu ezberdinean. Haien kokalekuak - komentu zahar bat, hiri erdian dagoen plaza eta Toledoko altzairu ospetsua forjatzen zuten arma fabrika- Toledoren iragan konplexuaren elementu garrantzitsuekin lotuta daude. Urak, lan horietako bakoitzean, kasuan kasuko testuinguruaren historia islatzen du modu espezifikoan. Adibidez, Udaletxeko Plazako iturriko urak hitzez hitz islatzen du testuinguru hori. Eskulturaren gainazalak Toledoren garapen espiritualaren eta historikoaren erregistro arkitektoniko bat islatzen du: katedral izan aurretik meskita izan zen eraikina, eta, seguruenik, meskita izan aurretik eliza izan zena. Uraren Dorrean, alabastrozko leihoetatik sartzen den argiari esker, arma fabrikaren arkitektura hondoko putzuaren gainazalean islatzen da, eta iturriaren dramatismoa eraikinaren historia zehatzean kokatzen da. Santa Klara Komentuan, bionbo eta leiho saretadunak iturriaren gainazalean islatzen dira; eta argiaren eta gure gorputzen mugimenduak, obran barrena, klausurako komentuaren historia ekartzen dute gogora isiltasunean.

Hiru lanetan, ura etengabe mugitzen da, astiro bada ere, eta putzuak behin eta berriz betetzen eta xukatzen dira, berritze ziklo etengabe batean. Gainazal lau eta mugiezinak obren testuinguru arkitektonikoa eta historikoa islatzen du, baina, gero, ura joaten denean, agerian gelditzen dira sustrai, hosto eta landare korapilatuen masa fantastiko bat, gure gizarte eraikuntzen eremu naturala, eta, beharbada, haien denbora mugak. Jakina, hori ere eraikuntza bat da. Natura hurbil dugula gogorarazten zaigu, eta, nolabait, gure gizarteak ingurune naturalari gailentzen zaizkiola, baina, aldi berean, haren mende daudela, baina mendekotasun hori aintzat hartu gabe. Anbiguotasun hori *Tres Aguas*ek artelan publiko gisa duen indarraren parte da, gure biziraupenarekin eta loraldiarekin zerikusia duten hainbat gairi buruz hausnartzera gonbidatzen baitu. Gure eraikuntza zibikoen eremu naturalaz, naturak eta kulturak eraikuntza horien barruan duten harremanaz, hiriko ingurune eraikiaz, edo gure existentzia komunaren historiaz, hiri jakin batean, eta baita hiri guztietan ere, modu orokorragoan. Eta, jakina, gai horiek guztiak mahai gainean jartzean, gure etorkizuna irudikatzeko moduan zer garrantzi duten pentsarazten digu lanak.

Hori egiteko modu on bat da denbora esparru independente bat ezartzea. Obraren iterazio edo une bakoitzak bere erritmo ziklikoa du, estasiarena, gainbeherarena eta berritzearena. Une jakin batean, hiru obren erdian dauden putzuak betetzen dituen ura geldirik dago. Ondoren, pixkanaka-pixkanaka drainatu egiten da, eta, amaiera katartiko edo absentzia baten ostean, pixkanaka, putzuak berriro betetzen dira. Esan genezake obra bakoitzak bere bizi zikloa duela; bere denbora autonomoa, dagoen testuingurutik bereizten duena. Denbora ziklikoa da, ohituta gaudena baino motelagoa; etengabe bere baitara itzultzen den esparrua da, eta, beraz, ez da erraz integratzen gaur egun bizi garen denbora esparru linealetan eta instrumentaletan. *Tres Aguas*en eraikuntza formalak denboraren kontzepzio propioa du eta liluratu egiten gaitu. Obraren logika formalaren alderdi horretara erakartzen gaituenean, orainean eten bat egin eta hausnarketarako espazio bat sortzen du. Lan hauetara hurbiltzean, banaka edo taldean, ohi baino denbora gehiago hartu behar dugu; denboraren esperientzia antzina egiten zen moduan bizi behar dugu, helburuei horrenbeste erreparatu gabe. Espazioa ikusi, entzun, usaindu, bizi behar dugu, uraren bizi zikloa astiro-astiro errepikatzen den bitartean. Behin-behineko eten sotil horrek, obrek harrapatzen gaituztenean ia sumatu ere egiten ez denak, espazio zibikoaren ideal errepublikar zahar bat gogorarazten digu, non hiriko plazak eta espazio komunak, merkataritza eremuak izateaz gain, eztabaidarako eta hausnarketarako lekuak ere baziren.

*Tres Aguas*ek hausnarketarako gonbidapena egiten digu; pentsarazten digu gure hirietan naturak eta kulturak duten harreman dinamikoan, askotan ahantzia, eta pentsarazten digu gure jatorri biologikoarekiko zein sozialarekiko distantzia eta alienazio sentsazioan, arte publikoak hiriaren gure bizipena eta ulermena taxutzeko duen aukeran.

Arte publikoa den aldetik, esan liteke *Tres Aguas*ek Toledoren kolonizazio irudimentsua aktibatzen duela. Obrak benetan behar duena da ikuslea bidaia batean murgiltzea, hirian barrena. Obra ongi ulertzeko, hiria oinez zeharkatu behar da, bertako kaleetan barrena, hiria posible egin duen ibai handian zehar; antzinako sistema hidraulikoak bisitatu behar dira, baita antzinako arma fabrika ere, eta berriro Tajo ibaira itzuli eta kale estuetan gora igo. Hori egiten dugunean, hiriaren historia, bertako arkitekturan eta ingeniaritza hidraulikoan erregistratuta dagoenez, obraren parte bihurtzen da; komentu zaharraren intimitatea, lehen meskita izan zen katedralaren handitasuna, arma fabrikaren eraldaketa dramatikoa eta ibaitik erdigunerako itzulerako bidean dagoen Itzultzaile Eskola zaharra. *Tres Aguas* bere osotasunean bizitzeko beharrezkoak diren ibilbideek Toledoko *convencencia*ren historian zeharreko ibilbide bat osatzen dute; hiru erlijio monoteista handien eta haien kulturen Goi Erdi Aroko aztarna arkitektonikoak nolabaiteko tolerantzia komunitario batean, Rosa María Menocalek 'The Ornament of the World' deitu duena, polemika eraginez.[3]

Eta iruditzen zait era horretan ere *Tres Aguas*en logika formalak obraren izaera publikoa finkatzea lortzen duela. Hiru zatiko obra honekin erabat konprometitzen bagara, hiriaren historia paregabearekin eta horrek orainean guretzat duen esanahiarekin konprometituko gara. Monumentu arkitektoniko horiek 'kolonizatuz', nolabaiteko elkarrizketa bat sortzen da eskultura garaikideko obra baten eta Toledoko historiaren hondakin materiala eta bisuala osatzen duten bizi pilaketa geldoen artean. Eta alde horretatik, Iglesiasek Anberesen eta berrikiago Londresen egin dituen artelan publikoetatik desberdina dela iruditzen zait.

*Forgotten Streams*ek hiru putzu ditu, baina *Tres Aguas*en ez bezala, putzuak elkarrengandik hurbil eta eraikin berri baten inguruan daude. Lekuaren iraganera ekartzen digute gogora, Walbrook ibaia eta ibaian zehar ezarri zen erromatar kokalekua, baina, Londres hiriko arkitektura guztiz berrituan hiriaren historiaren zentzu gutxi dago. *Forgotten Streams*en, urak gogora ekartzen du kapitalismo neurrigabearen eskakizunen pean etengabe berregiten den hiri batean ingurumen lurzorua galdu edo ikusezintasun bihurtzen dela. Baina *Tres Aguas* desberdina da. *Tres Aguas*ek Toledoko arkitekturan irudikatuta dagoen iraganeko immanentzia erabiltzen du espazio publikoa bestelako era batean bizitzeko. Hirien historiaren urruneko esanahiaz hausnartzeko eskatzen digu, hiriak orainean bizitzeko. Toledoko Erdi Aroko arkitekturan oso azaletik islatutako bizimoduei erreparatuta, hiri espazioan askotariko kulturak eta erlijioak batera existi daitezkeela ikus dezakegu.

*Tres Aguas*en, Toledoko bizitza materiala eta kulturala elikatzen duten hainbat urek edo korrontek bat egiten dute. Eta horrek metaforikoki islatzen du Toledon bat egiten dutela 700 urteko tarte batean sortu ziren kultura eta erlijio tradizioek, VIII. mendearen hasieran Al-Andalus ezarri zenetik XIV. mendearen amaierara bitarte sortu ziren tradizioek. Toledo gune politiko eta kultural garrantzitsua izan zen Al-Andaluseko dinastia ezberdinen agindupean. 1085ean Gaztelako Alfontso VI.a erregeak Toledo berriro konkistatu zuenean, erresuma eta hiri estatu garrantzitsua izaten jarraitu zuen Iberiako lurretan, XV. mendean Espainiako gortea Madrilera joan zen arte. Garai hartan, Toledo estrategikoki eta kulturalki garrantzitsua zen, eta horren arrazoietako bat da bertan kultura monoteistek bat egiten zutela. Ezarritako komunitate islamiar, judu eta kristauek ('liburuko herriek', termino islamikoetan) bat egin zutenean, eta, bat egite horren barruan, arabieraz hitz egiten zuten kristau islamizatuen kultura mozarabiarra garatu zenean, Espainian eta mundu osoan garrantzi handia duen ondare intelektual, artistiko eta arkitektoniko bat sortu zen. Gainera, ondare horrek eragin nabarmena izan zuen mendebaldeko pentsamenduaren garapenean, Aristotelesek arabieratik latinera egindako itzulpenen, iruzkin filosofikoen, teologia kristauaren, matematikaren, psikologiaren eta beste gai askoren bidez. Toledo bat egite handi horren gune nagusietako bat izan zen, batzuetan elkarbizitza deitzen zaiona, eta sortutako ondarea bereziki islatuta dago arkitekturan.

The Ornament of the World liburuan, Toledoko San Roman elizan jartzen du arreta Maria Menocalek; eliza hori artisau mudejar batek (kristauen mende bizi ziren musulmanak) eraiki zuen, XII. mendean, printze kristau batentzat.[3] Garai horretan Espainian zeuden eliza askotan bezala, hainbat estilo arkitektoniko eta dekorazio uztartzen ditu, erromanikoa, islamiarra eta mudejarra.

Menocalek zenbait ferra arku aipatzen ditu, dobela gorri eta zuriekin, eta Kordobako meskita handia gogorarazten dute. Markoa dute eta apainduta daude latinezko inskripzioekin eta santuen irudiekin. Ferra arkuen gainetik, barruko leihoak daude, idazkiekin apainduta, baina idazkera arabiarrean, edo, zehatzago esanda, idazkera arabiarraren imitazio batekin, eta, Menocalek dioen bezala, arraro samarra da. Haren esanetan, beste jainko baten hizkuntzaren oroitzapen sinboliko moduko bat da. Menocalek elkarrekin bizi ziren hiru kulturen ondarea ikusten du eliza horretan eta apaindura arkitektoniko mota horretan. Eta hori argi ikusten da ere sakratuak ez diren eraikinetan. Arma fabrikatik bueltan gatozela, Erdi Aroko eraikin bat dago, Toledoko Itzultzaile Eskola ospetsuarena. Erakunde oso garrantzitsua izan zen Erdi Aroko Espainian. XI. mendean Toledo kristauen mende geratu ondoren sortu zen Itzultzaile Eskola, eta Europako historiako zentro intelektual garrantzitsuenetako bat izan zen Toledoko errege-erreginen eta gotzainen laguntzarekin.

Bertan, judu eta arabiar adituek batez ere testu arabiarrak itzultzen zituzten, era berean Aristoteles, Galeno eta Greziako beste filosofo batzuen itzulpenak zirenak; lehenik erdal hizkuntzara itzultzen zituzten, eta gero latinera. XI. mendetik XIV. mendera arte, gutxi gorabehera, kristauen mende zeuden aditu musulmanek eta juduek kultura intelektual aberatsa garatu zuten, erlijio eta hizkuntza askotarikotasunean oinarrituta, eta, besteak beste, Aristotelesen interpretazio berri bat egin zuen Ibn Rushd aditu arabiarrak (edo Averroes-ek, kristauek esaten zioten moduan), eta Europako kultura intelektuala eraldatu zuen. Menocalen liburu lirikoaren arabera, horixe da elkarbizitzaren ondare intelektual, artistiko eta arkitektoniko aberatsa; nolabaiteko tolerantzian eta elkar onartuz bizi ziren hiru kulturen ondarea. Baina, azkenean, elkarbizitza hori hautsi egin zen Fernandok eta Isabelek Espainia kristautzeko helburuarekin egindako birkonkista kanpainen fanatismo oldarkorraren eta monokulturalaren pean.

Granadako almohaden 1492ko porrotaren ostean, Espainiako musulmanen eta juduaren erailketak gertatu ziren eta/edo bortxaz bihurtu behar izan zuten, eta, kanpaina hura ankerra eta eraginkorra izan zen, halako eran, non, oraindik ere harridura eragiten duen.

Menocalek islatzen duen kontraste hori, XV. mendea baino lehenagoko Toledo tolerante, multikonfesional eta kulturaniztunaren eta Fernandok eta Isabelek ezarritako uniformetasun kulturalaren eta erlijiosoaren artekoa, sinplistegia da argudio historiko gisa hartzeko. Baina, hala ere, ezin da ukatu kulturen bat egite horrek ondare intelektual eta kultural harrigarria utzi digula; eta gaur egungo Toledok ondare hori gorpuzten du. *Tres Aguas*ek Toledoko ondare arkitektonikoaren edertasuna islatzen du eta espazio publiko irekiak eta potentzialki diskurtsiboak suspertzen ditu, eta, hori egitean, bat egite haren elementu positiboenak aldarrikatzen ditu. Etorkizunari begira nolabaiteko itxaropena izan dezakegula ere adierazten digu, Toledoren iraganean inplizituki dagoen itxaropen hori, nahiz eta ikuspegi hori erabat berretsi gabe egon ebidentzia historikoen bidez.[4]

Fernández-Moreraren argudioa da elkarbizitza mito bat dela, eta liberalek mito hori erabili nahi dutela askotarikotasunak eta berdintasunak mundu garaikidean dituzten onurez duten ikuspuntua justifikatzeko. Adierazten duenez, Al-Andalusen eta Gaztelako haren lehen ondorengoen erlijio eta kultura tradizioen bat egite pluralista eta tolerantearen eta Fernandoren eta Isabelen katolizismo intolerantearen arteko kontrastean gorpuztutako herri adostasuna ez da argudio historiko bat, iraganaren eraikuntza utopiko bat baizik. Ikuspegi utopiko guztiek bezala, geure buruaz hitz egiten digu eta nola izan nahiko genukeen azaltzen digu, iraganaz edo etorkizunaz hitz egin baino gehiago. Horrenbestez, arkitekturari, bizimodu intelektualari zein arteri erreparatuta, elkarbizitzaren lorpenen destilaziotik kultura horren alderik onena eta haren askotarikotasun eta dinamismo intelektuala ateratzen da, nolabait. Hiru kultura tradizio desberdin, desberdin janzten ziren pertsonak, desberdin jaten zutenak, elkarren artean oso gutxitan ezkontzen zirenak eta, oro har, gainerakoen erlijioak heresia zirela uste zutenak, Erdi Aroko Toledoko edo edozein hiritako baldintza zorrotzetan nolabaiteko harmonian bizi ahal izatea nahiko harrigarria da. Jakina, ezin izango zuten hori lortu esplotaziorik, bidegabekeriarik eta indarkeriarik gabe, baina, aldi berean, utzi zuten ondareak garrantzi unibertsala du gizakientzat, nahiz eta helburu bat besterik ez izan.

*Tres Aguas*en izaera publikoak neurri batean zerikusia du aukera hori gogora ekartzeko duen moduarekin, izan ere, Toledoko arkitekturaren edertasunak benetan duen esanahiaren kontzientzia areagotzen du, eta, nolabait, zer testuinguru sozialetik eta intelektualetik datorren adierazten digu. Erraza da Toledoko kaleetan barrena paseatzean Erdi Aroko arkitekturaren edertasun bitxiarekin txundituta gelditzea, eta, aldi berean, ontzat ematea hori Europa mendebaldeko kulturaren gailentasunaren beste monumentu bat dela. Baina *Tres Aguas*ek ikuspegi konplexuago bat proposatzen du, sotilki, eta agerian jartzen du mendebaldeko kontzepzioa baino askoz lehenagokoa den tolerantzia erlijiosoaren eta kulturalaren nozio bat, komunitate desberdinak elkarrekin bizitzeko modu oso desberdin batean oinarrituta. Nozio hori, alegia, tradizio eta sinesmen oso desberdinak dituzten komunitate erlijioso eta kultural autonomoak gizarte zibil berean elkarrekin bizi daitezkeela, oso garrantzitsua da oraindik ere Espainiako eta mendebaldeko beste estatu batzuetako gutxiengo etniko eta erlijioso askorentzat. Tolerantziaren edo kulturaniztasunaren mendebaldeko nozioak baino askoz garrantzitsuagoa, nozio horiek norbanakoen eskubideetan eta legearen aurreko berdintasunean oinarritzen baitira. Tolerantziaren ideia hori mendebaldeko mundu modernora egokitzea zaila da, komunitatearen balio erlijiosoak eta kulturalak gizabanakoaren eskubideen gainetik nabarmentzen dituelako eta berdintasunaren mendebaldeko nozio liberalera (edo sozialistara) egokitu ezin diren bizimoduak aitortzea eta errespetatzea eskatzen duelako.

Esan beharrik ere ez dago *Tres Aguas*ek ezin dituela inolaz ere argitu gai konplexu horien inguruko enigmak. Artelan publiko gisa lortu duen arrakasta, neurri batean, ezaguna zaiguna berriz aztertzeko aitzakia bat eman digulako izan da; ez dadin izan horren ezaguna, horren kontsolagarria, eta interesgarriagoa eta konplexuagoa izan dadin. Toledoko ondare arkitektonikoa eta estetikoa arrazoi osoz ospatzen da *Tres Aguas*en. Eta obra honen bidez esperimentatuta, elkarbizitzaren ondare loriatsua baino gehiago, ondare horrek utzi dizkigun kontraesanak islatzen dira.

(Oharrak 155. orrian)

Eztabaida

Michael Newman Eskerrik asko, Richard, aurkezpen aberats bat egin izateagatik. Hiru alderditan jarri nahi nuke arreta, eta, agian, horietako bakoitzari buruz galdera bat egin. Lehenengo alderdia denbora da. Obra honetan, denbora gutxienez hiru ikuspegitatik hartzen da. Denbora zikliko bat dago, betetzearena eta hustearena, eta ziklo naturalekin lotuta dago, baina baita beste ziklo batzuekin ere. Bestalde, geruzen denbora arkitektonikoa dago: artelana iraganarekin zerikusia duen esku hartze bat da, eta hori, *Tres Aguas*en ez ezik, *Forgotten Streams*en ere argi eta garbi ikusten da. Azkenik, denbora lineala dago, aurrerabidearen, produkzioaren eta teknologiaren denbora, eta obrak aurka egiten dio horri.

Atzo deigarria egin zitzaidan jendeak modu desberdinean hitz egiten eta jokatzen zuela artelanaren zati bakoitzean. Dorrean, askotan aipatu zen metalezko pieza handi eta bakar hau ekartzea eta garabiaz hondoan jartzea balentria handia izan zela. Plazan, inguruez eta Toledoko historiaz mintzatu ginen. Eta gero, Santa Klaran, denak isildu egin ziren, eta, baten batek hitz egiten bazuen, xuxurlatuz egiten zuen. Zergatik xuxurlatzen zuen jendeak? Oso interesgarria izan zen, kontenplaziorako espazio horren testuinguruan. Horrek guztiak aditzera ematen dit sozialak izateko hiru modu aurkitu genituela: dorreak ekoizpenarekin zuen zerikusia, lanarekin eta teknologiaren erabilerarekin; plazan, jokabide soziala agora batekoaren antzekoa izan zen; eta komentuan, azkenik, kontenplatiboagoa eta lasaiagoa. Jokatzeko hiru modu desberdin dira, baina baita soziala izateko hiru modu ere. Beraz, artelanak sozial izateko era horiek eta haien arteko harremana nola aprobetxatzen eta aktibatzen dituen ere pentsa genezake.

Hirugarren puntuak (denbora lineala) zerikusia du Richardek tolerantziaz eta komunitateak elkarrekin egoteko modu ez liberal edo posliberal batez egindako iruzkin oso garrantzitsuekin, kontsumismoari eta abarri lotutako indibidualismo posesiboaren aurrean. Beraz, unibertsaltasunaren ideia zalantzan jartzen da, modu kritikoan eta positiboan. Bururatu zitzaidan galderetako bat da zer modutan egin litekeen artea tolerantzia komunitarioaren ideia horrekin lotuta, eta *Tres Aguas*en hori inplizituki ote dagoen. Richardek Itzultzaile Eskola aipatu zuen, eta adierazi zuen funtsezko zeregina izan zuela mendebaldeko kulturaren historian, greziar, islamiar eta kristau tradizioen elkargune gisa. Eta, artelana bera ez ote liteke izan itzulpen ekintza bat edo itzultzeko modu bat? Zentzu horretan, uraren beste ezaugarri bat adierazgarri bihurtzen da: garraioa ahalbidetzen duelako, bere baitan eraman dezakeelako.

RN Eskerrik asko, Michael. Uste dut asko esan daitekeela denborazkotasunaz eta denborak izaki sozialarekin duen harremana egituratu duzun moduaz, maila teknikoan, sozialean zein kontenplatiboan. Cristinaren obrei buruzko gure eztabaidan aurrera egin ahala, badirudi aipatzen diren denborazkotasunak gero eta konplexuagoak direla. Nire aldetik, uste dut garrantzitsua dela obrek nolabaiteko konpromiso tenporala eskatzea publikoari, gure eguneroko bizitzan erabili ohi ditugun denboraren eraikuntza lineal oso instrumentalizatuetatik atera gaitzan. Hala gertatzen da, bereziki, hiri inguruneetan. Garrantzitsua iruditzen zait artelanaren drama ziklikoa izatea, errepikatzea eta ikuslea erritmo horretan murgiltzea, obraren esperientzia subjektiboaren baitan. Hala ere, lanak hiru lekutan daudenez, fenomeno desberdinei buruz ohartarazten gaituztela uste dut nik ere.

Plazak publikoa denaren nozio batekin erlazionatu ohi dira, eta horrek asko zor dio Atenasko demokraziari. Eguneko gaiei buruz hausnartzeko biltzen diren herritarren nozio (idealizatu) bat da. Cristinaren obrak, Udaletxeko Plazan, gai hori ekartzen du gogora: jendea gustura sentitzen da espazio ireki horretan, eta obra inguratzeko eta gainerakoekin harremanetan jartzeko aukera ematen du. Oso lasaia eta kontenplatiboa da, eta, bai, pertsonen arteko interakzio inter-subjektibo bat bultzatzen duela uste dut.

Elkarrekin gozatzeko, erlaxatzeko, eta, agian, jendea kezkatzen duen gairen bati buruz eztabaidatzeko aukera ematen du, baina ez da komertziala. Ez da elkarrekintzarako modu instrumental bat, eta uste dut plazari nahi duen hura izateko aukera ematen diola. Beraz, neurri horretan zurekin ados nago. Ibilaldiaren amaieran, komentuan, denak piezaren inguruan eseri ginen, eta hitz egiteari utzi genion. Beharbada nekeagatik izan zen, baina dibertigarria iruditu zitzaidan, izan ere, denak oso animoso hitz egiten aritu ondoren, gero isilik geratu ginen; beraz, uste dut arrazoi duzula. Benetan interesgarria da, harrigarria da obrak zer botere duen alde horretatik.

Erdi Aroko bizikidetzaren ezaugarrietako bat da zenbait erlijio komunitate autogobernatu elkarrekin bizi zirela eta, tolerantziari dagokionez, zalantzan jartzen dut Ilustrazioaz geroztik egon ote den horrek duen esanahiaren ulermen komunalistago bat berreskuratzeko modurik. Hala ere, apur bat desberdina den pentsamolde bat garatu liteke, identitaterako eta hizkuntzarako eskubide komunalen defendatzaileen eta eskubide indibidualen eta berdintasun liberalaren defendatzaileen arteko desberdintasun sakonetan barrena, aintzat hartuta gaur egungo Espainian zer desadostasun dauden. Agian elkarbizitza marko egokia izan daiteke horretan pentsatzeko, kontuan hartu gabe garai hartako komunitateetan indarkeria eta basakeria handia egon zen edo ez.

Cristinaren obrak haren tradizioan eta eskultura garaikideko hizkuntzaren ulermen oso sofistikatuan sakon errotuta dauden gai formalak erabiltzen ditu. Eta gauza horien konbinazioari esker, Toledon, Anberesen edo Londresen egotearen espezifikotasunetik haratago iristen da, bai eta edozein testuinguru kulturaletik (euskalduna edo espainiarra) haratago ere, eta kezka komunei buruzko hausnarketa aberastu egiten da kulturen bidez.

Russell Ferguson Bi aurkezpenetan zerbait adierazi zen, berdingabea ez bada, artelan publiko batean oso arraroa dena. Denboran atzera egiten badugu, 50 edo 60 urte, agian bi tradizio alternatibo izango ditugu. Lehenik eta behin, forma garbi eta 'unibertsal' bat —hitz hori erabil badezaket— lortu nahi duen arte publikoaren bertsio bat, espazioan kokatzen dena eta, neurri handi batean, lotura kultural espezifiko oro saihesten duena eta zerbait abstraktuagoa lortu nahi duena. Eta bigarrenik, arte publiko berriago bat, kulturaren ikuspegitik oso espezifikoa izaten ahalegindu dena, eta, arte hori ulertu ahal izateko, testuinguru oso zehatzei erreferentzia egiten diena. Bi aurkezpenak entzunda, uste dut aldi berean historikoa eta historiaz kanpokoa den obra baten aurrean gaudela, hau da, kulturen arteko gatazkaren historiaren barruan kokatzen dela, baina, aldi berean, ideia horren alboan jartzen dela. Azpimarratzekoa da eskala handiko eskultura publiko oso gutxik lortzen dutela maila horietako bakoitzean oin bat edukitzea, baina *Tres Aguas*ek lortu du.

Andrea Schlieker Uste dut aipatutako hiru denborak eta hiru jokabide sozialak leku horietako bakoitzeko argitasun baldintzek ere eragin zituztela. Lehenengoan, dorrean, alabastrozko leiho ederrek argi zehatza eta hastapenekoa sortzen dute, eta argi horrek guztiz gidatzen ditu denbora eta jokabidea. Gero, plazan gaudenean, argi naturala eta ingurunearen islak dauzkagu. Gainera, putzua beteta dagoenean, ispilu moduko bat da, eta inguruko eraikinak modu zoragarrian islatzen ditu. Gero, azkeneko obran, iluntasuna daukagu. Argia oso garrantzitsua da. Jakina, eszenaratze bat da, hiru leku horietan oso ongi antolatuta dagoen baliabide dramatikoa.

João Fernandes Gaurko aurkezpenetan agertu den gai garrantzitsuenetako bati heldu nahi nioke berriz; *Tres Aguas*en eta Toledoren arteko harremanari, alegia. Toledo errealitate bat da obran. Hiriaren ageriko egiturak nahiko argi azaltzen du garai historiko luze hura. Uste dut horrek nolabaiteko baimena eman beharko liokeela Cristinari, modu zehatzegian konprometitu beharrik ez izateko, izan ere, Cristinaren lehen eskulturetan erlazio esplizituagoa zegoen, batez ere mairuen arkitekturarekin eta ereduarekin. Meskitetako edo sinagogetako xehetasunak hemen dekorazio ereduak dira, eta naturaren abstrakzio errepikakorrez osatuta daude. *Tres Aguas*eko landare ereduak guztiz desberdinak dira, formarik gabeko deskonposizio moduko bat. Esan liteke Toledoren egitura kulturalak eta arkitektonikoak espazio bat sortzen dutela, eta, bertan, esperientzia kulturalaren formarik eza iluntasunarekin lotzen dela.

Farshid Moussavi Uste dut lan honek, Londreskoak bezala, hiriko espazio partekatua goratzen duela, batzen gaituen espazioa den aldetik. Eta, horrela, tolerantziaz hitz egiten hasten da: oso baliotsua den zerbait partekatzen dugulako eta horrek batzen gaituelako. Gaienera, obra hiru lekutan egituratuta dagoenez, espazio partekatuaren kontzientzia areagotu egiten du.

Iwona Blazwick Era berean, komunitatearen beste nozio bat ekartzen du gogora; izan ere, kulturaniztasuna kontzeptu finkoa da, kulturek inoiz eboluzionatuko ez balute bezala edo haien arteko nahasketarik ez balego bezala. Etnizitatearen eta sinesmen sistemen ikuspuntutik ere eztabaidatu daiteke, baina, egia esan, badakigu Instagramen erabiltzaileen komunitateak daudela, gu bezalako jendearen komunitateak daudela, eta munduko hainbat lekutara bidaiatzen dutela artelanak esperimentatzeko. DJen komunitateak daude. Era guztietako komunitateak daude. Horregatik, komunitatearen nozio kaleidoskopiko eta kosmopolita interesgarri bat sortu daiteke obraren inguruan. Iazko Liverpool Biennial jaialdian, antolatzaileek argazkilari amateurrak gonbidatu zituzten jaialdi osoa dokumentatzeko.

Askotariko profilak zituzten pertsonekin egon nintzen, 30 guztira. Kamerari nahiko helduak objektibo faliko izugarriekin, zein 14 urteko gaztetxoak beren telefonoekin, denak artelan baten inguruan bilduta, hura dokumentatu nahian. Zoragarria izan zen. Gero, irudiak webgune batean argitaratu zituzten. Beraz, belaunaldi eta bizimodu ezberdinetako jendea elkartu zen, argazkigintza maite dutelako. Hori da arte publiko handiak egin dezakeen gauzetako bat: komunitate desberdin horiek kokatu eta bere eragin eremura eraman. Oso interesgarria iruditu zitzaidan: obra hauek nonahi aurkitzen dituzula ere, ezin dituzu beren hurbileko testuingurutik atera, eta ezaugarri hori bera obraren esperientziaren parte da. Baina, era berean, obren inguruan beste pertsona talde batekin elkartzen zarenean, une batez nolabaiteko komunitate bat osatzen da.

RN Azken gauza bat esan nahi dut Joãok esandakoari buruz. Russellek esan zuen bezala, obraren formarik eza eta haren lengoaia eskultorikoa lagun, uste dut obra historikoki zehatza den leku honetan egon daitekeela, baina hartara mugatu gabe. Jakina, Cristinak ez du inolako erantzukizunik une honek tolerantziaren historian duen esanahia ulertzeko nire ahaleginetan. Hala ere, lanak hirian nola funtzionatzen duen ikusita, bidezko erantzuna iruditzen zait. Hirian paseatzeko eta obrekin erlazionatzeko aukera eman zaigu hainbat ikuspegitatik: obrek hiriaren gainazalak islatzeko era, jendearen elkarrekintza obren inguruan, obrek gogoetarako oinarri izateko duten era. Nire ustez, *Tres Aguas*ek irudikatzen du artelan publiko batek eszenaratu behar lukeena, hotz, konpromiso kritikoko uneak. Une horiek ez daukate bestelako ekarpenik egin beharrik, baina aisa lortzen dute. Edonork ezin du artelan publiko arrakastatsu bat egin Toledo bezalako leku batean. Lorpen ikaragarria dela uste dut.

Estrella de Diego
Serieko landatzailea: Cristina Iglesias Toledon barrena paseatzen

Bidaia sinestezinak

1606an, Heinrich Martinek -Hanburgon jaioa, XVII. mendearen erdialdean- *Repertorio de los tiempos y Historia natural de la Nueva España* argitaratu zituen Mexiko hirian, non inprenta propioa zabaldu zuen 1589ko amaieran, bertara iritsi zenean. Europan zehar bidaiatu eta zenbait urtez Espainiako hiru hiriren artean bidaiatu ondoren iritsi zen Kontinente Berrira. Serge Gruzinskik 2008ko *Quelle heure est-il là-bas?* liburuan dioen bezala, garai hartan, inprenta negozio oparoak zituztelako ziren ezagunak hiru hiri horiek: Madril, Sevilla eta, jakina, Toledo kosmopolita.

Martin ez zen nolanahiko inprimatzailea. Kosmografoa, ingeniaria eta matematikaria ere bazen. *Repertorio de los tiempos* etnologiako liburu berezi bat zen, Espainia Berriko gertakarietan eta ohituretan arreta jartzen zuena, eta hango fenomeno klimatikoei buruzko oharpen bitxiak egiten zituena. Martin dibulgatzaile zientifikoa izan zela ere esan liteke, eta haren zeregin nagusia izan zela Espainia Berriko espainiarrei eta kreolei Amerikako ohiturak eta berezitasunak ezagutaraztea. Helburu bera izan zuen nekazaritzari buruzko haren liburuak -zoritxarrez galdua, baina Gruzinskik *Les quatre parties du monde: Histoire d'une mondialisation* (2006) liburuan aipatua-, zeinean Martin baratzeez, lorategiez eta Espainia Berriko klimarekin lotutako antzeko nekazaritza gaiez mintzatu zen.

Izan ere, Martin inprimatzailea baino askoz gehiago zen. Bidaiari sofistikatua zen, botanikak eta haren gizarte erabilerek liluratzen zuten, eta ideiak Ozeano Atlantikoaren alde batetik bestera eramateko irrikaz zegoen, baita beste leku batzuetara eramateko ere. Izan ere, testuaren hasieran Mundu Berrian eta bertako produktuetan duen interesa adierazten du, eta, gero, Mexikotik XVI. mendearen amaierako Otomandar Inperiora jotzen du.

Gruzinskik, *Repertorio de los tiempos* abiapuntutzat hartuta -1580an Istanbulen bildutako Mundu Berriaren kronikarekin batera-, aditu frantsesaren ekoizpenean gai nagusia dirudiena berrikusten du: Espainiako Inperioaren inguruan nolabaiteko globalizazio bat gertatu zela, *avant la lettre*. Gruzinskik aipatzen duen bezala, Otomandar Inperioak bakarrik ez zuen interesa eragiten Mexikon,*Repertorio de los tempos*en adierazten den moduan. XVI. mende amaierako Istanbulen, Mundu Berriak eta bertako produktuek ere pizten zuten interesa. Mexiko eta Istanbul hiri kulturaniztunak ziren garai hartan, Toledok urte batzuk lehenago kulturen arteko gurutzaketa bizi izan zuen bezala.

XV. mendeko Toledon gertatutako globalizazio aitzindari harekiko erakarpen handia nabari da oraindik ere hirian, eta bertan paseatzea historiaren metonimia eta urruntasun liluragarri moduko bat da. Kale kantoi batean biratze hutsarekin, ibiltariak une geldi batekin egiten du topo, eta irudimena azkartu eta aspaldiko egunen erreberberazio bat oroitarazten dio. Horixe da Cristina Iglesiasen ibilbidea egitean bizi dezakeguna. Egia esan, han gaude, XV. mendearen hasieran, eta gure burua eta gorputza antzinako garai hartara berregokitu beharra daukagu, aurrekaririk gabeko bidaia batean, atzerriko herrialde batera: iragana eta haren mamuak. L.P. Hartleyk 1953ko *The Go-between* eleberriaren hasieran idatzi zuen moduan, 'The past is a foreign country: they do things differently there' (Iragana atzerriko herrialde bat da: han, gauzak beste modu batean egiten dituzte).

Landare exotikoak

Urruntasunarekiko lilura hori -Erdi Aroko animaliak eta landareak barne- fikzio bat da askotan, edo, behintzat, fantasia moduko bat, behar eta ekoizpen historikoak asetzeko sortutakoa. Alteritatea beti izan da eraikuntza kulturala. XVI. mendearen hasieran, Toledoren egitura kulturaniztuna aldatu zenean, Espainiako konkistatzaileek ahal zutena egin zuten talde konkistatuen iragana berreraikitzeko, haiek kontrolatzeko metodo gisa; eta, azkenean, memoria lapurtu zieten. Memoria horiek kosmologia jakin batean inskribatuta zeuden, mendebaldeko historia eta historiaren idazkera gidatzen duen denboraren nozio unibertsaletik urrun. Ez zen jokaldi makala izan: Gruzinskik argudiatzen duen bezala, bertakoen memoria lapurtzean, denboraren mendebaldeko nozio unibertsalista inposatu zuten Mundu Berrian.

Denboraren eta historiaren nozio horren inposaketaren testuinguruan, irudikatzeko moduak ere kokatzen dira, landareen irudikapena barne, bidaiarien eta esploratzaileen lilura iturri nagusietako bat. Hori da Abel Rodríguez kolonbiar artista indigenaren kasua, bere kultura natiboan 'landare izendatzaile' esaten diotena, landareei izena jartzeko gaitasuna 'haraindiko' opari gisa jaso zuena, -bere Nonuya eta Muinane herentzia izan zen. Urteetan, maiz joan izan da bere oihan tropikaleko jaioterritik Bogotara, kultura natiboaren eskubideak aldarrikatzera, eta, hori egitean, kulturaren itzulpenaz jabetu da: nola kontatu behar zaien norberaren kultura gainerakoei, ulergarria eta eraginkorra izan dadin. Oihan tropikalaren bere marrazki eder eta zehatzen bidez, imajinatu daitekeen itzulpenik erradikalena sortu du: landareak izendatzeko duen gaitasunari -ahozko gaitasuna, bere kultura natiboan- buelta eman, eta landare barietateen eta horien erabileren, urtaroen eta gizakiekiko eta animaliekiko harreman sinbolikoen marrazki txundigarriak eta delikatuak egiten hasi da.

Izan ere, landare exotikoen irudikapena -bidaietan aurkituena zein fikziozko landareena- modernitatearen erritualaren parte da, lurraldeak kartografiatuz eta landareak sailkatuz mundua eta bertako biztanleak kontrolatu ahal izango balira bezala. Hori dela eta, erregistro botaniko bisualak oso garrantzitsuak izan ziren Amerikan eta inguruetan bidaiatu zuten espainiar botanikarientzat. José Celestino Mutisek 1783an Granadako Erresuma Berrirako (egungo Kolonbia) Errege Espedizio Botanikoa egin zuenean, 6.000 espezie botaniko berri aurkitu eta deskribatu zituzten bidaia hartan. Landare haiek irudikatzeko, 6.000 marrazki baino gehiago eta milaka lamina egin zituzten, eta haietako batzuk Madrilen daude. Erregistro horiek bidaiaren lorpenik handienetako bat izan ziren. Espedizio gogoangarri hartan, Celestino Mutisek natiboen laguntza izan zuen, eta, haiek, bertako landareekin egindako koloreak erabili zituzten espediziokideek aurkitu zituzten espezimen exotiko haiek guztiak izendatzeko eta antolatzeko balio izan zuten marrazki ederrak egiteko. Landare haiek marraztea eta izendatzea Amerikako alteritatea kontrolatzeko beste metodo bat zen.

Agian horregatik 2001ean Alberto Baraya kolonbiar artistak landare artifizialak sailkatzea erabaki zuen, Mutisen bidaia bere ekoizpen bisualaren abiapuntu gisa hartuta. Bost urte geroago, landare horietatik gorputz adarrak hazten hasi ziren eta kautxu zuhaitz baten latexezko molde eder batek São Paolo Biennialeko aretoak hartu zituen, *naturalia* eta *artificialia* aurrez aurre jarriz. Barayak bezala, Iglesiasek ere landareak erabiltzen ditu, landareak asmatzen ditu, eta landare harrigarriak landatzen ditu. Amildegi hipnotiko bat sortzen dute, zeinak ikusleari jarraitzen dion, iragarpen ilun bat bailitzan.

Deriba estrategia koreografiko gisa

Ateak itxita egoten dira gehienetan. Kasu berezietan bakarrik irekitzen dira parez pare, gutxitan loratzen den lore arraro bat bezala, edo botanika liburu bateko irudi bat bezala. Ia kamuflatuta daude Prado Museoaren alboko eraikin batean, sarrera nagusitik urrun. Hala ere, adierazpen garrantzitsu bat dira Iglesiasen obran. Lozorroan dagoela eta astiro mugitzen dela dirudien izaki bat bezalakoak dira, baina bertatik igarotzen den oro txunditzen dute. Landare isilak, harri bihurtuak, ia mehatxagarriak dira, iristeko dagoen gertaera garrantzitsu baten iragarpena.

Prado Museoko ateak (2007) trantsizio anbiguo bat dira, saretaren -Iglesiasek argi-ilun eta labirinto gisa erabilia, islamiar tradizioaren oihartzuna, opaku bihurtu dena- eta landare errezel bertikal baten artean. Iglesiasek azken hamar urteetan mundu osoan, Londresetik San Diegora, Toledotik Valentziako Bombas Gens zentrora, landatu dituen gailu botaniko publikoen zerrenda luzearen atariko bat dira. Zerrenda handituz joan da urteetan, intentsitateari nahi tamainari dagokionez, eta, horrela, Iglesiasen lana eskultura publiko bat baino askoz gehiago da gaur egun. Are gehiago, Iglesiasen eszenaratzeak nolabaiteko *dérive* ezaugarria duela esan daiteke. Horrela, Situationist International (SI) erakundeak sortutako termino bat ekarri nahi dut gogora: egoera berriak eta ustekabekoak sortzeko, desorientazio emozionala bilatzen duen psikogeografia modu bat. Iglesiasek eraikin edo plaza jakin batean ura eta landareak erabiltzen dituen obra bat egiten duenean, lurraldearen narratiba osoa guztiz aldatzen da.

Situazionismoan eta Iglesiasen proiektu botanikoan bere osotasunean, paseatzea *-flâneurie-* funtsezkoa da. Hirian barrena paseatzen du, bere abentura botanikoa hasteko lekurik onenaren bila. *Tres Aguas*, Toledoko bere proiektua, orain arte abian jarri duen abentura garrantzitsuenetako bat da, eta bere ekoizpenaren izaera performatiboa hoberen islatzen duenetako bat.

Land Art korrontearen taktika klasikoei jarraituz, *Tres Aguas* hiru lekutan banatutako obra trinko gisa diseinatu zuen Iglesiasek: leku irekienetik, Udaletxeko Plaza, leku intimo eta bilduenera, Santa Klara Komentu ederra, hedatzen den obra. Espazio publikoa eta kontenplaziorako eremu espirituala ordezkatzen dituzten bi leku horien artean, hirugarren toki bat eskatu zuen Iglesiasek: ur dorre bat Tajon, industria aurri bat Toledon, oraina blaitzen duten geruza historikoz eta iragan kulturaniztunez betetako hiri horretan. Erabat ezberdinak diren hiru toki horiek lotzen dituen mapa ikusezina -paseatuz bakarrik gauzatu daitekeena- marraztean, Iglesiasek bestelako denbora mapa bat eskaintzen digu, orainetik denbora historikora doana, Hartleyk *The Go-between*en adierazitako ideiaren berri ematen duena: iragana atzerriko herrialde baten gisara, non jendeak gauzak beste modu batean egiten dituen.

Baina ez hori bakarrik. *Tres Aguas* funtsezkoa da Iglesiasen obran, ustekabean erakusten duelako serieak haren estrategia artistikoaren osagai indartsu bat direla, geruzekin lotutako pasio bat, plano botaniko zorrotzen eta argien narratiba eraikitzen duena. Iglesiasen hainbat hiritako eta unetako eskultura publiko performatiboaren oihartzuna da, eta horrek ematen dio narrazio bateratuaren zentzua, landare landatzaile gisa duen eginkizunean. Denbora eta espazioa inplizituki ageri dira misio horretan, eta hori bistakoagoa da *Tres Aguas*en.

Iglesiasek Toledon egindako *dérive* hori, nolabait, benetako iniziazio bidaia bat da, non Pradoko ateetan irudikatutako landareak landare ilun, traidore eta korapilatu bihurtzen diren, aurreikusi ezinak, urarekin kontaktuan eraldatzen direnak. Horrela, alegiazko hiztegi botaniko bat eraikitzen du Iglesiasek, landare ordena berri bat osatzen duten landareen zerrenda, XVIII. mendearen erdialdean Linneok *Systema naturae*n egin zuen bezala, taxonomia moderno bat sortuz eta oraindik aurkitu gabe zeuden landareak sailkatuz. XVI. mendeko bidaiariek bezala, Iglesiasek landare exotikoak biltzen ditu; antzinako garaiekin eta, beraz, gauzak beste era batera egiten diren herrialde horrekin lotutako unibertso harrigarri bateko landareak. Beraz, hitz egin dezagun botanikaz.

Landare inbaditzaileak

Iglesiasen instalazioetan, botanikak eta landareek hiriak inbaditzen dituzte; lorategi bateko landareak islatzen dituzte, amildegiak eraikitzen dituzte, historia islatzen dute, historia berrirakurtzen dute, ikusleak estutu eta, aldi berean, liluratu egiten dituzte. Iglesiasek landarez betetzen ditu bere lanak, eta, batzuetan, harri bihurtutako espezimen botanikoak dira, Huysmanen *À Rebours* eta haren flora asmatu zoragarria gogorarazten duen landaretza magiko moduko bat. Iglesiasen sorkuntza proiektuak Borges eta haren fantasiazko piztien bilduma ere ekartzen ditu gogora. Izan ere, Iglesias etengabe jolasean dabil nolabaiteko 'loria botanikoaren zulo gaizto batekin', John Wyndhamen *The Day of the Triffids*en, 1950eko hamarkadako zientzia-fikziozko eleberri ezagunenetako bat, landare inbaditzaile gaiztoak deskribatzen diren bezala. Iglesias txunditzen duen generoa da hori.

The Day of the Triffids 1951n argitaratu zen -Gerra Hotzeko antsietate postapokaliptikoaren garaian-, eta, bertan kontatzen da mundua trifidoek inbaditu dutela; trifidoak landare oso erasokorrak dira, eta, gaizki atera zen esperimentu zientifiko baten ostean, jendea hiltzen hasi dira. Landare altu, pozoitsu eta haragijale horiek, higitzeko eta komunikatzeko gaitasuna dutenak, mundua kontrolpean hartu dute.

Pentsa liteke Iglesiasen landare fosildu mehatxagarriak mutazioen mundu postapokaliptiko horretakoak direla. Latente daude, trifidoak bezala, baina noiznahi ager daitezke, eta mehatxu bihurtu. Izan ere, badirudi Iglesiasen landareek mutatu egiten dutela eskultura publiko performatiboan askotan erabiltzen duen urarekin kontaktuan. Gogoeta horietan Iglesiasen taxonomia botaniko potentzialki maltzurraren ezaugarri harrigarriak azpimarratzen dira, haren plan guztiz gaiztoak. Landare eder eta harrigarri horien ondoan jarrita, ez genuke inoiz susmatuko Londresetik Toledora eta Los Angelesera egindako *dérive* zabal baten parte direla, eta kontu handiz diseinatuak izan direla, disimuluan bada ere. Zentzu horretan, Toledoko ibilaldiak ere funtsezkoa dirudi: Iglesiasek abiatu duen ibilaldi globalaren ispilu bat da, eta ikusleek landare soiltzat joko dituzten izaki subertsibo horiek landatzen ditu.

Eta, jakina, arreta handia jartzen du beti estrategian, landare harrigarri eta subertsibo horiek haziko diren lekuak zehaztasunez aukeratzen ditu. Botanikako bere liburuaren bidez, zientzia fikziozko eleberri erradikal bat idazten ari da Iglesias, baina kamuflatuta. Agian, Iglesiasen keinurik aktibistena ez da Toledo aukeratu izatea -bidegurutze bat, Espainiako oinarrizko hiru kulturek bat egin zuten lekua-, baizik eta Toledo atariko urrats gisa hartu izatea, beste ibilaldi iraultzaileago batzuk egiteko. Ildo horretan, Iglesiasek *Tres Aguas*en erabilitako estrategia saiakera orokor bat da, eta artistaren deskribapen zirraragarri bat egiten du, bidaiari, fikziozko landare exotikoen zale, landatzaile eta zientzia fikzioaren zale gisa.

Serieko landatzaile hau trifido eder eta ilun horiek mundu osoan zehar zabaltzen aritu da azkeneko hamar urteetan, eta hortxe daude, espazio publikotik zelatan, urarekin kontaktuan pizteko prest. Edozein gautan gure hiriak gobernatu ditzakete, meteorito jasa batek ustekabean zerua argitu ostean. Eta espazio publikoaz jabetu daitezke mugimendu isilen bidez, Iglesiasek zehaztasun handiz pentsatu duen maskarada batean. Iglesiasen hiztegi botanikoan orain arte egon den eszenarik sofistikatuena izango da, non iragana beti den atzerriko herrialde bat, gauzak beste modu batean egiten dituen jendea bizi dena.

Andrea Schlieker Eskerrik asko, Estrella. Oso interesgarria iruditu zait Cristinaren eta zientzia fikzioaren arteko lotura azaltzeko egin duzun ahalegina. Apur bat eztabaidatu nahi nuke zure solasaldian eta Luisenean ere agertu denaz, Cristinaren obran legokeen nolabaiteko iluntasun eta tragedia sentsazio horri buruz. Barrokoarekin egindako lotura ere oso interesgarria iruditu zait, natura hilei dagokienez. Jakina, Barrokoko natura hil asko lotu daitezke Cristinaren obrarekin, baina ni Barrokoko eskulturan ere ari nintzen pentsatzen, eta hori botanikatik urrundu eta uraren gaira itzultzen da. Berniniren Navona Plazako iturrian ari nintzen pentsatzen, paradisuko lau ibaien iturrian, non egileak Edeneko haitzulo moduko bat sortu zuen, eta Cristinaren obran ere ikusten dut halako zerbait. Beraz, hau ez da galdera bat, iluntasunaren aurkako argudio bat baizik, argi pixka bat sartzen uzteko.

EdD Agian izango da espainiarrak garelako, eta nonahi tragedia ikusteko joera dugulako! Zientzia fikzioaz hitz egin nahi nuen Cristinaren obrarekin erlazionatuta, Wyndami buruz bereziki, iruditzen baitzitzaidan gaur egun arazo bat daukagula edertasunarekin. Ederra den zerbait ikusten dugunean, segurutzat jotzen dugu. Cristinaren lanak oso ederrak eta hunkigarriak direla esan behar dut. Baina, batzuetan, edertasun horren azpian, edertasuna bera baino erakargarriagoa den zerbait dago.

AS Beste zerbait aipatu nahi nuke, naturaren eta artifizioaren artean planteatzen duzun aurkakotasunaren inguruan. Zehazki, Huysmansen *Against Nature*ko Des Esseintes aipatu nahi nuke, une jakin batean landareekin obsesionatzen dena. Hasieran, landare natural guztiak biltzen ditu, baina azkenean aspertu egiten da eta artifizioa imitatzen duten landareen bilduma egiten hasten da. Berebiziko eszena batean, landare batek zauri baten antza duela deskribatzen du. Nahiko desatsegina da, baina halako batean deiadar egiten du pozaren pozez, landare batek sifilitikoa dirudielako. Horrela, naturaren eta artifizioaren arteko erlazio nahiko muturreko bat ezartzen du botanikan: beldurgarria den zerbait, atsegin iturri bihurtzen da.

Luis Fernández-Galiano Labur-labur esanda, espainiar pentsamenduaren alderdi tragiko horren arrazoia, neurri batean, XX. mendeko espainiar filosofo garrantzitsuenak dira: Ortega eta Unanumo. Cristina bezala, Unanumo euskalduna zen, eta katoliko kartsua izan zen. *Del sentimiento trágico de la vida* idatzi zuen. Baina Unamunok Existentzialismoa ostikoz jotzen zuen, Barrokoak edo pentsamendu distopikoak baino indartsuago. Hori da, ziurrenik, nire belaunaldiko espainiar idazle gehienek irakurri duten lana. Ortega oso desberdina zen. Europarra zen eta bizitzaren edozein dimentsio tragikotatik aldentzen zen.

Michael Newman Azkar-azkar, esan dezaket zerbait honi buruz? Andrea bezala, ez nago ziur tragikoa ote den, izan ere, norentzat da tragikoa? Landareentzat behintzat ez. Landare horiek, trifidoak, ziurrenik oso pozik egongo dira mundua beren esku dagoelako. Beraz, ez da landareen tragedia. Tragediarik baldin badago, gure tragedia da, eta, horrek, beste zerbait dakarkit burura, neurri batean zure aurreko baieztapenarekin lotuta, adierazi baituzu aurreko lanak naturarekin duela zerikusia eta ondorengoak trifidoekin. Uste dut aurreko obra lorategiarekin lotu daitekeela, bereziki *hortus conclusus* kristauekin, baina baita lorategi moriskoarekin ere. Bietan, ura funtsezkoa da, baina oso modu desberdinean erabiltzen da. Eta nire buruari galdetzen diot, lorategietatik zingira moduko ingurune hauetarako urratsak ez ote duen zerikusirik gizakia erdigunetik kentzearekin, zientzia fikzioarekin eta alien formekin egin duzun alderaketan agerian geratu den moduan. Alde batetik, *The Day of the Triffids* Gerra Hotzaren alegoria gisa ikus daiteke, baina, era berean, post-humanoaren ideia hori ere badago, agian guretzat orain presenteago dagoena. Cristinaren obran prozesu gizatiarretatik ez gizatiarretarako urratsa emateak tragikotasunaren zentzua edo tragikokeriarekiko harremana aldatzen du. Hau da, tragedia izan daiteke desagertu egingo garela, eta hori ziurra da denbora geologikoaren eskala handien ikuspuntutik, baina hori ez da tragikoa gure ordez ezarriko diren alien forma horientzat.

Russell Ferguson Ulertzen dut obran iluntasun moduko bat edo, nolabait, elementu tragiko bat ikusteko gogoa edo tentazioa. Baina, aldi berean, iruditzen zait obra ideia horren kontra doala erabat, zeren eta, nire ustez, tragediak izan behar du humanoa eta ezinbestean erortzea inplikatzen duen elementuren bat izan behar du. Nire ustez, obrak itzulera, zirkulartasuna eta erritmoa nabarmentzen ditu, gauzak amaitu eta gero berriro hasten direlako. Erritmo ziklikoa da; eta errepikapen ziklikoen erritmo hori, nire ustez, ez da bateragarria obraren ikuspegi tragiko batekin.

Iwona Blazwick Zerbait gaineratu nahi nuke gainazal botanikoen kalitate formalari buruz. Gainazal formal oso interesgarri bat dago, aldi berean errepikakorra eta desberdina dena. Jarraitutasun bat dago landare forma ezberdinetan, eta hosto desberdinen ingeradan, baina, errepikatzen denean ere, desberdintasuna eta aldaketa dago. Formaren ikuspegitik, tresna estetiko oso proteikoa da: linealtasuna du, baina, era berean bihurria eta testurizatua da. Hainbat norabidetan haz daiteke. Nolabait esateko, sarearen antzekoa da, hori ere hainbat norabidetan haz daiteke eta. Beraz, kontrapartida organiko moduko bat da. Michaelek 2004an idatzi zuen saiakera bat datorkit gogora; bertan, errizomen ideia aztertzen zuen, eta filosofikoki iradokitzen zuen ideiak patatak edo onddoak bezala heda daitezkeela: saihetseko banaketa edo egitura bat, hierarkikoa baino gehiago, aurreikusi ezin den moduan mutatu eta ugaltzen dena. Filosofiaren ikuspegitik, hori obraren osagai oso interesgarria dela uste dut.

MN Gainazal horiek naturan bizi izandako esperientzia bat gogorarazten didate, lorategiko esperientziatik oso ezberdina dena. Duela urte asko Kanadako basa eremuetan barrena egindako bidaia bat gogoratzen dut. Leku guztiz beldurgarria da, ez delako gizatiarra. Zuhaitzak uretara erori eta usteldu egiten dira, eta prozesu horiek nekez imajinatu dezakegun denbora eskala batean gertatzen dira. Jakina, orain ezinezkoa da 'giza esku hartzerik gabe' esatea, Antropozenoan gaude eta.

Baina, gauza guztietan esku hartzen dugun arren, gizakirik gabeko natura baten sentsazio beldurgarri bat dago, zerikusirik ez duena komatxo artean jarritako 'natura'ren ideiarekin, gizakiak eraikitako lorategiaren naturarekin. Beraz, obran alderdi humanoaren eta ez humanoaren artean sentitzen dudan harreman hori agertuko litzateke berriro.

EdD Nire ikuspuntutik, Cristinak desberdina den zerbait lortu du, natura harrigarri bat, modu basatian edo librean hazten den landaretza. Ez da lorategi bat. Iragarrezinagoa da.

Richard Noble Michaelek eta Russellek esandakoari jarraipena emanez, haiek bezalaxe uste dut tragedia existitzekotan gizakiekin zerikusia izan behar duela. Baina, beharbada, obra hauetako batzuetan gogora ekartzen den natura basati hori –masa korapilatua, aipatzen duzun iluntasuna–, natura Ilustrazioaren ikuspuntutik hartuta, nolabaiteko paleta bat bailitzan, gizakiak beren asmoak inposatzeko erabil dezakeena, bada, natura basati hori tragedia bat da. Ezin da kontrolatu. Azkenean, itzuli eta egin dugun guztiaz jabetzen da. Beraz, agian tragikotasunaren dimentsio bat dago Cristinaren obran, naturaren eta kulturaren arteko kontraesana ezin delako inoiz gizakien alde ebatzi, edo, ez behintzat Ilustrazioaren arrazionaltasunaren ikuspuntutik.

Lynne Cooke Ni ere ados nago Russellekin. Tragikotasuna eta tragediaren katarsia egotekotan, giza osagai bat egon behar du. Norbaitek malenkonia aipatu du lehen, eta, nire ustez, natura axolagabea da zentzu horretan: gupidagabea da, erantzuten ez duten zikloak etengabe errepikatzen dira. Plazan, adibidez, ebakiak ez daude eraikinekin lerrokatuta, beraz, orbain moduko bat dira, eta, nolabait, ez dira adiskidetu arkitekturarekin. Eta horrek are gehiago iradokitzen digu ikusten ari garen hori ez dela gure parte, beste zerbait dela. Deigarria da formetan aldatzen eta berregiten den elementu bat dagoela, eta, beraz, fungikoa da nolabait. Nire iritziz, pieza hauek nabarmen ezberdinak dira, eta badirudi nonbaitetik iragazten direla. Forma eskultoriko berri hauek Cristinak lehenago egin izan dituen ebakiak baino askoz kontingenteagoak direla ematen du.

Jane Withers
Uraren kultura

Sarrera

H2O and the Waters of Forgetfulness liburuan, industrializazioak uretatik urrundu gaituela deskribatzen du Ivan Illichek. 'XX. mendeko iruditerian, urak galdu egin zuen [...] orban espiritualak garbitzeko ahalmen mistikoa. Detergente industrial eta tekniko bihurtu da'. Marina Warnerrek, ia horrekin kontraesanean deskribatzen du Cristina Iglesiasen lana: 'Iglesiasek aktiboki berpizten du urarekiko harreman estetikoa, galduta zegoena',[5] idatzi du Warnerrek, artistak bere lanaren bidez hiriko biztanleak luzaroan ahaztuta izan duten urarekin berriro nola konektatzen dituen arakatu aurretik, ura beren eguneroko bizitzaren parte baita.

Argi dago uraren krisia gero eta handiagoa dela, ur gezaren erreserba gero eta urriagoak xahutzen ari gara eta. Munduko 500 hiri handienei buruzko 2014ko ikerketa baten arabera, *Global Environmental Change* aldizkarian argitaratua, lau hiritik bat 'estres hidrikoan' dago, eta, orain, munduko biztanleen erdia baino gehiago hiri eremuetan bizi denez, hiri lehorraren bat da. 2018ko otsailean, Lurmutur Hirian iragarri zuten Zero Egunari aurre egin beharko zion munduko lehen hiri handia zirela, hau da, txorrotak lehortu ostean bertako biztanleek ura lortzeko ilaran jarri beharko zutela. Azken auziko egun hori atzeratu egin zen, hiru urteko lehortearen ondoren eurite handiak iritsi zirelako, baina, iragarpen hark oihartzun handia izan zuen mundu osoan, eta gogoeta egin behar izan genuen uraren segurtasunaren ideiaz eta hiri inguruneei eragiten dieten mehatxuez.

Berehalakoan gertatu daitezkeen hondamendi horien aurrean, Iglesiasen lana urarekiko harreman ahaztua berpizteko *zeitgeist* ahalegin bat da, eta gure arreta uretan eta uraren kulturan jartzen du berriz ere, hiriaren baliabide bat den aldetik. Iglesiasen lanak ingurune eraikiaren ohiko jarduera eteten du, beste espazio eta denbora batetik datozela dirudien ustekabeko ur masen bidez. *Tres Aguas* bezalaxe, *Deep Fountain*, Anberesen, eta *Forgotten Streams*, Londresen, antzinako ur ibilguen oroitzapenen bidez egungo hiri ehuna apurtzen duten obrak dira, eta ekosistema naturalen dinamismo bizia iradokitzen dute; gure axolagabekeria gorabehera, hiriko Antropozenoaren oskol hauskorraren azpian jarraitzen duten ekosistema naturalen dinamismoa.

Forgotten Streams, 2017

Esan daiteke Iglesiasen lana uraren ziklo naturalak esploratzeko eta uraren dimentsio espiritualekin birkonektatzeko inguruneak sortzeko interes zabalago baten parte dela. XIX. eta XX. mendeetako gure hiri azpiegitura asko jada ez dira egokiak etorkizuneko estres hidrikoko egoeran izango ditugun erronketarako, eta, munduko edozein lekutan bizi garela ere, baliabide kritiko horren gure erabileran eta abusuan pentsatu beharko dugu, eta berriz ere ikasi uraren administratzaile izaten, kontsumitzaile izan ordez.

Iglesiasen obraren ildo nagusia tranpolin moduko bat da, arkitektoen eta diseinatzaileen lanaz hausnartzeko, eta ikusteko zer saiakera egiten duten hiriko uraren kultura aldatzeko eta, hori egitean, ingurumen gaiei zuzenean heltzeko. Iglesiasen lana urarekiko interesaren berpizkunde moduko bat eragiten ari da, hirian galduta eta ahaztuta egon diren ubide naturalak berriro aurkitzea, azpiegitura hidrikoen izaera aldakorra eta uraren erritualen gaitasun eraldatzailea aldarrikatuz, eta hori lagungarri izan daiteke, funtsezko baliabide hori babesteko beharrezkoak diren kultura eta portaera aldaketak eragiteko.

Hiriko ubide natural galduak eta ahaztuak berreskuratzen

Hiriak uretatik gertu garatu ziren arrazoi praktikoengatik –garraioa, nekazaritza, defentsa eta, batez ere, edateko ura–; historikoki, ibaiak hiriko bizitzaren erdigunean egon izan dira maila askotan.

Iraganean, Tamesis gaur egun baino askoz integratuagoa zegoen Londresko bizitzan. Baina, azken hamarkadetan, hiriko ibai handi asko bezala, haren erabilerak murriztu egin da, kutsadurak, ibaiko trafikoak, osasunak eta segurtasunak gero eta kezka handiagoa eragiten dutelako. Gure arbasoek ez bezala, guk atzera egiten dugu, beldurtuta, hiriko uren aurrean. Ibaiak industrialde, autobide eta estolda bihurtzen ditugu, edo, besterik gabe, zubi bat egiteko zain dauden zuriunetzat jotzen ditugu.

Iglesiasen *Forgotten Streams*ek, 2017an Bloombergen enkarguz egindakoak, Walbrook ibai estalia ekartzen du gogora, Tamesis ibaiaren adar ugarietako bat, gaur egun Londresko kaleen azpian ezkutatuta dagoena. Bide zorua soildu eta hosto korapilatuen mamu bat agerian uztean, Iglesiasek erakusten digu Londres historiaurreko paisaia baten gainean eraikita dagoela, eta gogorarazten digu mendeetan ubide naturalak oztopo deserosotzat jo izan direla hirien aurrerabidearen ikuspuntutik, eta, horregatik, bideratu egin direla, haiek zeharkatzeko zubiak eraiki direla, edo, besterik gabe, haien gainean eraiki dela. Walbrook ibaia sinbolikoki lurpetik ateratzean, Iglesiasek lurraren sakonean dabilen ur naturalaren presentziarekin konektatzen ditu berriro londrestarrak, eta aspaldiko garaiak gogorarazten dizkigu; Illichek deitoratzen duen moduan, ura detergente tekniko bihurtu baino lehenagokoak.

Azken urteotan, hiriko ubide naturalak berreskuratzeko beste modu batzuk proposatu dituzte arkitektoek eta diseinatzaileek, eta ibaiak garbi eta irisgarri egotea aldarrikatu dute, itsasontziek ez ezik, jendeak ere erabili ahal izateko. Eta horren azken emaitzetako bat hiriguneetan portuko eta ibaiko igerilekuak sortzea izan da. Duela pare bat urte komisario lanak egin nituen *Urban Plunge* izeneko erakusketan, eta, bertan, uretako espazio publiko adierazgarri baina gutxiegi erabili horiei buruzko zenbait proiektu bildu eta atzean zeuden arazoak aztertu ziren. Mugimenduak Kopenhageko portuaren eraldaketa arrakastatsua izan zuen oinarri; izan ere, Kopenhageko portua industria portu oso kutsatu bat zen, baina, 1990eko hamarkadan, garbitu eta igeri egiteko eta arrantzan aritzeko moduko espazio publiko bihurtu zuten. Hori lortzeko, funtsezkoa izan zen estolda sistema modernizatzea, euri asko egiten duenean portuan hondakin urek gainezka egin ez dezaten.

2005ean, Kopenhageko urak portuko lehen igerilekua irekitzeko bezain garbi zeuden. Gaur egun, bost igerileku daude, eta hirian paisaia erdi urtar bat sortu dute. Agian interesgarriena Kalvebod Waves izan daiteke, uraren gainean egindako pasabide irtenen sare kiribildu bat, JDS Architectsek diseinatua. Egitura forma librekoa da, ahalik eta eguzki argi gehien hartzeko eta erabilera askea sustatzeko diseinatua; portuko igerilekuetan ez dago soroslerik, eta jendeak bere kontura egin dezake igeri, dauden arriskuen jakitun, lehen bezala.

Kopenhagekoa eredutzat hartuta, Berlinen *Flussbad* proiektua sortu du realities:united-ek. Arkitektoek Spree ibaiaren beso bat kanaberazko iragazte sistema baten bidez garbitzea proposatu dute, berlindarrek Museoen Uhartea inguratzen duen 1,8 kilometroko ubide tartean bainatzeko aukera izan dezaten. Lanak hasi dira jada eta 2025ean bukatzea espero da; arkitektura heroiko horretan flotatzea beste dimentsio bateko hiri esperientzia bat izan daiteke, berria eta aparta.

Ur azpiegituren izaera aldakorra

Hiriak modernizatu eta hodi sistemak eraikinen barruan eta espaloien azpian ezkutatu eta tratamendu planta zentralizatu eta handietara eraman diren heinean, antzina ubide naturalak ordezkatu zituzten ur azpiegitura historikoak ere bistatik desagertu dira.

Toledon, ura ateratzeko putzuek eta ur gordailu historikoek harrizko bolen bidez seinalatuta jarraitzen dute eraikinen izkinetan, hirigune historikoko kaleen izenetan *pozo* hitza iradokita agertzen da, eta kutxatilek Tajoko edo hiriko ura adierazten dute. James Lingwoodek deskribatutakoaren arabera, Iglesiasek, lanean ari zela, ikusi zuen '[hiriko ur sistema historiko sofistikatuaren] beste aztarna batzuk oraindik ere ikusgai daudela: antzinako zisternak, lurpeko kanalak, bainuetxeak eta edateko uraren iturriak'. Iglesiasek lehen ere aipatu izan ditu ahaztutako ur iturri erredundanteak bere obran, esplizituki *Pozo* seriean, eta horietako bat Madrilgo Reina Sofía Museoaren kanpoaldean jarrita dago. Toledon luzaroan abandonatuta egon den

Uraren Dorrera ura itzultzea lortu duenean, Iglesiasek ur galduaren kulturaren arrasto baztertuak berrerabili ditu, eta funtzio irudimentsu bat azpimarratu nahi izan du, funtzio praktiko bat baino gehiago.

Lurmutur Hiriaren aparteko egoera eta hiria laster urik gabe gelditzeko arriskua aintzat hartuta, hiriko azpiegitura hidrikoan jarri behar da arreta inoiz ez bezala, eta, hori egitean, kontzientzia eta erantzuteko moduak berregokitu behar dira. Europako eta Amerikako hiriburu nagusiek ere arazoak izan ditzakete, ur azpiegitura arkaikoak dituztelako, egoera txarrean daudelako, eta garestiegia delako horiek konpontzea edo horien ordez azpiegitura zentralizatu berriak egitea. Columbiako Unibertsitateko Uraren Zentroaren arabera –zentro horrekin lan egin genuen edateko urari buruzko *Water Futures* ikerketa programan, 2018/19an New Yorkeko A/D/On egindakoan–, herrialde garatuetako zein garapen bidean dauden herrialdeetako hiriek etorkizun bera izan dezakete: saretik kanpo hondakin urak biltzeko eta garbitzeko sistemak eta auzoko prozesamendu instalazioak behar izan ditzakete. Diseinatzaileak hasi dira jada eskema horiek nolakoak izan daitezkeen imajinatzen.

OOZEko arkitektoen ustez, ezinbesteko sistema batzuen mende gaude –ura, klima edo energia, adibidez–, eta horiek ikusezin egiten ditugunez, ezin dugu erabat ulertu zer eragin dugun ingurunean. Horregatik, naturako prozesu ziklikoak berriro eguneroko bizitzan txertatzen saiatzen dira, agerikoak eta ukigarriak izan daitezen. Horretarako, hondakin urak tratatzeko sistema berri bat pentsatu dute Rio de Janeirorako, kontuan hartuta ur azpiegituren gabezia larria dagoela, batez ere *favela* eremuetan. Sistema zentralizatu baten ordez, hondakin urak garbitzeko hezegune lokalak eraikitzea proposatzen du *Agua Carioka*k; obra hidraulikoak komunitatearen bihotzean jarriko lirateke, biztanleek zikloa bertatik bertara esperimentatzeko aukera izan dezaten eta sistema horiek bizitzarako duten garrantziaz jabetu daitezen, eta, horrez gain, berdegune komunal berriak sortuko lirateke.

Chennain (India), *City of 1,000 Tanks* proiektuak hiri osoa hartzen du kontuan eta soluzio holistiko bat bilatzen du uholdeen, ur eskasiaren eta kutsaduraren arazoak konpontzeko, hiriko ur tankeen sistema historikoa berpiztuz, azpiegitura modernoa handitu beharrean. Sistema zikliko hau akuifero naturala birkargatzeko eta denbora luzez biltegiratutako uraren erreserborioak askatzeko diseinatu da. Lurpeko hustubideen ordez lur gaineko garbiketa kanalak proposatzen dira, prozesua agerian uzteko, eta urtaro aldaketak montzoien hiri honen eguneroko bizitzan txertatzen dira berriro. Hau guztia mugimendu zabalago baten isla da, eta antzinako ur sistema arruntak berraurkitzea du helburu; urarekin lotutako jarduerak eguneroko bizitzan integratzea eta prozesu naturalekin lan egitea, prozesu horien aurka egin beharrean.

Edateko ura

Uraren kulturaren barruan, beharbada edateko urarekin lotuta ari dira agertzen arazorik handienak azkenaldian. NBEren arabera, 2025erako 1.800 milioi pertsona biziko dira erabateko ur eskasia eta edateko ura eskuratzeko aukera mugatuak dituzten herrialdeetan. Eta eskasia arazorik ez duten herrialdeek beste arazo batzuei egin behar diete aurre. Plastikozko ur botilaren erabilerak gora egin du, ura botilaratzen duten enpresek iturriko uraren gainetik sustatu baitute kalitatearekin, osasunarekin eta zaporearekin erlazionatutako argudio faltsuak erabiliz, eta horrek eragin nabarmena izan du ozeanoak kutsatzen dituzten plastikozko hondakinen sorreran.

Londresko Alkatetzak edateko uraren iturri publikoak berreskuratzeko kanpaina abiatu berri du, hirian plastikozko ur botilen erabilera murrizteko eskaera gero eta handiagoa delako. Edateko uraren doako hornidura publikoaren tradizio galdua berreskuratzea gaur egungo ingurumen arazo bat konpontzeko metodo historikoetara jotzeko beste modu bat da.

Edateko uraren iturri publikoen bidez, halaber, eremu publikora bueltatzen dira uraren azpiegitura eta erabilera. Antzina, Londresen putzu publikoak zeuden han-hemenka, edateko ura ateratzeko eta lurretik zuzenean edateko. John Stowk 1603an egindako ikerketaren arabera, Londresko kale eta kalezulo guztietan 'hainbat eratako putzuak eta iturriak' zeuden, hiria 'ur gozoz eta freskoz' hornitzeko. Putzuetako urak ezaugarri sendagarri bereziak zituela uste zen, eta ur mineralaren inguruko kultura bat zegoen; uraren bertuteak eta osasunerako onurak ulertzen -edo, batzuetan, gaizki ulertzen- ziren.

Baina Londres, beste hiri handi batzuk bezala, hazi eta industrializatu egin zen, eta, prozesu horretan, ur iturri naturalak kutsatzen joan ziren. XIX. menderako, ura arriskutsuki pozoitsua zen. Londresko lehen iturri publiko segurua 1859an inauguratu zen, eta, ordutik aurrera, filantropoek dohaintzan emandako iturriak ospetsu bihurtu ziren hirian. Londresen, XIX. mendeko Wallace iturri paristarrek eta Erromako Nasone (Sudur handia) iturriek oso erabiliak izaten jarraitzen duten bitartean, iturri viktoriar ia guztiak erabileraz kanpo daude. Eskultura gisa zaharberritzen ditugu, edateko uraren doako hornidura publikoaren monumentu bihurtu daitezen.

XXI. mendeko hirigune gehienetan, galdu egin dugu urarekiko eta haren ezaugarri sendagarri ia mistikoekiko fedea. Emantzat jotzen dugu txorrotatik ateratzen den likido industrial garbia eta koloregabea. Eta plastikozko botila batetik ateratzen dena ere bai. Iglesiasen obran, bizitza iturri misteriotsu bat ez ezik, irudimenaren iturburu ere bada ura. Toledon, tradizio biziaren aztarnak dakusagu Sagrarioko Ama Birjinaren Jaian; egun horretan soilik, katedraleko putzuko ur magikoa edaten uzten zaio nahi duen guztiari. Bestalde, Federico Felliniren *8½* filmak iradokitzen du italiar zuzendariak uraren dimentsio sortzailean sinesten zuela. Film horretan, gainbeheran dagoen zine zuzendari baten istorioa kontatzen da; zuzendaria Toskanako bainuetxe batera erretiratu da inspirazio bila, eta, han, gaztetu egin da Claudia Cardinalek ametsetan iturri batetik zerbitzatu dion baso bat ur edanda.

Aukera paregabea daukagu diseinu politeko iturriak gure kaleetara eta parkeetara itzultzeko. Zergatik ez dira iturriak markatzaile eta elkargune izango, bere garaian putzuak izan ziren bezala? Hiriko lasaitasun guneak izan litezke, uraren magia berraurkitzen laguntzeko?

Duela gutxi London Fountain Co. sortu dut, nire bazkide Charles Aspreyrekin batera. Michael Anastassiadesi edateko uraren iturri bat diseinatzeko eskatu diogu, eta gure lehen modeloa, *The Fleet* izenekoa, Londresko ibai galduaren omenez, Londresko hiri altzari ederren tradizioari erreferentzia egiten dion forma dotore bat da. Brontzezko ontziak eta ur arkuak erritual sentsazioa dakarte gogora. Udateko ura hornitzeko oinarrizko funtzioa dotoretasunez betetzen duen diseinua da, eta, aldi berean, kalean berriz ere uraz gozatzeko aukera ematen du.

Egoitza New Yorken duen Agency-Agency diseinu enpresako Chris Woebkenek eta Tei Carpenterrek beste era batean imajinatu dute XXI. mendeko edateko uraren kultura publikoa, dagoen hiri azpiegitura berrerabiliz. New Yorkeko A/D/On, *Water Futures* programaren esparruan, *New Public Hydrant* proiektua aurkeztu dute. Sute ahoak batez ere Catskill mendietatik datorren edateko urez hornitzen diren hiri horretan, diseinatzaileek zenbait 'hack' proposatzen dituzte iturgintzako pieza estandarrak erabiliz, sute aho publikoak egokitu eta jendeak, txoriek eta txakurrek edateko iturri gisa erabili ahal izateko, edo ihinztagailu bat sortzeko, haurrek egun beroetan jolasteko aukera izan dezaten.

Ur erritualen gaitasun eraldatzailea

*Tres Aguas*en, uraren meditazio ahalmena bereziki nabarmentzen da Santa Klara Komentuko espazio itxian, putzua betetzeko eta husteko erritmo lasaiaren bidez. Beatriz Colominak deskribatzen duenez, Iglesiasek uraren mugimendua erabiltzen du erantzun fisiko bat eragiteko -gorputzaren nolabaiteko martxa aldaketa bat-: 'Cristina Iglesiasek moteldu egiten gaitu, eta hori ez da lan erraza Arreta Defizitaren Nahasmenduaren garai hauetan. Haren asmoa da gure zentzumenak esnatzea, eta laguntzea, berriro ere ikas dezagun gorputz osoaz ikusten'. Putzu batean sartzen eta bertatik irteten den uraren mugimendu geldoaren bidez, 'hiritik urruntzeko eta gauden espaziotik haratago joateko eskatzen digu' Iglesiasek.[6]

Esan liteke uraren antzeko erabilera transzendental bat ari dela itzultzen hirira, bainuetxe publikoen berpizkundearekin. Toledon, bainuetxeak hiriko bizitzaren parte izan dira Amador de los Ríoseko erromatar termez geroztik, kultura musulmanean, juduan eta, beharbada, baita kristauan ere. Bainatzea eta lurrunetan egotea, higienearekin lotutako erritual hutsa izatetik haratago, behar sozialei, sentsorialei eta, neurri batean, espiritualei ere erantzuten dien ekintza da. Eta horixe da Iglesiasen obrako erritmo lasai baina erraietakoei hoberen egokitzen zaien alderdia.

Beraz, bainuetxeek zergatik izan beharko lukete erakargarriak orain? Gaur egungo zer beharri eta nahiri erantzuten diete? 2016an komisario lanetan aritu nintzen *Soak, Steam, Dream: Reinventing Bathing Culture* erakusketan, eta, bertan, zenbait proiektu berri aurkeztu nituen, antzinako idealetara itzultzen diren eta uraren erritual komunitarioekin birkonektatzen duten bainuetxeenak. Sigfried Giedionek idatzitakoaren arabera, 'bainatzeak kultura baten barruan betetzen duen paperak agerian uzten du kultura horrek zer begirekin ikusten duen gizakia erlaxatzea... Nolabaiteko neurri bat da, eta adierazten du zenbateraino jotzen den ezinbestekotzat pertsonaren ongizatea, bizitza komunitarioaren barruan.'[7] Gaur egungo spa delakoen luxuaren eta esklusibotasunaren ordez, bainuetxe publikoek inklusioaren eta soziabilitatearen sustrai tradizionalagoak berreskuratzen dituzte, eta bainuetxea murgilketarako espazio sentsorial gisa aurkezten dute, kontenplazioarekin eta berregokitzapenarekin lotuta. Espazio komunitario alternatibo bat sortzen dute, mundu jantziaren beste dimentsio sentsorial batekin.

Ondorioak

Iglesiasek Kalifornia Beherean egindako urpeko obra, *Estancias Sumergidas* (2010), urpekarian joanda bakarrik ikus daiteke. Obra horretan, Iglesiasek murgiltzeko eskatzen dio publikoari, eta, horrela, errealitate fisiko alternatibo batera eramaten ditu, uraren sentsualitatearekin eta gorputzeko sentsazioa aldatzeko duen gaitasunarekin bat eginda. Hirian igeri egiteko diseinatutako proiektuek bezalaxe, jendeari begien aurrean jartzen dizkio giza jarduerak ingurune urtarretan dituen ondorio kutsatzaileak. *Estancias Sumergidas*ek zibilizazio baten irudi erromantiko bat ekartzen du gogora; Atlantidaren antzera, ozeanoan galdu den zibilizazio bat, naturak berriro erreklamatzen duena. Iglesiasen obraren zati handi batean, gizakiak ukitu gabeko azken natura basati bat irudikatzen dute ur inguruneek.

Baina duela gutxi jakin dugu ozeanoko lekurik urrunenak ere jada ez direla lurralde birjinak; 2018ko maiatzean, plastikozko poltsa bat aurkitu zuten Marianetako itsas hobiaren hondoan, 36.000 oineko sakoneran, Ozeano Barean.

Beraz, argi dago gero eta garrantzitsuagoa dela urari duen balioa ematen ikastea. Funtsezkoa da bizitzarako, ondasun unibertsala eta baliabide preziatua. Eta mehatxatuta dago. Iglesiasek hiri inguruneko ur korronte ahaztuetan jartzen du arreta, uraren botere mistikoa gogorarazten digu, ura beharrezkoa dela esaten digu, eta, era horretan, uraren garrantziarekin birkonektatzen gaitu eta gogorarazten digu funtsezkoa dela gure bizitzaren eta planetaren bizitzaren hainbat alderditan. Urak historian izan dituen funtzio ugariez eta askotarikoez gain, gaur egun bizi garenontzat oraindik ere badu gure bizitza digital gorpuzgabearen 'orban espirituala' garbitzeko ahalmena. Ura inoiz baino gehiago behar dugu gaur egun.

(Oharrak 155. orrian)

Eztabaida

Iwona Blazwick Eskerrik asko, Jane. Benetan zoragarria izan da, eta itxaropen sentsazioa ere eman dit, tragediari eta malenkoniari buruzko gure eztabaiden ondoren. Zure ustez, horrelako ekimenek, Cristina egiten ari denarekin batera, gure axolagabekeriari aurre egin diezaiokete? Ez dugu aintzat hartzen zer ondorio dituzten erabilera bakarreko plastikoek. Zure ustez, zein da horren kostua eta alternatibak komunikatzeko modua?

JW Uste dut oso zaila dela, baina plastikoaren gaiak indarra hartu du azkenaldian. Duela bi urte eta erdi proiektu bat egin genuen Selfridgesekin, plastikozko botilak saltzeari uzten laguntzeko. Hornitzaile guztiak bildu zituzten eta haien pentsamoldea aldatzen saiatu ziren, eta, hortik, ekimen bat sortu zen Londresko zoologikoarekin, Londres erabilera bakarreko plastikozko botilak erabiltzeari utziko liokeen lehen hiria izatea nola lortu litekeen ikusteko. Zoragarria zirudien, baina inori ez zitzaion gehiegi interesatu. Hala ere, azken hiruzpalau hilabeteetan, seguruenik David Attenboroughek horretaz hitz egin zuenetik, egoera erabat aldatu da. Orain, jendearen kontzientziazioa handia da. Horrelako proiektuak kontzientzia aldatzeko erabil daitezke, eta, txikiak eta ez eraginkorrak diruditen arren, inflexio puntu bat egon daiteke, eta aldaketa bultzatu dezakete. Beraz, baikor izaten jarraitu behar dugu.

IB Erritualari eta komunitateari buruz hitz egin duzunean beste gauza bat aipatu duzu, bainuetxeak espazio bitxi bat direla, non zure gorputza arrotzen aurrean erakuts dezakezun. Denok urduri jartzen gaituen kontua da. Eta zalantza bat dut. Ez ote litekeen kontzeptu hori lekuz aldatu, eta, adibidez, obra komentuaren eta dorrearen mugetan ikusteko esperientziara eraman, horiek espazio itxiak direlako. Ez ditut obrak instrumentalizatu nahi, baina, uste duzu badagoela aukeraren bat obra horiek, hausnarketarako espazio hori, aktibismo gune gisa erabiltzeko? Jendea kontzientziazio moduko batean biltzeko?

JW Beno, zuk diozunez, lanari begira ez duzu erredukzionista izan nahi, baina uste dut nolanahi ere hala dela. Jendeak egiten duenaren araberakoa izan daiteke, baina,

aldaketa puntu bat izan daiteke. Inguratzen gaituen uraz kontziente egiten zaitu, zure barruan ere kontziente egiten zaitu, eta efektu xurgatzailea du.

IB Cristina, ikusten duzu dimentsio politikorik zure lanean?

Cristina Iglesias Bai horixe. Edozein artelanen barruan dimentsio politiko bat dago. Ikusgai dagoenaren presentziaz hitz egin dugu, eta normalean ikusten ez denaren presentziaz. Azaldu dugu eskultura bat egiteko lurzorua soiltzen dugunean agerian gelditzen dela azpian dagoenaren konplexutasuna: lekuaren historia, lurzoru naturala, ur sistemak. Baina alderdi politikoa lekuaren araberakoa ere bada. Toledon izan beharrean, *Tres Aguas*i buruz Jerusalemen hitz egingo bagenu, oso desberdina izango litzateke. Baina, bai horixe, badago alderdi politiko bat horretan guztian. Uste dut egiten dugun guztian dagoela.

Richard Noble Janek esan du industrializazioaren ondorioz uretatik urrundu ginela, eta horrek atentzioa eman dit.

Londresek, funtsean, bizkarra eman dio Tamesisi: estolda eta ubide gisa baino ez du erabiltzen. Hori poliki-poliki aldatzen ari da, baina luzaroan hala izan da. Eta badirudi Toledok antzeko harremana duela Tajorekin. Ibai bikain hau duela gutxi berraurkitu da, jendeak paseatzeko, igeri egiteko eta erlaxatzeko leku gisa. Cristinaren obrek prozesu horretan lagunduko dute, baina, gainera, ura modu esplizitu eta interesgarri horretan erabiltzen duenez, obrak gogorarazten digu ura bermatutzat jotzen dugula. Benetan ez dugu baliabide natural gisa tratatzen. Eskura daukagun hornidura mugagabe bat balitz bezala tratatzen dugu, beti garbia, kolerarik edo mineral toxikorik edo beste substantzia kaltegarririk ez daramana. Oso paralelismo interesgarria dago Cristinak bere lanean ura erabiltzen duen eraren eta Janek aipatu dituen diseinatzaile horietako batzuk aztertzen ari diren antzinako erabilera moduen artean.

João Fernandes
Arte guztia da literatura modu bat

Gai batzuk proposatuko ditut zurekin eztabaidatzeko, Iglesiasen obra betidanik maitarazi didaten gauzak. Bere obran asko gustatzen zaidan gauza bat eskulturaren alderdi batzuen subertsio sotil eta isila da. Adibidez, eskulturaren tradizio zutikor baten subertsioa dago. Azken urte hauetan bada forma jariakorretarako norabide edo mugimendu bat, egoera iragankorretarakoa eta uraren erabilerarakoa. Espazioari objektuak gehitu beharrean, espazioa birdefinitzen du, hura estaltzen duten gainazal berriak sortuz, eskulturen hondar hautsietatik hasi eta leku publikoetarako egungo proiektuetara, zeinetan ura egoera berrien fluxu bihurtzen baita. Espazio publikoa alderantzizkatu eta aukera berriak irekitzen ditu bertan. Espazio publiko bati iturri bat gehitzeak gure pertzepzioan amildegi moduko bat irekitzea esan nahi du. Gauzak modu berri batean ikusaraz diezazkiguke, baita espazio publikoan aurkitzea espero ez ditugun kontzeptu asko aurkiaraztea ere.

Objektua, eskultura izaera, espazioan sartzeko modua ez da arkitekturari botatako erronka soilik, baizik eta espazioa geometria euklidearraren lehen arauen arabera ulertzea ere. Iglesiasen lanaren izaera lauak sakontasun mota berri bat pizten du, espazio euklidearra iraultzen duen irudikapenaren errealitate paralelo mota berri bat. Egoera konplexu interesgarriak garatzen dituzten proposamen asko egiten ditu, eta horiek erritmo berriak eta mugimendu berriak sortzen dituzte, eskulturaren orain arteko tradizio gehienbat estatikoan.

Iglesiasen lanak kapitulu berri bat gehitzen dio eskulturaren historiari, non objektua, forma, bolumenak eta pisua nolabait artearen transgresio bihurtzen diren simulazioaren eta antzerkiaren bidez. Adibidez, materialak astunak direla pentsarazten digu hala ez direnean. Baina, bestalde, batzuetan aurkezpen baldintzak ere simulatzen ditu, adibidez, naturaren errepresentazioa dekorazio arteen tradizioarekin gurutzatzen denean sublimearen paradigman murgiltze moduko batean – sublimearen iluntasunean eta alde beldurgarrian; lehenago ere eztabaidatu dugu horri buruz, tragikoaren kontzeptuaz hitz egitean–.

Interesgarria da ikustea nola lehiatzen diren aurkakoak haren lanen ikusizko hizkuntzan. Tentsio berezia dago estatikoaren eta dinamikoaren artean, edo bertikalaren eta horizontalaren artean, edo solidoaren eta likidoaren artean, fluidoaren eta iragankorraren artean. Bitxia egiten zait, halaber, Iglesiasek uraren azala distirarazten edo iluntzen duen moduaren arteko aurkakotasuna. Horrela hasten da, poliki-poliki, haren lana denborari heltzen.

Uraren jarioak eta "ibaia ez da inoiz alde beretik bi aldiz pasatzen" esaera zaharraren eguneratzeak irudikatzen dute denbora. Iglesiasen ur proiektuen etengabeko itxurak erritmoa jartzen du eskulturan, denbora txertatzen du eskulturan. Hemen, Toledon, horren adierazpen bikaina dago ur dorrearen proiektuan, non mugimendu sistolikoak eta diastolikoak txandakatzen diren eraikin osoak arnasa hartzen duen sentsazioa sortzeko.

Bereziki garrantzitsua da nola moldatzen duen bere lanak amaitu gabe dagoen zerbait, etengabea den zerbait, gure baldintza iragankorraren kontzeptuarekin, espazioarekin, denborarekin, denborarik gabe espaziorik ez dagoen ideiarekin aurrez aurre jartzen gaituen prozesu bat. Denbora, nolabait, aurri faltsuaren irudikapenaren tradizio erromantikotik datozen hasierako eskulturetan ere irudikatzen da, denboraren etengabeko trantsizioaren irudikapen bat. Baina orain, denbora gero eta elementu garrantzitsuagoa bihurtu da bere gramatika bisualean.

Denborak iturrietan soinuaren bidez funtzionatzen duen modua bere materialtasunaren zati garrantzitsu bat da. Oso polita da soinua entzutea, eta tradizio hori arabiar lorategietatik dator. Urak soinua sortzen du etengabe, eta uraren soinua bizitzaren etengabeko mugimenduaren irudikapen bihurtzen da. Materialen eta prozesuen ezaugarri formalak konplexuago bihurtzen dira soinua gehitzen zaienean. Soinuak egoeraren pertzepzio sinestesikoa egitera gonbidatzen du ikuslea; ikuslearen parte hartzea aktibatzen du. Likidoaren etengabeko soinuak, unibertsoaren musika etengabeko horrenak, espazioan eta denboran desegiten du objektua.

Gainera, urak landare motibo horiek guztiak agerian uztea eredu errepikatuen tradizioaren barruan artikulatu daiteke.

Lehen William Morrisi buruz hitz egin dugu, eta oso interesgarria da ikustea natura nola irudikatzen den patroien bidez Morrisen dekorazio arteetan, nola natura ereduen irudikapen asexuatu moduko bat bihurtzen den. Iglesiasen obran, bada landare motibo gisa ezagut ditzakegun gauzen arketipo bat, baita naturaren kontzeptu abstraktuago bat ere. Naturak bizitzaren ezaugarri iragankorrarekin jartzen gaitu aurrez aurre; bizitza eta heriotza kontu bat da, hertsiki. Gauzak iragankorrak dira, agertu eta desagertu egiten dira. Bizitzaren eta heriotzaren zikloak landare azaleren gaineko ur fluxu etengabeak irudikatzen ditu sinbolikoki.

Nolabait, Iglesiasen obra osoa oso egoera sinpleetatik eratorritako konplexutasunaren irudikapen bat da. Paisaiaren ideia kontzeptu eta konplexutasun eredu bihurtzen da. Konplexutasun hori denboraren eta jarraitutasunaren ideiak bateratzen du. Iglesiasen iturriak edo urmaelak, nolabait, iturri faltsuak edo urmael faltsuak dira; planetari gehitzen dizkion gainazal berriak direla esango genuke, eta hori larruazal berri bat edo azalean eginiko tatuaje berri bat bezalakoa da.

Bere lanak lurraldeen irudikapen fraktal antzeko batetik gero eta hurbilago daude. Adibidez, bere azken proiektuetako batzuk mapak bezalakoak dira. Landaredia mapa bihurtzen da, kartografia berri bat, ibaiak bezala, ur ibilguak bezala edo azalaren gainazala. Haren *Vegetation Rooms* edo landaredia gelak, edo ur proiektuak ikusten ditudanean beti etortzen zait gogora Paul Valery-ren esaldi bat: "Azala da sakonena". Denboran zehar irekitasun sakon bat aurkitzen dut bere fisikaltasunetik haratago doan irudikapen batean.

Materialen eta prozesuen ezaugarri formalak, propietateak, konplexuago bihurtzen dira soinua gehitzen zaienean. Soinuak egoeraren pertzepzio sinestesikoa egitera gonbidatzen du ikuslea; ikuslearen parte hartzea aktibatzen du. Egoerak disolbatu egiten du objektua espazioan eta denboran, eta likidoaren etengabeko soinuan, unibertsoaren etengabeko musika horretan. Nolabait, Iglesiasen obra osoa errealitateari eransten dizkion egoera oso sinpleetatik eratorritako konplexutasunaren irudikapen bat da. Konplexutasun mota hori ondo irudikatzen du paisaiak elkarrekin lotzeko artea garatzeko duen moduak. Paisaiaren ideia kontzeptu eta konplexutasun eredu bihurtzen da. Konplexutasun hori denboraren eta jarraitutasunaren ideiak bateratzen du. Iglesiasen iturriak edo urmaelak, nolabait, iturri faltsuak edo urmael faltsuak dira; planetari gehitzen dizkion gainazal berriak direla esango genuke, eta hori larruazal berri bat edo azalean eginiko tatuaje berri bat bezalakoa da.

Higiduraren, erritmoaren, denboraren konposizio berri hori guztia da niretzat Iglesiasen obraren jarraipenarekiko dudan jakin mina sostengatzen duena. Denborak espazioa nola iraultzen duen aztertzen du, denborak ikuslearen egoera estatikoa ere nola iraultzen duen, nola gonbidatzen den ikuslea obraren barrura, bere mugimenduaren eta gure pertzepzioen mugimenduaren bidez esperimentatzera. Bere lanek espazioa estaltzen duen eta ikuslearen sentsazio fisikoak bustitzen dituen zerbaitetan oinarritutako pertzepzio interesgarria proposatzen dute.

Horregatik, niretzat, oposizio edo dikotomia horiek eskulturaren historiaren urratze oso interesgarria dira, non eskultura objektibotasunaren tradiziotik haratago doan eta, nolabait, munduaren azal berri bihurtzen den.

Objektuak gehitu beharrean, Iglesiasek arkitekturak eta gainazalak gehitzen dizkio munduari. Gainazal horiek zoruak, sabaiak edo hormak izan daitezke, baina, nolabait, beste zerbait estaltzen duen zerbaiten proposamenak dira beti. Bere lanak pantailak dira, babes moduko baten eta horien atzean dagoen zerbaiten errebelazio moduko baten artekoak. Bere eskultura gure berehalako sentsazioetara eta eskultura tradizioaren estereotipoetara joateko gure desioari eginiko erronka interesgarria da. Eskulturarekiko hurbilketa feminista gisa sortzen da, eta narratiba monumental baten subertsioa dago, botere maskulinoaren istorio bat, oso modu lasaian, baita isilean ere, egiten duena. Isiltasuna soinurik eza da; ez dago soinurik isiltasunik gabe. Mugimendu berriak gehitzean, fluidoa solidoari gehitzean, isiltasunari soinua gehitzean, Iglesiasek mundu honetan dugun presentziaren esperientzia berri bat proposatzen du.

Eztabaida

James Lingwood Eskerrik asko, João, eginiko aurkezpenagatik. Gai dezente ukitu dituzu, eta gaur hainbeste aipatu ez dugun bati heldu nahi nion berriro, Cristinak eskulturaren historiaren inguruan eginiko lanari, alegia. Bere obraren zati bat eskultura autonomoaren historian kokatzen da, museo eta galerietan aurkezten den obra motan. Baina beste zati batek askoz zerikusi handiagoa du, diozun bezala, esperientzia korapilatuago batekin; beraz, lotura dago autonomiaren eta nahastearen edo korapiloaren artean. Baina egin nahi dizudan galdera 'eskulturaren historiaren subertsioari' buruzkoa da. Hori modu nahiko interesgarrian irudikatzen du Cristinak materialen erabileraren bitartez, bereziki historia horrekin lotuta dauden materialak, esaterako harria eta metal urtua. Zerbait gehiago esan zenezake material espezifiko horiekin lan egiteko moduari buruz aipatu duzun soinuaren elementuaz gain?

JF Eskultura gehienek, espazioarekin duten harremanaren bidez, irudiaren eta lurraren arteko erlazioa erreproduzitzen dute pinturan, eta uste dut Cristinak erlazio hori ezabatzen duela. Irudiak gehitu beharrean, lurzoruak eraikitzen ditu. Hori arkitekturaren eta dekorazio arteen historia oso interesgarri batekin lotzen da, adibidez arabiar jauregien tradizioan edo mesopotamiar arkitekturan. Horregatik da hain interesgarria Cristinaren obrako baxuerliebea, bere baxuerliebeak irudiaren berezitasunak ezabatzen dituelako; giza izaeraren edozein irudikapen epiko edo heroiko ezabatzen du. Cristinak gure esperientzia pertsonalaren eta espazioan dugun presentziaren absortzio gisa proposatzen du eskultura. Niretzat, 'inpregnazio' edo 'absortzio' bezalako terminoak garrantzitsuak dira. Urak eta argiak eskulturen materialtasunak distira egiteko eta une desberdinetan iluntzeko duten moduak liluratuta uzten nau. Itzalen eta argiaren arteko joko hori programatu gabeko prozesu batean gertatzen da Cristinaren urmael guztietan, baita Toledoko ur dorrearen mugimendu zoragarrian ere. Cristinaren hasierako lanetan, ikuslea obran murgiltzera gonbidatzen zuen. Testu labirintoak zeharka genitzakeen, pabilioiak ziruditen landare aretoetan sar gintezkeen. Gaur egun, barruko/kanpoko joko hau proposatu beharrean, naturaren kontzeptu zabalago bat irudikatzen duten gauzekin eta naturaren gure esperientzia bisual eta sentsorialarekin dugun harremanarekin zerbait estaltzean datza obra. Niretzat bateratzen duen zerbait simulazioa da, antzerkian bezala. Materialek beste material batzuk simulatzen dituzte, eta espazioek beste espazio batzuk dirudite.

Russell Ferguson Uste dut elementu ilusionistak, edo faltsuak -landare irrealak, ispiluaren efektu ilusionistak- obra ikustearen benetako esperientziak, eskulturaren benetako presentziaren kalitate haptikoak, gainditzen dituela.

Eta, jakina, bereziki, ura ez delako faltsua edo ilusionista. Nik neuk lanarekin izandako esperientzian pentsatzen ari naiz. Hain kontziente nintzen uraren igoeraz eta jaitsieraz eta gainerako elementuen gainetik igarotzeaz, ezen ez bainaiz oroitzen bizitza begetalaren irudikapen bat ikusten aritzeaz oso kontziente izan nintzenik. Agian geroago gogoratuko dudan zerbait izango da, baina antzezlanarekin topo egiteko unean, obraren nolakotasun oso haptikoa izan zen edozein antzezpen edo ilusionismo sentsazio ezabatzen duena.

Iwona Blazwick Larruazalari eta azalari buruzko zure iruzkinera itzuliz, aipatu diezazkioket horiek Cristinari? Egia da obra ez dela hainbeste bolumenaz eta masaz ari, planoez baizik, eta ispiluek iradokitako kontzeptuzko edo ilusiozko sakontasun proposamen batez. Zergatik sentitzen zara azalera erakarrita?

Cristina Iglesias Tira, kasu askotan nahita izan da larruazalean pentsatzea eta patroiekin eta errepikapenekin lan egiten duten marrazkiak egitea, baina espazioen eraikuntzan patroiak nola erabili diren azaltzen duen historiari ere erreferentzia egiten diotenak. Joãok esan zuen bezala, barrualde labirintikoak izan ditzaketen pabiloiak edo gelak eraikitzeko interesa izan dut eta dut oraindik ere. Kanpoko azalean lan egiten dut, eta, gero, barruan zaudenean, azala pantaila bat izan daiteke. Niretzat, pantailarik onenak zeharrargiak ez direnak dira, sakontasunaren ilusioa dutenak eta, beraz, zeure buruari atzean zer dagoen galdearazten dizutenak. Azken finean, leku horiek guztiak eskulturari eta eraikuntzari buruzko gogoeta maila berean kokatzen dira: egoteko, pentsatzeko, mugitzeko, zeharkatzeko edo harantz joateko lekuak eraikitzeko gailuak. Eskulturan egon den pentsamendu guztia nabarmenago egiteko modua aurkitzen saiatzen naiz.

Jakina, ez dugu nahi berriro kolera agertzerik, baina, ongi legoke zapore edo ezaugarri ezberdinak zituztelako ezagunak ziren putzuetara edo iturrietara joan ahal izatea. Eta horrela, hiriaren esperientzia estuago sintoniza liteke hiria zeharkatzen duen bizi odol naturalarekin.

James Lingwood Halaber, uste dut *Tres Agua*sen barruan harreman bat dagoela aldarteen eta ur mugimenduen artean, ibaian gertatzen den bezala. Hala gertatzen da ibaiertzean oinez zoazenean. Esperientzia ia sinfonikoa da: allegrotik andantera doa; batzuetan, soinua oso ozena da, eta, beste batzuetan, isila. Beraz, uste dut lotura bat dagoela ibaiaren mugimenduen eta eskultura barruko mugimenduen artean.

Farshid Moussavi Iwonak Espainiako islamiar lorategiak aipatu zituen. Nire ustez, lorategi haietako uraren erabilerarekin alderatuta, Cristina ez da saiatzen lorategiko uraren eta kanpoko uraren arteko jarraitutasuna erakusten. Alhambrakoa bezalako lorategiak paradisuko mikrokosmosa dira.

Paradisu gisa gozatzen diren naturako elementuak identifikatu nahi dituzte, kreazioaren seinale gisa eta mundutik kanpo dagoen sortzailearen oroigarri gisa. Alde horretatik, Cristinaren obra oso bestelakoa da.

Estrella de Diego Farshidekin ados nago: ez du horrenbesteko zerikusirik Cristinaren obrarekin. Loratégia ez ezik, espiritualtasunari lotutako edertasunaren ideia osoa ere islamiar arkitekturaren funtsezko parte da. Eta mendebaldeko ikuspegi batetik begiratzen denean, hori galdu egiten da askotan, lotura espirituala galdu dugulako, eta, beraz, kaligrafia patroi gisa ikusteko joera dugulako. Dekorazio moduko bat dela uste dugu, baina, benetan, natura iragazten du. Ez du zerikusirik dekorazioarekin.

Halako gailu abstraktu bat da, patroi bat duena. Eta kontua ez da patroia, patroiak gogora ekartzen duena baizik.

Michael Newman Plinioren istorio ezaguna ekartzen dit gogora: Zeuxis eta Parrasiosen arteko lehiaketa, zeinetan Zeuxisek txoriek harrapatzen dituzten mahatsak margotzen ditu eta Parrasiosek gortina margotzen du, zeinari buruz Zeuxisek galdetuko du: "Zer dago gortinaren atzean?". Orduan, Parrasiosek, noski, irabazi egingo du, Zeuxisek txoriak engainatu zituelako besterik ez, eta Parrasiosek, aldiz, gizaki bat engainatu zuen. Lacanek horri buruz hitz egingo du pantailak atzean dagoena ikusteko eragindako desio gisa. Baina ez dago benetako atzealderik; atzean dagoena ikusteko gogo hutsa da. Cristinak larruazal tankerako horiek egiten ditu mahatsak eta gortinak direnak aldi berean. Benetako zerbait ikusten ari garela uste dugu, eta uste dut hau larruazala kentzetik datorrela. *Tres Aguas*, batez ere plazako lanak, azala zuritu eta bero diren sustraiak agerian uzteko sentsazioa du, baina, jakina, beste azal bat besterik ez da. Ikusten duguna gure desiraren emaitza ere bada. Beraz, mahats nahasketa interesgarri hori dago, zuk aipatzen zenuen egia hori izango litzatekeena, eta oihala, errealitatearen moldea. Gauzek eragindako antzekotasuna da, eta horregatik da erreala, baina pantaila bat ere bada, eta zurituko bagenu, azpian beste azal bat baino ez genuke ikusiko, erreala dela pentsatuko genukeena, baina aldi berean zuritu nahiko genukeena.

Luis Fernández-Galliano Orain materialez ari garela, eta askok aipatu dute Cristinak naturaren zatiak erabiltzen dituela obrak ekoizteko... Cristina, gurekin zenbait alderdi tekniko partekatuko dituzula espero dut, adibidez, nola egiten duzun eta non. Zeintzuk dira lan hauek egiteko zailtasun tekniko nagusiak? Oso gutxitan hitz egin dugu horri buruz.

CI Egia esan, moldeak errealitatetik abiatuta egiten ditut, baina oso zatikatuak dira beti. Batzuetan azalera bera zati ugariz egina dago. Adibidez, dorreko loreontzia behin eta berriz errepikatzen diren hainbat zatiz egina dago. Zentzu horretan, landare pieza guztiak bezala da; nahiz eta batzuetan errepikapena lehen inpresioaren ondoren agertzea nahi izaten dudan, honetan zatiak osotasunean desagertzea nahi nuen. Dorrearen zorua zati desberdinez osatutako konposizioa da, sortu eta gero modelatu nuena. Osotasuna edo multzoa osatu nuen eta gero zati gehiago gehitu nizkion osatu arte. Gero, multzoa han zegoenean, berriro moztu behar izan genuen, zati berriak labean sartu eta berriro urtu ahal izateko.

JF Zein da egin dezakezun tamainarik handiena?

CI Tira, lan egiten duzun lekuaren araberakoa da, baina 1,2 bider 80 zentimetrokoa izan daiteke. Londresko azaleretarako [*Forgotten Streams*], adibidez, 12 xafla egin nituen neurri horiekin. Baina gero konposatu egiten dut, moztu, eta, esan dudan bezala, ondoren zerbait gehitzen diet. Azkenean bat den gainazal bati gehitzeaz gain, gainazal geruza ezberdinak daude. Errepikapena dago, baina oso zaila da aurkitzea. Ez naiz ezkutatzen saiatzen; gehiago dago lotuta konposizioarekin. Lehen esan dudan bezala, ilusio handiago bat nola sortu ideiarekin jolastea da kontua.

JF Ba al duzu zure lanaren grabaziorik?

CI Ez dago irudi onik, ez. Normalean norbait argazki bat egitera etortzen denean, amaitu duzu edo haren erdian zaude, eta beraz, itxurak egiten dituzu. Hori gertatu ohi da. Baina eraikuntzan une ezberdinak daude: une bat intimoagoa da, bakarrik lan egiten dudanean. Galdatzearekin eta konposizio txikiagoak egitearekin du zerikusia. Eta gero, hazi behar duenean, jende gehiago behar dut, eta orduan taldean lan egiten dugu, agian hiru pertsona egoten gara aldi berean modelatzen.

IB Pieza hauetako batzuk behatuz, progresio bat ote dagoen pentsatzen ari nintzen. Adibidez, Anberesen hostoak dira, eta azken lanetan gehiago joan da basoaren sustraietara eta lurzorura. Hautu deliberatua izan behar du, beraz, badirudi, nolabait, sakonki primitiboagoa den zerbaitetara itzultzen ari zarela. Zerk erabakiarazten dizu hostoak edo adarrak diren? Zuk zeuk jasotzen dituzu espezimenak? Horiek biltzen dituen talde bat duzu? Nola funtzionatzen du?

Agian galdera asko bildu ditut bakar batean.

CI Denetatik pixka bat dago. Hasteko, gauza berak egiteaz aspertu nintzen, baina ni ere nahiko konstantea eta obsesiboa naiz gauzekin. Beraz, gerta liteke buxadura bat eraikitzea, ondo begiratuta ibai baten hondoa dirudiena, baina gerta liteke existitzen ez den naturaren ideia guztiz fantastiko ere bihurtzea. Itxuraldatzen edo metamorfosatzen diren gainazalak, espazioak eta ideiak bilatzen ditudala uste dut: forma batekin hasten dira (adibidez, adarrak eta hostoak) eta beste forma bat bihurtzen dira (adibidez, zainak eta tendoiak); eta hori beti egon da hor. Eta gero hazten jarraitzen dute. Ez dakit zer etorriko den gero.

NOTES

---

1. Karl August Wittfogel, *Oriental Despotism: A Comparative Study of Total Power* (E-book, New Haven: Yale University Press, 1957), https://hdl-handle-net.gold.idm.oclc.org/2027/heb.03224, 1-11. or.
2. Maria Rosa Menocal, *The Ornament of the World: How Muslims, Jews and Christians Created a Culture of Tolerance in Medieval Spain* (New York: Back Bay Books, 2002), 132. or.
3. Ibid.
4. Darío Fernández-Morera, *The Myth of the Andalusian Paradise* (Wilmington: ISI Books, 2017).
5. Marina Warner, 'The Springs Beneath, the Flow Above, the Light Within', *Cristina Iglesias: Tres Aguas* (London: ArtAngel/ Turner, 2015).
6. Beatriz Colomina, 'The Slow Art of Aquapuncture' in *Cristina Iglesias: Tres Aguas* (London: Art Angel/Turner, 2015).
7. Sigfried Giedion, *Mechanization Takes Command* (Minneapolis, 1948).

CAPTIONS

---

92. ORRIA
Tres Aguas, 2014
Altzairurtu herdoilgaitz patinaduna, mekanismo hidraulikoa eta ura
0.50 × 25.21 × 7.50 m
Udaletxeko Plaza

94. ORRIA
Tres Aguas, 2014
(Gauez)
Udaletxeko Plaza

96. ORRIA
Toledo Study XX, 2013
Toledoko mapa, 1909
Argazkiak, tinta
30 × 42 cm

97. ORRIA GOIAN
Ebakinen albuma, 2011
Argazkiak, tinta
33.5 × 24 cm

97. ORRIA BEHEAN
Ebakinen albuma, prestaketa marrazkia, 2011
Irudiak, arkatza eta tinta paper gainean
33.5 × 24 cm

98. ORRIA
Uraren Dorrearen planoa, 2013
Corroto Arquitectura, Toledo

99. ORRIA, ERLOJU ORRATZEN NORANZKOAN, GOIKO EZKERREKO ALDETIK HASITA
Uraren Dorrea III zirriborroa, 2013
Akuarela eta arkatza, paper gainean
29.5 × 21 cm
Uraren Dorrea IV zirriborroa, 2013
Akuarela eta arkatza, paper gainean
29.5 × 21 cm
Uraren Dorrea V zirriborroa, 2013
Akuarela eta arkatza, paper gainean
21 × 29.5 cm

100. ORRIA BEHEAN
Udaletxeko Plazaren ebakidura, *Tres Aguas*, 2013
Corroto Arquitectura, Toledo

100. ORRIA BEHEAN
Udaletxeko Plazaren planoa, *Tres Aguas*, 2013
Collagea paper gainean
29.7 × 42 cm

101. ORRIA
Triptych XIII, 2017
Ikatz ziria, olio arkatza eta inprimaketa digitala zeta gainean
220 × 110.5 × 3.8 cm (bakoitza)
220 × 331.5 × 3.8 cm (oro har)

102. ORRIA
Santa Klara Komentuaren planoak, 2012
Corroto Arquitectura, Toledo
103. ORRIA GOIAN
Tres Aguas, Santa Klara Komentua, 2012
Akuarela eta arkatza, paper gainean
21 × 29.5 cm
103. ORRIA BEHEAN
Prestaketa marrazkia, *Tres Aguas*, Santa Klara Komentua, 2011
Tinta, akuarela eta arkatza
21 × 29.5 cm
104. ORRIA
Tres Aguas, Uraren Dorrea, 2014
Altzairurtu herdoilgaitz patinaduna, mekanismo hidraulikoa eta ura
1,478 (+ 224 cm behean) × 900 × 500 cm
105. ORRIA ETA HURRENGOETAN
Tres Aguas, Uraren Dorrea, 2014
Barrualdea teilatupetik, eskaileran behera, iturriraino
110. ORRIA
Toledoko Katedrala
101. ORRIA
Tres Aguas, 2014 (xehetasuna)
Udaletxeko Plaza
112.–113. ETA HURRENGO ORRIAK
Tres Aguas, 2014
Udaletxeko Plaza
116.–117. ORRIAK
Santa Klara Komentua
118.–119. ORRIAK
Tres Aguas, 2014
Altzairurtu herdoilgaitz patinaduna, mekanismo hidraulikoa eta ura
0.70 x 4 x 3 m
Santa Klara Komentua
120. ORRIA
Tres Aguas, 2014
Santa Klara Komentua
123. ORRIA
Towards the Bottom, 2009 (xehetasuna)
Bilduma pribatua
133. ORRIA
Tres Aguas, 2014
Udaletxeko Plaza
135. ORRIA
Growth I, 2018
Aluminioa eta beira
33.5 × 24 cm
Bilduma pribatua
136. ORRIA GOIAN
Alberto Baraya, *Herbario de plantas artificiales—Invernadero de tropicales mutisianas.*
Instalazioa, neurri aldakorrak
350 × 240 × 230 cm
2 de Mayo Arte Zentroa
136. ORRIA BEHEAN
Untitled, Vegetation Room VIII, 2000
33.5 × 24 cm
Instalazioaren ikuspegia,
Whitechapel Gallery, Londres
137. ORRIA GOIAN
Portón – Pasaje, 2006–07
Ateak irekitzeko sekuentzia
Prado Museo Nazionala, Madril
141. ORRIA GOIAN
Pozo IV, 2011
Brontzezko hautsa, erretxina, motorra, ura, metalezko egitura, altzairu herdoilgaitzezko ontzia eta elektrizitatea
144 × 111.3 × 150.5 cm
Instalazioaren ikuspegia,
Reina Sofía Arte Zentroa Museo Nazionala, Madril.
141. ORRIA BEHEAN
Kalvebod Waves, Oresund
142. ORRIA GOIAN
Flussbad, Berlin (Lustgarteneko ikuspegia)
142. ORRIA ERDIAN
James Simon Galleryko bainu eremua,
Museoen Uhartean,
Berlin, 2016
142. ORRIA BEHEAN
Pozo III, 2011
Instalazioaren ikuspegia,
Reina Sofía Arte Zentroa Museo Nazionala, Madril.
143. ORRIA
Vers la Terre, 2011 (xehetasuna)
Bilduma pribatua
144. ORRIA GOIAN
Edateko uraren lehen iturri publikoaren inaugurazioa Londresen, 1859
144. ORRIA ERDIAN
The Fleet, 2019 Michael Anastassiadesen edateko uraren iturria, London Fountain Co.
144. ORRIA BEHEAN
New Public Hydrant, Tei Carpenterren eta Chris Woebkenen proiektua, 2018
145. ORRIA
Tres Aguas, 2014
Santa Klara Komentua, Toledo
147. ORRIA
Pozo III, 2011
Ur sekuentziaren xehetasunak,
Reina Sofía Arte Zentroa Museo Nazionala, Madril
149. ORRIA GOIAN
William Morris,
Acanthus, 1875
Stapleton bilduma historikoa, Londres
149. ORRIA EZKERREAN
Untitled (Venice I), 1993 (xehetasuna),
Veneziako XLV. Biennalea
150. ORRIA
Habitación Vegetal III,
2005 283,5 × 551,5 × 724,5 cm
Marian Goodman Gallery, New York, 2018
153. ORRIA
Vegetation Room XVII, 2005–16 (xehetasuna)
instalazioaren ikuspegia Musée de Grenoble
156. ORRIA
Cristina Iglesias Eskultura kulturguneetan
Deep Fountain, 2006
Leopold de Waelplaats, Anberes
Towards the Ground, 2008
Castello di Ama, Toscana
A través (Zehar), 2017
Bombas Gens Arte Zentroa, Valentzia
The Ionosphere (A Place of Silent Storms), 2017
Norman Foster Fundazioa, Madril
157. ORRIA
Deep Fountain, 1997–2006
Hormigoi polikromatua, erretxina eta ura
0.60 × 13.72 × 32.88 m
Arte Ederren Errege Museoa, Anberes
158. ORRIA GOIAN
Zirriborroa, 1998
Tinta, arkatza paper gainean
29.5 × 21 cm
158. ORRIA BEHEAN
Leopold de Waelplaats-en airetiko ikuspegia, Anberes
159. ORRIA
Deep Fountain, 1997–2006
(xehetasuna), Anberes
160.–161. ORRIAK
Leopold de Waelplaats-eko ikuspegi orokorra, Anberes
162. ORRIA
Towards the Ground, 2008
Castello di Ama Toscana
Zirriborroa, 2007
Tinta, arkatza paper gainean
29.5 × 21 cm
163. ORRIA
Towards the Ground, 2008
Brontze hautsa eta erretxina
243 × 243 cm
164. ORRIA
A través (Zehar), 2017
Bombas Gens eraikina
Valentzia
Zirriborroa, 2017
Arkatza eta collage-a paper gainean
29.5 × 42 cm
165. ORRIA
A través (Zehar), 2017
Brontzea patina berdearekin, sistema hidraulikoa, mekanismoak eta ura
1. ubidea: 110 × 519 × 320 cm
2. ubidea: 94 × 625 × 143 cm
Bombas Gens Arte Zentroa, Valentzia
166. ORRIA
The Ionosphere (A Place of Silent Storms), 2017
Norman Foster Fundazioa Madril
166. ORRIA EZKERREAN
Koadernoa – zirriborroak, 2016
Arkatza paper gainean
25.5 × 21 cm
The Ionosphere (A Place of Silent Storms), 2017
Karbono zuntzezko haria, kableak eta itzala
4 × 8.8 × 8 m
Egiturako testua: Arthur C. Clarke,
The Fountains of Paradise

ARTEA/ BASAGUNEA

Ingurune naturalari buruz –metafora eta estetika gisa–; urruneko helmuga gisa; gizatiarra ez den habitat gisa; eta krisian dagoen ekosistema gisa.

Estancias Sumergidas, 2010
Kaliforniako Golkoa,
Hego Kalifornia Beherea, Mexiko

Estancias Sumergidas Espiritu Santo uhartean jaio zen, Kalifornia Behereko Cortes itsasoko badian. Itsasoaren babesari eskainitako monumentu bat da eta bizitzarako babesleku bat sortzen du. Eskultura lehorrean eraiki zen eta gero urperatu egin zen ozeanoaren hondoan finkatzeko, betiko. Mangladien eta itsaso zabalaren arteko pantaila gisa egiten du; eta bizitzak bete eta eralda dezan sortutako leku bat eskaintzen du. Bere hormek –edo "saretek"– bizitzeko pentsatutako barne espazioak sortzen dituzte. Baina ur azaletik ere ikus daiteke, itsas hondotik hamalau metrora. Urrutiko ikuspegi horrek ikuslea hunkitu eta hurbiltzeko gogoa eragiten dio.

Aldi berean, itsas babeslekuak sortzearen sinbolo gisa eta urrutiko leku batean dagoen erreferentzia puntu gisa jarduten du *Estancias Sumergidas* lanak, eta eskulturaren eta ez-monumentuaren ideiaren artean dago. Cortes itsasoaren edo Kaliforniako golkoaren hondo zabala espazio publiko erraldoi bat bezala irudikatzen du piezak, non naturaren eta bertan dagoen bizitza aberatsaren konplize bezala bizi den.

Bi "gelak" badiako harea zuriaren gainean daude, bi harrizko egituraren artean, 15 metroko sakoneran. Lurraren ozeanoen hondoan dauden formazio geologiko horiek, funtsean, labirinto moduko bat dira, eta horren parte bihurtu da *Estancias Sumergidas*. Beti aldatzen den argiaren efektuaren ondorioz, obra era askotara hautematen dugu. Plankton hodei baten atmosfera lainotsuaren atzean erabat desagertzera irits daiteke.

Estancias Sumergidas lana bilakatu egin zen bizitza hazteko baldintza eta kokapen egokiei buruzko aholkua eman zuten biologoekin elkarrizketan. Irisgarritasuna edo irisgarritasun falta interesgarria, hurbiltasun eta urruntasun posiblea, mareak eta ur korronteak, bizitza haztea eragin zezaketen faktore gisa aztertu ziren. Ikuspegi guztiak aztertu ziren bizitza eta bizitzaren ikuspegia lotzeko, biologikoa eta ikuspuntu artistikoa lotzeko.

"Geletako" hormek espazioak zeharkatu eta markoztatzen dituzte. "Sareta" horiek Jose Acostaren *Historia natural y moral de las Indias* liburuko esaldiekin eginiko egitura osatzen dute. Banakako letrek irekiguneak eta itxiturak sortzen dituzte, korronteak igarotzeko behar diren espazioei forma emanez, koralen eta bestelako floraren eraketa bultzatuz, eta itsasoko izakientzako (itsas izarrak eta manta arraiak, besteak beste) habitat bat eskainiz. Acostak Atlantida ideia platoniko gisa deskribatzen du. Afrikatik eta Europatik Ameriketako Indietara iritsi ziren herriez hitz egiten du. Testuak Atlantidari buruzko ideia poetiko bat ere planteatzen du, fikzio bat, non, itsasoaren sakonean, kontinenteen arteko hedadura zabala memoriaren eremu bat den.

Cristina Iglesias

Octavio Aburto
Forgotten Reefs: artea itsas inguruak berreskuratzeko eta babesteko erabiltzea

2011n ezagutu nuen Cristina Iglesias, Don José itsasontzian, Espiritu Santo uhartean, La Paz badian (Kalifornia Beherea, Mexiko). Ondo ezagutzen nituen irla eta bertako itsas ingurunea. Cristina uhartea esploratzeko bidaia batean murgilduta zebilen, ez bakarrik eskualde ederreko itsaspeko ekosistemak gehiago ezagutzeko eta haiei buruz ikasteko, baita orain *Estancias Sumergidas* izenez ezagutzen den bere artelana instalatzeko leku egoki bat bilatzeko ere. Elkarrekin, haren seme eta alabarekin ere, ia astebete igaro genuen. Bitarte horretan, Cristinak urpean igeri egiten ikasi zuen, eta nik gidatu nuen taldea uharteko mangladi eta arrezifeetan barrena, denbora hartuz koralezko uharri distiratsuen eta mangladien sustraien artean babesa bilatzen zuten itsas lehoi kume jostariak seinalatzeko. Urperatze horien artean, Cristinak instalazioari buruz zuen ikuspegia partekatu zuen. Berehala konturatu nintzen publikoa ozeanoen arazoez eta itsas kontserbazioaz kontzientziatzeko artelan garrantzitsuenetako bat izan zitekeela. Ni ere artista naizen aldetik, asko estimatu nuen eta identifikatu nintzen artea zientzia eta jendea lotzeko zubi gisa erabiltzeko Cristinaren misioarekin. Cristina eta biok ados geunden gauza batean, alegia, zientziak artearekin lankidetzan jardun dezakeela gizartean ozeanoa aintzat hartzen duen pentsamoldea inspiratzeko eta, ondoren, itsasoaren kudeaketa katalizatzeko.

Baina, zergatik da garrantzitsua ozeanoen kontserbazioa? Cristinak eta biok Espiritu Santon ikusi genuen biodibertsitate aberatsa eta bizi ugaritasuna ez da, zoritxarrez, hain ohikoa munduko beste itsas ingurune askotan.

Gure ozeanoak, oro har, modu erabat ez jasangarrian erabiltzen ditugu, haiek beren gaitasunen mugetaraino eramanez. Denok entzun ditugu aurreko belaunaldiek kontatutako istorioak, garai batean itsasoan sartu eta "horrelako" arrain handi bat arrantzatzen zutenekoak. Nahiz eta istorio horiek sarri gure agure maitagarri baina zertxobait senilen esajerazio gisa idazten diren, agian badute egia pixka bat beren baitan. Metodikoki kontserbatutako arrantza lehorreratzeen erregistro historikoko liburuek diotenez, jendeak elikatze katearen gailurrean zeuden izaki handiagoak arrantzatzen zituen: marrazoak eta tankera horretako harrapariak. Hala ere, gizakiak arrantzarako teknologia garatu ahala, modu esponentzialean zabaldu ahal izan ditu bere sareak jaurtitzen dituen eremuak, eta arrainak harrapatzeko intentsitatea handitu egin da.

Ozeanoak horrela ustiatzeak "elikagaien sarean arrantzatzea" izeneko fenomenoa eragin du. Trantsizio horretan, munduko arrantza tokiek tamaina txikiagoko aleak eta elikatze katean beherago dauden harrapakin espezieak harrapatzen dituzte. Fenomeno horren ingurumen inplikazio handiez gain, harrapaketa txikiago horiek estandar berri bihurtu dira gizartearen hurrengo belaunaldiarentzat; bigarren mailako fenomeno hori "oinarrizko lerroen aldaketa" gisa ezagutzen da komunitate zientifikoan.

Bi fenomeno horiek batera gehiegizko arrantzaren sintomak dira. Gehiegizko arrantza arrainak ugaldu daitezkeena baino azkarrago harrapatzen direnean gertatzen da, eta baliabideak agortzea eta, ondorioz, menpeko ekonomiak eta bizimoduak erortzea ekar dezake, inoiz amaitzen eta aldatzen ez diren arrain erreserben fantasia ere eroraraziz. Oinarrizko lerroen aldaketen eta gehiegizko arrantzaren frogak aurkitzeko, nahikoa da bere garaian Jacques Cousteau esploratzaile ospetsuak "munduko akuarioa" gisa deskribatu zuen Kaliforniako Golkora (Mexiko) begiratzea. Eskualde hori hautsi eta hustu egin dute arrantza jarduerek, hala nola arrantza intentsiboak, zeinaren ondorio sozial eta ekonomikoak Pulmo lurmuturrean (Cabo Pulmo, Hego Kalifornia Beherea) agertzen baitira. Garai batean baliabidez betea zegoena, esaterako marrazo handiz eta mero erraldoiz, orain hutsik dago, Pulmo lurmuturreko arrantzaleak espezie txikiagoak arrantzatzen hasi ziren, herri arrantzalea basamortu ekonomiko bihurtu arte. Komunitateak, orduan, erabaki gogor bati aurre egin behar izan zion: arrantza jarduera guztiak bertan behera uztea eta lana beste leku batean aurkitzea, eskualdeko arrezifea bere onera etor zedin. Pulmo lurmuturra bezalako lekuetan gure itsas baliabideetan aldatzen ari diren oinarrizko lerroen aldaketaren presentziak baliabide horiek ateratzeko erabiltzen ari garen intentsitatea eta abiadura erakusten dute. Pulmo lurmuturrak ekintza horien ondorioak erakusten dizkigu, bai eta ekosistema konpontzeko beharrizan ekonomiko eta ingurumenekoaren premia ere.

Oinarrizko lerroen etorkizuneko aldaketen aurrean babesteko, eta itsas baliabideak agortzearekin batera aldaturiko oinarrizko lerroak leheneratzeko, itsas kudeaketarako tresna berriak ezarri dira mundu osoan. Mekanismo horien artean daude "itsas eremu babestuak", non gobernuak arrantza jarduera jakin batzuk mugatzen dituen eskualde jakin batean. Hainbat gauza biltzen ditu termino horrek ñabardura asko ditu: erabilera anitzeko parkeak, urte sasoiko jarduerak edo tresna espezifikoen bidezko arrantza baimentzen dituztenak; arrantza debekatzeko itsas erreserbak, erauzketa jarduera guztiak mugatzen dituztenak; eta beste tresna batzuk, hala nola arrantza babeslekuak, non arrantza komunitateek zenbait gune aldi baterako ixtea onartzen duten beren baliabideak berreskuratzeko. Mexikon, itsas baliabideak kudeatzeko tresna horiek baliabideak erabiltzen dituzten gizarteen premia ugarietara egokitzeko diseinatu eta gauzatu dira. Hala ere, erabilera anitzeko parkeen arrakasta, gehien erabiltzen den kudeaketa tresna, nahiko mugatua izan da.

Ikerketa zientifikoek erakutsi dute, gobernu federalak babestutako itsas eremuak sortu arren, eremu horiek oso gutxitan hobetzen edo berreskuratzen dutela beren itsas bizitzaren ugaritasuna eta/edo biodibertsitatea.

"Paperezko parketzat" jotzen diren horiek askotan ez dute benetan eraginkor izateko behar duten legearen edo komunitatearen babesa.

Baina horrek ez du zertan horrela izan. Pulmo lurmuturrak, oinarrizko lerroak zerora eraman zituen komunitateak, arrantza egiteari uzteko konpromisoa hartu zuen. Betiko. Castro familiako kideak buru zirela, gobernu federalari dei egin zioten babestutako itsas eremu formal bat ezartzeko. Pulmo lurmuturreko Itsas Parke Nazionala 1995ean ezarri zen, eta komunitateak arrantzarik gabeko itsas erreserba zorrotz izendatu zuen. 1999an, parkea sortu eta urte gutxira, lehen aldiz dokumentatu genuen arrainen eta ornogabeen komunitatearen egitura eskualdeko harkaitz eta koralezko arrezifeen habitatetan. Hamar urte geroago, 2009an, Cabo Pulmora itzuli ginen, ingurua berriro aztertzeko eta arrantza baztertuta dagoen eremu babestu bat ezartzearen eragina zehazteko. 1999tik 2009ra, parkeak bere biomasa (organismoen tamaina eta kopurua) % 460 handitu zirela ikusi genuen. Koral oparoek egitura hedakorrak eraiki dituzte itsaspeko komunitate izugarri anitza sostengatzeko. Biomasa horrek hazten jarraitzen du gaur egun, ez arrantzatzeko protokoloa aplikatzen jarraitzen baita.

Loro arrainek eta arrain zirujauek -koralezko arrezifeen ezinbesteko lorezainek, korala gaindi dezaketen algen gehiegizko hazkundea kontrolatzen dute- talde handiagoak eta trinkoagoak eratu dituzte, eta hori egunero bazkatzen duten alga bolumen izugarrien erakusgarri da.

Orain meroen sardak aurki daitezke itsasugeen ondoan ehizan, ikertzaileek bestela ezagutuko ez zituzten espezieen arteko portaerak. Eskualde horretako urek mobula arraia hegalarien multzoak sostengatzen dituzte, balea konkordun migratzaileen neguko helmuga dira, eta arrainek erruteko funtsezko lekuak hartzen dituzte. Gaur egun, zezen marrazo taldeak ikus daitezke ia urte osoan zehar, baita pargo hori eta loro-arrain ugari ere. Dozenaka txitxarro begi handi beha ditzakegu elkar gorteatzen arrainez osaturiko ibai handietan, eta gero esfera bat osatzen (beita bola), bikoteka erruten ilargi bete eta berrian. Nire lankideek eta nik Pulmo lurmuturrera itzultzen jarraitu dugu urtero 2009tik, itsas ekosistema hori nola aldatzen eta hazten ari den ikusteko.

Cabo Pulmon, itsaspeko ekosistema ez da berreskuratu den gauza bakarra; tokiko ekonomiak ere gora egin du. Lehen jarduera nagusi arrantza zuen herri bat zena, itsas baliabideen kontserbazioan oinarritzen den herri bihurtu da. Aldaketa horrek turismo ekonomia zabalago eta osasungarriago baten oinarri den ekoturismo oparoa eragin du. Mundu osoko 30.000 bidaiarik baino gehiagok bisitatzen dute urtero Cabo Pulmo, snorkela egiteko eta orain biztanle dituen itsasoko izaki bizidunekin murgiltzeko. Itxaropenaren Leku titulua irabazi du, komunitateak gidaturiko kontserbazio jarduera arrakastatsuaren adibide gisa. Horrelako istorio bat partekatzeko beharra nuen, eta kontatzea erabaki nuen. Hiru urte behar izan nituen *David and Goliath*, irudia egiteko baldintza egokiak aurkitzeko, baina zehaztasunez irudikatu nahi nuen Pulmo lurmuturreko biztanleen eta haien itsas baliabideen arteko harremana. Bizitzaren zirkulua zainduz eta itsas habitataren kudeatzaile bihurtuz, jendeak ekosistemaren berreskuratze sinestezina lor dezake, eta horrek, aldi berean, etekin ekonomiko handiak sortzen dizkie inguruko komunitate eta herriei.

Cabo Pulmok erakusten du, behar bezala eta komunitatearen laguntzarekin aplikatzen direnean, itsas eremu babestuak tresna oso boteretsuak izan daitezkeela aurretik agortutako baliabideak berreskuratzeko.

Hala ere, gobernuek ez dute itxaron behar oinarrizko lerroetan aldaketak gertatu arte, kudeaketa estrategia horiek aldarrikatzeko. Hori da Revillagigedo uhartediko Parke Nazionalaren kasua. 1994an ezarri zen itsas eremu babestu gisa, eta 2017an ustiatu ezin den 14,7 milioi hektareako itsas erreserbara zabaldu zen. Revillagigedo uhartedia San Lucas lurmuturretik 600 kilometro mendebaldera dago, eta, distantzia horri esker, nahiko egoera birjinan dago, irlak giza jarduera zuzenetatik urrun daudelako neurri handi batean. Revillagigedok organismo ugari biltzen ditu, mailu arrain sardetatik hasi eta manta arraia erraldoien populazioraino, zeina genetikoki munduko beste populazio batzuetatik deskonektatuta baitago. Itsas erreserba horiek izendatu, ezarri eta eraginkortasunez betearaztean, agortutako itsas baliabideak berreskuratzeaz gain, gure oinarrizko lerroak babestu ere egin ditzakegu, orain eta etorkizunean alda ez daitezen.

Estancias Sumergidas lanak erakusten du arteak, edozein mediotan, fisikoa zein digitala, arreta gai jakin batera erakartzen lagun dezakeela, itsas kontserbaziora barne. Loratzen ari den arrezife ekosistema bati egitura eta habitata emateaz gain, emozionalki konektatzen du publikoarekin eta haren interesekin identifikatzen da. Arteak publikoa ozeanoarekin loturiko gaiei buruz nola hezi dezakeen eta haien artean lotura bat nola sor dezakeen erakusten du, eta gizakiak naturaren kudeatzaile izatera gonbidatzen ditu.

Estancias Sumergidas-en erakarpenak eskualdeko ekonomia ere katalizatu du, eta turismoak gora egin dezake jendeak eskultura bera esperimentatzeko bidaia egiten baitu. Monumentu kultural gisa, mundu osoko pertsonak erakar ditzake, eta, aldi berean, bertakoentzako harrotasun iturri ere izan daiteke. Joera hori zabaltzeak, era berean, komunitatea berotu dezake, artearen eta bizimodu alternatiboen bidez itsas ingurunea berreskuratzeko ideiarekin. Hala ere, harrigarria bada ere, *Estancias Sumergidas*ek denboran zehar eboluzionatzeko gaitasuna du, eta erregistro historiko bat gordetzekoa. Lana ingurune naturalarekin, tokiko kulturarekin eta komunitatearekin batera heltzen da. *Estancias Sumergidas* egitura bat baino zerbait gehiago da: haren identitatea agerikoa da sortzen duen mugimenduan, hurrengo belaunaldia ozeanoen kontserbazioan konprometitzera eta jardutera inspiratuz. Tokiko eragileak, arrantzaleak, urpekariak eta bidaiariak batu ditzake gure kapital naturala estimatzeko eta babesteko misioan.

Gaur egun *Estancias Sumergidas* bakarra da, baina esparru horrek ez du zertan isolaturik bizi. Halako piezen sare batek, estrategikoki eta zientifikoki kokatzen direnean, Mexikoko eta haratagoko uretako baliabideen erabilera eta kontserbazio paradigma alda lezake. Itsas habitaten aberastasunean oinarritutako turismo ekonomiak sortuz, tokiko komunitateek bertako itsas ekosistemetako zerbitzuen onurak jasotzeaz gain zerbitzu horien gaitasuna handitu dezakete. Sare horiek geografikoki ezar daitezke, baina digitalki konektatu herrialdean diren murgiltzeko leku erakargarrien mapa bilduko duen atlas baten bidez. Atlas horrek atari gisa balio dezake urpeko artearen eta urpekarien munduarentzat. Munduko urpekaritza komunitateko kideak beren emozio eta sentimenduak leku zehatz bakoitzari eranstera gonbidatuz, atlasak beste pertsona batzuk gonbidatuko ditu gure ozeanoen edertasun naturala eta gizakiak egindakoa aztertzera.

Estetika natural eta gizatiarraren nahasketa horrek sinergiak eragin ditzake eta gizakien eta naturaren arteko bizikidetza irudikatu.

Estancias Sumergidas funtsezkoa da Espiritu Santo uhartearen inguruko itsas eremuak babestearen garrantziaz kontzientziatzeko. Hala ere, haren eragina Kaliforniako Golkotik haratago doa, arteak ozeanoaren kontserbazio mugimendu zabalagoaren barruan duen inpaktua adieraziz eta gizakiak itsas bizitzarekin duen harmonia nabarmenduz.

Eztabaida

Iwona Blazwick Octavio, eskerrik asko. Zure hitzaldiaz hitz egin aurretik, esan dezakezu zerbait mundu osoko ozeanoak edo arrantza baztertuta dagoen eremuak berreskuratzeko proiektuen testuinguru zabalagoari buruz?

OA Uste dut arazorik garrantzitsuena dela publiko orokora ez dela jabetzen ozeanoekin gertatzen denaz. Gehiegizko arrantzaren arazora mugatuko naiz. Mendeetan zehar, ozeanoko espezie asko arrantzatu ditugu, eta lehorrean ez bezala, ozeanoetan animalia handien bila joan gara lehenik, txikienak itsas munduan utzita. Beraz, hau leku guztietan gertatzen ari den zerbait da, eta nola alda dezakegun pentsatzen hasi beharko genuke.

Hurbilketa bat izan daiteke itsas inguruneak leheneratzea itsasoko eremu babestu deiturikoetan; azken batean, lurreko parke naturalen antzeko zerbait dira. Asmoa da eremu horietan erauzketa jarduera guztiak debekatzea, bertan bizi diren espezieak babestu ahal izateko. Egia esan, erauzketakoak ez diren eremu horiek eragina zabaltzen dute babestuta ez dauden beste eremu batzuetara. Babes horren onuretako bat arrantza tokientzat da, zabaltze efektu horrek berreskuratzen lagunduko baitie. Eta orain baditugu datu batzuk erakusten dutenak harrapari nagusiak babesten direnean koralezko arrezifeak berreskuratzen hasi eta gehiegizko arrantzaren aurretik zuten biomasa berriro eskuratzen dutela. Hala ere, biomasa eta biodibertsitatea berreskuratzeko hobekien funtzionatzen duena erauzketa erabat gelditzea da. "Itsas eremu babestuak", gaur egun gobernuen artean ezagunagoak direnak, ez dira erauzketa erabat gelditzea bezain eraginkorrak. Gaur egun, ozeanoen % 3,7 babestutako itsas eremuak dira, eta % 1,4 baino ez dira erauzketarik gabeko eremuak. Itsas zientzialari gehienek uste dute ozeanoen % 30 erauzketarik gabeko eremu bihurtu behar dugula, biomasa eta biodibertsitatea babesteko; 2020rako helburu politikoa, berriz, % 10 da. Bi helburuetatik oso urrun gaude.

IB Nola argudia daiteke ekonomikoki? Hori baita beti politikariek botatzen duten erronka.

OA Bada zerbait nik beti errepikatzen dudana. Pulmo lurmuturraren historian, gaur egun 22 urte hartzen dituena, lehen urteak ez ziren aurkeztu ditudan bezain politak izan. Cabo Pulmoko lehen urteetan ez zegoen arrantza jarduerarik, eta askok urrutira bidaiatu behar izaten zuten dirua irabazteko. Gobernuak ez zion komunitateari inolako diru laguntzarik ematen. Hala ere, zazpi edo zortzi urteren ondoren, komunitateak gora egiten hasi ziren. Funtsean, urpekariak hara iristen hasi ziren sare sozialen bidez partekatutako informazio eta irudiei esker. Beraz, uste dut galderaren erantzuna dela onura ekonomikoak iritsiko direla babes egoeran urte batzuk egin ondoren. Dena den, onura ekonomiko horiek lau, bost, zazpi urteko babesa duten eremuetarako neur ditzakegu. Agian ez da hasieran gertatuko, baina gertatuko da.

Lynne Cooke Komunitate hori oso lotuta zegoen familia egituren edo sinesmen sistemen bitartez? Zerk eutsi zituen elkartuta benetan zailak izan ziren urteetan, eta orain urpekariak datozenean, sartzen al dira bestelako baliabide ekonomiko batzuk? Lankidetzan antolatzen dira edo akziodun gisa? Zer onura ateratzen du jendeak komunitate gisa?

OA Bai, Cabo Pulmoren historia bakarra da, bi familiak menperatzen baitute komunitate osoa eta elkarrekin lan egin baitute helburu hori lortzeko. Ez dago hotel handirik, ez dute elektrizitaterik eta ez dute elektrizitaterik nahi kableen bidez. Guztiak funtzionatzen du eguzki energiarekin. Ez dago zoladurarik, ez hormigoizko errepiderik, dena da basatia. Ziur nago arazoak dituztela, edozein herri txikitan bezala, baina hainbat erakunderen laguntzarekin bildu dira epe luzerako misio bat aztertzeko.

Russell Ferguson Pentsatzen ari naiz zerbait esan dezakezun egungo klima politikoan halako lanek Estatu Batuetan duten etorkizunari buruz. Ziur nago badagoela hori egin nahi duen jendea.

OA Estatu Batuek ikuspegi bertikalagoa izan zuten Obamarekin, eta orduan sortu zen itsas erreserbako eremu handienetako bat. Funtsean, Hawaiiko artxipelagoko iparraldeko uharteak dira, eta urrats handia izan zen. Gainera, beste eremu batzuk arrantza baztertuta dagoen eremuak dira, batzuetan oso txikiak. Hemen, La Jollan, arrantza baztertuta dagoen eremu babestu bat dago. Kilometro koadro bat baino gutxiago du, oso txikia da, baina halako bat baino gehiago dago. Seguruenik, AEBetako arrantza baztertuta dagoen eremuen sarerik ospetsuena hemen dago, Kalifornian: Kanaleko uharteak. Katalina uhartetik etorri berria naiz, handienetako bat da, zoragarria.

RF Oso ederra da. Algak itzuli dira.

OA Kelpa mangladiak bezalakoa da, baina ur epeletan. Beraz, uste dut Estatu Batuak han zeudela, baina administrazio desberdin batekin urtebete igaro ondoren badirudi ozeanoak eta kudeaketa erabat aldatuko direla.

Richard Noble Cristinak lan egiten duen eremua erreserba bat edo arrantza gune bat da?

OA Itsas parke bat da. 3.000 kilometro koadroko itsas parkea da, beraz, ez da parke txikia, baina 3.000 horien % 1,5 da arrantza baztertuta dagoen eremua. Funtsean, erabilera anitzeko eremua da dekretu hori gabe, baina arrantzatu egiten da. Arrantzaleek pieza dagoen tokian egiten dute arrantza.

RN Atentzioa ematen didan zerbait da, jendeak naturaz edo basatiaz duen ideiari dagokionez, Estatu Batuek parke nazional harrigarri hauek guztiak dituztela, hala nola Yosemite eta Yellowstone, etab. Uste dut pertsona askoren buruan, eremu horiek ingurumenarekin gertatu denaren oroigarri bisualki sinesgarriak direla eta, zentzu horretan, ahots politiko bat sor dezaketela, edo gutxienez kontserbazioagatiko sinpatia. Jende gehienak ulertzen du itsas erreserba bat eremu berde bat dela bi dimentsioko azalera urdin batean. Askoz zailagoa da harekin identifikatzea, eta nire buruari galdetzen diot ea ideiarik baduzun hori bisualago egiteko moduari buruz.

OA Bai, eta uste dut horiek direla ditugun erronketako batzuk, baina gizakiak itsas paisaia horretako elementu bat ere izan daitezkeen ideia sartzen hasten bagara, agian jende gehiago inspiratzea edo konprometitzea lortuko dugu. Parke nazional horietan gertatu den bezala, gizakiek goza dezakete eta uler dezakete beren kulturetako asko itsasoarekin estuki lotuta daudela eta itsasoaren mende daudela. Erronka da nola lortu gizakiak itsas ingurunearen zatitzat hartzea, nahiz eta ur azpian modu naturalean arnasteko gaitasunik ez izan.

Andrew Benjamin Hori guztia testuinguruan jarri nahi dut artean nola pentsatzen dugun ikusteko. Horretaz pentsatuz gero, Caspar David Friedriche-k naturari begira dagoen gizon heroikoari buruz egindako pinturek gizakiak naturarekin duen harremana ulertzeko modu bat eman ziguten. Erromantikoentzat eta ondorengo askorentzat, bada heroismo kutsu bat arteak gizakiek naturarekin duten harremana aurkezteko moduan. Baina orain, Antropozenoarekin, badirudi jada ez gaudela naturatik aldenduta haren behatzaile edo maisu gisa, baizik eta gure ekintzek naturan eta naturak gugan eragiten duten mundu batean inplikatuta gaudela. Ez gaude jada naturatik kanpo.

Iruditzen zait, antropologikoki zein zientifikoki, gizakiak naturarekin eta naturak gizakiarekin duen harremanaren beste kontzeptualizazio bat aurkezten ari zarela. Komunitate horietako batzuk beren bizitzetan eragina duen zerbait ikasten ari dira, naturan eragina duena, eta horrela ikusten da elkarrekikotasuna lanean. Baina artea horri eragin diezaiokeen zerbait balitz bezala instrumentalizatu beharrean –artea instrumentalizatzea denbora galtzea baita–, geure buruari galde diezaiokegu zein den gizakiak naturarekin duen harremanaren birplanteamendu horrek artearen munduan duen korrelazioa.

Cristinaren eta beste batzuen lana ulertzen has daiteke ez arte "ongile" gisa, baizik eta artearen eta naturaren arteko harreman ez-heroikoa erakusten duen zerbait bezala. Haren murgiltze eta ikusezintasuna naturatik kanpo egoteko ezintasunaren adibide dira. Beraz, uste dut oso kidetasun interesgarria dagoela egiten ari den lan zientifikoaren eta arteak jarduteko duen moduaren artean, bata bestearen terminoetan instrumentalizatu behar izan gabe. Naturarekin dugun harremana birpentsatzeko bi modu dira. Baina egia bada Antropozenoko arte bat behar dugula, hitz hori une batez erabiltzearren, geure buruari galde diezaiokegu Cristinaren lana haren bertsio ona ote den?

Esan beharrean: "Ez al da zoragarria? Animaliaz beteta dago", eta abar, baina kontua da: laguntzen al digu Antropozenoko arteari buruz kritikoki pentsatzen?

OA Benetan, naturaren suntsipenaren eskala nire hitzaldian aipatu nuena baino askoz haratago doa. Nahi edo itxaropen bat badut, zera da, heroikoak izan beharrean, gizakiak ozeanoekin bat egin dezakeela erakusteko modua aurkitzea, haiekin bizi eta ez haien aurka. Niretzat, hauxe da nire pentsamendua: gizakia gauza benetan txikia da, eta animalia horiekin batera bizi daiteke eta espazio urdin honetan flotatu, inpaktu suntsitzaile handirik eragin gabe.

Lynne Cooke

2005ean, Kaliforniako Golkoko Espiritu Santo uharterako eskultura bat proposatzera gonbidatu zutenean, urpekaritza egiten hasi zen Cristina Iglesias. 2010ean, *Estancias Sumergidas* ur azaletik 15 metroko sakoneran jarri zuten, uhartearen ondoko erreserba natural batean. Bi pabilioi irekiak, elkarrengandik 250 metroko distantziara jarriak, goitik ikus daitezke, adibidez, itsasontzi baten ertzetik edo igerian eta urpekaritzan gabiltzanean. Hala ere, ura etengabe astintzen duten korronte handiak direla eta, ezinezkoa da hormigoizko egiturak argi ikustea. Kasurik onenean, forma ilun eta lauso, iheskor gisa agertzen dira. Oraindik adituak ez direnetatik gutxik jarraituko dute Iglesiasen eredua, eta urpekaritzan hasiko dira haren obrara zuzenean hurbiltzeko. Gehienek bigarren eskutik ezagutuko dute erreprodukzio teknologien bidez, agian Iglesiasek arte museoetan eta antzeko testuinguruetan aurkezteko egin zuen *Estancias Sumergidas* (2018) film labur lirikoaren bidez, edo erakusketa eta entsegu kritikoen katalogoetan inprimatutako argazkien bidez, edo hitzaldi eta elkarrizketen bidez, eta, modu informalagoan, zurrumurruen eta esamesen bidez.

Pabiloiko hormak elkarri lotutako saretez osatuta daude, testu bat letreiatzen duten hizki formak. Konposizio formatu hori maiz erabili izan du Iglesiasek. "Testu bat egitura bat, baita egitura fisiko bat ere, izan daitekeen ideia interesatzen zait", esan zuen ideia diskurtsiboek, fantasiak eta espekulazioak bere praktikan betetzen duten funtsezko rola adierazten duen adierazpen argigarri batean.[2] Lan honen azpian dagoen eta literalki eusten duen testua Jose de Acosta XVI. mendeko apaiz jesuita eta naturalistaren idazkietatik hartua dago. Aurkitu berri ziren Ameriketan barrena bidaiatu zuen misiolari gisa izandako esperientzietan oinarrituta, *Historia natural y moral de las Indias* Sevillan argitaratu zen, 1590ean. Gaur egun ahaztuta dagoen liburu horren Iglesiasen aipuak Acostaren pasarte bat nabarmentzen du, Atlantidako uharte mitikoaren bila Mundu Berriko kostaldean amaitu zutenei buruz gogoeta egiten duena. Haren ustez, "Indietako kontinentea" fikziozko paradisu urperatu hartako hondakin geologikoetan oinarritzen da. Distantziatik deszifraezina den testua hurbiletik ikusten denean iradokitzailea izaten jarraitzen du irakurgarria baino gehiago: hipotesi bisionario baten pasarte kriptikoak.

Inguruan eta eskulturaren irekidura sarearen bidez mugitzen diren arrain sardak eta beste itsas izaki batzuk ere iheskorrak dira. Instalatu eta hamarkada batera baino gutxiagora, letren arteko espazio interstizialak betetzen hasi dira; izan ere, hormigoi formek algak erakartzen dituzte eta azkar sortzen dute hondakin mordo bat. Hormigoizko egiturak armadura rola betetzen dutela, forma arkitektonikoak, masa amorfo monumental bihurtuko dira denborarekin. Iglesiasen filmean harrapatutako marra hori eta beltz distiratsuko arrainak Kaliforniako Golkoan elikatzen eta hazten diren 900 espezieen parte dira. 32 itsas ugaztunekin eta 2.000 itsas ornogabe ingururekin batera, ikuspegi biologikotik, planetako ur masa aberatsena dira: "munduko akuarioa", Jacques Cousteauren hitzetan. Corteseko itsasoa edo Kaliforniako Golkoa Gizateriaren Ondare izendatu zuen UNESCOk, eta kontserbazio eremu eta erreserba natural gisa izendatutako hainbat eremu ditu. 1970eko hamarkadatik aurrera, gehiegizko arrantzak, gobernuaren kontrolik eta erregulazio eraginkorrik ezak erraztuta, agortze handia eragin zuen. Azken urteotan, arrantzaleak epe luzerako jasangarritasunaren onurei buruz heztera bideratutako programek, tokiko komunitateen zaintza aktiboarekin eta erregulazio egokiarekin batera, Golkoko ekosistema aberatsaren suspertzea ekarri dute.

Iglesiasek eskualdearekin zuen inplikazioa FUNDEAren (Ingurumen Hezkuntzarako Mexikoko Fundazioa) gonbidapen batekin hasi zen. FUNDEAk lehen esku pribatuetan zeuden Espiritu Santo uharteko lursail txikien eskubideak lortu zituen denborarekin, eta masa kontinentala gobernu federalaren babesera itzuli zuen. Hasiera batean uhartean monumentu bat jartzeko enkargua leheneratze hori omentzeko aukera gisa sortu zen arren, Iglesiasek uste zuen halako edozein egitura sartzea leheneratzearen espirituaren aurkakoa izango zela, hegazti migratzaileak eta beste espezie batzuk bertan ugaltzea ahalbidetuko baitzuen, enbarazurik eragin gabe. Beraz, alternatiba bat proposatu zuen: kostaldetik urrun kokatuko zen eskultura bat, itsas bizitzarako babesleku (arrezife) gisa funtziona zezakeena, eta zientzialarientzako "azterketa gune" edo "laborategi txiki" gisa.[3] Horretarako, inguruan inpaktu toxikorik ez zuten eta beren kaxa egonkorrak ziren materialekin tokian fabrikatzeko moduko obra bat diseinatu zuen. Ondoren, itsas biologoei kontsulta eginez, itsas hondoa hareatsua den leku batean jarri zuen eskultura, zimendurik behar ez izateko.

Estancias Sumergidas lanari buruzko informazioa tokiko agintariek ematen dutenez, haren koordenatu geografikoak erraz eskuratzeko modukoak dira urpekaritza, arrantza eta uretako kirolak egitera zonaldera joaten diren turista askorentzat. Inguru zehatz horretakoak diren espezie askoren etxea da orain eta mugarri ekologiko bihurtu da, baita ohiko helmuga ere, ez bakarrik itsas biologoentzat, baita naturako argazkilari eta urpekari afizionatuentzat ere. Horrenbestez, eskualdeko kultura aberastasunari laguntzen dio, eta, aldi berean, eskualdeek jasangarritasunerako egiten dituzten ahaleginei eta oinarri zabaleko kontserbazio praktikei buruzko kontzientziazioa sustatzen du. Haren rola "sinboliko" gisa definitzean, Iglesiasek azpimarratzen du, berarentzat, "mundu osoan mota horretako eremuak sortzeko beharra adierazten duen ideia" dela.[4]

Argazki eta dokumentu material gisa egindako erakusketa dela eta, *Estancias Sumergidas* oso ezaguna izan da arte globalizatuaren munduan, helburu bikoitza betetzen duelako: ekologikoa eta estetikoa. Artearen historiaren lentearen bidez ikusita, lekuaren espezifikotasunaren zehaztapenen azterketa finak leinu batean kokatzen du, Robert Smithsonek eta bere kohorteak sortutako *land art* delakoaren leinuan, zeina, 1960ko hamarkadaren amaieratik aurrera, artea egiten saiatu baitzen garai hartan urruneko tokitzat jotzen ziren horietan, ingurumenak giza bizitzari nekez eutsi ziezaiokeen lekuetan, alegia. Begirada leku eskuraezin eta ez bereziki abegitsuetan jarri zuenean Smithsonek ez zuen espero jendeak bere urratsei jarraituko zienik. Areago, "nonsites" edo "ez lekuak" izenez bataiatu zituenak sortu zituen, galerietan edo arte aldizkari bateko orrialdeetan aurkezteko berariaz diseinatuak.

Oro har, leku berari buruzko hainbat dokumentazio mota -mapak, Polaroid argazkiak, marrazkiak eta diagramak- eta geologia espezimenak -harriak, harea, legarra, baita fosilak ere- biltzen zituzten, eta metalezko kuboetan jartzen zituen ikusgai edo gainazal ispiludunetan, jatorrizko lekuetatik desplazatu ziren ideia areagotzeko.

I1970ean, Smithsonek eragin handiko *Spiral Jetty* lana sortu zuen Rozel Point-erako, Utahko Gatz Laku Handiaren ertzean, bi ez lekurekin harreman dialektikoan: izen bereko film bat eta saiakera bat. Bi irudikapenetan, lurreko obra monumentala ikustean -gatzezko kristalez inkrustatuta eta lakuko ur gorri eta bizien hedadura zabalen barruan esekita- izan zuen fantasiazkoa izatearen eragina edo "haustura kosmikoaren sentsazioa" indartu zuen.[5] Zinema jaialdietan eta halakoetan proiektatzeko sortutako 20 minutuko filmak helikoptero baten bidez hartutako irudiak nahasten ditu New Yorkeko Historia Naturaleko Museoko Azken Dinosauroen Aretoan iragazki gorri batekin hartutako irudiekin. '"Denboragabeko geologia zati horiek barre egiten diote denboraz betetako ekologiaren itxaropenei", ohartarazi zuen ezkor.[6] Filmaren audio pistak off-eko ahots bat du, zeinetan artistak testu distopiko bat irakurtzen duen Samuel Becketten idazkietako pasarteak eta geologiako eta medikuntzako testuliburuetatik hartutakoak bere pentsamenduekin korapilatuz. Era berean, izen bereko saiakerak faktuala eta fikziozkoa, espekulatiboa eta literala laburbiltzen ditu.

Bertan behera utzitako petrolio dorrez eta industria hondakinez beteta, Rozel Pointeko gatzagetan sedimentatutako "historiaurre modernoko mundu" honek, Smithsonek idatzi zuenez, "bertan behera utzitako itxaropenetan murgildutako sistema artifizialen segida baten berri eman zuen."[7] "Eldarnioak eldarnioari jarraitzen dio", iragartzen du, "mugarik gabeko desolazio" horri aurre egiten dion ikuslearentzat.[8]

Aurreko testu batean, "Entropy and the New Monuments", 1966an argitaratua, bere ikuspegi garratzaren ondorioak laburbildu zituen, zalantzarik gabeko terminoetan: "Iragana antzinako monumentuak bezala gogorarazi beharrean, berriak etorkizuna ahantzarazten digutela dirudi... Ez daude garaietarako eraikita, garaien aurka baizik".[9] Russell Ferguson kritikariak funtsezko alde bat aurkitu du Smithsonen obra entropikoaren eta ia mende erdi geroago eraikitako Iglesiasen pabiloien artean, artistak etorkizunarekiko dituen jarrera kontrajarriak: "*Estancias Sumergidas* hasieratik planifikatu da kokatua dagoen natura erreserbaren osagai integral gisa. Ez da denboraren aurka altxatzen", dio Fergusonek "baizik eta dagoen itsas ingurunearekin etengabeko harreman sinbiotiko baten parte izan nahi du.

Eskultura koralezko arrezife bihurtuko da.

Mangladiak hazi egingo dira. Izango duen eraldaketa neurri batean entropikoa da, noski, baina baita sortzailea ere ".[10]

1960ko hamarkadan, artistek basamortuko leku idor eta hezigaitzak nahiago zituztenean, liluraz beterik zeuden, ez bakarrik distopikoagatik, baizik eta historiaurrekoagatik, arkeologiak bere hondar eta gainbehera guztietan erakuts zezakeen "iragan galdu" batengatik. Aldiz, belaunaldi gazteago batentzat, Doug Aitken, Pierre Huyghe eta Olafur Eliasson tartean, itsasoa eta etorkizuna bihurtu dira leku eta gai gustukoenak. Lehen bizi formen iturri gisa, ozeanoa luzaroan egon da lotuta sortzailearen ezaugarriarekin giza irudíterian. Gaur egun, litekeena da azken gune gisa, urrunen eta gizateriaren harraparien menpean gutxien dagoen leku gisa goraipatua izatea, eta, beraz, ondorengo bizitza apokaliptiko batean organismo jakin batzuk erresistenteak izan daitezkeen leku bat.

Mundu fisikoa eta digitala elkarrekin gero eta lotuago dauden heinean, artelanekiko konpromisoa gero eta gehiago oinarritzen da pantaila baten eta sagu baten klikaren bidez eskura daitekeen zerbaitetan, literalki eskura jarrita lehen urruntzat eta eskuraezintzat jotzen zena. Digitalaren esparruan, errealitate materiala erraz uztartzen da fantastikoarekin, birtualarekin eta

zientzia fikzioarekin. Huyghe, adibidez, pitzadurarik gabeko elisio horretaz baliatu zen 2015eko Istanbulgo Biurtekorako *Abyssal Plain* sortu zuenean. Bere ekarpena, Marmarako Itsasoan, ozeanoaren hondoan, Turkiako kostaldearen aurrean dagoen hormigoizko agertoki bat, "itsas bizitza hazten ari den [gizakiak egindako hondakinen] bilduma horren barruan eta kanpoan eboluzionatzen

den eta hura etengabe eraldatzen duen" leku gisa diseinatu zuen, Biurtekoaren online katalogoaren arabera. Adrian Searleren arabera (erakusketren kritika egin zuen Londresko *The Guardian* egunkarirako), artistak "espero du *Turritopsis dohrnii* medusa bitxi" biologikoki hilezkorra "bere eraikuntzan bizitzea".[11] Iruzkin labur horiez gain *Abyssal Plain*-i buruzko informazioa urria, aieruzkoa eta oinarririk gabea zen. Artistak ez zuen zuzeneko adierazpenik eskaini.

Obrara fisikoki iristea ezinezkoa zen eta ez zegoen irudirik. Eta, haren hondo historia ez zegoenez eskuragarri, ez da ezagutzen ikerketa zientifikoan duen oinarriaren sakontasuna eta irismena. Adorea galdu beharrean, honako hau esan zuen Searrek: "Hemen dagoela pentsatzea nahikoa da".

Egiaztatu gabeko eraikuntzaren proposamenarekin erakarrita sentitu ziren beste batzuk bezala, artistaren nahiek inspiratu zuten: etorkizunean bertan nolabaiteko bizitza organikoa sortuko den itxaropena.

Iglesias eta Huyghe bezalako artistentzat, zeinen estetikak lehen planoan jartzen baitu esparru materialaren eta espekulazioaren, fantasiaren eta ametsaren arteko elkargunea, ikusezintasuna ez da ez muga ez traba. *Estancias Sumergidas* lanaren inaugurazio hitzaldian, La Paz, Mexikon, 2010ean, honako hau adierazi zuen Iglesiasek: "Gure irudimenean dagoen espazioa benetakoa da; nolabait, presente dago. Hor dago [eskultura] eta beti egongo dela uste dut".[12] Ez da harritzekoa zientzia fikzioa bere betiko grinetako bat izatea. Raymond Roussel, Julio Verne, Edgar Allen Poe, A.C. Clarke, J.G. Ballard eta beste batzuen testuak daude bere lan askotan.

1993an, Moskenesen, Norvegia iparraldean, "ilusio bat errealitatearen atarian" ideala irudikatzen zuen leku bat aurkitu zuen Iglesiasek.[13] Aurkikuntza hori Artscape Nordland-ek Lofotengo paisaian obra bat egiteko jasotako gonbidapen baten ondorioz gertatu zen. Esan liteke ez dagoela Iglesiasen leku publikoetako eskultura corpus garrantzitsuan *Untittled* (Laurel Leaves) (250. or) baino lan isolatuagorik, zeina gutxi jendeztatutako eta zuhaitzik gabeko konderri batean baitago Zirkulu Polar Artikoaren iparraldean. Aukeratu zuen lekua, muino baten hegalean dagoen haitzulo bat, "Deabruaren guringile" izenez ezagutzen dute tokiko tradizioan. Aluminiozko bi pantailak, erramu hostoak erabilita urtutako erliebedun gainazala dutenak (Iglesiasen jaioterriko -Espainia- jatorrizko landarea da erramua), markoztatzen dute arroka labarrean dagoen arrakala sakon bat. Parentesiak bailiran, pareta hostodunek atalase bat sortzen diote espazio zehaztugabe, figuratibo eta literalki ilun bati. Eguzkiaren argiak harrapatuta, aldi berean liluragarria eta ikaragarria den hutsune baterako atari argitsu bihurtzen dira. Iglesiasen gogoan, barrualdeko leku osatugabe eta lokaliza ezina ur hurbilaren hedadurarekin lotuta dago, zeinak, esaten denez, Poeren kontakizunak inspiratu omen zuen zurrunbilo mitikoa baitauka.[14] Honako hau idatzi zuen obrara hurbildu zen uneari buruz:

Une batzuetan obraren hormak ikus zitezkeen, barruan duen basoa edo landaredia, eta atzean itsasoa. Orduan, piezan sartu eta irudi mundu horrek inguratzen zintuen. "Itsasoan sartzen" ari zaren sentsazioa izan dezakezu. Zuloa metafora gisa... ezinezko leku baten metafora gisa. Baso bat, landaretza sakon bat itsaspean.[15]

Iglesiasek urpekaritza egiten ikasi zuen 2005ean; horren arrazoiak pragmatikoak izan ziren, hein batean: aditu teknikoak gidatu nahi zituen *Estancias Sumergidas* obra itsas hondoan instalatzen zuten bitartean. Baina funtsezkoa izan zen, halaber, materialaren, ilusioaren eta espekulazioaren arteko elkarrekintza zuzenean esperimentatzeko nahia ere, *Untitled (Ereinotz hostoak)* obraren eta horrekin lotutako lanen sorkuntzaren oinarri.[16] Izan ere, erregistro horiek guztiek bat egiten dutenean baino ez baitira bete-betean agertzen bere eskulturak. Eta, batez ere, bere pabiloietan bizi diren kolore biziko arrainen artean soilik hartu ahal izan zuen guztiz obra honen muina osatzen duten kontrako bi denbora-lerroen neurria. Bata, epe laburrekoa, kontserbazionista, biologo eta beste batzuek pronostiko guztien aurka babesteko saiakera egiten duten eremu edeniko honetako biztanle liluragarrietan gorpuzten da. Bigarrena, epe luzeko ikuspegia, algetan eta mikroorganismoetan adierazten da sinbolikoki, zeinak, forma zehatzak pixkanaka suntsitzen, giza historiaren arrasto guztiak deuseztatuko baitituzte, De Acostaren txosten aitzindarian iragartzen den bezala.

Baina artistak ez dira bakarrak pentsamenduak aurrera egiteko aukera irudimentsuei lehentasuna ematen, eta oinarririk gabeko espekulazioak serioski hartzea proposatzen. Sistema ekologikoek dituzten arazo ia konponezinetarako epe laburreko konponbidetzat har daitezkeenetatik haratago aurrera egin nahi duten ameslarien artean Jonathan Ledgard nabarmentzen da. 2012. urteaz geroztik, kazetari, ingurumen ekintzaile eta eleberrigile ohi honek 'pentsamendu erradikalaren ebanjelista eta halabehar konkretuaren profeta bihurtu du bere burua', idatzi du Ben Traub-ek *The New Yorker* egunkariaren profil batean.[17] Ledgardek onartzen duen arren bere proiektuek fantasiazkoak diruditela eta 'arrakasta izateko probabilitatea izugarri txikia dela', honela dio: 'Nire helburu nagusia elkarrizketa norabide irudimentsuago batera eramatea da.' Horretarako, artistekin, zientzialariekin, ekonomialariekin eta politikariekin elkarlanean hasi da. Eta gero eta gehiago erreparatzen dio adimen artifizialak biosferari egin diezaiokeen ekarpenari. Eremu digitalean zein naturalean, adostasun zabala dago 'ikusteko moduak eta ulertzeko moduak gizakien ikusteko eta ulertzeko moduetatik haratago doazelako' ideiarekin. Inflexio puntua, Ledgarden iritziz, adimen artifizialeko sareek 'berezitasuna' lortzen dutenean iritsiko da, hau da, 'giza kontrolari ihes egiten diotenean'. Horrek aukera erabat berria irekiko duelako.

Zer gertatuko litzateke –galdetzen du Taubek, Ledgard parafraseatuz– baldin eta adimen artifizialak 'bizitzaren balioa bere baitan onartuko balu eta errukirik gabe hasiko balitz bizitza babesteari lehentasuna ematen bere formarik funtsezkoenetan: mikrobioak, onddoak, flora, jaleak eta salpak, ozeanoaren sakonera beltzenetan bizi direnak?' Erantzuna laburra da, eta itzulingururik gabea: 'Esku-hartze digitala Antropozenoa leuntzeko. Beste aukera bat Lurrarentzat, gu gabe.'

Estancias Sumergidas obrak proposamen hori modelatzen duela ikus badaiteke, oso ezkutuan egiten du, itsas biologoen, preserbazionisten eta antzekoen asmoekiko konpromiso sendoarekin kontraste eginez. Diametralki ezberdinak diren proposamen horien gakoa eskaintzen dituzten etorkizunari buruzko pentsamendu alternatibak dira. Bata, bere hauskortasun eta zaurgarritasun aitortua dela eta, kasurik onenean, herabeki itxaropentsua da. Bestea planeta honetako giza existentziaren laburtasunean oinarritzen da, eta itxaropenaren guztiz bestelako erregistroa eskaintzen du.

(Oharrak 246. orrialdean)

Eztabaida

Iwona Blazwick Eskerrik asko, Lynne. Galdera batekin hasi nahi nuen: zer deritzozu *Estancias Sumergidas* obrarekin elkarreragiten duten beste espezieei buruz? Publiko bat dira ala, besterik gabe, ez kontzienteak edo interesik gabeak?

LC Nire ustez gu gara publiko bakarra, behatzen dugun neurrian eta arrotzak garelako: ezin gara ingurune horretan bizi. Kanpotarrak gara eta igaro egingo gara. Beraz, epe luzeko ikuspegi batean, koralak eta bertan hazten diren landare eta animaliek egitura aldatuko dute, eta testua eta haren edukia, ezagutzen dugun moduan, desegin eta beste zerbait bihurtuko da. Abiapuntuak ez du garrantzirik izango, espezieek, belaunaldiz belaunaldi, eraldatu eta aldatu egingo baitute.

IB Cristinak proposatzen duena Heizer-en hondamenditik eta patetismotik eta Smithson-entzat hain garrantzitsua den entropiaren ideiatik desberdina dela uste duzu? Iruditzen zait orokorragoa dela: bizitzaren hauskortasuna adierazten du, baina bizitza berrezarri ere egiten du, berriro ekarri.

LC Uste dut esanahi desberdina duela, zalantzarik gabe. Ezin dugu esan antropozentrikoa ez denik, gizakiek egina den aldetik, irudimenezko egituretan eta guztiz antropomorfikoak diren diskurtso esparruetan, baina aurreko belaunaldien antropozentrismo motarekin alderatuta, uste dut zerbait desberdina dela. Hainbat testutan, Cristinaren lana feminismoaren terminoetan interpretatu dute, eta hemen irakurketa hori nola egin litekeen pentsatu lezake norbaitek. Bertan barneratzeko beste modu bat izan liteke.

T.J. Demos Galdera bat daukat 'wild' (basagune) hitzaren erabilerari buruz. Sinposio honen izenburuan agertzen da eta, Lynne, zuk erabiltzen zenuen, modu kritikoan eta kontzientean erabili ere. Niretzat, termino benetan problematikoa da, eta gaur egun erabat zaharkituta dago. Neure buruari galdetzen diot ea horretaz hitz egin eta, behar bada, terminoa desegin beharko ote genukeen, modu produktiboan? Smithson-en site/nonsite (leku/ez-leku) dialektikari buruzko zure eztabaidak 'wild' (basagune) terminoaren edozein nozioren legitimitatea ezabatzen du, hortxe bertan. Interesgarria dela uste dut, eta agian kontuan hartu beharko genuke termino hori erabiltzean?

LC Nik ez nukeen erabiliko. Ez dut erabiltzeko joerarik. Izan ere, ez da 60ko hamarkadako hiztegian sartzen. Erreferentziatzat erabili nuen hitzaldia Iwonarekin lotzeko, obra aurkeztean 'wild' edo basaguneari buruz hitz egin baitzuen.

Richard Noble Azaldu dezakezu pixka bat zergatik uste duzun bide horrek jada ez duela balio natura aipatzeko kulturarekin erlazionatuta?

TJD Uste dut ideologia ilustratu, kolonialista eta erromantiko baten parte dela, lurralde berriak edo Mundu Berria natura peto-petotzat hartzen zituena, eta ez benetako indigenen jardunbideen ondorioa. Bada liburu bat, *Tending the Wild*18, Ipar Amerikako paisaiari eta Amazoniari buruzko ikerketa berriei buruzkoa, eta giza kudeaketaren 10.000 urte biltzen ditu. 'Wild' edo basaguneren ideia historikoki oso-oso problematikoa da 10.000 urte inguru egiten badugu atzera. Gainera, 'Antropozeno' terminoak ohartarazten digu ez dagoela giza petrokapitalismoaren jardueren eraginpean egon ez den eremurik.

Urrutien dauden eremuei erreparatzen badiegu ere, hala nola Artikoari, poloei edo itsas sakonari, plastikoak aurkitzen ari dira itsas zientzialari eta biologoek oraindik aztertu ez dituzten eremuetan. Ozeanoaren konposizio kimikoa, bere azidotasuna, aldatzen ari da berotu ahala. Peter Galison-ek Harvarden erabiltzen duen termino bat gogorarazten dit; izan ere, 'wasteland' (eremu mortu) eta 'wilderness zone' (naturagune basatia) hitzak batzen ditu 'wasteland-wilderness' terminoan. 'Wild' edo basagune esaten zaion eremua erabat kaltetu eta kutsatuta dago kutsadura eta hondakinak direla eta. Hori egia da parke nazionalen kasuan ere. Beraz, Antropozenoaren edo kapitalozenoaren baldintzak direla eta, ez dago 'wild' edo basaguneari buruz pentsatzeko modurik jatorrizko proposamenaren arabera.

Cristina Iglesias Uste dut norbaitek basagunea –nahiz eta ez den praktikoa edo errealista– amets gisa har lezakeela termino poetiko edo filosofikoetan, gertaeren deskribapen bati kontrajarrita.

RN Ez nago ziur argudioa onartzen ote dudan; hain zuzen ere, natura basatiaren nozioa erabat ez-legitimoa delako argudioa. Uste dut oso puntu garrantzitsua eta argia dela planteatzen duzuna, baina zer gertatzen da natura eta kulturaren arteko bereizketarekin natura basatiaren ideia alde batera uzten badugu? Oro har, onartzen dut Antropozenoaren premisa: ez dago txokorik planeta osoan giza jardueraren eraginpean ez dagoenik. Baina, aldi berean, benetako desberdintasunak daude orain La Jollan gauden lekuaren eta Kalifornia Behereko itsas hondoaren artean –*Estancias Sumergidas* obra hor dago kokatuta–. Neure buruari galdetzen diot ea basaren ideia ukatzean naturaren eta kulturaren arteko bereizketa ororen esanahia ukatzen ari garen. Naturaren ideia erabat desagertzen al da Antropozenoan? Ez nago ziur zer irabaz dezakegun, aurrean dugun erronka ulertzeari dagokionez, basaren nozioa alde batera uztean.

TJD Tira, lagungarri izan daitezkeen testu batzuk datozkit burura. William Cronon-en 'The Trouble with Wilderness'19 entsegua basa ideiaren kritika ekologiko eta politiko garrantzitsua da. Cronon-ek dioenez, basa sortutako kategoria bat da, itxuraz ez-gizatiarrak diren espazio horiek mantendu ahal izan ditzagun sortutako kategoria, hain zuzen, eta horrek indigenak lurretatik kanporatzea zekarren askotan, ez zirelako gune basatiaren parte. Naturaren eta kulturaren arteko zure bereizketari erantzunez, Donna Haraway-k bi termino horiek gidoirik gabe elkartzeko eskatzen du. 'Natureculture' (naturakultura) terminoa erabiltzen du azpimarratzeko ez dagoela jada termino horien artean aurkakotasunik edo desadostasunik, inoiz halakorik izan bada. Hau da, nire ustez, testu hauek adierazi nahi dutena: purutasuneko espazioak edo ez-gizakia versus gizakia bereizketa jada ez da sostengatzen. Eta hau da erronka. Nola asma ditzakegu hitz berriak? Zenbait jendek, hala nola Timothy Martin-ek, hizkuntza jakin bati uko egitea proposatzen du, 'nature' (natura) bera bezala. Bere liburuaren izenburua da *Ecology without Nature*20 (Ekologia naturarik gabe); beraz, agian, guk behar duguna 'Ecology without Wilderness' (Ekologia gune basatirik gabe) da?

Nire ustez Willian Crononek horixe proposatuko luke. Hau garrantzitsua da.

Baina diskurtso 'post-naturala' deritzonaren barruan 'wild' edo basaren ideia ordezkatzen duenari dagokionez, ez dut uste 'natura' edo 'naturala' esaten zaion ezer ez dagoela argudiatzeko tranpan erori nahi dugunik. Gizakiak egindakoa ez den ezer ez dagoela esatea barregarria da. Kontua da ez dagoela eremu pururik. Ekologia intersekzionalista batekin ari gara, non ekologia bera konektibitatea den; non ezin ditugun gauzak Ilustrazioaren ezaugarri diren esfera bitar zaharretan bereizi. Beraz, nik uste dut Haraway-k proposamena egin duela 'natureculture'-n. Badira beste termino batzuk ere: 'wild' edo 'basa' komatxo artean; basa kategoria imajinario, poetiko edo liriko, postkolonial gisa. Ez dakit.

Ez dut konponbide errazik, baina merezi du galdetzea termino horiek desegin ondoren zer ote datorren.

Andrew Benjamin Asko gustatzen zait Antropozenoaren ideia –edo erabili nahi duzun edozein hitz– zera adierazteko, kanpoaldearen kontzeptua ezinezkoa dela. Mundua, zentzu batean, guk markatuta ez dagoela eta natura basatiko espazio puruak daudela dioen ideia inozoa da. Cristinaren lanek agerian uzten dituzte gai horiekin ditugun arazo kontzeptualak. Egoera bati erantzuteko erronka jotzen digu, non ez dugun egoera hori ulertzeko hizkuntzarik.

Octavio Aburto Izan ere, lehen aipatzen nituen helburuetako batzuk, hala nola ezarri ziren % 10, % 20, pentsatuz arlo horiek ixten ditugunean estatu pristino honetara itzuliko garela - Hori, noski, ezin da guztiz gertatu, eta, ziurrenik, etorkizunean ez da gertatuko.

RN Hala ere, uste dut tutoretzaren eta kontserbazioaren nozioa eta mundu naturaleko elementuak enpresa kapitalistaren narriaduratik babestearekin loturik orain arte erabili dugun hizkuntza morala desagertzeko arriskuan dagoela, baldin eta natura eta kultura bereizteko gai ez bagara. Ziur nago hori Ilustrazioaren pentsamenduak nire buruan utzitako ondarea baino ez dela, baina nik ideia batekin borrokatzen du: beste zer modutara pentsa dezakegun bizi garen ekologiekin ditugun betebehar moral edo politikoen gainean. Ez dira desagertzen intersekzionaltzat hartzen ditugulako edo naturaren parte garela badakigulako. Jakina, beti jakin izan dugu, eta hala ere, dagoeneko zentzurik ez duten bitar hauek eraiki ditugu.

AB Nire ustez, behintzat, produkzio kapitalista mundua suntsitzen ari da. Zati bat bereizi eta, produkzio kapitalista alde batera utzita, horren administratzaile izan zaitezkeelako ideia ezinezkoa da jada. Ikusi behar da gertatzen ari dena desparekotasunak eta ingurumenaren degradazioa behar dituen ordena ekonomiko bati lotuta dagoela.

IB Cristina, Esan zenezake zerbait obraren testuari buruz, haren jatorriari buruz?

CI Tira, XVI. mendean apaiz jesuita batek idatzitako *Historia natural y moral de las Indias* liburutik ateratako testua da. Europarrek Ameriketan aurkitutakoaren kronika da, baina oso modu poetikoan idatzia. Ez da benetan deskribapen bat, nahiko platonikoa da. Beraz, Atlantikoaz ideia gisa hitz egiten duen laburpen bat hartu nuen eta, halaber, Afrikatik Europaraino hartzen zuen espazio guztiaz ere hitz egiten duena. Testu hori erabili nuen hieroglifikoen ideia interesatzen zitzaidalako. Hormak egiten dituen geometria bat sortzeko erabiltzen dut testua, piezak naturak hartuta egon arren pabiloi izaten jarraitzen dutelako. Gelak izaten jarraitzen dute, eta gauzak har ditzakete, bizi egin daiteke horietan; eta, aldi berean, gauza jakina da desagertu egingo direla. Eta hori ere ideiaren parte da: testua, poema, desagertu egingo da naturan, eta erabat ezkutatuta geratuko da piezaren barruan.

IB Lynne, esan al dezakezu zerbait gehiago ikusezintasunaren ideia horri buruz? Doug Aitken-en lanak erakutsi dizkiguzu, baita Pierre Huyghe-renak ere; azken horrek lan bat egin zuen iaz Istanbulgo itsas hondoaren azpian, Bosforoan. Inork ez ditu obra hauek inoiz ikusiko. Zure ustez, zein da horren esanahia?

LC Uste dut lan hauek zurrumurruak bezala existitzen direla. Erabili izan dudan termino bat da, eta Francis Alts-ek erabiltzen duen terminoa da, obra bat existitzea nahi duenean, zirkulazioaren, eztabaidaren, testuen, dena delakoaren bitartez, baina ez irudikapen bisuala, ezinbestean. Gustatzen zait obraren ideia hori, hau da, ezaguna den, hari buruz hitz egiten den eta forma desberdinak hartzen dituen obra izatearen ideia, telefono apurtuaren antzera. Beti da esparru asaldatua eta aldakorra, interpretazioaren unea historikoki aldatzen delako eta iragazkia, beraz, beste era batera birsortzen delako.

Artista batzuentzat, obra bat nagusiki termino horietan existitzearen ideiak indar handia du, eta Internetek eta sare sozialek ezagutzaren, memoria kolektiboaren eta komunitate zentzuaren sortzaile gisa paper garrantzitsua betetzen duten mundu honetan, aukera hori are indartsuagoa bihurtzen da. Cristinaren lanak izan dezake, eta izango du, bizitza bat termino horietan, etorkizuneko eonetan daukanaz gain. Ez nuen Doug Aitkenen obrari buruz hitz egin, hein batean, ikusgarria dela sentitzen dudalako, eta ingurumenarekiko kontzientziaren eta erantzun nahiaren aldarrikapenak oso gutxi zirriborratuta daudelako eta ez direlako oso espezifikoak. Zentzu horretan, Cristinaren obraren zeharo desberdina da eta, zentzu batean, nik proposatuko ez nukeen eredua da.

Mathieu Gregoire Lynne, Allan Kaprow-ri buruzko iritzirik ote duzun galdetzen nion neure buruari, oso garrantzitsua baita UCSDren [Kaliforniako Unibertsitatea San Diegon] historian, ikusezintasunari eta alderdi biziari dagokienez ere.

LC Nire ustez Kaprowrekin ideia zera da, instrukzioa edo testua partitura bat dela, eta hortik abiatuta obra performatibo bat egin daitekeela. Ez dago erabat urrun, baina uste dut estrategia artistikoaren beste alderdi bat dela.

MG Nahiz eta obra bera ez den instrukzioa soilik. Obra bera da gertaera eta bere igarotzea.

LC Bai, eta esperientzia bat da egiten dutenentzat eta bertan parte hartzen dutenentzat, baina partitura gisa, urtext bat da, nolabait, eta uste dut publikoaren, ikuslearen eta artelanaren arteko harremanak desberdinak direla.

AB Arazo oso interesgarria agertzen ari zara obra bat bere dokumentaziotik noraino bereiz daitekeen eta, bereziki, obrari buruz interesgarria dena bere dokumentazioa denean, irudiak, argazkiak, kritikak eta abar barne hartuta. Arte obra asko beren dokumentaziotik bereizi ezin diren garaian bizi gara. Smithson izango litzateke adibide bat, Cristina beste bat.

LC Uste dut bi belaunaldi daudela, edo agian hiru. Heizer, De Maria eta Smithsonen belaunaldian, batzuek dokumentazioa kontrolatzeko saialdi hitzartua egin zuten. Adibidez, *Lightning Field*eko sei irudi argitaratu daitezke. Walter de Mariaren asmoa zen beste zerbait argitaratuz gero salaketa jartzea, eta zelaira joaten zen jendeak agiri bat sinatzea argazkiak ateratzeari eta banatzeari uko eginez. Jakina, gaur egungo munduan, hori ez da posible, baina hori zen ideia, kodetutako irudi hauek existitzen zen iturri bakarra izan zitezen. Smithsonen kasuan, ez da dokumentazioa, nonsite edo ez-lekua baizik. Aldiz, zenbait artistak, hala nola Francis Alÿs-ek edo Pierre Huyghe-k, ongietorri egin diete Facebook, Snapchat eta Instagram plataformei. Ez dago irudi edo irudiaren iturri edo irudikapen pribilegiaturik, eta zentzu horretan, nire ustez hor hasten da zurrumurrua beste gauza bat izaten. Zurrumurrua nik proposatzen dudan kategoria orokor hori izan badaiteke, orduan irudi, diskurtso eta testuen ugaritzea irudimenezko espazioa da; obra bertan bizi den espazioa.

T.J. Demos
Itotako mundua/k: Cristina Iglesiasen Estancias Sumergidas obran

Nola sor ditzakegu forma sortzaileak Antropozenoan bizitzeko eta biziirauteko, eraldaketa klimatiko antropogenikoaren aroa izanik eta klimak, zentzu zabalean hartuta, indarkeria politiko-ekonomikoaren eta inpaktu bio-geofisikoen nahaste sozio-ekologikoak biltzen baditu, baita biziirauteko modu kolektiboak eta gizakiaz haratagoko erresilientzia? Cristina Iglesiasen *Estancias Sumergidas* (2010) obrak mota horretako proposamen bat eskaintzen du itsas ingurumenerako; eskualde horrek bere harrapakaritzak jasan ditu mendeetan zehar baliabideak ustiatu izanaren eta kutsaduraren ondorioz, eta horrek espezieentzako arriskua eragiteaz gain, espezie asko desagertu ere egin dira.

Espezie anitzeko instalazio bihurtzeko eraikia izaki (gaztelaniako *estancia* terminoarekin jolastuz, 'bizileku' edo 'egonaldi' esan nahi baitu), bere eskultura hainbat panelez osatzen da, Kalifornia Behereko Kaliforniako Golkoan 15 metro ingurura urperatuta. pH neutroa duen eta altzairu herdoilgaitzez errefortzatutako hormigoiz eginak daude; zulatutako atal angeluzuzen handiak direnez, itsas bizidunak-arrainak eta manta arrainak barne-instalazioa bisitatzera joaten dira, inguruan eta pasabide ugarietan barrena igeri egitera, algek, lanpernek eta itsas belarrek pieza arian-arian uharri artifizial bihurtzen duten bitartean, baita objektu estetiko posthumano (posthumanista) espekulatiboa ere. Panelak lauki geometrikoetan zulatuta daude, eta arretaz begiratuz gero, Jose de Acosta misiolari eta naturalista jesuita espainiarrak 1590. urtean idatzitako *Historia natural y moral de las Indias* liburutik ateratako testu baten hitzak adierazten dituzte zehatz-mehatz; pasarte horretan, Ameriketako konkista Atlantidaren berraurkikuntzarekin alderatzen du eta, inpliziтuki, bigarren itotze bat iragartzen du. Iglesiasek itotze hori aurreikusten du, modernitate kolonialaren erorketa ingurumenerako indar suntsitzaileekin lotuz.

Ekologian natura eta kultura bereizteko behin betiko ezintasuna aitortuz, bere lanak modu probokatiboan lotzen ditu politika dekolonialak eta espezie anitzeko justizia gizakien aroaren ondorengo aldian.

Iglesiasen proiektua 'urpeko loratегia' landatzea zen, Thomas Riedelsheimer-en *Garden in the Sea* dokumentalean adierazten denez; proiektu horren bitartez, beste pertzepzio mota bat sustatzen du, ez bakarrik itsas bizidunen biodibertsitatearen edertasun nabarmenari lotua, baizik eta gizakiaz haratagoko ikuspegi estetikoa izan litekeenaren auzi espekulatiboa ere aurkezten digu.

'Bizitza oro semiotikoa da eta semiosi oro bizirik dago', dio Eduardo Kohn baso-antropologoak; hori horrela bada, orduan, elementu estetiko intrintseko bat darama, funtsean estetikak sentipenarekin zerikusia duen heinean, eta horrek gizatiarra soilik ez den esperientzia dakar berekin.[21] Nahiz eta, agian, ez dugun sekula jakingo manta arraiek zer sentitzen duten Iglesiasen eskulturaren inguruan beren koreografia hegalariak egiten dituzten bitartean, edo arrainek nola bizitzen dituzten obrako tunelen labirinto eta eremu arkitektoniko jostagarriak, argi dago *Estancias Sumergidas* obrak espezie anitzeko potentzialtasun hori eta irudimen espekulatibo hori egungo krisialdi ekologikoaren esparru zabalagoaren barruan kokatzen duela, amaierari aurre egin behar dion mundua gizakiona soilik ez den aldetik. Klima-kolapso katastrofikoaren aroak biosemiotikarekiko eta espezie anitzeko estetikarekiko sentsibilitate berri batera gonbidatzen gaitu, eta aldi berean nekropolitika orokortu bati egin behar diogu aurre, non estraktibismoak gero eta ageriago ikusarazten dizkigun suntsitutako inguruneak, ekosistemen kolapsoa eta espezieen desagertze masiboak; Iglesiasen instalazioa erabat murgilduta dagoela dirudien onarpeneko eta konpentsazioko dinamika bat.

Itsasoak, jakina, petrokapitalismoak bultzatutako aldaketa ekologikoen funtsezko ingurunea dira; hor sartzen dira tenperaturen eta azidotasun mailaren igoerak, eta horrek plankton kolonien nahiz krustazeoen bizitzaren kolapso orokortua eta koralezko arrezifeen heriotza globala eragiten ditu. Askotariko itsas biologiak, oro har, arrantza industrialaren mehatxupean daude, eta hori da Iglesiasen esku-hartzearen esparrurik zabalena. Hondoa arakatzeko erabiltzen diren sare industrial handienek futbol zelai baten tamainako ahoak dituzte, eta itsas hondoan orbain kilometrikoak uzten dituzte; atunaren arrantza industrialean, berriz, hirurogei miliatan barrena hedatzen diren pitak erabiltzen dira, eta milaka amu eramaten ditu beita eta guzti. Kalkulu baten arabera, ehun mila milia pita baino gehiago daude, lau milioi eta erdi amurekin, egunero Ozeano Barea zeharkatuz. Bien bitartean, itsas zabaleko petrolio zulaketako eremuen hedapenak gertakari katastrofikoak eragin ditu, hala nola 2010ean BP Deepwater Horizonen hondamendia, eta makina automatizatuek gero eta mina gehiago jartzen dituzte itsas hondoetan, suntsipen harrapariko ekintzetan ingurune kalteberak hondatuz, kapitalaren metaketa amaigabeak eraginda.

Hori gutxi balitz, ongarri kimikoen eta hondakin industrialen jariatze urak eragindako kutsadura gero eta handiagoaren ondorioz eremu hil hipoxikoak areagotzen ari dira, eta Ozeano Barearen biraketan hondakin plastikoen 79.000 tona daude Frantzia baino bi aldiz handiagoa den eremu batean; mikropolimeroek eragindako kutsadura larriagotzen ari da uretan, nonahi.

Elizabeth Kolbert-ek 'The Darkening Sea' saiakera idatzi zuen 2006an eta, bertan, ozeanoen gainbehera mailakatua deskribatzen du, etorkizun hurbilean bizitzari eusteko gai izango ez den ur masa bihurtu arte; egoera horren aurrean, desagertzearen aurkako matxinadarako deia ezin argiagoa eta premiazkoagoa da.[22]

Izan ere, dei horrek, gero eta handiagoa den gizarte mugimenduan adierazten den bezala, ekoizpen ekonomikoaren eta kontsumoaren egiturazko eraldaketa eskatuko luke, deskarbonizazio masibo baterantz, nahitaez berdintasun demokratikoko justizia sozialaren aginduz zuzendutako prozesu bat, globalizazio korporatiboaren eta neoliberalismo militarraren egungo loturatik haratago. Kultura ekoizpenak ere badu bete beharreko zeregina (nahiz eta haren zati handi bat merkatu sistemetan eta merkataritza erakundeetan harrapatuta egon), egungo bidegabekeria sozioekologiko anitzen dokumentazio kritikoa ez ezik, irudi eta soinu emantzipatzaileak, irudimen espekulatiboan oinarritutako istorio eta forma estetiko berriak ere emateko, borrokaren lehen lerroko komunitateetara iristen direnak, Antropozeno ondoko mundu baten eraikuntzan. Izan ere, anbizio handiz eta seriotasun osoz baiezta dezakegu artearen egungo agindu etiko-politikoak mundua eta giza eta espezie anitzeko loraldirako gaitasunak salbatzea izan behar duela, hala nola Fred Moten eta Robin Kelley poeta eta performance ikasketetako ikasle afro-amerikarrek Black Studies proiekturako berriki aldarrikatu duten bezala.[23] Horrek, deskarbonizaziorako eta ingurumena lehengoratzeko diseinu praktiko eta sortzaileak ez ezik, kulturaren funtsezko balioak eta pertzepzioak eraldatzea ere eskatuko luke, izaki gisa bizitza sare zabalago baten barruan, justizia sozialeko, berdintasuneko eta elkar zaintzeko kulturen barruan, kapitalismoaren hondarretan bizitzeak zer esan nahi duen berriro aztertuz.

Iglesiasen lanak proiektu horri laguntzen badio, uretako, uraren inguruko eta ur gainean azken aldian izan den garapen artistiko ekoestetikoaren ibilbidea osatzen duten aurrekari artistiko ugaritan oinarrituta eta horiekin batera durundatuz egiten du, bai kontsonantzian, bai disonantzian. Burura datorkidan lehenengo gauza, Atlantidako antzinako kontakizunetatik eta artearen historiako hainbat formaziotan huts egindako utopien ondorengo genealogia artistikoetatik haratago, Robert Smithson-en *Spiral Jetty* (1970) obraren espezifikotasun urtar postminimalista da: 1.500 oin luze eta 15 oin zabal den harrizko espirala, Utah-ko Aintzara Gazi Handiaren ipar-ekialdeko ertzean dagoen Rozel Point penintsulan kokatua. Gatza, arroka eta uraren arteko komunikazio materialeko eta ingurumeneko mutualitateen serie propioari hasiera ematen dio eskulturak;

figura de/monumental bat irudikatzen du, Andrew Uroskie-k 'zinema estratigrafikoa' esaten dion horretarako, eta Smithson-ek horren arabera jardun zuen eskulturgintzan zein irudikapengintzan Estatu Batuetako Land art mugimenduaren testuinguruan.[24] Smithsonen site/non-site dialektika konplikatuz eta instantziatuz, non 'hor kanpoko' eskultura dialektikoki lotzen den 'hemen barruko' irudikapenekin, artistak bere obraren gainean egin zuen *Spiral Jetty* filmak elkarrekiko erreferentzia eta transmutazio zinematografiko harreman bati ekin zion, azken batean, idealismoa eta monumentaltasuna bera ukatzen duena, Iglesiasek bere eskulturaren garapen prozesua jasotzen eta grabatzen duten dokumentaletan garatzen duen modu bertsuan. Smithsonen eremu harritsuak erreferentzialtasuna zailtzen du, eta zehaztugabetasunean ardazten da, bai elkarrekin konektatutako geruza geologikoei dagokienez, bai gatz kristala eta maskorra fraktalki eraldatzen dituen espiral formari dagokionez, bai film lataren moldaketa progresiboari dagokionez, non sekuentziazioak eta denboraren gainjartzeak denborazkotasuna likidotzen duen iraganaldi eta orainaldi anitzetan.

Iglesiasek ekoitzitako ekosistemak Betty Beaumont-en *Ocean Landmark* (1978-80) obra ere gogorarazten du. Proiektu horrek habitaten eraikuntza eta itsas prozesuen artea uztartzen ditu, eta hainbat erakundek babesten dute, hala nola AEBetako Energia Departamentuak, Smithson Institutuak, Bell Laborategiek, Columbiako Unibertsitateko Lamont Doherty Lurraren Behatokiak eta Arteen Funts Nazionalak; argi ikus daiteke pieza horri forma ematen lagundu zion sarea zabala izan zela. Beaumontek zientzialari eta ingeniariekin lan egin zuen, ikatz hondakinen azpiproduktu industrialak uretan egonkortzeko moduak esperimentatzen ari baitziren; izan ere, itsasoan isuri zirenez, urpeko arrezife artifizialeko eskultura bihurtuko ziren, Ozeano Atlantikoaren gainazaletik 70 oin azpira. Beaumont aitzindaria izan zen artistari ekosistemarako zerbitzuen hornitzaile papera ematen, baita degradazio industrialaren erremediatzaile izaten ere, eta Iglesiasek, aldi berean, diziplinarteko identitate artistiko hori bere egin zuen, espezie anitzeko formazio komunitarioen irudiaren elementu estetiko garrantzitsuak gehituta eta negoziazio 'naturalkulturalak' irudikatzen.[25]

Berrikiago, John Akomfrah-ren *Vertigo Sea* (2015) dago, hiru kanaleko bideo instalazio bat, 'uretako sublimearen zeharkako istorioak' kontatzen dituena, intertituluetako batek dioen bezala. Hemen, ozeanoa konkista kolonialak, esklabutza eta deserrotze postnazionala biltzen dituen gatazka geopolitiko eta ekologikoaren balio anitzeko kokagune bihurtzen da, migrazioari, industrializazioari eta ingurumenaren eraldaketari buruz oraindik konpondu gabeko istorioen esparruan. Beaumont-ek gizakiaz haratago jartzen badu arreta, Akomfrah-k uko egiten dio gizakiaren barruko desparekotasun sozialak azpimarratzeari, itsas bizitzarekin eta heriotzarekin gurutzatzen diren aldetik.

48 minutuko iraupenarekin, itsas paisaia oparoek (horietako batzuk 2001eko David Attenborough-en *The Blue Planet* itsas bizitzari buruzko dokumentaletik hartu dira) hondoko oihal koloretsu bat eskaintzen dute esplorazio kolonialaren eta esklabotza transatlantikoaren ibilbideetarako, eta itsas bizitzaren biodibertsitatearen irudiak, berriz, bat-batean eteten dira zuri-beltzeko pasarteekin, non arrantzaleak agertzen diren hartz polarrak ehizatzen eta baleak kanoikadaka hiltzen. Urtu eta askatzen diren glaziarrak berotze globalaren zantzuen erakusgarri dira, eta horiekin kontrajarrita, hilerri bihurtutako itsaso batetik itsasertzera arrastatzen diren gorputz marroi kateatuen irudiak ikusten dira, ingurumen indarkeriaren geologiak gizakiaren barneko zitaltasunarekin gurutzatuz (antropozentrismoaren arraza basakeriak esklaboei gizatasuna ukatzen zien arren).

Akomfrah-k *Blue Planet* dokumentalaren filmaketak bereganatzen dituen bitartean, Harvardeko Etnografia Sentsorialeko Laborategiko Lucien Casting-Taylor-ek eta Véréna Paravel-ek itsas arrantza industrialaren bistaratze berriak asmatu dituzte 2012ko *Leviathan* film luzearekin; laborategiaren helburua da 'estetika eta etnografia konbinazio berritzaileak babestea... giza existentziaren ehun afektiboa eta gorputz praktika arakatze aldera'. Hamarnaka GoPro kamera digital jarri zituzten ontzi komertzial batean, New Bedfordeko (Massachusetts) kostaldean, hainbat ikuspuntutatik fokuratuta, eta olatuen soinuen eta ikuspegien barru-barruko filmaketak lortu dira, harrapakinak kubiertan askatzen dituzten arrantza sareak, eta itsasoko bizitza oraindik ere eskuzko lanean oinarritzen den eta eraginkortasun industrialaren eredu den moduan prozesatzen duten gizonak, zinemagileen lanean islatuta. Hori guztia agerian geratzen da filmaren lehen plano ugari eta izugarri intimoetan, eta horietako batzuek giza pertzepzioaren muga normalak ere gainditzen dituzte; horrenbestez, ikusleak gizakiaz haratago doan bizitzaren eta heriotzaren arteko dialektikari egin behar dio aurre, ikuspegi zinematografiko ez-gizatiar batek ikusitako formetan.[26]

Nahiz eta lan horiek erabat dibergenteak izan Iglesiasen urpeko habitat eskultorikoen eraikuntzatik, nahiz eta gertuago egon bere urpeko eskulturen bideoan oinarritutako irudietatik, itsas estetika espekulatiboaren jardunarekin sona hartzen ari dira itsaso industrializatuen aroan, bai eta enpatia eta errukia bir/konektatzeko aukera sortzaileak emateagatik ere, zentzumen anitzeko esperientzia eta ingurumena zaintzea gizakiaz haratago doan erresumarekin.

Leviathan lanean agertzen diren naturaren industrializazioari buruzko irudi apurtezin eta distantziarik gabeen aurka dago, erabat, Jonathas de Andrade artista brasildarraren *O Peixe* (The Fish) lana, 2016koa, film antropologiko exotizatzaileen mimetismo zuhurra. Brasilgo ipar-ekialdean filmatua, arrantzaleak erretratatzen ditu -oro har, beltzak dira- eta arpoiarekin edo hariarekin harrapatutako harrapakinak samurki besarkatzen eta laztantzen dituzte,

Ama Lurrari bere hornikuntzengatik eskerrak emateko kultura erritu baten adierazpena izango balitz bezala, enpatiarik handienarekin besarkatuz Ama Lurraren seme-alaba ez-gizatiarrak, beren bizi sakrifizioko uneetan. Ekintza horren lehen plano intimoek beste animaliarekiko gertutasun faltsuko zinema bat sortzen dute, *Leviathan*en ekoizpen moduarekin kontrajartzen dena, non supermerkatuetako arrainen plastikozko ontziak ozeanoen hustuketan duten konplizitate esplizitutik askatzen dituen kontsumitzaileak. De Andradek, primitibismo antropologikoa kritikoki birplanteatzeaz gain, arrainari besarkatzeko erromantizismo ekologistaren aurka ere egiten du, erruaren eta desiratutako erredentzioaren psikologia indibidualistak mugatuta, seigarren desagertzearen egiturazko kausak alde batera utzita kontsumo industrialaren bidez zorioneko errealizazioaren bizitza etengabe merkaturatzen duen esparru ekonomikoan bertan.

Iglesiasen *Estancias Sumergidas* ez dira horietako bat ere, nahiz eta denen isla jasotzen duen era askotan. Smithsonen zinema geologikoan eta lekuaren espezifikotasun estratigrafikoan ez bezala (non lekuak materialtasun eta eskalak, tokiak, denborak eta irudikapenak biderkatzen dituen zurrunbilo entropiko batean), itsaspeko eskulturek kezka bat partekatzen dute prozesu estetikoaren lausotzeari eta denboraren hedapenari dagokienez, itsasoko azalpen biogeologikoekin eta inkrustazio biodibertsoekin. Panelak nahita eginda daude Kaliforniako Golkoan jarri eta hurrengo urteetan apurka-apurka desegiteko edo, hobeto esanda, beste zerbait bihurtzeko, hein handi batean, gizakiaz haratago doazen laguntzaileengatik.

Like Beaumont-en *Ocean Landmark* bezala, *Estancias Sumergidas* obra itsas habitataren ingeniaritza ekintza bat da suntsipenaren eta galeraren garai batean, non bizimoduaren deuseztapen biologikoaren ondorioz itsasoak iluntzen ari diren, udaberriko isiltasunaren antzera, txorien kantua galduz (Rachel Carsonek adierazi zuenez).[27]

Horrela, panelek ekologia leheneratzeko maniobra konpentsatzailetzat jokatzen dute, eskala xehean bada ere, eta kaltearen eta suntsiketaren tragediaz sinbolikoki hitz egiteaz gain, galerak minimizatzen saiatzen da, zerbitzu ekosistemikoen hornitzaile gisa arte paradigma berri bat moldatuz. Zuhurki habitat ozeaniko oraindik ia birjin eta itsas santutegi honetako esku-hartzean, Iglesiasek, hala ere, kontzientzia autokritiko handiagoa agertzen du bere obraren 'kolonizazio' artistikoekin -artistak hitz hori erabili zuen Riedelsheimer-en dokumentalean- Beaumont-en ekologismo serioarekin baino. Iglesiasen eskulturak eta Akomfrah-k 'Black Atlantic' edo Atlantiko Beltzari buruz egindako zinemak -Paul Gilroy-ren azterketa klasikoari erreferentzia egiten dio- bat egiten dute itsasoaren egungo suntsipen industriala (itsasoa 'beltz bihurtzen da' petrolio isurien eta gune hipoxikoen ondorioz, desagertze eremu ilunez gain28) amaitu ez den antzinako proiektu kolonial baten parte dela aitortzean. Hori argi geratzen da bere eskulturak De Acostaren gutunetan Ameriketako kultura eta natura indigena kolonizatuei buruz agertzen den kontakizunaz egiten duen erabileran [29], konkista Atlantidan itotako hiriaren antzinako kontakizunarekin alderatuz; Platonen *Critias* obran estatu ideal mitikotzat deskribatzen zen, eta Atenasen aurkako gerra mehatxuaren drama teologikoan sartuta egon zen jainkoen zigor gisa. Desberdintasuna da gizarte petrokapitalista garaikidea, jainkoek aspaldi abandonatu zutenez, bere burua zigortzen ari dela kolapso klimatikoaren krisi anitzen bitartez, eta horrek, ziurrenik, gizateriaren amaiera bera ere badakar.

Estancias Sumergidas obrak -hau da, eskulturak eta horri buruz egindako hainbat bideo dokumentaletara zabaltzen den itxura modulatuak- ezer gutxi izango du, agian, komunean Etnografia Sentsorialeko Laborategiko bistaratze forentseekin, eta ez du eskaintzen antropologiaren primitibismoaren edo ekologismoaren erromantizismoaren inolako parodiarik ere (nahiz eta argi eta garbi baztertzen duen ekoestetikaren zati handi batek duen joera, hein handi batean, mundu ez-gizatiarrei erreparatzeko, ekologia soziopolitikoen erreferentziarik gabe, hala nola kolonialismoa). Hala ere, Iglesiasen obrak bat egiten du, nire ustez, estetika postantropozentrikoarekin, hala nola *Leviathan* eta *O Peixe* obrekin, filosofia materialista berrien agendak eta objektura bideratutako ontologiak jasotzen dituen aldetik, espezie anitzeko izatearekiko sentiberatasunean eta bere loraldiaren hazkuntzan oinarrituta.

Eskulturaren zati bat besterik ez izanik, Iglesiasen obra pixkanaka zabaltzen da denborarekin, ikusi dugunez, itsas habitat bilakatzeko, itsas bizitzaren biodibertsitatearekin batera eraikitze bidean *bilakatutako arrezifea*, bere materiala eta konposizioa organikoki eratu eta birmoldatuta askotariko landare, arrain eta krustazeo ez-gizatiarrekin lankidetzan, proiektu kolonialean gizakiak natura menpean hartu zueneko 500 urteko historia gaindituko duten aro biologiko eta geologikoetan barrena (bizirik dirauten bizitza moten kasuan, gutxienez).

Beste era batera esanda, Iglesiasek espezie anitzeko lan metodo gisa hartzen du 'sympoiesis'-a, batera bihurtzeko loraldiaren estetika lortzearren. Donna Haraway-ren arabera, 'sympoiesis' zera da, 'sistema konplexu, dinamiko, sentikor, kokatu eta historikoei dagokien hitz bat', 'mundua norbaitekin batera eratzea' adierazten duen hitz bat. Kohn-ek adierazitako biosemiotika are gehiago bultzatzen du Haraway-k sormen estetiko sortzailerantz, berriki onartutako mundu postantropozentrikoen barruan (Margaret eta Christine Wertheim-en *Crochet Coral Reef* proiektuari eta egoitza Los Angelesen duen Institute for Figuring erakundeari erreferentzia eginez).[30] Agian, azken batean, eskulturaren antimonumentalismoak -gizateriak bere burua omentzeko artea egin egiten mendeak igaro ondoren- aukera bat eskaintzen du munduen etorkizuneko erredentziorako eta gizakiaz haraindiko mundua eratzeko. Eskultura guztiz bestelako zerbait bihurtzen den heinean, espezie anitzeko estetika erlazionaleko antzerki minimalista posthumanista batetik haratago, eskultura instalatu eta urte batzuetara ere ikus dezakeguna, naturaren mendekuaren zeinuak nabarmentzen dira geometria arkitektoniko eta linguistikoen eta giza kulturaren arrazionaltasun kalkulatzailearen aurka, bertakoek inposizio inperialari emandako erreplika bezala.

Zentzu horretan, eta amaitzeko, esango nuke *Estancias Sumergidas* beste artista batzuen urpeko eskulturetatik bereizten dela, beharbada bere modelo hurbilenak diren Jason de Caires Taylor eta Antony Gormley artisten obretatik. Zuzen-zuzenean bereizten da, haien antropomorfismo estetikoa arbuiatzen baitu; esaterako, Taylorrek 2006an egindako *Vicissitudes* obran agertzen diren konposizioak, gizakia ardatz dutenak (Grenadako Molinière badian, plataforma ozeaniko baten ertzean ikasleak zizelkatuta agertzen dira, biribilean). Gormley-ren partzialki urperatutako uretako lan figuratiboak, hala nola *Another Place* (1997); artistaren beraren gorputzetik ateratako 17 molde dira, kostaldean barrena 2 kilometro eta erdi eta itsasorantz kilometro bat hartzen dute, eta etengabe kanpoan egoten dira, Liverpooleko Crosby hondartzan.

Hainbatek giza iragankortasunari buruzko gogoeta kezkagarriak direla aldarrika dezakete, baina parke tematikoko populismo kitsch batean ez ezik, lurralde beti berriak konkistatzeko huts egindako gure ahaleginen onarpen nartzisista batean ere erortzeko arriskua dute, baita eskulturek beren espazioak etengabe okupatzeko ahalegin guztiak egiten dituztenean ere. Taylorren obrak ekosistemari mesede egin diezaioke, itsas biodibertsitatea kolapsatzen ari den garai batean arrezife berriak eraikiz, baina keinu desegokia izaten jarraitzen du, kontrako eragina ere izan baitezake, erregai inuzente gehiago emanez kontserbazionismo itxaropentsu bati. Azken batean, ez du lortu bere konplizitate eta jarraitutasuna Taylorren hazkunde ekonomiak markatutako hedapeneko logika industrial batekin bideratzea, itsaspeko eskulturak Grenadatik Cancungo Itsaspeko Museora.[31] Iglesiasen arrezife bereziak, aitzitik, masa ekoizpenaren logika hori saihesten du eta kolonizazioaren narratiba bere forma antropomorfikoan txertatzen du.

Beharbada, *Estancias Sumergidas* obraren azken ikasbidea zera da, gu ziurrenik bizitzen ari garen hondoratze sentsazioa, geldiezina den kolapso garai batean; Atlantidaren antzera. Iglesiasen eskultura urrunak giza ikuslerik gabeko ikuspegi estetiko bat dakar, eta etorkizun potentzial bat, litekeena, eskaintzen du, imajinario distopiko neo-ballardiar bat, baita itotako gure munduaren eraldaketa ezezagun bat ere, azkenean. Hala bada, autosuntsiketa kolonialistako drama bat izango da, geure bizileku laburraren forma efimero eta flotatzaileetan marraztua, espezie baten egonaldia bere sorkuntzaren (Antropozenoa) leku eta denbora batera eramana, jada bizi euskarririk eskaintzen ez duena, baita gu gabeko bizitzaren jarraipenaren edertasunaren ikuspegi bat ere.

(Oharrak 246. orrialdean)

Eztabaida

Richard Noble Asko gustatu zait nola artikulatu duzun Cristinaren lana posthumanoa izan zitekeelako ideia, gizakiak ez diren espezie batzuekin egindako elkarlana den heinean. Neure buruari galdetzen nion ea azal zenezakeen pixka bat gehiago nola lotuko zenukeen hau estetika post-antropozentrikoarekin?

TJD Beno, lehenik eta behin eskulturaren urruntasuna interesatzen zait, ur azpian egotea jende askok ikusiko ez duen toki horretan. Eta Lynnek egindako argudioarekin jarrai liteke, alegia, hau digitalizazio modu baten parte dela, non irudia, edo dokumentazioa, zerbait garrantzitsuagoa bihurtzen den. Eta hori izan liteke obraren ibilbideetako bat. Baina beste bat da bere kokalekuan duen materialtasuna serio hartzea, eremu ez-gizatiar bati dagokionez. Badago horri buruz pentsatzen duen jendea, eta badira horretan lan egiten duten artistak. Baina pentsamendu ekologikoan bada zerbait garrantzitsua giza kulturaren historiako azken ehunka, milaka ez bada, urteetan nagusi izan den antropozentrismo motatik haratago joan nahi duena. Eta gizaki ez direnekiko lankidetza izan daitekeen obra bat, hainbat espezieren arteko harreman batean existitu daitekeen obra bat garatzeari buruz pentsatzea, eta gizaki ez diren ikusleengan espekulatiboki pentsatzea benetan interesgarria dela uste dut.

Eduardo Kohn antropologoak *How Forests Think* liburua idatzi zuen32. Azaldu duenez, estetika ez da gizakiaren berariazko kategoria bat, estetikak gizakia gainditzen du eta animalien munduak ere sentsibilitate estetikoa izan dezake. Lore batek erle bat erakartzen duenean, alderdi estetikoa dago. Biziraupena da kontua, baina baita biziraupena baino zerbait gehiago ere. Donna Haraway-k Antropozenoa terminoaren alternatiba bat proposatzen du, termino horren aurka baitago antropozentrismora atzera egiteko duen potentzialagatik. 'Fuloszenoa' terminoa proposatzen du, espeziearteko izatearekin, espeziearteko sentiberatasunarekin zerikusia duen garai geologiko baten izena. Bestela esateko, zera onartzea da, hasteko, ez dagoela giza existentzia diskreturik, guztiok biologikoki organismo bakteriologikoen mendekoak garela.

Beraz, giza berezitasun bati buruz hitz egitea problematikoa da biologikoki, fisiologikoki. Cristinaren lana horretaz baliatzen dela uste dut, eta kontzeptu horiek garatzeko beste eredu estetiko bat eskaintzen duela. Bat nator Andrewk lehen esaten zuenarekin, artelanek, kasurik onenean, beren teorizazio bereziak eskatzen dituztela. Beraz, obra honen terminoei buruz hausnartzea merezi luke.

Lynne Cooke Nik galdetzen dut ea *Estancias Sumergidas* obra batera eraikitako eskultura dela eta itsas bizitzaren babesleku dela esateak eta, horrekin batera, beste espezie batzuek motibazio estetikoak dituztela aldarrikatzeak, azken batean, esan nahi ote duen artelanaren kontzeptua bera ez dela existituko mundu posthumano bateko une jakin batean? Bihurtzen den horrek (demagun, itsas babesleku bat) artelanaren izaera bakarra izaten jarraitzen du, ala bere aurreko artelan izaeraren arrastoari eusten dio, nolabait?

TJD Zalantza egingo nuke galdera horri behin betiko erantzuten saiatzean. Uste dut, oro har, erabilgarriagoa dela kasu espezifikoen terminoetan pentsatzea eta praktika artistikoaren ibilbide mota desberdinak nola garatzen diren ikustea. Gaur egun era guztietako ikuspegi espekulatiboak daude gizakiari buruzkoak ez diren ikerketei dagokienez. Estetika gizaki ez direnengana zabal badezakegu, eta etika eta politika gizaki ez direnengana zabal badezakegu, eta jendea hori egiten ari da, ez dut ikusten zergatik ezin dugun artea ere gizaki ez direnengana zabaldu. Mundu posthumano batean edo ez-gizatiar batean edo espezie anitzeko mundu batean artea zer izango litzatekeen azaltzeko, artelan bat izan daitekeenaren muga zabal eta porotsuak interesatzen zaizkidala erantzungo nuke. Cristinaren eskulturak, azterketa kasutzat hartzen badugu, azken batean artelan bat ez den artelan bat definituko luke, definitu ezin dena, proteikoa dena, azken batean bere formen hedapen infinitu baten mende dagoena. Beraz, artelana desartikulatzen duela esango nuke.

Octavio Aburto Gizakiez haraindiko arteaz ari naiz, adibidez, erakutsi nizkizuen arrainen portaeraren argazkiez. Ziurrenik ez dituzu irudi gisa ikusiko, baina uste dut hori artea dela. [Irriak] Ikusi al duzu globo arrainei buruzko bideoa eta nola marrazten duten bikotekideak erakartzeko?

RN Ptilonorhynchidae hegaztia ere bikotekideak erakartzen dituen espazio mota batez ere arduratzen da.

Cristina Iglesias Ikuskizun erabatekoa da.

RN Horrela da, bai, eta, nolabait ere, estetika motaren bat tartean dagoelako ideia babesten du; ez, noski, guk ulertzen dugun modu berean, baina bai judizio motaren bat.

Andrew Benjamin Ez duzu uste hori proiektatzea besterik ez dela? Ez al gara, besterik gabe, honako hau esaten ari: 'Ez al da polita Ptilonorhynchidae txoria? Etxeak eraikitzen ditu, eta guk ere bai.' Naturaren irudien arazoa da arrainak edo txoriak bankuetan edo taldetan antolatzen direla, senari jarraikiz, eta gizakiek ez dutela beren burua antolatzen. Kapitalaren logikak antolatzen gaitu, eta antolakunde hori desegin dezakegu edo ez; hautu bat da. Naturak ez ditu aukera horiek. Arteari dagokionez, eta uste dut hemen Kantek arrazoi duela: artea arau bati jarraitzen ez dion esku-hartzea da. Bat-batean, zerbait dago. Atzeraeraginez erakuts ditzakezu jarraitu dituzun arauak, baina asmatzeko eta sortzeko une hori eta naturaren errepikapena oso desberdinak dira. Hemen uste dut garrantzitsua dela bereizketa egitea.

RN Horrekin ados egongo nintzateke, baina estetika desirarekin nolabait lotuta dagoela ere argudia daitekeela uste dut, eta arrainen mugimendua zurrunbiloan edo txoriaren jarduera desirak bultzatzen du. Jokabide gogoetagabea da, baina estetikatzat hartzeak ez du esan nahi nahitaez giza estetikaren zentzua txori horrengan proiektatzen denik. Kontua da estetikaren ikuskera zabalagoa egon daitekeela onartzea, espeziearen berezko ugalketa zikloekin lotutako portaera barne hartzen duena.

LC Andrew, ados nago zurekin balio eta ikuspegi antropozentrikoak proiektatzearen arriskuez, baina animalien bulkada estetikoaz ari bagara, ez da derrigorrezkoa zera esan dezagun, hegazti horiei urdina gorria baino gehiago gustatzen zaiela, eta guri ere bai.

Ezin al dugu apur bat bereizi estetikaz ulertzen duguna, gustuarekin zerikusi gutxiago duen modu batean, eta agian ordena eta desordena edo oreka edo simetriarekin zerikusia duen modu batean?

AB Ados nago, bai. Ez litzateke estetika kantiarra izango, post-kantiarra baizik. Kontua ez da gizakia animaliengan proiektatzea, kontua estetika zabaltzea da, zerbait desberdina adieraz dezan, eta jendea egiten ari den gauzekin ere bat etor daiteke. Uste dut hemen era guztietako ikuspegiak daudela, eta ez dut azpimarratu nahi kategoria filosofiko horien mendebaldeko Europako ikuspegi eurozentrikoa. Eduardo Cohen edo Eduardo Viveiros de Castro Brasilgo testuinguruan egiten ari diren lanean pentsatzen dut, adibidez: guztiz desberdinak diren formazio kosmo-politikoak aztertzen ari dira, estetika eta subjektibotasuna izan daitezkeenari dagokionez, baita horrek politikan eta etikan izan ditzakeen inplikazioak ere. Horrelako gaiak era espekulatiboan agertzea interesatzen zait eta, aldi berean, arriskuez ohartzen naiz eta gizaki ez diren espezieen edo giza kategorien gaineko proiekzio antropozentriko soil baten arriskuak saihesten saiatzen naiz.

Iwona Blazwick Eta alferrikakotasunaren funtzioari dagokionez? Izan ere, espezie baten jardueretan deskribatu dugun guztia senak bideratzen du, ugalketa izanik xede, adibidez, baina litekeena al da gu bereizten gaituena objektuak fabrikatzea edo geure burua adieraztea izatea, inolako asmorik gabe?

LC Ez dut uste hori egiten dugunik. Edozein artelanek funtzio bat du: sinbolikoa izan daiteke, multideterminatua izan daiteke, eta museoetan ditugun elementuetatik asko ez ziren inoiz sortu funtziorik gabeko entitate bat izateko artelanaren ideia modernistaren terminoetan pentsatuta.

TJD Animaliei buruzko ikerketetan, frogatzen ari da animaliek jolas egiten dutela. Badirudi ez dela soilik giza jarduera. Eta jolasa honela defini liteke: senak bideratu gabe gauzak egiteko plazera, bestelako helbururik gabe. Horren ebidentzia asko daudela uste dut, eta izaera jolastia estetikarekin ere lotuta dago.

Exequiel Ezcurra

Bizitzaren fluxua: Urpeko eskultura baten gaineko hausnarketak

I

Sentitzen dut gaur goizean lehenago etorri ezin izana. Nire ikastaroa ematen ari nintzen -txantxetan, landare pornoa deitzen diot-; ikastaroaren helburua da, funtsean, udaberriko lore basatiak identifikatzea eta landareen erreprodukzioen egokitzapenak ulertzea.

Aitortu beharra daukat arrain bat uretatik kanpo bezala sentitzen naizela, azken hizketaldiaren metaforari jarraituz. Octavio bera ere, oso zientzialari serioa izanik, artista ere bada. Urpeko argazkilari handia da, eta argazkilari handia, oro har. Ukitu artistikoa du bere lanean, eta horrek egin du ezagun.

Nik ez. Zientzialari aspergarria naiz, egia esan. Beraz, gaur eztabaidatzen ari ziren ideia guztiak entzuten ari nintzen eta pentsatzen nuen: 'Zer egiten ari naiz hemen? Zer esango dut?' Daukadan denboran bi gogoeta egitea erabaki nuen.

Horietako bat gaiari buruz aipatu berri ditudan ideia batzuk dira. Bigarrenik, lehen aldiz eskatu zidatenean *Estancias Sumergidas* obrari buruz zerbait idazteko, testua ez zen inoiz argitaratu eta, beraz, eskuizkribua hiperespaziora joan zen. Octaviok eta gero Cristinak hona gonbidatu nindutenean, nire tradizio ohoragarriari jarraitu nion: beti esaten dut testuak babarrun beltzak bezalakoak direla. Hozkailuan denbora batez gorde eta gero berriro frijitzen badira eta baratxuri pixka bat eta oliba-olio tanta batzuk gehitzen bazaizkie, asko hobetzen dira. Beraz, jatorrizko testu hori berpiztu dut, baina utzidazue naturako esku hartze artistikoei buruzko gogoeta batzuk egiten.

Nire txiki-txikitako oroitzapen batekin hasiko naiz. Argentinako mendebaldeko mendialdean hazi nintzen, Andeetatik gertu, eta gero, gaztetan, Mexikora joan eta mexikar bihurtu nintzen. Egun batean, aitonak -funtsean artzaina, ardi eta ganadu hazlea zen-, mendietara eraman ninduen aurkitua zuen kobazulo bat erakustera. Kobazuloan sartu eta esan zidan, 'Begira paretari'. Irudi eder bat zegoen, kareharri hautsez egina, eta ziur aski zuhaitz izerdiz edo antzekoren batez txertatua; egitura biribil handi bat zen, eta beste bat txikiagoa, elkarri lotzen zituen lerro batekin. Azpian orein bat zegoen, eta ostruka hegoamerikar bat, Rhea Amerikarra, eta gizaki bat oinez. Gure interpretazioa izan zen eguzkia, ilargia eta natura zirela, baina nork daki? Leizeko lurra zulatzen hasi ginen, lurrezkoa, eta berehala hasi ginen mota guztietako tramankuluak eta giza hezurrak aurkitzen. Nire aitonak esan zuen, 'Agian ez dugu zulatzen jarraitu behar.

Agian hau sakratua zen norbaitentzat duela urte asko.' Arkeologia pixka bat dakidanez, esan dezaket oso zaharra zela. Nire aitona oso artista ona zen, eta ilustrazioak kopiatu eta aldizkari batean argitaratu zituen azkenean, baina erabaki zuen ez ziola inori esango kobaren kokapena. Bide batez, joan den abenduan, hamarkada askoren ondoren, jaio nintzen lekura itzuli eta kobazuloan sartu nintzen, eta dena han zegoen, berdin-berdin. Inork ez daki non dagoen. Zera pentsatu nuen: 'Hau zoragarria da. Mezu bat utzi nahi zuen pertsona batek egindako esku hartzea. Neure buruari galdetu ere egin nion ea hau artea zen ala zientzia -orain daukagunaren antzeko zatiketa-? Ilustrazio zientifiko nahiko ona zen, izan ere, ilustrazio zientifikoei dagokienez. Ukitu artistiko bat ere bazuen. Batek daki, beharbada garai hartan artea eta zientzia gauza bera ziren? Ordutik, naturalista gisa, kontserbazionista gisa, ingurune idorretan lan egiten dut batez ere, gauzak oso ondo kontserbatuta egoten diren lekuetan. Hainbat leku bisitatu ditut horrela.

Agian, nire oroitzapenik onena Mexikon duela urte asko izandako esperientzia bat da, Pinacateko eremu bolkanikoari buruzko doktore tesia egiten ari nintzenekoa. Julian Hayden-ekin, Amerikako hegomendebaldeko arkeologorik handienetako batekin, eremu horretara joateko ohorea izan nuen.

Arrokak bata bestearen atzetik ezin hobeki lerrokatuta zeuden galtzada batetik gidatzen ari ginen. Esan zidan, 'Ez, ez dezagun hemendik gidatu, har dezagun alboko bide bat ez dudalako intaglio-a kaltetu nahi.' Nik ez nekien zer zen intaglio bat. Esan nion, 'Zer da hori?' Berak zera esan zidan, 'Intaglioak dira lurrazalean dauden harriekin egindako eskultura edo marrazki erraldoiak, espaziotik ere ikus daitezkeenak.' Askotan pasatu nintzen egitura horretatik, doktoretza han egin nuelako, baina ez nekien egitura bat zegoenik ere, eta orain ere ezin nuen ikusi. Eta berak esan zuen, 'Oh, horrela ikusten da.' Haitz lerro handi honen ibilbideari jarraitu zion; haitz horiek mugitu eta bata bestearen atzean jarri behar izan zituzten. Garai hartan, ez zegoen dronerik, ez Google Earth, ezta hegaldi komertzialak ere eremuaren gainetik igarotzen zenik; ezin zenuen ikusi. Bere irudiak erakutsi zizkidan, argitaratu zituenak, eta giza irudi bat zen. Kilometro erdiko altuera edo halako zerbait izan behar zuen, zakil handi batekin. Hori zen Intaglioa: zakil handi bat duen gizon baten irudia, lur gainean egongo bazina ikusiko ez zenukeena. Orain nahiko ospetsua da; ez Nazcako irudiak bezainbeste, baina irudi garrantzitsua da orain.

Beraz, berriz ere, esku hartze horrek zera pentsarazi zidan urte hauetan guztietan: zertan ari zen pentsatzen hori egin zuen tipoa? Norbaitentzat zen ala ez zen inorentzat? Nola imajina daiteke esku hartze bat Lurraren gainazalean, kanpoko espaziotik ikus daitekeena, baina ezin dena ikusi handik zabiltzanean, inoiz ez baduzu hegan egiten, inoiz ez baduzu ikusi drone, satelite edo hegazkin bat? Gaur arte, niretzat, misterio bat da. Julian Haydenek ere ezin izan zuen argitu. Zer gertatzen zitzaion horrelako gauzak egiten zituen jendeari? Niretzat harrigarria izan zen; ia erlijio esperientzia bat bezala izan zen, 7.000 edo 8.000 urteko gizon batekin konektatzea -edo emakume batekin, baina seguru asko gizona izan zen, indar handia behar delako haitz handi horiek mugitzeko-, edo talde txiki bat izan zen, agian, hau diseinatzeko gai izan zena eta, gero, zu barruan zaudela ez konturatzeko moduko tamainara eskalan handitzeko.

Eta zer helburu lortu nahi zuten? Nori komunikatzen zioten beren artea? Eta artea zen, zalantzarik gabe. Ezin zitekeen pentsa zientzia zenik. Espirituaren adierazpen bat zen, zalantzarik gabe, norbaitekin komunikatzeko adierazpen bisual bat.

Ez zaituztet xehetasunekin aspertuko, baina harrezkero Kalifornia Beherean lan eginez, etengabe egon naiz eskalako pinturen eraginpean. Kontinente amerikar osoko garrantzitsuenak dira, enigma handi bat, eta duela 6.000, 7.000 urte jendea han nola bizi zen erakusten duen erregistro zoragarri bat. Jakina, kostaldean bizi ziren neguan eta mendian gora joaten ziren udan bero gehiegi egiten zuenean. Eta mendietan arrainak eta baleak eta itsas lehoiak margotzen zituzten, eta manta arraia erraldoiak eta horrelakoak, ziurrenik sei hilabetez utzitako kostaldearekiko nolabaiteko nostalgiaz. Jakina, bizimodu ibiltaria zuten, udan oso deserosoa izaten baita kostaldean bizitzea. Beraz, honetaz guztiaz dudan lehen inpresioa da arteak naturan izan dituen esku hartze historiko hauek zoragarriak direla.

Gutxi gorabehera Mexikoko lana ikertzaile gazte nintzela ikusi nuen garaian, Arturo Gómez-Pompa botanikari mexikar handiaren -zientzia modernoaren aitzindari izan da beti- artikulu eder bat irakurri nuen, 'Taming the Wilderness Myth'[33]. Bertan zioen natura basatiaren kontzeptua mendebaldeko eraikuntza dela, natura basatia ez dela benetan existitzen.

Adibidez, Yucatán oihana, ustez naturagune basati handi bat dena, gailuz eta giza hondakinez beteta dago, eta Yucatán oihaneko biologiak ere erakusten du noizbait landua izan zela eta gero, arrazoiren batengatik, abandonatua. Beraz, gizakiek ia hasieratik esku hartu dute naturan, giza izatearen parte da, naturan aztarna bat utzi nahi izatea; etorkizunarekin komunikatu nahi izatea.

Botila barruko mezu bat bezalakoa da, atzean zerbait uzten duena. Eta harrezkero, artikulu batzuk argitaratu ditut gizakiak egindako gailuei buruz eta horiek naturan duten eraginari buruz. Beraz, oro har, nire esperientzia zera izan da beti, gizakiak naturan egindako esku hartzeak gauza handiak uzten dituela atzean, eta asko ikas dezaket, adibidez, Ameriketako lehen kolonizazioan gizakiak egiten zuenaz, Beringeko itsasartea zeharkatu eta Ameriketatik behera jaitsi zenean, Tierra del Fuegoraino. Hau, bide batez, Charles Darwinek idatzi zuen Tierra del Fuego bisitatu zuenean, eta milaka urtetan zehar itsaskiak ehizatzeagatik sortu diren maskorren zabortegiak deskribatu zituen. *The Beagle* ontziaren bitakora koadernoan ikusi zuen asko ikas daitekeela ingurumenaren historiari buruz, gizakiek utzitako aztarnen bitartez.

Baina gero, jakina, Mexikon bizi bazara, batez ere Mexiko erdialdean, aztarna zahar horiek, ingurumenean egiten diren esku hartze zaharrek gure etorkizunari buruzko gogoeta eragiten dizute. Niretzat, ikusgarriena Teotihuacan da, jainkoen hiria, Mexiko Hiriaren iparraldean; sei mende behar izan zituen hazteko eta eboluzionatzeko, eta gero, hiru hamarkadatan, desagertu egin zen. Abandonatu egin zuten. Eta orain badakigu abandonatu egin zutela kareharria amaitu zitzaielako, erregaia, egurra, ura amaitu zitzaielako, pentsa dezakezun ia baliabide natural oro amaitu zitzaielako. Gehiegi ustiatu zuten. Gotorleku handi hura, berez, esku hartze bat izan zen, jainkoentzako mezu bat, eta gero, besterik gabe, joan egin ziren. Ezin zioten konplexutasun maila horri eutsi Mexiko iparraldeko goi ordoki idorretan. Eta orain Teotihuacan bisitatzen dudanean, ez dakit Teotihuacan iraganeko mezua den edo gure etorkizunaren historia. Benetan pentsarazten dizu: 'Norabide berean al goaz? Hamarkada batetik bestera kolapsatzera al goaz, gure ingurumena ezin dugulako zaindu geu jasateko eta mantentzeko moduan?'

Badira alarma seinale batzuk, esku hartzeekin ere zerikusia dutenak, eta nahiko kezkagarriak dira. Eta ez naiz aldaketa globalaz eta guzti horretaz ari. Pentsatu Cancuni buruz. Pixkanaka zahartzearen abantaila bakanetako bat da gauza asko ikusten dituzula zure bizitzan zehar, eta 70eko hamarkadaren hasieran Cancunera joaten hasi nintzenean, leku ederra zen. Kostaldeko aintzira bat besterik ez zen, hareazko banku batekin eta ostatu hartzeko etxe gutxi batzuekin.

Eta orduan eraikitzen hasi ziren, eta eraikitzen, eta eraikitzen eta eraikitzen, eta jende askok, nik ere bai, hainbat hamarkadatan zehar, zera ohartarazi dugu, 'Honek tope egingo du noizbait. Hau ez da jasangarria. Honek ez du funtzionatuko eskala honetan.' Baina baziren inbertsioei buruzko argudioak, dirua sartzeari buruzkoak. Eta Cancunen parean zegoen koralezko arrezife guztia, Cancun ospetsu egin zuena, hil egin zen, funtsean, hondakin uren, kutsaduraren eta harea erauztearen ondorioz. Hotelak hain handiak direnez, urakanek zurrunbilo bat sortzen dute eta hondartzetako hondarra eramaten dute. Beraz, hondarra gehitu behar da. Beraz, arrezifeko hondarra hartu zuten. Eta orain arrezifea desagertu egin da.

Eta, orduan, Cancun hiriko administrazioak artista bati ordaintzea erabaki zuen, itsas hondoan Cancun parean dauden estatua ospetsuak egin zitzan, udaberriko oporretan jendea urtero etor zedin urpean igeri egitera, beren 'esperientzia' horietako bat bizitzera. Arrezifean murgiltzen bazara, funtsean hilda dago. Hilerri triste eta narrasa dirudi. Baina orain estatua hauek dituzu. Volkswagen Beetle bat dago, eta supermerkatutik datorren emakume bat. Beraz, udaberriko oporretan ere, ezagutzen dituen gauzak ikus ditzake jendeak ur azpian, hau da, autoak eta erosketak. Barregarria dirudi, baina tragikoa da. Beraz, Mexikoko Kariben gertatzen ari zena ikusi nuenean, zera pentsatu nuen, 'Kitto. Arte gehiagorik ez ozeanoaren azpian.' Ozeanoa defendatu behar nuen. Benetan, zientzialaria naizen aldetik, kontserbazionista eta etorkizunean pentsatzen saiatzen den pertsona izatea da nire zeregina, eta nik esango nuke ekologistak funtsean itxaropenaren merkatariak direla. Horixe da, funtsean, saltzen saiatzen garena: etorkizun bideragarriak eta itxaropena. Zera esan nuen, 'Hau ez da ona: ur azpian artea egitea, disimulatzeko, ozeanoa hiltzen ari dela estaltzeko, ez da ikusi nahi duzun zerbait.'

Besteak beste, orain helburu artistikoak dituen giza esku hartzearen eskalari dagokionez, kezkatzen nauena zera da, nire ustez, ingurumen basatia, ingurumen basatitik geratzen zaiguna, liburu bat bezalakoa dela. Munduaren historia idatzita dago, bizitzaren hasieratik, fosil, sedimentu, karbono 14 datazio, joera ebolutibo, animalia espezieen edo landare-espezieen gene moduan. Guk esku hartze bat egin eta basamortuaren zati bat suntsitzen dugun bakoitzean, naturaren liburua desitxuratzen ari gara nolabait. Informazio izugarri garrantzitsua suntsitzeko arriskua dugu.

Utz iezadazue adibide bat ematen: duela 20 urte, ekialdeko kostaldeko lautada sedimentarioetan dagoen San Diego hirian erabaki zuten ez zutela inolako urbanizaziorik onartuko, fosilak berreskuratzeko ahalegin txiki bat egin ezean, edo gailuak, edo munduaren alde honen historia erregistra zezakeen edozer. Garai hartan, enpresa batek urbanizazio bat eraiki nahi zuen han, eta lur gehiago okupatu nahi zuen, urbanizazioaren inguruan parke moduko bat egin behar zuelako zenbait kultur instalaziorekin. Udalak zera esan zien, 'Ez, ez, ezin duzue hori egin. Lehenik eta behin, fosilak ote dauden egiaztatu behar duzue.' Beraz, Historia Naturalaren Museoko jendea kontratatu zuten, eta 40.000 urteko mamut hezur sorta bat aurkitu zuten metro gutxi batzuetako sakoneran. Sustatzaileek udala presionatzen jarraitu zuten indusketak egin ahal izateko. Zorionez, udalak zera esateko aurreikuspena egin zuen, 'ez, dena gelditu behar da.' Mamut handi hori, 40.000 urtekoa, nahi beste isotoporekin datatua izan zen, eta hezurrak hain zeuden antolatuta eta hautsita, non argi ikusten baitzen gizakiek harrapatu zutela mamuta. Eta giza hezurrik ez zegoen arren, gailuak argi eta garbi agertu ziren geruza berean. 20 urte behar izan ziren honi buruzko artikulu bat argitaratzeko, horren kontrako jarrera zela eta.

Iaz argitaratu zen *Nature* aldizkarian -ziur aski Lurreko aldizkari zientifiko garrantzitsuena da-, eta aukera asko zabaldu zituen34. Duela 40.000 urte, gizakia Europara iritsi berria zen, eta neandertalek -espezie erabat desberdina zen- han jarraitzen zuten. Orduan, nortzuk iritsi ziren hona duela 40.000 urte? Iritsi behar izan zuten eta gero desagertu egin ziren, zeren hurrengo 30.000 urteetan ia ez baitago giza okupazioaren ebidentziarik Mundu Berrian. Neandertalek ehizatu zuten ala Homo Sapiensek ehizatu zuten?

Nortzuk etorri ziren hona? Horrek ikuspegi berri bat irekitzen du gizakien historiari dagokionez, geure historiari buruz dakigunari dagokionez, eta agian baita geure etorkizunari dagokionez ere. Horixe da, beraz, esan nahi dudana esku hartzeen bitartez ingurumena desitxuratzeko arrisku potentzialarekin. Ingurumenean gure historia kontatzen duten hainbeste gauza baliotsu daude, ezen, kontuz ibili ezean, erraz gal baitaitezke.

Beraz, funtsean, hauek dira zuekin partekatu nahi nituen ideiak, eta uzten badidazue, idatzi nuen testua irakurri nahi nuke: *Bizitzaren fluxua: urpeko eskultura baten gaineko hausnarketak, Estancias Sumergidas* obrari buruz.

Nire oinarrizko ideia da anbibalentea naizela horri dagokionez. Gizakiek beti esku hartu izan dute ingurumenean, eta kasu askotan esku hartze horiek harrigarriro onak izan dira, baina, era berean, uste dut gizakiek ingurumenean egiten dituzten esku hartzeek kalte handia egin diezaieketela Lurreko gauzen kontakizunari, Lurraren historiari eta geure buruaz dakigunari.

II

Itsasoaren gainazala geruza molekular bat da, azaleko tentsioaren indarrek eta haize nahiz korronteen arrastatzeak moldatzen duten geruza. Gu, gizakiok, goian bizi gara, airez inguratuta, landare loredunak, txoriekin, ugaztunekin, narrastiekin eta intsektuekin batera bizi diren mundu batean. Hori da gure eguneroko erreferentzia puntua, gure lurreko bizitzaren erreferentea. Hauek dira gure parke, gure zelai eta gure lorategietan bizi diren bizidunak.

Baina ozeanoaren gainazalaren azpira murgiltzen garen unean, erabat bestelako unibertso batez inguratuta aurkitzen gara, isiltasunean bildurik, argi arraro, eskas eta urdinxka batez inguratuta, eta lehorrean ezagutzen ditugunen aldean erabat desberdinak diren bizidunez inguratuta, simetria erradial arraroak, forma erretikularra edo gorputz gardenak dituzten bizidunez. Hemen, grabitateak ez du bere indar gupidagabea eragiten eta haize beroek ez dute egarriz hiltzen; hemen, biziraupenaren erronkak ur korronteak eta argi falta dira, baita elikadura sare konplexu baten probak ere, non espezie bakoitzak bere tokia zehaztasunez aurkitu behar duen biziraupenaren puzzle izugarri delikatu eta korapilatsu baten barruan.

Denborak -denbora planetarioak, denbora sakonak, nekez imajina dezakegun denbora erritmo horrek- agintzen eta zehazten du: izaki bizidunek gure planetan daramatzaten 3.700 milioi urteetatik, azken 500 milioietan soilik egin du aurrera uretatik kanpoko bizitzak. Lurreko espezieak bizitzara *etorri berriak* dira, eboluzioaren ikuskizunean gonbidapenik gabe sartutako aktoreak. Munduko bizitzaren irradiazio motel gehiena ur azpian gertatu da, eta talde biologiko gutxi batzuk baino ez ziren gai izan lehorrean bizitzeko eta airea arnasteko.

Horregatik, bizidunen aniztasuna eta aberastasuna askoz ere handiagoa da urpean. Lehorreko ornogabeak gehienak intsektuak eta beste talde txikiago batzuk diren bitartean, itsasoaren azpian nahasketa biologiko handi batek irauten du: belakiak, itsas anemonak, koralak, marmokak, krustazeoak, zizareak, poliketoak, ekinodermoak eta molusku ugari.

Gauza bera gertatzen da landare fotosintetikoekin; izan ere, ozeanoaren azpian antzinako eta urrutiko organismo multzo konplexu bat osatzen dute, haien leinu ebolutiboek milaka milioi urte dituzte eta forma aldakor eta bitxiak dituzte, hala nola diatomea mikroskopikoak, alga gorriak eta dinoflagelatuak, alga koralino handiak eta alga erraldoien basoak.

Lurra eta itsasoa, hain zuzen ere, itsasertzaren lerro meheak dramatikoki banatutako bi mundu dira, olatuen eta hondarraren artean lotsati elkartzen direnak eta begirunez begiratzen diotenak elkarri. Errespetuzko distantzia berdinak bereizten ditu, iruditzen zait niri, sarritan, artea eta zientzia, bereizketa hori kulturen bilakaeraren, metodo bereizgarrien, pentsatzeko modu kontrajarrien, estetika eta historia desberdinen ondorio izanik. Eta distantzia horiek gorabehera, gaur hemen gaude elkarrekin, kontserbatzaileak, ikertzaileak eta artistak, aparteko eskultore baten lana, Cristina Iglesiasen lana, ospatzeko; Cristina bereizten gaituzten naturaren eta kulturaren arloko amildegi horiek gainditzen saiatzen da, bere artearen bitartez naturaren munduarekin elkarreraginez.

Baina zer zentzu du -pentsatu nuen behin- eskultura bat, giza fabrikazio bat, naturaren santutegi batean sartzeak? Giza inguruneen eta natura basatiaren artean dagoen tregoa inplizitua apurtzera ausartzen diren bakanek gehiegitan egin dute porrot: munduko zoologiko gehienak itzaltzen ari dira hiri ingurune batean kaiolatutako animaliak inguratzen dituen tristura arraro eta gris horrekin. Ez al du, orduan, proiektu honek kulturaren munduaren eta naturaren arteko armistizio hau traizionatzen? Ez ote dira berdin itzuliko Iglesiasek Kaliforniako Golkoko urpean hain maisuki sortutako forma horiek?

Gai honi buruz hausnartu dut esperimentu mental eginez: eskultura hau etorkizunean imajinatzen saiatu naiz, eta denbora joan ahala bere eboluzioa nolakoa izango den. Lehenik, arrezifeetako arrainak iritsiko dira, egitura koadrikulatuan babesteko. Hasieran, lohi berde batek estaliko du hormigoizko gainazala, pixkanaka haziz, algazko alfonbra bihurtu arte. Loro arrainak eta arrezifeko beste belarjale batzuk algez elikatzeko iritsiko dira, eta haien presentziak, aldi berean, harrapari handiagoak erakarriko ditu, itsasoko elikadura sare bat abiaraziz. Orduan, lanpernak, koralak, anemonak eta kolore biziko alga karetsuak iritsiko dira habitat berriaren substratu gogorrean finkatzeko, eta horien ondoren ostrak, txirlak eta beste ehunka ornogabe txertatuko dira.

Krustazeoen fauna trinko bat (otarrainak, izkirak eta karramarroak) egituraren inguruan kokatuko da, pixkanaka, eta, gero, mota guztietako ekinodermoak etorriko dira (itsas izarrak, trikuak, ophiuroideak, itsas gaileta edo harea dolarrak). Urte gutxiren buruan, ekosistema aberatsa garatuko da artelanaren inguruan. Milaka arrainek egingo dute igeri obran barrena, elikagai eta babesleku bila. Azkenik, Golkoko biota aberatsak estaliko du eskultura, bizidun eta kolore eztanda batean.

Arrezifeen edertasuna beti miretsi izan dugunok, denboraren poderioz, Cristinaren eskulturaren formek Lurreko ekosistema eder eta konplexuenetako bat sorrarazten duen substratua nola ematen duten ikusiko dugu, lehen laua zen hondo hareatsu batetik. Artearen ondorioz, natura hazten ikusiko dugu, eta artelana edertasun naturalaren bideratzaile gisa ikusiko dugu; naturaren eta artearen arteko dantza korapilatsu bat, biek elkarri helduta elkarrekin hazi eta loratzeko. Azkenean, arteak eta naturak oreka berri bat lortuko dute, sintesi berri bat. Eskultura kolonizatzen duten koral arraro eta hauskor hauen garaipena gure gaitasunaren garaipena ere izango da; hain zuzen ere, planeta sendatzeko eta planetako bizitzaren emaria osatzen duten espezie guztien arteko harreman berri bat irudikatzeko dugun gaitasunaren garaipena. Azken batean, urpeko eskultura bizitzaren jarraipenaren eta bizirik egotearen pribilegio apartaren ospakizun bihurtuko da.

(Oharrak 247. orrialdean)

Eztabaida

Richard Noble Mila esker. Neure buruari galdetzen diot ea zerbait gehiago esan dezakezun ur azpiko denbora desberdinera nola egokitzen zaren azaltzeko? Arrezifeak edo kostaldeko inguruneak aztertzen ari direnean, pentsatzekoa da haien bilakaeraren zentzu askoz zabalagoa izan behar dela, esaterako, antolamendu sozial baten bilakaera aztertzean baino. Eragina al du horrek gizatiarra ez denaren gaineko zure zentzuan, kostaldeko arrezife sistema batean aritzen zarenean?

EE Bai, galdera izugarri interesgarria da. Urte asko eta asko daramatzat biologian lanean ikuspegi ebolutibo batekin, eta denboraren eskala buruan daukat. 3.700 milioi urte maneiatu ditzaket, baita 500 milioi urte ere, baina zaila da denbora eskala barneratzea. Uste dut Carl Sagan-ek egin zuela ongien. Lurraren bizitzaren iraupena urte natural baten eskalan kokatzea iradoki zuen, eta hori oso ondo ulertzen dugu gure bizitza urteetan neurtzen dugulako. Esan zuenez, gauza guztiak urtebeteko eskalan jarriz gero, Lurrean lehen organismo biziak agertu zirenetik hasi eta bizitza ozeanotik lurrera irten zen eguna abenduaren 10a izango litzateke, gutxi gorabehera. Eta horrela, urte planetario osoan -berak urte kosmikoa deitzen zion-, bizitza ozeanoaren azpian egon da, eta horrek erakusten du zein garrantzitsua den bizitza ozeanoetan, eta zergatik dauden hainbeste bizidun harrigarri ozeanoaren azpian, Lurrean ez ditugunak. Horren ondoren, lehenengo dinosauroen eboluzioa etorri zen eta bizirik egon ziren abenduaren 25era arte edo. Eta gero lehenengo ugaztunak, Urteberria baino bi egun lehenago agertu ziren. Gizakiak urte planetarioa amaitu baino pixka bat lehenago agertu ziren Lurrean, eta irakurtzeko eta idazteko gai ziren gizakiak Urteberriko kanpaiak jotzen hasi eta bi segundora agertu ziren Lurrean.

Hala ere, dakigunez, gizakiak sakonki aldatu du Lurraren gainazala. Denbora eskala horretan jartzen duzunean, gure existentziaren iragankortasun ikaragarriaren zantzua hartzen duzu, eta gure existentziaz ari naiz espezie gisa, ez banako gisa. Eta oso garrantzitsua da hori ulertzea fenomeno horiek ulertzen saiatzen ari zarenean.

RN Eta hitz egin al dezakezu pixka bat, biologoaren ikuspegitik begiratuta, Antropozenoaren nozio horri buruz? Izan ere, beti iruditu izan zait bizitzaren historian nanosegundo bat dela. Gertaera bat edo fenomeno bat balitz bezala hitz egiten dugu gizakiok, edo fenomeno objektiboak ulertzeko kategoria bat balitz bezala, baina biologiaren barruan onarpen zabala al du?

EE AEBetako Geologia Elkarteak denbora geologikoaren eskala dauka bere webgunean. Munduaren historia eskala logaritmiko batean aurkezten dute normalean. Horrela, adibidez, Kretazeoa duela 140 milioi urtetik duela 60 milioi urte arte izan zen. Eta gero Tertziarioa etorri zen; garai hartan kometa erraldoia erori zen orain Yucatan penintsula deitzen diogun eremuan, eta dinosauroak desagertu egin ziren. Tertziarioa Kretazeokoa baino eskala handiago batean agertzen da. Sakoneko denboran zenbat eta gehiago egin atzera, eskalak orduan eta laburragoak dira, bestela ezinezkoa izango bailitzateke azken, demagun, sei milioi urteak marrazteko, hau da, bizitzak izan duen bilakaerari buruz gehien ezagutzen dugun aldia marrazteko. Benetako eskala matematiko batean jartzen badugu, iragana irakur dezakegun aldi geografikoak gero eta laburragoak dira orainaldira hurbildu ahala. Horrela, adibidez, Holozenoan bizi gara, azken glaziaziotik gaur egunera arte doan aroan. Holozenoak 12.000 urte ditu. Wisconsin glaziazioak, Holozeno osoaren aurreko aroa izanik, 120.000 urte izan zituen. Eta, esan bezala, denbora geologikoan aurrera eginez, aro bakoitza gero eta luzeagoa da, hor irakur dezakegulako zehaztasunez. Denbora sakona ezin dugu irakurri azken 100.000 urteak irakur ditzakegun zehaztasunarekin. Nahasgarria da, Lurreko bizitzaren bilakaeraren gure azterketa historikoan, aroak gero eta laburragoak direlako.

Ez dut uste bilakaera gero eta azkarragoa denik, egia esan, baizik eta iraganean irakur dezakegunak bereizmena galtzen duela atzera egin ahala.

Beraz, eskala honek Antropozenoaren ideia ahalbidetzen du. Gizakiak daude orain Lurreko bizitzaren fluxuaren kargu. Bizitzaren fluxu guztia desagerrarazi dezakegu Lurrean. Ez dago zalantzarik horren gainean. Beraz, egiten dugun orok, onerako edo txarrerako, Lur planetaren etorkizuna zehaztuko du, baita Lur planetako bizitzaren bideragarritasuna ere. Zenbat iraungo du Antropozenoak? Ez dakit. Gaur egungo aldaketa ekologikoaren garaian, bi mende iraupen izugarria da. Steven Hawkings-ek beste 600 urte eman zizkion gizateriari eta Lurreko bizitzari. Niretzat, edozein zenbaki da ona. Baina badakigu etorkizunari buruz pentsatu dezakegula iraganean egin genezakeena baino termino askoz laburragoetan. Hortik datorkit Lurraren historia desitxuratzeko kezka.

Iraganetik ikas dezakeguna oso garrantzitsua da etorkizunari gauzak norantz doazen hobeto jakinda aurre egiteko.

Andrew Benjamin
Munduaren amaierako artea: Cristina Iglesiasen obra berriari buruzko oharrak

Sarrera

Cristina Iglesiasen lanak eskaerak egiten ditu.

Eskaera horiek berariazko esparrua dute, munduari orain dagoen bezala zuzentzen zaizkion heinean. Aldaketa klimatiko katastrofikoaren presentzia ezabaezinaren ondoriozko munduaren birkonfigurazioak 'orain' hori berregitea eskatzen du. Esan beharrik ez legokeen arren, 'orain' horrek benetako ezaugarri enfatikoa du, gauzen ordenan aldaketa bat gertatu den neurrian. Garrantzia eman behar zaio munduan pentsatzeari, orain den bezala, eta, beraz, nola 'orain' horrek, bere berezitasunak, artelanaren barruan eta artelanerako agertu behar duen.

Eta, hala ere, tematze hori, munduaren 'orain' tematia -hain zuzen ere, atzera egiteko ezintasunak ukazioa ekar dezakeelako- jardunbideek (jardunbide politikoekin hasi eta jardunbide artistikoekin bukatu) arrotz izaten dutena ere bada. Ohar hauen bitartez, gaur egungo munduaren egoera latza Cristina Iglesiasen proiektu batzuetan nola agertzen den identifikatu nahi da. Artearen lana ez da ebazpenak ematea. Arteak munduari irekita jarraitzen du. Hemen lan egiteak munduaren presentziak beste konfigurazio bat izatea ahalbidetzetik hasi behar du. Mundua bera zalantzan dago.

I

Izango al da arterik munduaren amaieran? Galdera deigarria da, gutxienez bi arrazoirengatik. Munduaren amaieraren aukera planteatzen eta ahalbidetzen du. Aukera hori mantendu egin behar da, munduaren egungo egoera latza islatzen baitu. Mundua, oro har, amaitu ez arren, mundua osatzen duten munduak desagertzeko arriskuan daude. Espezieak eta lur masak desagertzea eguneroko errealitatea da. Bigarrenik, ordea, formulazioaren hasierako zorroztasuna gorabehera, galderak arazo bat du. Galderak berak epistemologiaren arloan duen kokapenaren ondorioz, galdera subjektu ezagutzailearen nagusitasunak definitzen duen eremu batean kokatzen da. Alderdi horrek indarra kentzen dio munduaren amaieraren aukera ahalbidetzen duten galderek eszenaratzen dutenari. Horrelako aukera batek planteatzen dituen arazoek subjektu/objektu harremanak birkonfiguratzea eskatzen dute. Subjektu ezagutzaileak zentrala izateari utziko balio, munduaren egoera latzaren erregistroa artearen proiektua izan zedin, orduan garrantzi handiko aldaketa gertatuko zatekeen. Subjektua garrantzirik gabekotzat hartuko litzateke. Arteak, orduan, gero eta garrantzi gutxiago duen hori irudikatuko luke. Hasierako galdera egokitu egin behar da baldintza aldaketa hori islatzeko. Hemendik aurrera, galdera honako hau izango litzateke: *ba al da munduaren amaierako arterik?* Enfasiaren lekua aldatu egin da, funtsean, eta aldaketa hori gertatzen da garrantzitsuena ez delako subjektuak artelanari ematen dion erantzuna. Orain, garrantzitsuena artearen eta munduaren egoera latzaren arteko adostasuna lortzeko aukera da, non subjektuaren eta objektuaren bereizketa artelan bihurtzen den.

Ba al da munduaren amaierako arterik? galderaren barruan kokatutako eta izendatutako mundua ez dator bat gizakia bizi den planetarekin. Aitzitik, 'munduak', hau da, leku pluralizatu bat izendatzen duen termino singular batek, gizakiaren bizilekua identifikatzen du planetan. Lurrean duen presentzia. Bizileku hori gaur egun ulertzeko moduak zehaztapen sorta berri bat ekarri du. Hainbat kontzeptu, hala nola 'lekua' eta 'mundua', egokitu egin behar dira, hortaz.

Klima aldaketa katastrofikoaren ondorioak etengabe erregistratzen dira. Erregistratze hori bat dator borondate politikorik ez izatearekin. Erantzun politikoei klima aldaketaren ondorio kaltegarriek eskatzen duten erradikaltasuna falta zaie. Politikak zuhurra izaten jarraitzen du, mututua izateraino. Egia da erantzuna etengabe eskatzen dela, baina eskaera gehienek ez dute erantzunik jasotzen. Keinu sinbolikoak dira nagusi. Espektro politiko osoko alderdiek autokonplazentzia modu desberdinak erakusten dituzte, hazkundearen politika eta ekonomiekin zalantzarik gabeko konpromisoa duten heinean. Planetak iraun dezakeen arren, gero eta gutxiago aurreikusi ahal izango da planetan zein bizidunek jarraitu ahal izango duten bizitzen. Munduaren hondamendiak aurrera darrai. Itsas mailaren igoerak uharteetako herrialdeen eta kostaldeko nazioen existentzia mehatxatzen du. Klima ereduen aldaketek lehorteak eta uholdeak eragiten dituzte; era berean, aldaketa horiek dira uztak galtzearen arrazoia.

Eskualdeko nekazaritza jardunbideen kolapsoak edo eraldaketak komunitateak desegiten ditu, eta errefuxiatuen presentziak sortzen dituen tokiko eta nazioarteko egonezinak areagotzen dituzte. Munduaren eraldaketa estatistikoki dokumentatu daiteke. Deskribapenek, fikziozkoak zein fikziozkoak ez izan, munduaren errealitatea azpimarratzen dute. Bere ikonografia izan dezake. Irudi horiek egoera latz honen konplexutasunaren fede ematen dute.

Errefuxiatuen ilaren irudiek indartu egiten dute bereizketa sistematikoa egiteko ezintasuna, alde batetik, kaos politikotik ihes egitearen eta, bestetik, ingurumenaren degradazioari modu bereizezinean lotutako pobreziatik ihes egitearen artean. Errefuxiatu moten artean erabakitzeko ziurtasuna beti izan zen engainagarria, baina are ezinezkoagoa bihurtu da, kolapsoaren etiologiak elementu gainjarriak ezarri dituenetik, bereizketa argi orori aurre egiten dioten elementuak.

Hala ere, badira beste irudi batzuk: batzuek beste aukera bat proiektatzen dute; batzuetan munduaren hondamendia alderantzikatu ahal izango litzateke (irudiaren mailan soilik bada ere). Diseinuko jardunbideak birkalibratuta munduaren egoerari erantzun bat eman dakiokeela dioen iritzia aldarrikatzen duen ideologiak bere irudi lagungarrien sorta du. Adibidez, ustez jasangarria den arkitektura batekin konbinatzen diren garraio sistema integratuak erantzuntzat har daitezke, diseinuak munduaren egoera latzari ematen dion erantzuntzat. Erantzun horiek irudiaren mailan transmiti daitezke. Irudi horiek ez dute ezaugarri anbibalenterik. Diseinuaren ordenak, horrela interpretatuta, mundua berrantolatzeko aukera proiektatzen du. Hondamendiaren alderantzikatzea, munduaren berrantolaketa indartu egiten da irudi horien segurtasun proiektatuarekin. Hemen jokoan dagoena proiekzioa -itxuratzat hartuta- denez, kontra-aldarrikapen bat egin behar da. Ebidentzia argia da. Segurtasun hori gezur batean oinarritzen da. Gainera, hainbat jarrerak aldarrikatzen duten arabera, klima aldaketaren presentzia argia eta karbono eta metano isurien eginkizuna ikuspuntuak besterik ez dira, eta, beraz, kontrakoa dioten ikuspuntuen balio bera dute. Aldarrikapen horiek baieztatzen diren heinean, orduan, faltsuak direla erantzun behar zaie, eta baliokidetasunei buruzko aldarrikapenak ere, beraz, faltsuak direla. Kontrako jarrera hori planteatu ondoren, irudiak eta diseinuaren ideologia ere faltsutzat jo behar dira. Izan ere, irudi eta ideologia horiek mundua ordenatutzat, koherentetzat agertzen dute eta, beraz, oztoporik gabe jarraitzeko gai, eta, aldi berean, klima aldaketaren ondorioak arintzen dituzten hobekuntza moduak ahalbidetzen dituzte.

(Erregai fosilen erauzketa eta erabilera ezin dira berriro ere zuritu. Horien izena garbitzea eta ingurumen kaltea erregistro desberdinak dira; lehenengoak ezin du alde batera utzi bigarrenaren benetako eragina.) Baztertu egiten da, kasu guztietan, besterik gabe jarraitzearen edo etorkizun bat eraikitzearen aukera, hondamenaren agertoki den orainaldian oinarrituta. Hondamena etorkizuneko baldintza gisa edo etorkizunaren oinarri gisa txertatzeko ahalegina ezinezkoa da jada. Eta etorkizuna mehatxatzen duen hondamenari eustea ere ez da aukera bideragarria. Akabo hondamenaren estetika. Orain, mundua hondamendia da.

Berriz ekin behar zaio etorkizuna ulertzeko moduari, hondamendia den mundu baten barruan, eta horrekin batera, bizitzen. Ulerbide horrek inplikazio politikoak eta etikoak ditu.

Galdera honi eusten diote: *Ba al da munduaren amaierako arterik?*[35]

Galdera ez da apokaliptikoa. Ezin da erlazionatu, esate baterako, honako hau dioen argudioarekin: munduak hasierako une definitzaile bat izan zuela eta, beraz, modu berean amaitu behar duela.[36] Kontrakoa gertatzen da. Munduaren hondamendia bere historia propioa duen prozesu leundu bat da. Antropozenoaren etorrerari buruzko aldarrikapenak, adibidez, historia horren parte dira. Planetaren beraren izaeran aldaketa bat gertatu da. Bere presentzia materiala orain desberdin agertzen da. Ez da soilik klima ereduetan aurrekaririk gabeko aldaketak gertatu direla, baizik eta suntsipenak eta kutsadurak planetan objektu berriak sortu dituztela ere bada; adibidez, Ozeano Bareko Zabor Adabaki Handia. Adabakia osatzen duen plastikoaren pilaketak 1,6 milioi kilometro koadroko azalera hartzen duela uste da.[37] Gertakari horri 'hiperobjektu' deitu zaio.[38] Objektu horiek sortu izanaren gaineko erantzukizuna estatu nazionaletatik haratago doa. Berehala identifika daitezkeen eragile arduradunik ez egoteak esan nahi du zuzenbideak ingurune horietan duen zeregina ez dagoela argi. Kontua ez da soilik erantzunaren izaera orain zalantzazkoa izatea; egia da, halaber, zehaztasun falta horrek eragin egiten diola nork jardun beharko lukeen edo jardun ahal izango lukeen galderari. Hiperobjektuaren etorrerak -hondamendia den mundu batean gertatzen denaren adibide izaki- erantzukizun globalaren kontuak birkokatzen ditu. Muga berri horiek onartzeak ez du zertan ekarri nihilismoaren eta kietismoaren arteko jarrera filosofiko edo politiko bat.

Aitzitik, planteatzen dena da jarduerak zer esan nahi duen egoera latz horretan. Galdera horrek ez du orientazio berezirik. Kontu politikoa eta filosofikoa da. Sorkuntzako profesionalentzat zein obra hori interpretatzen dutenentzat da galdera. Era berean, argi geratu behar da munduaren egoera latza orientazio puntutzat hartzeak ez dakarrela aho bateko erantzuna. Zaila eta zorrotza da mundua hondamena dela onartzea abiapuntutzat.

Eta, hala ere, agertoki horretan kokatu daitezke Iglesiasen obraren funtsezko alderdiak. Hemen argudiatuko dena da bere jardunbidearen barruko proiektu espezifikoak munduaren amaierako artea osatzen duen horren zatitzat uler daitezkeela.

II

Eskulturak gorputzarekin duen harreman tradizionalak ezaugarri espazial aktiboa izateko aukera ematen dio; ezaugarri horretan, artearen lana espazioa uzteko jarduera da, eta, aldi berean, gorputzaren presentzia behar du. Nahiz eta obra beti urrun egon, oso gutxitan edo ia inoiz ez zen axolagabe agertu gorputzaren presentziari dagokionez. Batez ere gorputzaren presentziak eskulturaren berezitasuna mugatzen duen kasuan, subjektu/objektu erlazio espezifikoen ondorioz. Eskulturak gorputzarekin lan egiten du tradizionalki. Hala ere, Iglesiasen obra berria gorputzaren nagusitasunarekiko urruntze gisa deskriba liteke, ez bakarrik gorputza objektu eskultorikotzat hartuta, baizik eta ikuslearen gorputza eskultura aurkezten zaion gorpuztzat hartuta. Urruntze horrek, subjektua aldentzean -bai subjektu ezagutzaile gisa, zeinaren jarduerek obra subjektu/objektu erlazioan kokatzen duen, bai gorputzaren presentzia gisa-, obra markatzen du, Lurrerantz eta, beraz, lekuaren beste zentzu batera itzultzea bezala. Urruntze horrek esan nahi du ez lekua ez obra ezin direla antropozentrikoki definitu.

Orain, ordea, ez Lurra ez lekua ezin dira sentimentalizatu. Hau jada ez da Kantek gizakiaren 'bokazio supersentiberatzat' deskribatuko zukeena adierazten duen balizko sublimotasuneko Lurra eta lekua -sublimea esperientzia modutzat hartuta-.[39]

Hemen, ez Lurra ez lekua ezin dira atera oraindik nagusitzen ari den hondamenditik.

Iglesiasen obra berrian Lurrerantz egiten den biraketa hemen hasiko da berriro, bi proiekturekin lotuta. Lehenengoa, amaitu berri den *Forgotten Streams* (2017) da; Londresen dago, Bloombergen Europako egoitza berriaren aurrean. Bigarrena *Estancias Sumergidas* (2010) da. Kalifornia Beherean, Kaliforniako Golkoan dago urpeko eskultura hori. Etengabe eraldatzen denez, zaila da data jartzea. Sorkuntza logika desberdina du. Egiten jarraitzen du.

Forgotten Streams obran irekidurak sortzen dira. Gainazal bat zuritu dela pentsa daiteke. Agerian geratu diren espazioek uraren mugimendua erakusten dute. Agertu eta desagertu egiten da.

Egia ez dago sakontasunean. Landaredia deskonposizio edo petrifikazio egoeran dagoen agertoki batetik abiatuta, koloreak eta materialtasunak bi aukerak ahalbidetzen dituzte. Azaldutakoaren barruan, ura behetik agertzen da eta gero berriz xurgatzen da. Joan-etorri horrek ez du Lurraren dimentsio mistiko edo dimentsio primigenioa ekartzen gogora. Gogorarazten du, hasieran bakarrik bada ere, ibaiak daudela, estaliak, oraindik ere Londresko kalearen azpitik doazenak. Ura agertzen eta desagertzen den tokietan historiaren geruzak agertzen dira eta, beraz, baita Lurraren osagai literalen mugimenduaren eta Lurraren egungo gainazalaren arteko erlazioa ere, historiako lekurik aktiboena den aldetik. Gainazala eta sakontasuna da; presentzia eta absentzia da. Oposizio horiekin historiaren denboraren, lekuaren, oinarrizkoaren eta obraren arteko erlazio sorta konplexua jokatzen da. Historia hori jada ez da gizakiak egiten duen historia, Lurra prozesu historiko propioen barruan txertatuta ez balego bezala. Lurra jada ez da leku neutrala. Horregatik, Lurra, lekua eta historia tradizionalki agertzen diren oposizioak prozesu bihurtzen dira. Uraren itzulerak, bere desagertzeak eta itzulerak, atseden leku bat ematearekin batera, agian kontenplaziokoa ere bai, ez dio erreparatzen gizakiaren presentziari. Desagertutako ibai sistemaren oroitzapenak azpimarratzen du desagertzeak ezaugarri bikoitza duela. Baliteke ibaiak gizakiaren bistatik desagertu izana, baina hor jarraitzen dute, aurrerantzean gizakiaren presentziari ez diotela erreparatuko indartuta.

Gizakiaren garrantzirik eza da orain artelan gisa dagoenaren zati enfatiko bat. Naturaren presentziak, gainera, gainbeheraren eta petrifikazioaren arteko gorabehera gisa agertzen den horretan, baztertu egiten du naturak estetikaren historian izan duen rol tradizionala. Natura jada ez da ederra. Era berean, ez da itsusia. Natura agertoki berezi horretatik kanpo geratu da. Jada ez da estetikaren leku bat; natura beste era batera agertzen da. Naturaren urruntzeak Lurra orain itxuraldatutako leku gisa agertzea ahalbidetzeaz gain, itxura hori hartzen du abiapuntu artelanari ekiteko moduan aldaketa bat iragartzeko. Zer da -hemen, obra honen barruan- artearen lana? Galdera honi erantzuten hasteko, izenburu honi arreta jarri behar zaio: *Forgotten Streams* (Ahaztutako errekak).

Zer esan nahi du ahazteak -hemen, obra honen barruan-? Oro har, ahaztea gogoratzeari kontrajartzen zaio, noski. Ahanztura gainditzea oroitzeko prozesua da. Oroitzapenak -estrategiatzat hartuta, bai artean bai arkitekturan- izandakoa onartzen duten prozesuak dakartza. Izugarrikeriak oroitzen dira. Oroitzapenezko monumentuek iragana adierazten dute, iragan hori orainaldi bihurtuz. Oroitzea 'orain' jakin baten barruan hartutako jarrera bat da, izandakoarekiko. Oroitzearen politika eta jardunbide bat dago. Horren ondorioz, orainaldia aukeraz beteta egon daiteke; iraganarekiko duen erantzukizuna 'orainaldiaren oroitzapena' dei daitekeen horretatik sortzen diren jardueren barruan gauzatzen da. Oroitzapena aurkezteko konpromisoren bat baldin badago, alde batetik, oroitzearen eta, bestetik, etorkizunaren arteko loturari atxikitzen zaio, betiere etorkizuna besteengan irekitzeko modutzat hartuta.

Etorkizuna zentzu horretan -etorkizuna uler liteke aukera multzo gisa positibotasun zentzu batek definituta- aurri egoeran dagoen munduaren presentziak egiaztatua da. Munduren berritxuratzeak ez du alboratzen oroitzeko beharra. Birposizionatzea gertatzen da. Oroitzeko obligazioak dirau. Jarraikitasun hori, hala ere, munduaren bestelako zentzu batek arintzen du. Beste auzi bat sortzen da. Artearen eginkizuna da auzi horrek presentzia tematia izan dezan.

Urak gainetik mugituz doa eta agertokian barrena, naturari aipamen egiten dion presentzia kokatu baten barruan, baina aldi berean presentzia bitxi bat izaten uzten diona; ahaztutakoaren oroitzapena agerraldi batean, berriro desagertuko dena, horrek marraztu egingo du naturaren mugimendua eraldaketa baten bitartez, zeinean ez dagoen presente suntsitu gisa baizik eta bere hondamenean atxikita. Natura zer den berriro jartzen da auzitan. Funtsezkoa da obraren lanarentzat naturaren aurkezpena landua izan dadin itzultze eta desagertze mugimendu baten bitartez, oroituz eta ahaztuz, zeina berdin dion gizakiaren egitearen presentziari. Era berean, eskulturaren eta naturaren arteko lotura hautsi egin da, Kanten hitzetan eskulturaren eginkizuna "naturan dagoena" irudikatzea balitz bezala eta aldi berean naturaren eta edertasunaren arteko lotura baten mendeko balitz bezala.[40] Hemen, proiektu honetan, eskulturaren egitekoa ez da beste natura bat aurkeztea, baizik eta naturaren kontzeptua birposizionatzea munduaren barruan, zeinean auzitan dagoen mundua aurri egoeran dagoen. Natura ez dago jadanik kanpoan. Galdu egin du beste bat izatearen zentzua.

Kontuan hartu beharreko bigarren lana, *Estancias Sumergidas*, bi gelen sorkuntza da. Gela horiek osatzen dituzten hormak, jatorrian, sareta moduko egitura konplexu batez eginak zeuden.

Hala ere, azalera azpiko kokapenak, Kaliforniako Golkoan hain zuzen, adierazten du ez direla bereizterrazak diren barnealde eta kanpoaldea duten bolumenak, edo, behintzat, espazioaren sorkuntzaren historian ulertuko litzatekeen moduan. Eraldaketaren zentzu etengabe bat dago, saretazko hormetan animaliak eta landareak bizi baitira, mota askotako arrainak erakartzen dituen bizitza. Gelak bizileku eta janleku bihurtzen dira.

Beraiena den ekologia dute, eta gizakiekiko duten axolagabetasuna lanak arte gisa duen presentziaren zati da.

Azpimarratu behar da, hala ere, lanaren izenburua hasieran dirudiena baino konplexuagoa dela. Konplexutasun horrek atzitu egiten du gelek leku, historia eta eraldaketa material gisa duten zentzua. Horrek zerikusia du gizakiaren zentraltasunetik alde egitetik. Sakon antzematen da ez direla gelak besterik gabe. Espainieraren *Estancia* hitzaren eta latinaren *Stare* arteko loturak esan nahi du jokoan dagoena *egote* eta *izate*aren arteko elkarrekintza dela. Lanaren izenak bizitzearen auzia adierazten du. Gogoratzen dena, hasieran behintzat, Heidegger-ek "bizitzearekin" (*Wohnen*) duen konpromisoa da. *Building, Dwelling, Thinking* lanean, Heideggerrek idazten du "gizakia [*das Menschsen*] bizi izatea da".[41] Jarraitzen duenean iradokiz "hilkorrentzat" bizi izatea "lurra salbatzea dela" eta gero definitzen duenean "salbatzea" "zerbait askatzea bere zerizanean", erantzunak hau izan behar du: dena delakoa hilkorrek orain Lurrarekin duten harremana, ezein harreman hondatzailea da beti".[42] Are gehiago, munduaren beste ikusmolde batekin du harremana. Behin mundua aurri egoeran dagoela, ezin liteke jadanik "salbatze" gisa definitzen den harreman bat izan, berdin dio nola interpretatzen den "salbatzea". Izan ere, aintzat hartu beharrekoa funtsean desberdina den proiektu filosofiko bat da: hau da, nola pentsa daiteke ezintasun hori bera? Axola duena munduaren eta gizakiaren arteko errotiko banantzea da. Hortik dator *munduaren amaieraren arte* baten auzia, munduaren amaieran dagoen arte baten presentziarena baino gehiago. Azkena gizakiarekin harremanetan definituko litzateke oraindik ere. Galdera gisa iraun behar duena da munduaren egoera adierazten duen arte baten presentzia, egoera bat, zeinean sorrerako banantze bat dagoen eta ondorioz, artearen eta gizakiaren arteko harremanaren etengabeko gainbehera; gaur egun munduak duen presentziari erantzuten dion gainbehera.

(Oharrak 247. orrialdean)

Eztabaida

Lynne Cooke Eskerrik asko, Andrew, pentsatzeko asko eman diguzu. Esan duzuna ondo ulertu badut, esan duzu eskultura pentsamendurako gune bat dela eta arkitekturaz bestelakoa dela, hark ez baitu gaitasun hori.

AB Nire iritziz zerbaitek arkitektura gisa funtzionatzeko duen moduak eta arte gisa funtzionatzeko duen moduak desberdinak dira. Artelan orok iragarri egiten du, artelan bat den aldetik, parte den historian duen lekua. Gauza bera gertatzen da nire iritziz arkitekturarekin, baina harremanaren auzi hori desberdina izango da beti.

LC Zergatik behar duzu eskulturak kategoria bat izan dezan?

AB Bai badakit, oso galdera ona da. Ez nago horretaz ziur. Hau da, kategoria behar dut hari buruz hitz egiten dudalako: hor dugu eskulturaren historia, atzera egiten duen historia dena delako garaira eta badu zentzua hari buruz hitz egitea. Baina aztertzea zertan dabilen eskultore bat gaur egun edo eskultorea ere ote den, nik, egia esan, galdera ireki gisa utziko nuke. Aztertzen ari garen eskultura post-objektuak jarraitutasuna duen eskulturagintza da argi eta garbi, objektuarekiko ez-harremanean. Nik uste dut baduela zentzua generoaz hitz egitea, hain zuzen ere kritikotasunerako gune bat baita. Oso erraza da generoa bertan behera uztea. Ondoren, ez duzu jakiten zer den ezer. Denak du harremana; garrantzizkoena harremanaren izaera da.

LC Jakina, bai, baina bada ere aurrien eraikuntzaren historia.

AB Bai, hara, eta hori oso auzi interesgarria litzateke: ea erokeriak ala lorategiak diren. Bada italiar aurri manieristen bilduma zoragarri bat, bai; nik, ordea, ez dut aurri gisa ikusten. Erokeriaren eremutik kanpo dago; gauza zeharo desberdina da, eta uste dut horregatik duela halako izenburua. Hizkuntza alde batera utzirik, oso interesgarria da espazioa okupatzearen kontzeptua iragartzen baitu, gela bat izan, etxebizitza bat izan, nahi duzuna, ez du gehiegi axola. Guk gizakiak garen aldetik hauxe egiten dugu: espazioak okupatu, animaliek egiten duten bezala; in situ existitzen gara, beraz. Erokeriaren ideiak keinuka garamatza etorkizunean edo iraganean dagoen zerbaitera. Taularatzen den osagabetasun une bat bihurtzen da. Hala ere, horrek ez du zerikusirik taularatutako osagabetasunarekin.

LC Etorkizuneko bilakaera dakar, hau da, zentzurik funtsezkoenean, osagabean.

AB Erabat, baina ez erokeria izaten den moduan.

Richard Noble Ba al da azken galderaren bat Andrewrentzat?

Publikotik Esan duzu, urrun egon arren, urpean bada ere, arte publikoa dela. Azalduko al zenuke?

AB Arte publikoa den ala ez den eztabaidatu behar badugu, orduan argi izan beharko genuke zer den arte publikoa. Maila batean, argi dago ez dela arte publikoa, ez baitago publikoa denaren eremuan, baina publiko hitzaren esanahia iraultzen bada, orduan arte publiko bihurtzen da. Beraz, auzia da nola definitzen den. Interesgarriena ez da publikotasunaren auzia, baizik eta nola funtzionatzen duen arte gisa.

RN Hori lotuta dago Lynnek eta besteek adierazi dutenarekin, hau da, nola dirauen munduan dokumentazio gisa. Publikotasunaren alderdi garrantzitsu samar bat dirudi, beraz, era askotako bitarteko ugarien bitartez erreproduzitzeko beharra duela.

AB Ados nago eta erantzun dut Lynnek azalpena eman duenean, eta zuzen dagoela uste dut, baina uste dut tropo berezi batekin bat datorrela arte kontzeptual eta post-kontzeptualean, non ez dagoen bereizketa errotikorik arte objektuaren eta bere dokumentazioaren artean. Izan ere, dokumentazioa besterik ez diren arte erakusketetara joan zaitezke.

Russell Ferguson
Historia Naturala

Cristina Iglesiasen *Estancias Sumergidas* (2010) lanari buruz pentsatzeko modu bat Land art-aren testuinguruan da, eta, bereziki, Robert Smithsonen lanean. Hau horrela da batik bat haren *Spiral Jetty* (1970) lanean, ia denbora gehiena urpean egon den lana, gaur egun ostera azaleratuta egon arren. Neronek egin nuen konparazioa, Iglesiasen lanari buruzko aurreko saiakera batean.[43]

Baina alborakuntza horri buruz ere pentsatu nahi dut guztiz alderantziz. Azken batean, ez nago erabat sinetsita lan hau Land art-arekin horren lotuta dagoenik, Land art-aren zentzu tradizionalean, alegia, hau da, paisaian egiten den esku hartze gutxi gorabehera ikoniko bat, nahiz eta azkenean, urrats entropiko baten aurrean edo disoluzioaren aurrean amore eman. Hala ere, begien bistakoa da *Estancias Sumergidas* lana aldaketa prozesu bat jasateko sortua izan zela, baina ez nago ziur aldaketa hori halabeharrez eta benetan entropikoa denik.

Halaber uste dut urpean egotea lanaren alderdi guztiz ezohikoa eta markatua dela eta horrek nolabait oharkabetu egin gaitzakeela lana den moduan ikustetik: eskultura tradizional burujabe bat, alegia. *Estancias Sumergidas* lanari buruz pentsatzen dugunean testuinguru horretan, Iglesiasek bere lana urperatzea erabaki aurretik egiten ari zen galerietan oinarritutako eskulturaren jarraipen zuzena irudikatzen du; aurretik lan egiteko modu horretan barne hartzen ziren testuak letraka esaten zituzten letra moldeak eta pantaila edo horma burujabe gisa edo galeriako espazioaren zatiketa gisa sortzen zirenak. Zentzu horretan, beraz, uste dut ez genukeela horrenbeste Land art gisa hartu behar, eta bai, berriz, eskultura gisa, bi terminoen artean bereizketa esanguratsua bat egin badaiteke behintzat. Eta eskultura moduan hartzen badugu, orduan eskultura publiko gisa ere hartu behar dugu, sarbidea guztiz zaila izan arren.

Lynne Cooke-k bereizketa garrantzitsu bat egin du Iglesiasen lan publikoaren bi kategorien artean: zati bat oso hirugune jendetsuetarako egina da, eta beste zatia, leku urrunetarako. Cooke-k esan bezala, azken kategoriako lanak ezinbesteko lotura du zurrumurruaren edo ospearen ideiarekin. Lanaren ideiak berez ikusi duen pertsona kopurutik harago irauten du. Denok dakigun bezala, *Estancias Sumergidas* 15 bat metrora edo gehiagora urperatuta dago Kalifornia Behereako itsasoan.

Lana berez, eta, bereziki, Iglesiasek lanerako hautatu duen testuak irisgarritasunaren eta urruntasunaren auziak lantzen ditu. Hormigoizko saretazko hormak José de Acostaren *Historia natural y moral de las* Indias lanetik ateratako testu bat letraka esaten duten letrek osatuta daude, han izana zen apaiz jesuita batek mundu berriaz eginiko kontakizuna.

Iruditzen zait garrantzitsua dela Iglesiasek eskultura hauetan sartzeko aukeratu zuen testua mundu berriaren ametsaren artikulazioa dela europarrentzat errealitate bihurtu zuen une batean, baina aldi berean iritsezina den mundu baten ametsa da, fantasia izan zena oso denbora luzez. T.J. Demosek aipatu izan du Atlantiseko mitoarekin duen lotura, eta aldi berean zaharra eta galdu den mundu baten ideiarekin duena, baina potentzialki hainbat zentzutan berreskura daitekeena.

Iglesiasen lanak bederatzi urte ditu orain, eta jadanik antzinako aurri baten elementuak bereganatu ditu. Ez bakarrik algaz estalita dagoelako eta arrainak bertan bizi direlako. Hasiera bertatik, eskulturaren forma artikulatzeko hautatu zuen testuagatik ere bada, eskulturak berak horrela antzinako munduez eta mundu galduez parte hartzen baitzuen, eta diskurtso horretan parte hartu zuen instalatu zen egunean. Testua hormigoian hitzez hitz finkatuta dago.

Ezin zitekeen fisikoki presenteago egon, baina aldi berean, itsas bizitza guztiak, algek, koralak eta lanpernek eta gainerako guztiak arian-arian irakurtezin bihurtuko dute testua. Hala eta guztiz ere, eskulturaren ospearen bitartez, obraren existentziaren berri izaten den bitartean, beti jakingo dugu testua hor dagoela, metaketa horien guztien azpian, eta taupaka jarraitzen duela eskultura bihurtzen ari den uharriaren egituran barrena. Beraz, biok jakitun gara jatorrizko testua galdu egingo dela, baina hala ere izaten jarraituko duela eskulturaren gainerako elementuen azpian. Beraz, zentzu horretan, ez da paisaian egin den esku hartze neutral bat, adibidez Michael Heizer-en *Double Negative* (1970) lana, obra jarrita dagoen Nevadako mendizerraren zati bat birmoldatu duena, azkenean mendizerrak erabat erreklamatuko baitu.

Estancias Sumergidas ez da uharri ingurune berri bat sortzeko ekinaldia besterik gabe. Xede hori lor zitekeen osagai artistikorik erabili gabe. Hau ez da esku hartze ekologiko *huts* bat, nahiz eta hala izan. Leku horretan kokatu den eskultura bat ere bada, eta Iglesiasek egin duen beste eskulturen jarraitutasuna da, lehorrean, bilduma pribatuetan, gune publikoetan eta museoetan daudenak barne. Zentzu horretan, ez da lan atipiko bat. Eskulturaren jarraitutasun baten zati da.

Jakina, lotura handia du Anberesen, Toledon eta Londresen Iglesiasek urarekin duen konpromiso sakon begi-bistakoarekin, nahiz eta pieza horiek ingurune jendetsuagoetan egon. *Estancias* lanak duen kokapen urrunak auzi erreal eta mamitsuak planteatzen ditu edozein eskultura "publiko" gisa aipatzeak duen esanahitik. Bestalde, obra hau atari zabalean dago, ez galeria batean edo museo batean. Teorian, edozeinek ikus dezake, nahiz eta gaur egungo ikusgaitasuna oso mugatuta egon jendearentzat begien bistan dagoenez. Lanaren funtsezko alderdia da hori. Eskultura publikoaren historia luzeaz pentsatzen jarriz gero, ia gehienak eskultura honek egiten duenaren kontrakoa egin du zehazki, kokapenari dagokionez.

Eztabaida

Iwona Blazwick Russell, gogora ekarri didazu Cristinaren lan gehienak porotsuak direla. Alabastro markesinek argia pasatzen uzten dute, ehundutako sabai esekiek ere argia pasatzen uzten dute, airea pasatzen uzten dute. Jendea ikusten da haien artetik, eta ura pasatzen ere uzten dute. Esango al zenuke zerbait, beraz, energiarekin duten harremanari buruz? Horiek ere energia formak baitira.

RF Bai. Energiari buruz pentsatzen dugunean testuinguru honetan, ohituta gaude Smithsonek entropiari buruz duen lilurari buruz pentsatzera, edo energiaren akitzeari buruz pentsatzera, baina Cristinaren obran ikusten dugun energia motak askoz ere energia maila orekatuagoa du. Pentsa genezake unibertsoa erabat akituko dela azkenean, 600 urte edo 6.000 urte barru, baina Cristinaren obra ikusten dudanean, energia truke antzeko bat ikusten dut, beti akitzen den energiaren ikuspegi batekin harremantzen ez den elkarrekikotasun antzeko bat. Bitxia da "akitu" hitza erabiltzea, Anbereseko eta Toledoko piezetan, ura irristatu egiten da eskulturatik. Azpian dauden fundizio elementuak uzten ditu agerian, baina gero urak espazio hori betetzean du atzera. Horrela, drenaia eta birkokatze erritmo antzeko bat dago; nik horri elkarrekiko harremana deitzen diot.

IB Uste duzu erritmo horrek ere planetarekiko harreman holistikoagorantz jotzen duela, grabitatearekin lotuta, itsasaldiekin lotuta? Ura astiro nola itzultzen den ikusten denean, eguneko erritmoetan pentsatzen baita, heriotzan eta izerdiaren eta landarediaren berzpiztean, besteak beste. Jakin nahi nuke ea esan daitekeen, beraz, artelanak harreman zabalagoa duela planeten erritmoekin.

RF Ez dut uste deskribatzeko modu faltsua denik, baina konparatu egiten badut, adibidez, Nancy Holten *Sun Tunnels* lanarekin, iruditzen zait ziklo natural zehatzekin modu esplizituagoan lotuta dagoen lan bat dela. Iruzkin hauetan adierazi nahiko nukeen beste gauzetako bat da Cristinari ere honetan egindakoa aitortu behar zaiola, eta ez dut uste lanak itsasaldiak, ilargia eta eguzkia pasiboki besarkatzen dituenik, hastapeneko Land art-ak egin zuen moduan. Horregatik azpimarratu nahi dut zein puntutaraino diren ingurune naturalean integratuen dauden lanak ere, *Estancias Sumergidas* kasu, eskulturalak. Forma eta ideia jakin batzuekiko interesa islatzen dute, baita testu jakin batzuekiko ere, eta interes horrek jarraitutasuna du Iglesiasen obran, bai eta ingurune natural zehatz batean kokatzen ez diren eskultura ugariak ere.

IB Gainera, testuek beti fikziozko irudimenezko mundu bat deskribatuko dute, filosofikoa, poetikoa eta autonomoa, eta uste dut irudimen espazio hori inplizituki txertatzen dela obran.

RF Bai. Testuaren erabilera zabala ez da normalean Land art-rekin edo Earth art-arekin lotzen dugun zerbait, zeren eta hau printzipioz, -modu esangabean bada ere, azpian datza-, pentsatuta dago gure hizkuntza ezagunak hitz egingo ez diren garai bateko jendearentzat. Maisukiro horren monumentala izan behar du, ezen jendeak hizkuntzadun edo hizkuntzagabe egin den giza esku hartze gisa antzemango baitu. Ez dut aurkitzen testu motaren bat erabiltzen duen lurreko arte kanonikoaren beste adibiderik.

Garrantzitsua da hizkuntzaren eta testuaren erabilera ez gutxiestea Cristinaren lanean, espezifikotasun handia ematen baitio, eta aldendu egiten baitu ilargiaren faseak edo antzeko zerbait ote diren ideiatik.

IB Azken ohar bat: hasieran, eskultura bat izan beharraren insistentziak adierazten zuen erraz samar aurkez zitekeela kubo zuri batean, baina kokapen zehatzaren bira antzeko baten ondorioz, denbora igaro ahala, gero eta zehatzagoa bihurtzen da. Energiaren bitartez xurgatzen da, eta gero eta antzekotasun handiagoa du bere testuinguruarekin.

RF Bai. Uste dut dinamika hori oso interesgarria dela. Argi dago leku jakin horretarako egin zela, eta hormigoia itsas bizitzara moldatzeko egina dagoela, eta testua kokapen zehatz horri dagokiola, baina uste dut eskultura hau ikus litekeela urpean instalatuta egon gabe. Tate-n ikus liteke, edo Whitechapel-en. Nolabait, gauza bera esan liteke Trafalgar Squaren zutabearen gain-gainean dagoen Nelsonen eskulturari buruz. Eskultura egin zenean Nelson eskultura bat baino gehiago ez zen, baina orain ezin imajina genezake Trafalgar Square erdian ez den beste lekuren batean.

T.J. Demos, atentzioa eman dit Cristinak urari buruz egiten duen erabileraren inguruan esan duzunak. Beharbada lan hau beste batzuetatik bereizten da bere eraldaketa sortze berean txertatuta dagoelako. Koral uharri bat bihurtzeko duen anbizioa errotik kolaboratzailea den praktika mota bat iruditzen zait, lanak lekuarekin kolaboratzeko duen asmoaren zentzuan.

RF Bai. Denbora aldaketarekin harreman entropiko bat izango lukeen eskultura baten ideiatik bereizi nahi dut. Hau da, desegitetik. Lan hau beste zerbait bihurtzeko prozesuan dago, eta horretarako sortua izan zen hasieratik; beraz, harreman kolaboratiboagoa du berez berarengan jardungo duten elementuekin eta ez dago bideratuta 1.000 urtean elementuei aurre egitera edo urperatzera eta bere forma elementu horien aurrean amore ematera. Ez da horietako ezer: denboraren poderioz harremana aldatzen duen zerbait da, baina jarraitutasuna duena eta forma berrietan jarraituko duena. Reina Sofíarentzat idatzi nuen entseguen, Arielek Shakespeareren *The Tempest* lanean idatzi zuen abestiarekin konparatu nuen, non "itsas aldaketa" bat jasan duen eta koral bihurtu den itotako gorpu bat deskribatzen den. Beraz, lanak itsas aldaketa bat jasaten du, Shakespeareren zentzuan.

Bost besabetera datza aita;
haren hezurrak koralak dira;
Horiek begiak izan ziren perlak dira;
Ez da harengandik desegingo denik,
Itsas aldaketa jasan du, ordea,
gozo eta arrotz bihurtzeraino.

-William Shakespeare,
*Ekaitza,*1. ekitaldia, II. Esz.

NOTES

1. Astrid J. Hsu-k aurkezpen hau transkribatu zuen eta itzulpenean ere lagundu zuen; aurkezpena 2018ko apirilaren 4an izan zen, Scripps Ozeanografia Institutuan.

2. Komunikazio pertsonala artistarekin, 2019ko azaroaren 17an.

3. Ibid. Kolonizazioa gauzatuko balitz, korronte handiak beharko lirateke tokian; korronte horiek egitura garbituko lukete eta irauteko gai diren bizidun indartsuenak soilik geratuko lirateke.

4. Komunikazio pertsonala artistarekin, 2019ko azaroaren 9an.

5. Robert Smithson, 'The Spiral Jetty' (1972), in Jack Flam (arg.), *Robert Smithson: Collected Writings* (Berkeley: University of California Press, 1996), 152. or.

6. Ibid. Ziurrenik ironikoa irudituko litzaioke bere egungo zaintzaileek, Dia Art Fundazioak, berak ongi hartutako suntsiketa entropikoa geldiarazteko saiakera egitea. Ironikoa da, halaber, bere eskultura Meka bihurtu izana arte turistentzat eta 'Mendebaldeko mitoa'-rekin liluratuta daudenentzat, Sublimearen estetika patetikoa eta 'natura basatiaren' amua.

7. Ibid., 146. or.

8. Ibid., 152. or.

Robert Smithson, 'Entropy and the New Monuments' (1966), in *Collected Writings*, 11. or.

9. Russell Ferguson, 'Sea Change', *Cristina Iglesias: Metonomy* (Madril: Reina Sofia Arte Zentroa Museo Nazionala/ Munich: Del Monico Books/Prestel, 2014), 21. or.

10. Adrian Searle, 'Istanbul Biennial 2015: an overwhelming meditation on the tides of human misery', *The Guardian*, 2015eko irailak 7.

11. Hemen aipatu da: Ferguson, 'Sea Change', 22. or.

12. Komunikazio pertsonala artistarekin, 2019ko azaroaren 17an.

13. Errebelazioko une batean, Poeren narratzaileak honela ikusten du zurrunbiloa: 'izaki eder eta harrigarritzat'. Iglesiasek gertaera arraroen sorta bati erantzunez egin zuen konexio hori. Norvegiara joateko lehen hegaldia hartu zuenean, Poeren ipuin bildumaren kopia bat eraman zuen berekin. Bidaian, 'Maelström' kontakizunera jo zuen, eta bera zihoan tokiko mapa txiki baten ilustrazioa zuela konturatu zen. Geroago jakin zuen iraganeko uneren batean Moskenes herriko biztanleek beren herria irlaren alde batetik bestera mugitu zutela kostaldeko zurrunbilo arriskutsutik urrutiago egote aldera.

14. Hemen aipatu da: Maaretta Jaukkuri (arg.), *Artscape Nordland* (Nordland konderria: Forlaget Press, 2001), 156. or.

15. Ikus, adibidez, *TK*, Umeo, 2008, eta *Vegetation Room Inhotim*, Bela Horizonte, Brasil, 2010-12.

16. Ben Taub, 'Ideas in the Sky', *The New Yorker*, 2019ko irailak 23, 32-41 or. Aipamen guztiak testu horretakoak dira.

17. M. Kat Anderson, *Tending the Wild: Native American Knowledge and the Management of California's Natural Resources* (Los Angeles: University of California Press, 2005).

18. William Cronon, 'The Trouble with Wilderness; or Getting Back to the Wrong Nature', *Environmental History*, 1. liburukia, 1. zk., (1996ko urt.), 7-28 or.

19. Timothy Martin, *Ecology without Nature: Rethinking Environmental Aesthetics* (Cambridge, Mass.: Harvard University Press, 2009).

20. Eduardo Kohn, *How Forests Think: Toward an Anthropology Beyond the Human* (Berkeley: University of California Press, 2013), 16. or.

21. Elizabeth Kolbert, 'The Darkening Sea', *The New Yorker*, 2006ko azaroak 20; Elizabeth Kolbert, *The Sixth Extinction: An Unnatural History* (New York: Henry Holt and Co., 2016).

22. Fred Moten eta Robin D. G. Kelley solasean, Torontoko Unibertsitatea, 2017ko apirilak 3, https://www.youtube.com/ watch?v=fP-2F9MXjRE. Jarrera hori nire liburu honetan garatzen dut: *Beyond the World's End: Arts of Living at the Crossing* (Durham: Duke University Press, laster argitaratuko da).

25. A.V. Uroskie, 'La Jetée en Spirale: Robert Smithson's Stratigraphic Cinema', *Grey Room*, 19. zk. (2005eko udaberria), 54-79 or.

26. Ikus Donna Haraway, *The Companion Species Manifesto: Dogs, People and Significant Otherness* (Chicago: Prickly Paradigm Press, 2003).

25. Scott MacDonald, 'Review: Leviathan', *Framework*, 2012, http://www. frameworknow.com/review-leviathan.

Rachel Carson, *Silent Spring* (Boston: Houghton Mifflin, 2002), 1. or.

27. Hemen, Mbembe-ren 'mundua beltz bihurtzea' nozioa zikinkeriaren, ingurumeneko toxikotasunaren eta poluzioaren ekologia politikoaren zentzuan erabiltzen dut, eta horrek badu zerikusirik industriaren indarkeria sozio-ekologiko kolonial eta korporatiboarekin. Ikus Achille Mbembe, *Critique of Black Reason*, Itzul. Laurent Dubois (Durham: Duke University Press, 2017), 6. or..

28. Testua hemen aipatzen da: Thomas Riedelsheimer-en *Garden in the Sea* filman, 2012: 'Diotenez, gizon horiek Europatik edo Afrikatik abiatu ziren Atlantida irla ospetsurantz, eta orduan irla batetik bestera ibili ziren, Indiako kontinentera iritsi arte. Atlantidako irlak Platonek zioena bezain handiak baldin baziren, Ozeano Atlantiko osoa hartu beharko zuketen eta mundu berriko irletaraino iritsiko ziratekeen; gero, denboraren poderioz, itotako irlaren aurrietan jarri ziren bizitzen'.

29. Donna Haraway, 'Sympoiesis: Symbiogenesis and the Lively Arts of Staying with the Trouble', *Staying with the Trouble: Making Kin in the Chthulucene* (Durham: Duke University Press, 2016), 58. or.

30. Cancungo kostaldearen parean eta Isla Mujeres-en mendebaldeko kostaldean kokatuta dago, eta 2010. urtean inauguratu zuten; Cancún Underwater Museum (Urpeko Arte Museoa) museoan Taylor-en urpeko 485 eskultura baino gehiago eta 30 lehorreko pieza daude ikusgai, eta honako erakunde hauen babesa du: CONANP (Mexikoko Naturagune Babestuen Batzorde Nazionala) eta Cancún Nautical Association.

32. Eduardo Kohn, *How Forests Think: Toward an Anthropology Beyond the Human* (Berkeley: University of California Press, 2013).

33. Arturo Gomez-Pompa eta Andrea Kaus, 'Taming the Wilderness: Environmental policy and education are

currently based on Western beliefs about nature rather than on reality' in *BioScience*, 42. lib, 4. alea, 1992ko apirila, 271-279 or., https://doi.org/10.2307/1311675.

34. Steven R. Holen, Thomas A. Deméré, Daniel C. Fisher, Richard Fullagar, James B. Paces, George T. Jefferson, Jared M. Beeton, Richard A. Cerutti, Adam N. Rountrey, Lawrence Vescera & Kathleen A. Holen, 'A 130,000 year old archaeological site in southern California, USA', *Nature*, 544. lib. (2017), 479-83.

35. Hainbat artikulu garrantzitsu argitaratu dira arteari eta Antropozenoari buruz. Ikus Heather Davis eta Etienne Turpin (arg.), *Art in the Anthropocene: Encounters Among Aesthetics, Politics, Environments and Epistemologies* (Londres: Open Humanities Press, 2014).

36. Apokaliptiko horren aurkako argudio arrazoituak irakurtzeko, ikus Geoff Mann eta Joel Wainwright, *Climate Leviathan: A Political Theory of Our Planetary Future* (Londres: Verso Books, 2018).

37. Laurent C.M. Lebreton, et al., 'Evidence that the Great Pacific Garbage Patch is rapidly accumulating plastic', *Scientific Reports* 8, 4666. zk. (2018ko martxoa). https://doi.org/10.1038/s41598-018-22939-w.

38. Ikus Timothy Morton *Hyperobjects, Philosophy and Ecology after the End of the World* (Minneapolis: University of Minnesota Press, 2013).

39. Immanuel Kant, *Critique of the Power of Judgment*, Itzul. Paul Guyer eta Eric Matthews (Cambridge: Cambridge University Press, 2001), 141, or.

40. Ibid., 199. or.

41. Martin Heidegger, *Building, Dwelling, Thinking*, in David Farrell Krell (arg.), *Martin Heidegger Basic Writings* (San Francisco: Harper Collins, 1993), 351. or.

42. Ibid., 352. or.

43. Russell Ferguson, 'Sea Change' in Lynne Cooke arg., *Cristina Iglesias: Metonymy* (Munich: DelMonico Books, 2013).

CAPTIONS

---

168. ORRIA
Entwined I, 2017
Aluminio urtua eta erretxina
270,5 × 250,2 × 8,9 cm
Marian Goodman Gallery, New York, 2018
Bideoaren pantaila irudien egilea Alfredo Barroso, 2013

170. ORRIA
Topografia eta kokapen planoa, 2009
Collage-a (tinta, argazkia eta arkatza paper gainean)
420 × 594 mm

172. ORRIA BEHEAN
Airetiko ikuspegia eta kokapen planoa
Espiritu Santo artxipelagoa, Kaliforniako Golkoa, Mexiko

173. ORRIA
Koadernoak zirriborroekin, 2009
Inprimatutako irudiak eta arkatza
3-D maketa inprimatuta
31 × 23 cm

174. ORRIA
Estancias Sumergidas obrari buruzko ebakin bildumaren azterketa, 2009
Inprimatutako irudiak, arkatza eta tinta paper gainean
25 × 18.5 cm

175. ORRIA
Espiritu Santo irlako tokiaren argazki bilduma, 2008
Inprimatutako irudiak eta tinta paper gainean
31 × 23 cm

176. ORRIA
Zirriborroa, 2009
Ikatz-ziria eta grafitoa paper gainean
31.5 × 44 cm

177. ORRIA
Akuarioa, *Estancias Sumergidas* obraren modeloa, 2009

178.–179. ORRIAK
Estancias Sumergidas, 2010
Serigrafia, ikatz-ziria eta grafitoa zeta gainean
Bakoitza 200 × 110 cm

180.–187. ORRIAK
Garden in the Sea filmaren pantaila-argazkiak, Thomas Riedelsheimer, 2010

182.–183. ORRIAK
Estancias Sumergidas, 2010 Hormigoi indartua pH neutroarekin
Estancia I (I. aretoa): 265 × 747 × 398 cm
Estancia II (II. aretoa): 265 × 736 × 380 cm

188.–189. ORRIAK
Pantaila argazkiak, Alfredo Barrosoren (2013) bideotik ateratakoak

190.–193. ORRIAK
Pantaila argazkiak, Alfredo Barrosoren (2015) bideotik ateratakoak

194.–197. ORRIAK
Pantaila argazkiak, Alfredo Barroso/ Octavio Aburtoren (2018) bideotik ateratakoak

199. ORRIA
John Rutty, *A Methodical Synopsis of Mineral Waters: Comprehending the Most Celebrated Medicinal Waters, Both Cold and Hot, of Great-Britain, Ireland, France, Germany and Italy, and Several Other Parts of the World*
Argitaratzailea: William Johnston, 1757

201. ORRIA
Kaliforniako Golkoa, Kalifornia Beherea

204. ORRIA
Garden in the Sea filmaren pantaila irudiak, Thomas Riedelsheimer, 2010

207. ORRIA
Historia natural y moral de las Indias, José de Acosta, 1590

208. ORRIA
Robert Smithson, *Spiral Jetty*, 1970 Great Salt Lake, Utah
Lokatza, prezipitatutako gatz kristalak, harriak, ura 457,2 m luze eta 4,6 m zabal
Dia Art Foundation-eko bilduma Argazkiak: Robert Smithson
Artwork © Holt/Smithson Foundation and Dia Art Foundation, VAGAren lizentziarekin ARSen, New York/VG Bild-Kunst, Bonn 2021

211. ORRIA
Pantaila argazkiak, Alfredo Barroso/ Octavio Aburtoren (2018) bideotik ateratakoak

217. ORRIA
Robert Smithson, *Spiral Jetty*, 1970 Great Salt Lake, Utah
Lokatza, hauspeatutako gatz kristalak, harkaitzak, ura 1.500 oin (457.2 m) luze eta 15 oin (4.6 m) zabal
DIA Art Foundation fundazioaren bilduma, New York argazkia goian: Gianfranco Gorgoni; beheko argazkia: Charles Uibel/Aintzira Gazi Handiaren argazkia
© Holt/Smithson Foundation eta Dia Art Foundation, honako honen lizentziarekin: VAGA at ARS, New York/VG Bild-Kunst, Bonn 2021

218. ORRIA
John Akomfrah, *Vertigo Sea*, 2015
Hiru kanaleko HD koloretako bideo instalazioa, 7.1 soinua, 48 min 30 seg (AKOM150001)
© Smoking Dogs Films; honako hauei esker: Smoking Dogs Films eta Lisson Gallery

219. ORRIA
Jonathas de Andrade
O Peixe, 2016 (irudi finkoak) 16 mm, 2K bideora transferituta,
5.1 soinua, pantaila ratio: 16:9 (1:77), 23 min

221. ORRIA
Pantaila argazkia, Alfredo Barroso/ Octavio Aburtoren (2018) bideotik ateratakoa

229. ORRIA
Pantaila argazkia, Alfredo Barroso/ Octavio Aburtoren (2018) bideotik ateratakoa

235. ORRIA
Forgotten Streams, 2017 Bloomberg eraikina, Londres, Erresuma B

236. ORRIA
Garden in the Sea filmaren paintaila irudia, Thomas Riedelsheimer, 2010

241. ORRIA GOIAN
Michael Heizer
Double Negative, 1969
240,000 tona lur irauli, erriolita eta hareharri guztira
1,476 oin × 4 ½ × 29 oin 2 ½ hazbete guztira
(45 m × 1.37 × 8.8 m guztira) Mormon Mesa, Overton, NV
Bilduma: Museum of Contemporary Art, Los Angeles
Double Negative, 1969 © Michael Heizer. Artistaren eta Gagosian Galleryren adeitasunez. Argazkia: Michael Heizer.

241. ORRIA BEHEAN
Robert Smithson, *Spiral Jetty*, 1970 Great Salt Lake, Utah
Lokatza, gatz kristal prezipitatuak, harkaitzak, ura 1,500 oin (457.2 m) luze eta 15 oin (4.6 m) zabal
Dia Art Foundation-eko bilduma
© Holt/Smithson Foundation eta Dia Art Foundation, VAGA at ARSek baimendua, New York/VG Bild-Kunst, Bonn 2021

244. ORRIA
Nancy Holt, *Sun Tunnels*, 1973–76
Great Basin Desert, Utah
Hormigoia, altzairua, lurra
Neurriak guztira: 9 oin 2 ½ hazbete × 86 oin × 53 oin (2.8 × 26.2 × 16.2 m); luzera diagonalean: 86 oin (26.2 m)
Argazkia: ZCZ Films/James Fox Collection Dia Art Foundation Holt/Smithson Foundation-en babesarekin.
© Holt/Smithson Foundation eta Dia Art Foundation, VAGA at ARSek baimendua, New York/VG Bild-Kunst, Bonn 2021

248. ORRIA
Cristina Iglesias Eskultura basagunean
Untitled (Ereinotz hostoak), 1993–94 Norvegia
Vegetation Room Inhotim, 2010–12 Brasil
Towards the Sound of Wilderness, 2011
Erresuma Batua
Hondalea (Amildegia itsasoan), 2020–21 Espainia
Untitled (Ereinotz hostoak), 1993–94
Moskenes, Lofoten uhartedia, Norvegia

249. ORRIA
Vegetation Room Inhotim, 2010–12 (xehetasuna)
Zirriborroen koadernoa, 1993
Tinta eta gouache-a paper gainean
29.3 × 42 cm
251. ORRIA
Ikuspegi orokorra, 1993–1994
Aluminio urtua
2.73 × 2.60 m eta 3.12 × 2.66 m
Moskenes, Lofoten uhartedia, Norvegia
252.–253. ORRIAK
Untitled (Ereinotz hostoak), 1993–94 (xehetasuna)
Aluminio urtua
2.73 × 2.60 m eta 3.12 × 2.66 m
Vegetation Room Inhotim, 2010–12
254. ORRIA
Barruko korridoreen ikuspegia Altzairu herdoilgaitza, brontzea, poliester erretxina, beira zuntza eta ura
3 × 9 × 9 m
Zirriborroa, 2009
255. ORRIA
Akuarela, ikatz-ziria, gouche-a eta arkatza paper gainean
21 × 29.5 cm
255.–256. ORRIAK
Vegetation Room Inhotim (ikuspegia kanpoaldetik), 2010–12 Altzairu herdoilgaitza, brontzea, poliester erretxina, beira zuntza eta ura
3 × 9 × 9 m
Inhotim, Belo Horizonte, Brasil
258. ORRIA
Towards the Sound of Wilderness, 2011
Folkestone Ingalaterra
Zirriborroa, 2010
Akuarela eta ikatz-ziria paper gainean
22 × 30 cm
259. ORRIA
Towards the Sound of Wilderness, 2011
Poliester erretxina, brontze hautsa eta altzairu herdoilgaitza
3.85 × 6 × 4.2 m
260. ORRIA
Zirriborroa, 2019
Akuarela, arkatza eta ikatz-ziria paper gainean
31 × 22 cm
Hondalea (Amildegia itsasoan), 2020–21
Santa Clara uhartea, Donostia Espainia
261. ORRIA
Santa Clara uhartea, Donostia, Espainia
262. ORRIA EZKER ETA ESKUINEAN
Hondalea kokaguneko eraikinaren azpian, 2020
10.21 (+ 5.85) × 11.40 × 11 m
262. ORRIA BEHEAN
Hondalea obraren 3-D maketa, 2020
263. ORRIA
Kokaguneko eraikinaren azpian, 2020
10.21 (+ 5.85) × 11.40 × 11 m
264.–265. ORRIA.
Brontzezko haitzuloaren xehetasuna, 2020
268. ORRIA GOIAN
Eduardo Chillida
Haizearen orrazia, 1977
268. ORRIA BEHEAN
Jorge Oteiza
Eraikuntza hutsa, 2002

Cristina Iglesias James Lingwoodekin solasean

James Lingwood Nola sortu zen Donostiako Santa Klara uharteko egitasmoa? Udal agintarien gonbidapena izan zen?

Cristina Iglesias Donostia Europako Kultura Hiriburua izan zen 2016an eta alkateak denboran iraungo zuen zerbait eduki nahi zuen hirian. Niri jada eskatu zidaten lehenago lan bat egiteko Donostian. Une horretan ez zitzaidan interesatzen, edo beharbada ez nuen neure burua prest ikusten nire hirian obra bat sortzeko. Hemen bizi izan nintzen 18 urte bete arte, eta hiria nire parte garrantzitsu bat da. Agian horrek zuhur jokatzera eraman ninduen. Arrazoia edozein izanik ere, sentitu nuen eskultura publikoari eska dakiokeen horretatik harago joango zen ideia bat garatzeko beharra, zerbait gehiago bilatu beharra. Lehenengo gonbidapenei 'ez' esatea lagungarri izan zitzaidan nire buruan asmo horri ateak guztiz ez ixteko, nire lanean harago joatea eta sakontzea ahalbidetuko zidan leku bat eta ideia bat aurkitu arte. Uste dut uhartean eraikitzen ari naizena nire ametsen lekuren batean egondako zerbait dela.

JL Noiz irudikatu zenuen lehen aldiz uhartea zure lanarentzako leku bat izan zitekeela?

CI Lanean aritu naiz Anberes eta Toledo bezalako hirietan, non arkitektura eta ura eskulturaren funtsezko elementuak diren. Obra horiek, objektuak baino gehiago, lekuak dira. Batzuetan, Donostiara itzultzen nintzenean, uhartean zerbait egitea pentsatzen zuen, itsasargiaren barruan. Leku publiko moduko bat da, hiritik hurbil dagoena eta hiriaren bizitzaren parte dena, baina hiritik urrun dagoen uharte bat ere bada. Bidaia txiki bat egin behar da hara iristeko, ezinbestez, lehenbizi txalupan, uretan, eta gero oinez, itsasargiraino, itsasargi barrenean sartzeko.

JL Ez da ohikoa hiri batek eskatutako ezaugarri hauetako obra iraunkor batek funtzionatu ahal izatea, horren modu anbiziotsu batean.

CI Batzuetan ideia burugabeagoak sortzen dira aldi baterako obra batentzat. Zerbait iraunkorra sortzeak muga asko dakartza. Baina proiektu honetan ez da gertatu horrelakorik. Jakina, erantzukizun bat dago: lekua babestu behar da, ikuspegi ekologikotik, baina hori ere garrantzitsua da niretzat. Horretaz aparte, hiriak aukera eman dit nik behar nuen moduan lan egiteko, era honetako pieza bat egiteko.

JL Zer harrera izan zuen hasieran uharteko zure egitasmoak? Nola konbentzitu zenituen agintariak itsasargia eskultura bihur zitekeela?

CI Banekien zerbait egin behar zutela itsasargian, oso hondatuta zegoelako, eta eraikin historiko bat denez, zerbait egin behar zen. Santa Klara uhartea hiriaren jabetza da, baina itsasargia berez beste erakunde batena da, Penintsula osoko era honetako eraikinez arduratzen dena. Zerbait egin behar zen itsasargiaren etorkizuna bermatzeko. Nire ideia zen eraikina eraberritzea, kanpoko fatxadak mantenduta. Ezer ez da desberdin ikusiko kanpotik, hori garrantzitsua da. Dena dela, kasu honetan, arkitektura edukiontzi bat da, barruan garatu beharreko esperientzia guztiz desberdin batentzat. Beste egoera batzuetan, taberna edo jatetxe bat egin zezaketen itsasargiaren ondoan, baina uhartearen ingurunea errespetatu behar da eta mundu guztia bat dator horretan. Azaldu nienean uharterako bidaia esperientziaren parte garrantzitsua dela, uhartea leku publiko moduko bat dela, berehala ulertu zuten ideia.

JL Hirian mundu guztiak ezagutzen du lekua, edonor joan daiteke hara. Baina zu esperientzia intimoago bat ari zara sortzen, barrutik bizi den zerbait. Gogoetarako leku bat, jolaserako baino gehiago. Beti izan duzu garbi eskulturak inolako kanpo zeinurik izango ez zuela?

CI Bai, niretzat garrantzitsua da urrutitik begiratuta bisualki nabarmenduko ez den pieza bat sortzea. Barruan, zulo hau egingo nuke, arrokan, itsasorantz, jendeak nolabait sentitu edo irudika dezan beheko itsasoa.

JL Hiri honetan jaio zarenez, zer zen zuretzat uhartea haurra zinenean?

CI Uharteak presentzia misteriotsu bat zuen niretzat. Batzuetan txalupan joaten ginen, hondartzaraino bakarrik, ez ginen gora igotzen. Eta, jakina, inor ezin zen sartu itsasargian. Abentura moduko bat zen, ihesean ariko bagina bezala. Uharte bat bada ere, hiriaren parte da: hondartzetatik eta pasealekuetatik ikus daiteke. Haurtzaroa hiriaren Parte Zaharrean igaro nuen, 12-13 urte bete arte. Kaleak kaian bukatzen dira, eta beti duzu uhartea begien bistan; oso presente dago.

Anaiekin arrantzara joaten nintzen, kaira, eta uharteari begira esertzen ginen. Beti ikusten duzu, edozein dela ere eguraldia. Ekaitza dagoenean edo lanbroak inguratzen duenean, oso urruti dagoela dirudi. Jende gehiena behin bakarrik joan da uhartera, haurra zenean edo bizitzako uneren batean, eta batzuk ez dira inoiz han egon.

JL Zer izan zen zuretzat eskultura publikoari horren lotuta dagoen hiri batean haztea? Uharteari hiritik begiratzen diozunean, badiaren alde batean ikusten duzu Chillidaren *Haizearen orrazia*, Luis Peña Ganchegui arkitektoarekin batera egin zuena; beste aldean, Oteizaren eskultura handia, *Eraikuntza hutsa* izenekoa. Biak ala biak itsasertzean daude, eta itsasoa eta haizea obraren esperientziaren parte dira. Eta ezin aipatu gabe utzi ere Jesukristoren harrizko irudi monumentala.

CI Bai, Urgull mendiaren tontorrean, Parte Zaharrera begira dagoena. *Haizearen orrazia* hor dago aspalditik, oso gaztea nintzenetik, baina Oteizaren eskultura askoz geroagokoa da. Arantzazuko apostoluak bereak dira, oso aspaldikoak, baita klarion laborategia ere, baina badiako obra haren bizitzaren amaieran ipini zuten, 2002an.

JL Beraz, hiriaren parte diren forma monumental hauen presentziarekin hazi zinen. Eskultore gazte gisa, esanahiren bat zuten zuretzat?

CI Nolabait esateko, eskulturaren lengoaia abstraktua normala zen niretzat. Baina, aldi berean, arreta jartzen nuen ere 'Land Art' delakoan eta lengoaia eskultoriko bat izan zezaketen beste adierazpide askotan. Zalantzarik gabe, haietatik ikasi dut, baita beste adierazpide ugaritatik ere. Naturatik eta literaturatik ikasi dudan bezalaxe.

JL Neurri batean, Donostiako proiektua Toledoko dorrean eginikoaren antzekoa da, non eraikin bat ere eraberritu zen eta ur zurrunbilo bat ere badagoen.

CI Toledoko Torre del Agua-ren eraldaketa, *Tres Aguas* egitasmoaren barruan, une garrantzitsua izan zen nire eskulturan. Gela baten, aterpe baten edo markesina baten ideiarekin lan egitea presente egon da beti nire obran, hasieratik. Ondoren, pitin bat geroago, *Vegetation Rooms* delakoak iritsi ziren, non bide bat aurki daitekeen eskulturaren bidez. Toledoko dorrea proposamen desberdin bat izan zen: abandonatutako eraikin bat hartzea, eraberritzea eta beste zerbait bihurtzea. Eskaileretatik igotzen zinen eraikinaren kanpotik, teilatutik sartzen zinen eta beherantz begiratzen zenuen, landare materialez eratutako zurrunbilora, ura mugimenduan zuen sakonune batean. Itsasargian, harago joan nahi nuen ideia horretan.

JL Zure obran mugimendu mota asko daude: *Vegetation Rooms*-etik hasi, non bide batean barrena mugitzen zaren eskulturaren bitartez, Toledoko *Tres Aguas*-eraino, non hirian barrena eta ibaian barrena mugitzen zaren, arkitekturaren bidez. Gero, kontuan hartu behar da ere uraren mugimendua obran, etengabeko aldaketan dagoela adierazten duena. Uharteko lanaren kasuan, bidaia are esanguratsuagoa da. Itsasoa zeharkatu behar da, uhartearen tontorrera igo eta itsasargian sartu. Eta gero obraren beraren mugimendua dago, barruan, ur jauzia.

CI Hutsarte bat dago obraren bihotzean, irekidura bat. Hutsarte horren inguruan mugitzen zara, eta amore ematen duzu, bizitzen ari zaren esperientziak eraman zaitzan. Gustukoa dut zeure burua abandonatzearen ideia, basakeria moduko bat esperimentatzearena, kontrola galtzearena, non zauden ez jakitea. Gustukoak izan ditut beti labirintoak, eta nire obran ikus daiteke kontua ez dela bakarrik sarrerak eta igarobideak ipintzea, eta garrantzitsua dela ere leku batetik igarotzearen esperientzia. Jakina, oso sintetikoa da, dena leku txiki samar batean gertatzen delako nire eskulturan. Zerikusia du bai alor mentalarekin bai leku fisikoarekin: nola izan daitekeen zerbait handiagoa edo sakonagoa buruan. Uharterako eta itsasargirako bidaia funtsezkoa da, eta gero dator zerbait handiagoan sartzeko eta burua horretara zabaltzeko esperientzia, zeure burua beste horretara zabaltzekoa, zure oinen azpian. Oso gustukoa dut ikuspegi horiekin lan egitea.

JL Dagoeneko behin baino gehiagotan erabili duzu zurrunbiloaren ideia, ez bakarrik *Tres Aguas*-en, baita modu esplizituago batean *Pozos* erakusketako eskultura batzuetan ere. Uhartean, are nabarmenagoa da hori.

CI Bai, lurraren erdigunearekiko konexio hori, eta gure ñimiñotasuna, mugagabetasun horren aurrean, amildegia.

JL Hitz egingo dugu pixka bat piezaren forma eskultorikoaz? Itsasargiaren barruan, brontzezko forma urtuak daude. Aurreko eskulturetan, landare formak erabili dituzu, landareak eta arbolak. Hemen, aldiz, geologian oinarritutako formak dira.

CI Urte asko eman ditut geologia aztertzen. Euskal kostaldearen morfologiari erreparatu nion. Oso garrantzitsua iruditzen zait nola eratu ziren gure lurraldea eta gure planeta, memoria hori. Itsasertz osoan zehar ikus daitekeen estratifikazioa. Garrantzitsua da babestea eta presente edukitzea. Garrantzitsua da ikustea nola sortzen diren arrokak haizearen eta itsasoren eraginez, nola zulatzen dituzten arrokak denboraren poderioz gatzak eta naturaren indarrek, eta nola sortzen duten *sareta* moduko bat, pantaila bat, neurri batean bakarrik ikusten uzten duena, ezkutatu eta aldi berean gonbidatu egiten duena. Denbora asko daramat pantailekin lanean, gailu arkitektoniko gisa. Oraingoan, itsasargian, obran sartu nahi izan ditut naturak sortzen dituen pantailak eta hutsarteak. Itsasertzeko leize baten barruan nengoela irudikatzen nuen, eta, halako batean -brauuun!-, olatu batek talka egiten zuela arroken kontra. Eskulturaren parte izatea nahiko nukeen indar bat. Lan egiteko modu bat garatu dut Eibarko fundizioko lantaldearekin, xehetasun desberdin asko dituzten estratuak sortzeko, agertzen eta ezkutatzen diren gainazalak. Elementu horiek guztiak konposatzen ari naiz, erabateko forma bat sortzeko.

JL Xehetasun geologiko maila harrigarri bat dago. Geologia simulatzen duen eskultura bat da.

CI Bai, jakina. Oso fisikoa da, nolabait, baina badago ere abstrakzio moduko bat, arrokaren estratifikazioan ikusten diren lerro zatiak. Lerro bat marraz dezakezu hemen eta gero han berragertzen da, eta orduan erabatekoagoa den zerbait iradokitzen du, nik dena marraztu behar izan gabe. Zatikatze horrekin lan egiten dut.

JL Fernand Braudel historialari frantsesak hainbat denbora mota bereizten zituen: gizakiaren denbora, denbora historikoa eta denbora geologikoa. Beraz, kasu honetan, alde batetik, gizakiaren denbora dugu, obra eta hiriarekin duen erlazioa deskubritzeko esperientziarena; bestetik, baina, denbora geologikoa dei genezakeen horretan ere murgiltzen da ikuslea, denbora sakona, gizakiaren historiatik harago doana.

CI Bai, uste dut garrantzitsua dela kontziente izatea garai horretaz, garrantzitsua da orain hori gogoratzea. Bizi dugun garai honetan, batzuetan pentsatzen dugu guk geuk asmatu dugula ikus daitekeen guztia, eta, horrela, uko egiten diogu -munduko leku garatuenetan bereziki- azpian dagoen guztiari, literalki gure oinen azpian dagoenari. Horregatik erabiltzen dut hainbeste ura material gisa, denboraren joanaz jabetzeko, jendeari eskatu nahi diodalako gertuagotik begiratzeko, denbora gehiagoz begiratzeko eta zerbait gertatu arte itxaroteko. Nik nahi dudana da jendea konturatzea, errepide bat eraikitzen denean, errepide horren azpian ur sistema bat dagoela, eta badirela ere ur zabalagoak, denboraren putzu sakonenetik datozenak.

JL Fundizioarekin duzun elkarlana aipatu duzu. Zer beste lankidetza motak behar izan dituzu? Zu zara talde handi baten erdigunea, hainbat motatako esperientziak eskaintzen dizkiona proiektuari.

CI Bai, jende asko ari da lanean eta haien laguntza funtsezkoa da. Fundizioan, elkarrekin lan egiten dugu. Haiek laguntzen didate ulertzen zer den posible, eta beharbada nik laguntzen diet irudikatzen posible izan daitekeena. Arkitektoek eta ingeniariek arazo konplexu batzuk konpontzen lagundu digute; batez ere, nola zulatu eraikinaren barruko zorua, nola sartu fundiziotik ateratako formak teilatutik eraikin barrura, nola mugitu ura piezan barrena, nola argiztatu lekua eta nola pentsa dezakegun soinuan. Denok pentsatzen ari gara nola antolatu obraren pertzepzioa eta, aldi berean, mantendu esperientziaren irekidura. Mundu guztia gogoberotuta dabil: uhartera bere ontzian eramaten gaituen gizona, uharteari buruz dakiten guztia kontatu diguten pertsonak, haren geologia eta ekologia, Hugo Corres egituren ingeniari eta Ingeniaritzako Eskola Teknikoko irakaslea... Azken hori laguntzen ari da ere barruko pasabidearen eta energia gordeko duen sabaiaren diseinuan. Halaber, garrantzitsua da ere ingeniari hidraulikoekin dugun elkarlana.

JL Esan duzu donostiarrek uhartea ezagutzen dutela eta hiriaren partetzat dutela. Zer ekarpen egiten dio jabetza sentimendu partekatu horrek egitasmoari?

CI Oso garrantzitsua da uhartea basa eremu bat izatearen sentipena iraunaraztea, hiriak asimilatu ezin izan duen eremu izatearena, misterio horrek iraun dezan. Batzuek diote bakean utzi behar dela uhartea, ez duela bisitaririk behar, eta ideia hori eztabaida zabalago baten barnean kokatzen da: hau da, nola aldatu den hainbeste hiria azken hamarkadan, nola hazi den hainbeste nazioarteko turismoa, batzuetan hertsagarri ere izan daitekeena. Garrantzitsuena da uhartea errespetatzea eta eskultura erabiltzea ingurunearen zaintza eta kontserbazioa bezalako gauza garrantzitsuei buruz hitz egiteko.

JL Itsasoko jendearentzat, itsasargiak esan nahi du arriskua hurbil dagoela, baina baita etxea ere.

CI Bai, etxera iristea. Etxeko argia ikustea, eta naturaren indarrak ulertzea eta errespetatzea, haien aurrean ezaxola aritu ordez. Uhartera joan ahal izatea eguraldiaren mende dagoen zerbait da. Egun askotan itsaso handia dago eta arriskutsua da uhartera joatea. Beste batzuetan, lanbroak uhartea ezkutatzen du eta argi bat besterik ez da ikusten.

JL Beraz, batzuetan eguraldiak ezinezkoa egingo du eskultura ikusteko joan-etorria egitea. Atsegin duzu ideia hori?

CI Bai, guztiz. Gustukoa dut urruntasun ideia hori. Aire zabaleko nire lehen obra (*Laurel Leaves* 1993-94) Moskenesen egin nuen, Lofoten uharteetako batean, Norvegiako itsasertzean, Zirkulu Polar Artikotik gora. Inoiz ez dut lan egin horren urrun dagoen leku batean. Neguan joan nintzen, egunez ere ilun dagoenean, eta batzuetan ezin nuen ibili ere egin, hainbestekoa zen haizearen eta elurtearen indarra. Gero, udan, ikusgarria zen: denbora osoz argi zegoen. Edgar Allan Poe itsasertz horretan oinarritu zen 'A Descent into the Maelstrom' idazteko.

JL Zer egin zenuen Lofoten uharteetan? Badu zerikusirik ere itsasoarekin?

CI Leku bat aurkitu nuen itsaslabar batean. Arroka batzuen kontra, bi horma jarri nituen, ereinotz-hostozko gainazal urtuekin.

Munduko beste leku bateko landaredia erabili nahi nuen, bidaia bat iradokitzeko-edo. Aterpe moduko bat zen, itsasoa ikus zitekeen gela moduko bat.

JL Esan liteke orain ipar urruneko zurrunbiloa ekartzen ari zarela hiri honen uhartera?

CI Bai, beharbada.

JL Zuk uko egin diozu beti egitura ikusgarriak eta pisutsuak egiteari, zure obra batzuk eskala handikoak izanagatik. Beharbada, beste monumentaltasun mota bat da, barrurantz doana, edo sakonerantz, gorantz joan ordez.

CI Badaude pertzepzioarekin lan egiteko modu batzuk, horren nabarmenak ez direnak, psikologikoagoak eta poetikoagoak direnak. Gehiago interesatzen zaizkit maila horiek.

JL Forma urtuak, ura eta hutsarteak dituzten obra hauek xarma ilun moduko bat dute. Zer neurritaraino da garrantzitsua esperientzia bakarka edo talde txikian bizitzea, intimoa izaten jarrai dezan? Bisitari kopurua zaindu beharko da?

CI Asmoa da jende asko ez pilatzea uhartean. Espero dugu erritmo bat ezartzea lehenengo hilabeteen ondoren. Ondo dago mundu guztiarentzat zabalik egotea, baina gustatuko litzaidake esperientzia pribatua izatea batzuetan.

JL Lekuaren misterioa mantentzeko.

CI Bai. Horixe da, bertan galtzeko aukera.

Donostia, 2019ko urria

Biografiak

Cristina Iglesias Donostian jaio zen, 1956an. Kimika Zientziak ikasi zituen (1976-78), bere jaioterrian, eta Bartzelonan buztingintzan eta marrazkigintzan denbora labur bat eman ondoren, eskultura ikasi zuen Londresko Chelsea School of Art-en (1980-82). 1988an, Fullbright beka lortu zuen, Pratt Institute-n ikasteko.

1995ean, eskultura irakasle hasi zen Municheko Akademie der Bildenden Künste-n, eta 1999an Espainiako Arte Plastikoen Sari Nazionala irabazi zuen.

2012an, Grosse Kunstpreis Berlin saria jaso zuen; 2019an, Espainiako Arte Grafikoen Sari Nazionala; eta 2020an, Londresko Royal Academy-ren Arkitektura Saria.

Espainiaren ordezkaria izan da bi aldiz Veneziako Bienalean: 42. edizioan (1986) eta 45. edizioan (1993). Hainbat obra sortu ditu beste azoka eta bienal batzuetarako: hala nola Sydneyko Bienala (1990 eta 2012); Taipeiko Bienala (2003); SITE Santa Fe (2006); eta Folkestoneko Trienala (2011).

Iglesiasen lanak ikusgai egon dira Sevillako eta Hannoverreko munduko azoketan (1992an eta 2000an, hurrenez hurren), eta 1995eko Carnegie International-en, Carnegie Institute (Pittsburgh). Galeria ugaritan erakutsi du bere lana: besteak beste, Marian Goodman (New York, Paris eta Londres), Elba Benítez (Madril) eta Konrad Fischer (Düsseldorf eta Berlin).

Hautatutako erakusketak
CAPC Musée d´Art Contemporain, Bordeaux, 1987; Kuntsveiren für die Rheinlande und Westfalen, Düsseldorf, 1988; De Appel Foundation, Amsterdam, 1990; Kunsthalle Bern, Bern, 1991; Stedelijk Van Abbemuseum, Eindhoven, 1994; Konrad Fischer Gallery, Düsseldorf, 1994; Solomon R. Guggenheim Museum, New York eta The Renaissance Society, Chicago, 1997; Palacio Velázquez, MNCARS, Madrid, 1998; Guggenheim Museum, Bilbao, 1998; Carré d´Art, Musée d'art contemporain, Nîmes, 2000; Donald Young Gallery, Chicago, 2000; Fundaçao Serralves, Porto, 2002; Irish Museum of Modern Art, Dublin eta Whitechapel Gallery, London, 2003; Museum Ludwig, Cologne, 2006; Pinacoteca del Estado de São Paulo, Brazil, 2008, Art Gallery of York University, North York, Canada, 1992; Marian Goodman Gallery, New York, 2011; Galerie Marian Goodman, Paris, 2011; Museo Nacional Arte Reina Sofía, Madrid, 2013; Casa Franca, Rio de Janeiro, Brazil, 2013; Marian Goodman Gallery, London, 2015; Musée de Grenoble, 2016; Konrad Fischer Gallery, Berlin, 2017; Marian Goodman Gallery, New York, 2018; Centro Arte Botín, Santander, 2018; Centre Pompidou at West Bund Museum, Shanghai, 2019; Centro Pompidou Malaga, 2020.

Obrak hautatutako bildumetan
ARTIUM, Gasteiz; CAAM, Las Palmas de Gran Canaria; CAPC, Bordeaux; Carré d'Art, Musée d'art contemporain, Nîmes; CCCB, Barcelona; Centre Georges Pompidou, Paris; Fundaçao Serralves, Porto; Fundació 'La Caixa', Barcelona; Fundación Caja de Pensiones, Barcelona; Guggenheim Museum, Bilbao; Hirshhorn Museum eta Sculpture Garden, Washington DC; IMMA, Dublin; IVAM, Valencia; MACBA, Barcelona; Moderna Galerija, Ljubljana; MoMA, New York; The Mori Art Museum, Tokyo; Musée de Grenoble; Bilboko Arte Ederren Museoa; Museo Nacional Centro de Arte Reina Sofía, Madrid; Museo Nacional del Prado; Norman Foster Foundation, Madrid; Solomon R. Guggenheim Museum, New York; Tate Modern, London; Van Abbemuseum, Eindhoven.

Octavio Aburto irakasle elkartua da Scripps Institution of Oceanography (SIO) ikastegian, Kontserbazio alorreko Argazkilarien Nazioarteko Elkarteko argazkilari profesionala eta National Geographic-eko esploratzailea. 2010ean, Naturaren aldeko Munduko Funtsaren Kathryn Fuller bekaduna izan zen; 2014an, Mexikoko Ingurumen Idazkaritzaren (CONANP) Naturaren Kontserbazioaren Saria jaso zuen; 2015ean, Hellman beka lortu zuen. Aburtoren ikerketek eta argazkiek itsasoak eta komertzialki ustiatutako itsas espezieak dituzte ardatz, eta batik bat aritu da Mexikon, Belizen, Costa Rican, Ekuadorren eta AEBn. Haren argazkiak mundu osoko kontserbazio proiektuetan erabili dira, eta hainbat nazioarteko argazki lehiaketa irabazi ditu.

Andrew Benjamin arkitekturaren teoriako ohorezko irakaslea da Sydneyko Teknologia Unibertsitatean, eta filosofiako irakasle emeritua Melbourneko Monash Unibertsitatean. Aurretik, filosofia eta giza zientzien irakaslea izan zen Londresko Kingston Unibertsitatean. Ezagunak dira haren hainbat idatzi: besteak beste, filosofia kontinentalari eta jarduera kritiko gisa hartutako arkitekturari buruzkoak. Benjaminen azken argitalpenen artean, aipatzekoak dira *Architectural Philosophy* (Athlone Press, 2000); *Philosophy's Literature* (Clinamen Press, 2001); *Disclosing Spaces: On Painting* (Clinamen Press, 2004); eta *Style and Time: Essays on the Politics of Appearance* (Northwestern University Press, 2006).

Iwona Blazwick Londresko Whitechapel Gallery-ko zuzendaria da, eta aurretik aritu da Tate Modern museoan (1997-2001) eta Londresko Arte Garaikideen Institutuan (1980-85 eta 1986-1993). Komisario independentea izan da Europa, Amerika eta Japoniako hainbat erakusketa eta arte publikoko enkargutan. Arte modernoko eta garaikideko artista askoren lanak erakutsi ditu, eta komisario lanak egin ditu artearen historia alternatiboak proposatzen dituzten erakusketa tematikoetan. Editore lanei dagokienez, nabarmentzekoak dira: Contemporary Artists Monographs, Phaidon Press argitaletxean, eta Documents of Contemporary Art, Whitechapel Gallery/ MIT Press argitaletxean. Blazwick aholkularia izan da arte publikoko lan ugaritan, Erresuma Batuan, Europan eta Ekialde Hurbilean. Katalogo ugari argitaratu ditu: *Century City* (Tate Modern, 2001); *Faces in the Crowd* (Skira, 2005); *Adventures of the Black Square* (Whitechapel Gallery, 2015). Baita artista garaikideen monografia asko ere; Cristina Iglesiasena, besteak beste (2002).

Lynne Cooke komisario seniorra da Washington DCko National Gallery of Art-eko arte modernoko proiektu berezietan; besteak beste, *Outliers and American Vanguard Art* komisariatu zuen (2018). Madrilgo Reina Sofia Museoko komisario-buru eta zuzendariordea izan zen (2008-12), eta Dia Art Foundation-eko komisarioa (1991-2008). Cookek erakusketa ugari komisariatu ditu mundu osoan: hala nola 1991eko Carnegie International (Mark Francisekin elkarlanean) eta 1996ko Sydneyko Bienala, baita banakako erakusketa ugari ere: Agnes Martin, Richard Serra, Francis Alÿs, Zoe Leonard, Rosemarie Trockel eta Cristina Iglesias. Arte garaikideari buruzko argitalpen ugari egin ditu.

T.J. Demos artearen historia eta kultura bisualeko irakaslea da Kaliforniako Unibertsitatean (Santa Cruz), eta unibertsitate horretako Ekologia Kreatiboen Zentroko zuzendaria. 2005etik 2015era, irakasle aritu zen Londresko University College-n. Arte garaikideari, politika globalei eta ekologiari buruz idazten du, eta liburu ugari argitaratu ditu: *Decolonizing Nature: Contemporary Art and Political Ecology* (Sternberg Press, 2016); *Against the Anthropocene: Visual Culture and Environment Today* (Sternberg Press, 2017); eta, berrikiago, *Beyond the World's End: Arts of Living at the Crossing* (Duke University Press, 2020).

Estrella de Diego arte modernoaren historiako katedraduna da Madrilgo Unibertsitate Complutensean, eta Madrilgo Arteen Errege Akademiako akademikoa. Kargu akademiko aipagarriak izan ditu eta museo eta fundazio artistikoen aholkularia da. Liburu ugari argitaratu ditu, fikzioa eta ez-fikzioa. Besteak beste: *La mujer y la pintura en la España del siglo XIX* (Madrid, Cátedra, 1987, 2009); 'Reading *Las Meninas*, Again' in *Velázquez's Las Meninas* (Cambridge University Press, 2003); eta 'El futuro y otros mitos modernos' in *Cristina Iglesias/Thomas Struth: Constructions of the Imagination* (Ivorypress, 2014). Komisarioa izan da hainbat artistaren erakusketetan: Andy Warhol, Sophie Taeuber-Arp eta Anna Bella Geiger, besteak beste.

Brian Dillon idazketa kreatiboko irakaslea da Londresko Queen Mary Unibertsitatean, idazketako irakasle bisitaria Royal College of Art-en, eta Erresuma Batuko *Cabinet* aldizkariko editorea. Liburu ugari argitaratu ditu: *Objects in This Mirror: Essays* (Sternberg Press, 2014); *Sanctuary* (Sternberg Press, 2011); *Ruins: Documents of Contemporary Art* (Whitechapel Gallery/ MIT Press, 2011); *Tormented Hope: Nine Hypochondriac Lives* (Penguin, 2009); eta *In the Dark Room* (Penguin, 2005). Dillonen idatziak ohikoak dira egunkari eta argitalpen hauetan: *The Guardian*, *The London Review of Books*, *The Times Literary Supplement*, *Artforum* eta *Frieze*. Erakusketa hauen komisarioa izan da: *Curiosity: Art and the Pleasures of Knowing*, Turner Contemporary, Margate (2013); eta *Ruin Lust*, Tate Britain (2014).

Exequiel Ezcurra irakasleak Mexikoko ipar-ekialdeko ekosistemak aztertzen ditu. Ecological Society of America-ko kidea da eta 300 artikulu eta liburu baino gehiago argitaratu ditu. Bi erakusketa egin ditu museoetan, eta Cortés Itsasoari buruzko film bat, saritua izan zena. Kontserbazioaren Biologiaren Saria eta Itsas Kontserbazioko Pew Beka irabazi ditu; CITES Konbentzioaren presidente zientifikoa izan da, Mexikoko Ekologia Institutu Nazionaleko presidentea, eta Kaliforniako Unibertsitateko Mexiko eta AEBrako Institutuko zuzendaria. Gaur egun, ekologiako irakaslea da Kaliforniako Unibertsitatean (Riverside). Kolaboratzaile gisa aritu da egitasmo ugaritan: 'El Niño Effects on the Dynamics of Terrestrial Ecosystems', *Trends in Ecology & Evolution*, 2001; 'Mangroves in the Gulf of California Increase Fishery Yields', *Proceedings of the National Academy of Sciences*, 2008; eta 'Large Recovery of Fish Biomass in a No-take Marine Reserve', *PloS Journal*, 2011.

Russell Ferguson irakaslea da Kaliforniako Unibertsitateko Arte Departamentuan (Los Angeles), 2007az geroztik. Aurretik, Los Angeleseko Hammer Museoko kontserbatzaile-buru izan zen (2001-07), eta hiri bereko Arte Garaikidearen Museoko editorea eta kontserbatzailea (1991-2001). Erakusketa ugari antolatu ditu: *In Memory of My Feelings: Frank O'Hara and American Art* eta *Perfect Likeness: Photography and Composition*, baita hainbat egileren banakako erakusketak ere: Francis Alÿs, Patty Chang, Douglas Gordon, Liz Larner, Larry Johnson eta Christian Marclay. Kerry Brougher komisarioarekin batera, *Damage Control: Art and Destruction since 1950* antolatu zuen, Hirshhorn Museum (2014). Gainera, artista garaikideei buruz idatzi du; besteak beste, Cristina Iglesiasi buruz.
João Fernandes Sao Pauloko Moreira Salles Institutuko zuzendari artistikoa izendatu zuten 2019an. Aurretik, Madrilgo Reina Sofia Museoko zuzendariordea eta kontserbatzaile-buru izan zen (2012-19). Halaber, Serralves Fundazioaren Arte Garaikideko Museoko (Oporto) zuzendaria izan zen (2003-12), 1996tik 2003ra zuzendariorde izan ondoren. Erakusketa monografiko garrantzitsuen komisarioa izan da; besteak beste, Cristina Iglesiasen eskulturari buruzko erakusketa bat, Reina Sofia Museoan (2016). Arte garaikideari buruzko idatzi ugari argitaratu ditu.

Luis Fernández-Galiano Madrilgo Arkitektura Goi Eskola Teknikoko (ETSAM) irakaslea da, eta *AV/ Arquitectura Viva* aldizkariko editorea. Madrilgo Arte Ederren Errege Akademiako kidea, RIBAko International Fellow, Rice Unibertsitateko Cullinan Professor, Yale Unibertsitateko Franke Fellow, Getty Center-eko irakasle bisitaria, eta kritikari bisitaria Princenton, Harvard eta Berlage Institute-n. Epaimahaiburu izan da Veneziako Arkitektura Bienalean eta Aga Khan Sarian, eta epaimahaikide beste hainbat lehiaketatan: Mexikoko Liburutegi Nazionala, Txinako Artearen Museo Nazionala, Israelgo Liburutegi Nazionala eta Noble Qur'an Oasis (Medina). Hainbat liburu idatzi ditu: *Fire and Memory* (MIT Press, 2000); *España construye, 1975-2015* (Arquitectura Viva, 2015); eta *Atlas: Architectures of the 21st Century* (Phaidon Press, 2004, argitaletxe horren kolaboratzailea izan zen).

James Lingwood Artangel erakundearen ko-zuzendaria da 1991z geroztik. Aurretik, komisario lanak egin zituen Londresko ICAn. Artangelek proiektu espezifikoak garatu ditu 100 artista baino gehiagoren inguruan: hala nola *House* (Rachel Whiteread), *Cremaster 4* (Matthew Barney), *Empty Club* (Gabriel Orozco), *The Palace of Projects* (Ilya eta Emilia Kabakov), *The Battle of Orgreave* (Jeremy Deller), *Seven Walks* (Francis Alÿs), *Seizure* (Roger Hiorns), *Surround Me* (Susan Philipsz), *INSIDE: Artists and Writers in Reading Prison* eta *Year 3* (Steve McQueen), Londresen. Artangelek Erresuma Batutik kanpo egin dituen epe luzerako proiektuei dagokienez, nabarmentzekoak dira: *Vatnasafn/Library of Water* (Roni Horn), Islandian, *Mobile Homestead* (Mike Kelley), Detroiten, eta *Tres Aguas* (Cristina Iglesias), Toledon. Cristina Iglesiasen Donostiako Santa Klara uharteko eskultura proiektuaren aholkularia da.

Michael Newman, 2007az geroztik, arteari buruzko idazketa irakaslea da Goldsmiths Londresko Unibertsitatean, eta, 2002az geroztik, arte, teoria eta kritikaren historiako irakasle elkartua Chicagoko School of the Art-en. Saiakera ugari idatzi ditu artista modernoei eta garaikideei buruz, eta saiakera tematikoak, zauriari, ostertzari, kontingentziari, memoriari, marrazkiari eta zentzugabekeriari buruz. Idatzi dituen azken saiakeren artean, aipatzekoak dira *Florian Hecker: Halluzination, Perspektive, Synthese* (Sternberg Press/Kunsthalle Wien, 2019) eta *Anti-Portraiture: Challenging the Limits of the Portrait*, Kirstie Imber eta Fiona Johnstone arg. (Bloomsbury, 2020). Aurretik, bi saiakera idatzi zituen Cristina Iglesiasen obrari buruz. Newmanen azken liburuen artean daude: *Seth Price* (JRP|Ringier, 2010); *Richard Prince Untitled (Couple)* (Afterall Books/MIT Press, 2006); *Jeff Wall: Works and Writings* (Poligrafa, 2007). James Elkinsekin batera, *The State of Art Criticism* argitaratu zuen (Londres eta New York, Routledge, 2007).

Richard Noble Goldsmiths College-ko Arte Departamentuko irakaslea eta zuzendaria da. Bulkada utopikoak arte garaikidean eta hezkuntza artistikoan duen garrantziari buruz idatzi du, eta, oro har, artearen eta politikaren arteko harremanaz. Halaber, luze eta zabal idatzi du ere eskultura garaikideaz: hala nola Rachel Whiteread eta Antony Gormleyri buruzko saiakerak, eta, berrikiago, Adrián Villar Rojasi buruzkoa. Azkenaldiko argitalpenen artean, nabarmentzekoak dira: *Utopia: Documents of Contemporary Art* (Whitechapel Gallery/MIT Press, 2010) eta *Language, Subjectivity and Freedom in Rousseau's Moral Philosophy* (Routledge, 2019).

Jane Rendell, 2000az geroztik, arte eta arkitekturako katedraduna da Londresko University College-ren Bartlett School of Architecture-n. Arkitektura eta teoriaren programaren zuzendaria da, eta arteari eta arkitekturari buruzko artikulu eta liburu ugariren egilea. Azken urteetan argitaratu ditu: *The Architecture of Psychoanalysis* (I.B. Tauris, 2017); 'Critical Spatial Practice as Parrhesia', MaHKUscript, *Journal of Fine Art Research* aldizkariaren ale berezia (2016); *Site-Writing: The Architecture of Art Criticism* (I.B. Tauris, 2010); eta *Art and Architecture: A Place Between* (I.B. Tauris, 2006).

Andrea Schlieker Tate Britain galeriako erakusketen zuzendaria izendatu zuten 2018an. Aurretik, 2012tik 2018ra, kanpo proiektuen zuzendaria izan zen Londresko White Cube galerian. Folkestoneko Trienala sortu eta egitasmo horren komisarioa izan zen (2008an eta 2011n), eta leku publikoetarako obra berriak enkargatu zituen. Halaber, komisario lanak partekatu zituen *My City* egitasmoan, Turkiako bost hiritan garatutako arte publikoko proiektua (2010), eta *British Art Show* egitasmoan (2005). Komisario gisa, Londresko Arnolfini, Bristol, ICA eta Serpentine Gallery-n, erakusketa nazionalak eta internazionalak ekoitzi ditu, eta saiakera garrantzitsuetan parte hartu du, katalogo eta argitalpen ugaritan.

Schliekerren argitalpen garrantzitsuenen artean daude: *The Folkestone Triennial: Tales of Time and Space* (Culture Shock Media, 2008) eta *Lynette Yiadom-Boakye*, Isabella Maidment and Andrea Schlieker eds. (Tate Publications, 2020).

Jane Withers diseinuko komisario, aholkulari eta idazle ezaguna da. Erakusketen eta proiektuen komisarioa izan da, besteak beste, Victoria and Albert Museum eta Royal Academy of Arts-en. Klaseak eta konferentziak ematen ditu nazioartean, eta epaimahai eta aholku batzorde ugaritako kide izan da. Aspalditik aztergai du jasangarritasuna eta, bereziki, ura, baita diseinuak munduko krisian izan dezakeen eginkizuna ere. Withersen argitalpenen artean, hainbat erakusketaren katalogoak daude: *Water Futures* (A/D/O, 2019); *Circular by Design* (Salone del Mobile, 2018); eta *Soak, Steam, Dream: Reinventing Bathing Culture* (Roca London Gallery, 2016).

Irudien kredituak

Mahai-inguruko kolaboratzaileak
Mary Beebe, Stuart Collection-en zuzendaria, Kaliforniako Unibertsitatea (San Diego).
Kirstin Dunne, alor publikoko kultura azpiegituren eta estrategien diseinatzailea, Londresko alkatetza, Londres Handiko Agintaritza.
Stephen Gallagher, errektorearen ondokoa, Scripps Institution of Oceanography.
Stella Ioannou, Lacunako zuzendaria, Proiektu Publikoen Aholkularitza/zuzendari kreatiboa, Sculpture in the City.
Kathryn Kanjo, San Diegoko Arte Garaikideko Museoko kontserbatzaile-burua.
Ben Luke, hainbat aldizkaritako arte kritikaria: *Art Newspaper*, *Evening Standard* etab.
Farshid Moussavi OBE, Farshid Moussavi Architecture-ren sortzailea eta arkitekturako irakaslea, Harvard Unibertsitateko Diseinu Eskolan.

Monografikoak eta bakarkako erakusketak

Cristina Iglesias: Arqueologías. Antonio Cervera Pinto. Portugal: Casa del Bocage, Galería Municipal de Arte Visuais de Sétubal, 1984.
Cristina Iglesias: Sculptures 1984–1987. Alexandre Melo. Bordeaux: CAPC Museé d'Art Contemporain, 1987.
Cristina Iglesias. Aurora Garcia and Jiri Svesta. Düsseldorf: Kunstverein für die Rheinlande und Westfalen, 1988.
Cristina Iglesias. Bart Cassiman. Amsterdam: de Appel Foundation, 1990.
Cristina Iglesias. Esculturas Recentes. Texts by Cristina Iglesias. Lisbon: Galería Cómicos, 1990.
Cristina Iglesias. Ulrich Loock and José Ángel Valente. Bern: Kunsthalle Bern, 1991.
Cristina Iglesias. Pepé Espaliú and Loretta Yarlow. Ontario: Art Gallery of York University, North York, 1992.
Cristina Iglesias. XIV Veneziako Bienala. Aurora García and José Ángel Valente. Barcelona: Àmbit Servicios Editoriales S.A., 1993. *Cristina Iglesias.* Zdenka Badovinac. Slovenia: Mala galerija, Moderna galerija, Ljubljana, 1993.
Cristina Iglesias. Francisco Jarauta. Donostia: Galería D.V., 1996.
Cristina Iglesias: Cinco proyectos. Javier Maderuelo. Col: Artistas españoles contemporáneos no. 4. Escultura. Madrid: Fundación Argentaria, 1996.
Cristina Iglesias. Nancy Princenthal, Adrian Searle and Barbara María Stafford. New York: Solomon R. Guggenheim Foundation, 1997.
Al otro lado del espejo. Marga Paz. Madrid: Ediciones El Viso, 1999.
Cristina Iglesias. Jennifer Bloomer, Patricia Falguières, Michael Tarantino and Guy Tosatto. Nîmes; Acte Sud/Carré d'Art - Musée d'art contemporain de Nîmes, 2000.
Cristina Iglesias: Kritisches Lexikon der Gegenwartskunst. Doris von Drathen. Munich: Weltkunst und Bruckmann, 2002.
Cristina Iglesias. Ed. Iwona Blazwick. Barcelona: Ediciones Polígrafa, 2002.
DC: Cristina Iglesias Drei hängende Korridore. Text by Ulrich Wilmes. Cologne: Museum Ludwig, Walter König, 2005.
Cristina Iglesias. Text by Patricia Falguières. Paris: Instituto Cervantes, 2007.
Cristina Iglesias: Deep Fountain. Texts by Hilde Daem, Catherine de Zegher, Siska Beele. Antwerp: BAI en Koninklijk Museum voor Schone Kunsten, 2008.
Cristina Iglesias. Entrevista de Ivo Mesquita, Thais Rivitti. Pinacoteca do Estado de São Paulo, 2008.
Cristina Iglesias. Ed. Gloria Moure. Exh. cat. Fondazione Arnaldo Pomodoro, Milan. Barcelona: Ediciones Polígrafa, 2009.
Cristina Iglesias: Il senso dello spazio. Ed. Angela Vettese. Milan, Fondazione Arnaldo Pomodoro, 2009.
Cristina Iglesias: Mar de Cortés. Cuaderno de artista. Madrid: Matador, La Fábrica, 2012.
Cristina Iglesias: Metonimia. Texts by Russell Ferguson, Estrella de Diego, Gertrud Sandqvist, Lynne Cooke and Giuliana Bruno. Madrid: Museo Nacional Arte Reina Sofía, 2013.
Cristina Iglesias: Lugar de Reflexão. Text by Lynne Cooke. Casa França. Rio de Janeiro, Brazil, 2013.
Cristina Iglesias & Thomas Struth: On Reality. Text by Estrella de Diego. Madrid: Ivorypress, 2014.
Cristina Iglesias: Impresiones. Text by João Fernandes. Madrid: Casa Real de la Moneda y Timbre, 2015.
Cristina Iglesias: Tres Aguas. Texts by Beatriz Colomina, James Lingwood and Marina Warner. Madrid: Ediciones Turner, 2015.
Cristina Iglesias. Giuliana Bruno and Guy Tosatto. Exh. cat. Musée de Grenoble. Grenoble, France: FAGE, 2016.
Cristina Iglesias: INTERSPACES. Exh. cat. Ed. Vicente Todolí. Texts by Patricia Falguiéres, Cristina Iglesias, Juan José Lahuerta Alsina, Michael Newman and Benjamin Weil. Santander, Spain: Fundación Botín, 2019.

Taldekako erakusketak (hautaketa)

La imagen del animal: Arte prehistórico, arte contemporáneo. Madrid: Caja de Ahorros and Monte de Piedad, Palacio de las Alhajas, 1983.
Ed. R. H. Funchs, Jan Debbaut, and Piet de Jonge. Text by Lourdes Iglesias. Eindhoven: Stedelijk Van Abbemuseum, 1985.
VI Salón de los 16. Texts by Miguel Logroño. Madrid: Museo de Arte Español Contemporáneo, 1986.
Beelden en Banieren. Text by R. H. Fuchs and Pet de Jonge. Acquoy: Fort Asperen, 1987.
Quatriémes ateliers internstionaux des Pays de la Loire. Texts by Lynne Cooke and Chris Dercon. Abbaye de Fontevraud: FRAC, Pays de la Loire, 1987.
Cinq siècles d'art espagnol: Espagne 87: Dynamiques et Interrogations. Texts by Carmen Gallano. Paris: ARC, Museè d'Art Moderne de la Ville, 1987.
Rosc'88. Texts by Aidan Dunne, Olle Granath Rosemarie Mulcahy and Angelica Zander Rudenstine. Dublin: Royal Dublin Society, The Guinness Hop Store and the Royal Hospital Kilmainham, 1988.
Spanish Art Today. Miguel Fernández-Cid. Takanawa: Museum of Modern Art, 1989.
Psychological Abstraction. Texts by Jeffrey Deitch. Athens: DESTE Foundation for Contemporary Art, 1989.
The Eighth Biennale of Sydney: The Readymade Boomerang: Certain relations in Twentieth century Art. Text by Cristina Iglesias. Sydney: Art Gallery of New South Wales, 1990.
Before and After Enthusiasm, 1972–1992. Text by José Luis Brea, conversation with Cristina Iglesias. Amsterdam: KunstRai, 1992.
Hacia el paisaje/Towards the Landscape. Texts by Aurora García and Denys Zacharopoulos. Las Palmas: Centro Atlántico de Arte Moderno, 1990.
Metropolis. Texts by Jeffrey Deitch, Wolfgang Max Faust, Vilém Flusser, Boris Groys, Jenny Holzer, Christos M. Joachimides, Dietmar Kamper, Achille Bonito Oliva, Norman Rosenthal, Christoph Tannert and Paul Virilo. New York: Rizzoli International Publications, 1990.
Espacio mental. Text by Bart Cassiman. Valencia: IVAM Centre Julio González, 1991.
Últimos días/The Last Days. Texts by Juan Vicente Allaga, José Luis Brea, Massimo Cacciari, Dan Cameron, Manuel Clot and Francisco Jarauta. Madrid: Gran Vía S.A., 1992.
Escultura española actual: Una generación para un fin de siglo. Francisco Calvo Serraller. Madrid: Fundación Lugar, 1992.
Juxtaposition. Texts by Mikkel Borgh and John Peter Nielsson. Copenhagen: Chalottenborg, 1993. *The Sublime Void (On the Memory of Imagination).* Text by Bart Cassiman. Antwerp: Koninklijk Museum voor Schone Kunster, 1993.
La voce del genere: Cristina Iglesias, Eva Lootz y Soledad Sevilla. Text by Mar Villaespesa. Rome: Instituto Cervantes, 1994.
Some Notes on Nothing and the Silence of Works of Art: Lili Dujourie, Pepe Espaliú, Cristina Iglesias. Texts by Michael Newman. London: Chisenhale Gallery, 1995.
Gravity's Angel. Texts by Penelope Curtis. Leeds: Henry Moore Foundation, 1995.
Carnegie International 1995. Pittsburgh: The Carnegie Museum of Art, 1995.
Ten Years of the Foundation of the Kunsthalle Bern. Bern: Kunsthalle Bern, 1997.
Damenwahl: Cristina Iglesias, Olaf Metzel. Conversation between Cristina Iglesias, Ursula Kuhn, Olaf Metzel and Matthias Winzen. Munich: Siemens Kulturprogramm, 1999.
North and South Transcultural Visions. Wroclaw: Mediterranean Foundation, 1999.
Co-laboraciones Arquitectos-Artistas. Texts by Luis Fernández-Galiano and Mark Wigley. Lisbon: Parque Expo'98, S.A., 2000.
Dialog: Kunst im Pavillon. Text by Victor de Río. Hannover: Sociedad Estatal de Hannover, 2000. *Enclosed and Enchanted.* Texts by Kerry Brougher and Michael Tarantino. Oxford: Museum of Modern Art, 2000.
Dialogue Ininterrompu. Musée des Beaux Arts. Nantes: Éditions MeMo, 2001.
Alter Ego: 35 artistes contemporaines à Luxembourg. Musée d'Histoire. Luxembourg: Ville de Luxembourg, 2002.
Happiness: A Survival Guide for Art and Life. Mori Art Museum. Tokyo: Mori Art Museum and Tan, 2003.
La Ciudad que Nunca Existió. Bilboko Arte Ederren Museoa. Bilbo, 2004.
L'Emblouissement. Galerie Nationale Jeu de Paume. Paris: Ed. du Jeu de Paume, 2004.
Colección Siglo XXI, Afinsa Grupo, Madril, 2004.
Big Bang: Creation and Destruction in 20th Century Art. Centre Pompidou. Paris: Centre Georges Pompidou, 2005.
Las tres dimensiones de El Quijote: El Quijote y el arte español contemporáneo. MNCARS. Madrid: Sociedad Estatal de Conmemoraciones Culturales, 2005.
The 80s: A Topology. Arg. Ulrich Loock. Museo Serralves. Porto, 2006.
Still Points of the Turning World: Sixth International Biennial Exhibition 2006. Santa Fe: SITE Santa Fe, 2006.
Everstill, Arg. Hans Ulrich Obrist. Granada: Fundación García Lorca, Huerta de San Vicente, 2007.
Sobre la historia. Arg. Gloria Moure. Santander Central Hispano Fundazioa. Madril, 2007.
The Architecture of Desire. InterDisciplinary Experimental Arts program at Colorado College. Colorado Springs, 2008.
España 1957–2007. L'arte spagnola da Picasso, Mirò e Tápies ai nostri giorni. Arg. Demetrio Paparoni, Milan: SKIRA, 2008.
Umedalen Sckulptur 2008, Umeå: Galleri Andersson / Sandström and Balticgruppen, 2008.
Peripheral Vision and Collective Body. Bolzano: MUSEION, 2008.
El reino del silencio: Escultura española actual. Entre el objeto y su ausencia, 2000– 2010, Segovia: Museo de Arte Contemporaneo Esteban Vicente, 2009. Testua: Francisco Calvo Serraller.
Elles@centrepompidou: Artistes femmes dans la collection du Musée national d'art moderne, Centre Pompidou. Centre Pompidou, Paris, 2009.
Folkestone Triennial. A Million Miles from Home. Arg. Andrea Schlieker. Folkestone: The Creative Foundation, 2011.
Locus solus: Impresiones de Raymond Roussel, Arg. Manuel J. Borja-Villel, Madril: Ediciones Turner, 2011.
18th Biennale of Sydney: All Our Relations. Arg. Catherine de Zegher and Gerald McMaster. Sydney: The Biennale of Sydney, 2012.
Biennale Architettura 2012, Common Ground. Arg. David Chipperfield. Venice: Marsilio Editori, Fondazione La Biennale di Venezia, 2012.
Personal Reflections on Art by Today's Leading Artists. Arg. Simon Grant. 2012.
Moving: Norman Foster on Art. Carré d'Art—Musée d'art contemporain, Nîmes, Frantzia. Ivorypress arg., 2013.
The Insides Are on the Outside, Casa de Vidro and SESC Pompeia arg., São Paulo, Brasil, 2013
Do It: The Compendium. Arg. Hans Ulrich Obrist in collaboration with Independent Curators International, 2013.
Cristina Iglesias & Thomas Struth: Constructions of The Imagination, Ivorpress arg., 2014.
Between Earth and Heaven, Arg. Museo Nacional de Escultura de Valladolid, Espainia, 2014.
Disorder: The Curious Case of Dishevelled Art, Artium bilduma, Arte Garaikidearen Euskal Zentro Museoa, Gasteiz, Espainia, 2015.
Lost in the City: Urban life in the IVAM Collection, Valencia arg.: IVAM. IVAM - Institut Valencià d'Art Modern, Valentzia, Espainia, 2017.
Portable Art: A Project by Celia Forner, Hauser & Wirth New York. Hauser & Wirth arg., New York, AEB, 2017.
Más allá del negro: El grabado en color en la colección del Museo de Bellas Artes de Bilbao, Bilboko Arte Ederren Museoa arg., Espainia, 2017.

Después del 68: Arte y prácticas artísticas en el País Vasco 1968–2018. Bilboko Arte Ederren Museoa, 2018.
The Shape of Time, Centre Pompidou × West Bund Museum, Shanghai. Editions Centre Pompidou, 2019.
De Miró a Barceló: Un siglo de arte español. Editions Centre Pompidou, 2020.

Bideoak
Cristina Iglesias: Memoria desordenada. Zuz.: Caterina Borelli. New York: Anonymous Productions, 1996. 28 min
Lourdes Iglesias. Madril: 2007. 21.23 min
Guided Tour III- Cristina Iglesias eta Lourdes Iglesias. Madril: 2011. 26.57 min
Guided Tour IV- Cristina Iglesias eta Lucía Muñoz. Madril: 2012.
Tres Aguas- Cristina Iglesias eta Lucia Muñoz. Madril, 2014.

2. or. Attilio Maranzano
6. or. James Newton
8. or. *goian* Whitechapel Gallery
behean Luis Asín
16. or. Marian Goodman Gallery
18. or. Thierry Bal
20. or. Ignacio Aceño / Alfa Arte Foundry.
22–25 or. Luis Asín
26. or. Cristina Iglesias Studio
27. or. Jose Luis López de Zubiria
28–31 or. Thierry Bal
32–33 or. Ignacio Aceña (Alfa Arte Foundry)
34–35 or. Cristina Iglesias Studio
36–37 or. Jose Luis López de Zubiria
38–39 or. James Newton
40–43 or. Jose Luis López de Zubiria
45. or. Whitechapel Gallery
46. or. Attilio Maranzano
47. or. *goian* Attilio Maranzano
behean Attilio Maranzano/Titine Daem
48. or. *goian* Whitechapel Gallery
behean Kristien Daem
49. or. Whitechapel Gallery, Londres
53. or. Ignacio Aceño/Alfa Arte Foundry)
55. or. Kristien Daem
57. or. *goian* Palacio Velázquez, Madril
behean Attilio Maranzano
58. or. Ignacio Aceño/Alfa Arte Foundry
63. or. Matt Rowe
65. or. Photo Scala Florentzia
69. or. Kristien Daem
70. or. imago images/imagebroker
79. or. Attilio Maranzano
80. or. *goian* Cuauhtli Gutiérrez
behean Reina Sofía Arte Zentroa Museo Nazionala
81. or. Kristien Daem
82–83 or. Lopez de Zubiria
84. or. Reina Sofía Arte Zentroa Museo Nazionala
85. or. Attilio Maranzano
86. or. Cuauhtli Gutiérrez
87. or. Luis Asín
88. or. Cuauhtli Gutiérrez
89. or. Steven Holl Architects webgunea
goiko eskuinaldea Cristina Iglesias Studio
behean Cristina Iglesias Studio
90. or. Thomas DuBrock / The Museum of Fine Arts, Houston
91. or. *goian ezkerraldea* Cristina Iglesias Studio
goian eskuinaldea Thomas DuBrock / The Museum of Fine Arts, Houston
behean Cristina Iglesias Studio
92–94 or. Attilio Maranzano
96. or. Cuauhtli Gutiérrez
97. or. Luis Asín
98. or. Corroto Arquitectura, Toledo
99. or. Cuauhtli Gutiérrez
100. or. Corroto Arquitectura, Toledo
101. or. Cuauhtli Gutiérrez
102. or. Corroto Arquitectura, Toledo
103. or. Cuauhtli Gutiérrez
104–120 or. Attilio Maranzano
123. or. Reina Sofía Arte Zentroa Museo Nazionala
133. or. Attilio Maranzano
135. or. Luis Asín
136. or. *goian* Alberto Baraya 2015
behean Whitechapel Gallery
137. or. Attilio Maranzano
141. or. *goian* Attilio Maranzano
behean Julien Lanoo © – 2007
142. or. *goian* eta *erdian* © 2016 Flussbad, Berlin e.V., realities:united
behean Attilio Maranzano
143. or. Attilio Maranzano
144. or. *goian* Artokoloro/Alamy Stock Photo
erdian Andy Stagg-en argazkia
behean Tei Carpenter eta Chris Woebken
145–147 or. Attilio Maranzano
149. or. *eskuinaldea* Photo Scala Florentzia/ Heritage Images
ezkerraldea Kristien Daem
150. or. Marian Goodman Gallery
153. or. Jean Luc Lacroix
157. or. Kristien Daem
158. or. Cristina Iglesias Studio
159. or. Kristien Daem
160–161 or. Kristien Daem
162. or. Cristina Iglesias Studio
163. or. Kristien Daem
164. or. Luis Asín
165. or. Attilio Maranzano
166. or. *ezkerraldea* Luis Asín
eskuinaldea Guillermo Rodríguez /Norman Foster Fundazioa
167. or. Guillermo Rodríguez /Norman Foster Fundazioa
168. or. Attilio Maranzano
170. or. Cristina Iglesias Studio
172. or. *goian* Cuauhtli Gutiérrez
behean Cristina Iglesias Studio
173. or. Luis Asín
174. or. Cuauhtli Gutiérrez
175. or. Luis Asín
176. or. Cuauhtli Gutiérrez
177. or. Luis Asín
178–179 or. Taka Studio
180–197 or. Cristina Iglesias Studio
201. or. Octavio Aburto
204. or. Cristina Iglesias Studio
211. or. Cristina Iglesias Studio
221. or. Cristina Iglesias Studio
229. or. Cristina Iglesias Studio
235. or. Jose Luis López de Zubiria
236. or. Cristina Iglesias Studio
242. or. imago images/Westend61
243. or. Cristina Iglesias Studio
249. or. Ricardo Mallaco
250. or. Luis Asín
251. or. Artscape Nordland Norvegia
252–253 or. Artscape Nordland Norvegia
254. or. Eduardo Eckenfels
255. or. Cuauhtli Gutiérrez
256–257 or. Eduardo Eckenfels
258. or. Cristina Iglesias Studio
259. or. Matt Rowe
260. or. Cristina Iglesias Studio
261. or. *goian ezk.* Cristina Iglesias Studio
goian esk. Ignacio Aguayo
behean Jose Luis López de Zubiria
262. or. *goian ezk.* Txintxua
behean Gim Geomatics for the Cristina Iglesias Studio
beste orrian Jose Luis López de Zubiria
263–265 or. Jose Luis López de Zubiria
268. or. *goian* Miguel Mendez/Flickr/ CC 2.0
Cristina Iglesiasek eta editoreek eskerrak eman nahi dizkiete pertsona eta erakunde hauei, argitalpen honetan laguntzeagatik:

Egileak
Octavio Aburto
Andrew Benjamin
Iwona Blazwick
Lynne Cooke
T.J. Demos
Estrella de Diego
Brian Dillon
Exequiel Ezcurra
Russell Ferguson
João Fernandes
Luis Fernández-Galiano
James Lingwood
Michael Newman
Richard Noble
Jane Rendell
Andrea Schlieker
Jane Withers

Mahai-inguruko kolaboratzaileak
Mary Beebe
Kirstin Dunne
Stephen Gallagher
Stella Ioannou
Kathryn Kanjo
Ben Luke
Farshid Moussavi

Cristina Iglesias Studio
Lucia Muñoz, Amaya Ortuondo, Maddi Rotaeche eta Ana Fernández-Cid.
Artingeniumen laguntzarekin: Lourdes Fernández eta Cristina Egaña.

Proiektuaren laguntzaileak
Eskerrik asko bereziki Plácido Arangori, bera gabe liburu hau ez litzatekeelako argitaratuko. Eskerrik asko ere Lucía eta Diego Muñoz Iglesiasi, beren etengabeko inplikazio eta laguntzagatik.

Erakundeak
Consorcio de Toledo
Goldsmiths, University of London
Scripps Institution of Oceanography
Whitechapel Gallery

Eskerrik asko pertsona eta erakunde horiei guztiei, eman diguten laguntzagatik. Gainera, Cristina Iglesias Studiok eskerrak eman nahi dizkio bereziki Maddi Rotaeche Setiéni.

Cristina Iglesias Studiok eskerrak eman nahi dizkie ere ondorengo pertsona eta erakundeei, argitalpen hau babesteagatik:
Accion Cultural Espanola (AC/E) Elba Benitez Gallery
The Bloomberg Foundation
Donostiako Udala (San Sebastián City Hall)
Gipuzkoako Foru Aldundia (Regional Government)
Marian Goodman Gallery

1. ATALA: ARTEA/HIRIA
Forgotten Streams: Michael Bloomberg, Kathryn Mallon, Helen Chiles, Magnusson (Bloomberg), Daniel Haines (design engineer & estimator—OCMIS), Nancy Rosen (art advisor), Ana Fernández-Cid, Ismael Fraile (Cristina Iglesias Studio), Matthew Lusty (Stanhope), Mark Rowan (QCIC), Suzan Tillotson (TDA), Amanda Burden (Bloomberg Associates), Lord Norman Foster, Michael Jones, Owe School, Kate Murphy (F + P London), Alfa Arte Foundry

Passatge de coure (Kobrezko pasabidea): Josep Luis Mateo, Gloria Moure, Cristina Iglesias Studio

Portón - Pasaje (Gates - Passage): Miguel Zugaza, Rafael Moneo, Capa Foundry, Cristina Iglesias Studio

Desde lo subterráneo: Javier Botín, Paloma Botín, Renzo Piano, Vicente Todolí, Iñigo Saenz de Miera, Benjamin Weil, Begoña Guerrica- Echevarria, Alfa Arte Foundry, Cristina Iglesias Studio

Inner Landscape (the Lithosphere, the Roots, the Water): Gary Tinterow (MFAH Director), Willard Holmes, Matthew Snellgrove, Alfa Arte Foundry, Daniel Haines, Cristina Iglesias Studio

2. ATALA: ARTEA/KULTURA
Tres Aguas: Gregorio Marañón, Emiliano García Page, James Lingwood, Artangel International Circle, Paloma Acuña, Jose Manuel Entrecanales (Acciona), Liberbank, Jesús Corroto (Corroto Archirecture Studio), Elena Sánchez, Jesús Escribano, Javier Rueda, Manuel Santaolalla, Jesús Carrobles, Borja Coca, María de Madariaga, University of Castilla la Mancha, Ayuntamiento de Toledo, Consorcio de Toledo, Cristina Iglesias Studio

Deep Fountain: Architects Paul Robbrecht and Hilde Daem in association with Marie-José Van Hee (Ghent), Town Council of Antwerp, Royal Museum of Fine Art, Rubén Polanco, Cristina Iglesias Studio

Towards The Ground: Lorenza Sebasti, Marco Pallanti, Galleria Continua, Vicente Todolí

A través: Jose Luis Soler and Susana Lloret Segura, Nuria Anguita, Vicente Todolí

The Ionosphere (A Place Of Silent Storms): Lord Norman Foster, Lady Elena Foster, Taba Rasti (Foster and Partners), Hugo Corres (Fhecor), Stefano Primi (Acciona), Cristina Iglesias Studio: Maddi Rotaeche, Julián López, Sergio Rodríguez, Eduardo Segovia

3. ATALA: ARTEA/BASAGUNEA
Estancias Sumergidas: Fundación Mexicana para la Educación Ambiental, A.C., Fundación Manuel Arango, A.C., Rodolfo Ogarrio, Octavio Aburto, Scripps Research Institute, University of La Paz, Thomas Riedelsheimer

Untitled (Laurel Leaves): Maaretta Jaukkuri, Mayor of Moskenes

Vegetation Room Inhotim: Bernardo Paz, Rodrigo Moura, Inês Grosso, Mariana Gabarra, Cristina Iglesias Studio

Hondalea: Donostiako Udala, Eneko Goia-Alkatea, Hugo Corres (Fhecor), Alfa Arte Foundry, Lourdes Fernández (Artingenium), LKS, Jabier Lekuona, Moyua (Onyx Solar, Uxama, BetiPrest, Giroa)

Editores / Editoreak:
Iwona Blazwick - Richard Noble

Gestión de proyectos / Proiektu kudeatzaileak:
Claire Cichy, Hatje Cantz

Corrección de textos / Testu edizioa:
Aaron Bogart

Investigación de imágenes adicionales /
Irudi gehigarrien azterketa:
Jacek Slaski

Diseño gráfico, reproducciones y composición tipográfica / Diseinu grafikoa, erreprodukzioak
eta konposizio tipografikoa:
SMITH, Londres;
Caroline Cortizo, Gemma Gerhard,
Justine Hucker, Samantha Humble-Smith,
Allon Kaye, Claudia Paladini

Tipo de letra / Letra mota:
Atlas Grotesk y Texto de Lyon

Producción / Ekoizpena:
Stefanie Kruszyk y Vinzenz Geppert, Hatje Cantz

Impresión y encuadernación / Inprimaketa
eta koadernaketa:
Livonia Print, Riga

Papel / Papera: Arctic Volume White, 150 g/m²

Publicado por / Argitaratua:
Hatje Cantz Verlag GmbH
Mommsenstraße 27
10629 Berlin
www.hatjecantz.com
A Ganske Publishing Group Company

ISBN 978-3-7757-5406-4

Ilustración de la portada / Azaleko irudia:
Forgotten Streams, 2017 (Sub-West Side)

Frontispicio / Atzealdea: *Portón - Pasaje*,
2006–07 Museo Nacional del Prado, Madrid

La edición de este libro no hubiera sido posible sin la colaboración de:
Liburu honen argitalpena ez litzateko posible izango
ondoko erakundearen laguntza gabe: